A MA FEMME

Maurice Barrès
et le nationalisme
français

FONDATION NATIONALE
DES SCIENCES POLITIQUES

Cahiers de la fondation nationale
des sciences politiques

ZEEV STERNHELL

182

MAURICE BARRÈS ET LE NATIONALISME FRANÇAIS

PRÉFACE DE RAOUL GIRARDET

Ouvrage publié avec le concours du Centre national de la recherche scientifique

1972 ARMAND COLIN 103 Bd SAINT-MICHEL PARIS Ve

A L'ORIGINE DE CET OUVRAGE se trouve une thèse pour le doctorat ès science politique préparée à la Fondation nationale des sciences politiques sous la direction de JEAN TOUCHARD, secrétaire général de la Fondation nationale des sciences politiques, et soutenue en octobre 1969 devant un jury dont les membres étaient M. RENÉ RÉMOND, président de l'université de Paris X, le doyen JEAN-JACQUES CHEVALLIER et JEAN TOUCHARD.

Le manuscrit était déjà chez l'imprimeur quand JEAN TOUCHARD disparaissait. Pour tous ceux qui l'ont connu, tout comme pour la science politique française, la perte est cruelle. Pour moi, JEAN TOUCHARD a été le maître et l'ami qui, durant l'élaboration de cette étude, ne m'a ménagé ni les ressources de son vaste savoir, ni sa bienveillance, ni ses encouragements. Ma gratitude ne peut malheureusement s'adresser qu'à sa mémoire.

Pour la mise au point de la version définitive de cet ouvrage, les observations et les suggestions de MM. JEAN-JACQUES CHEVALLIER et RENÉ RÉMOND m'ont été d'un grand secours : je tiens à leur exprimer ma vive reconnaissance.

Mes remerciements vont enfin à Mme FRANÇOISE LAURENT qui a entièrement revu un premier état de ce travail, que l'auteur a rédigé dans une langue qui n'est pas la sienne ; ainsi qu'à MM. GEORGES BEN-SIMHON et JEAN-MARIE BORZEIX, qui ont bien voulu se charger de revoir ce texte à des stades différents. Leur amicale sollicitude m'a été d'une aide inestimable.

Mlle EVELYNE BONAN a pris la peine d'élaborer l'Index : je l'en remercie vivement.

Jérusalem, avril 1972

TABLE DES MATIERES

L'ACCEPTATION

PREFACE

C'est à Jean Touchard, qui dirigea la thèse dont est issu cet ouvrage, que devait revenir l'honneur, et aussi la joie, de la présenter au public français. La mort l'a emporté avant qu'il ait pu remplir un devoir qu'il considérait comme un privilège. Zeev Sternhell, je le sais, me saura gré cependant d'associer à la publication de son étude le nom de celui qui, plus encore que de ses conseils, l'aida de toute la chaleur de son amitié et de toute la force de sa générosité. Les qualités qui dominent ces pages, la rigueur de l'analyse, l'ampleur de l'information, le souci de la nuance, le sens des situations historiques, l'honnêteté dans le jugement, Jean Touchard sut, avant tout autre, les apprécier. Mieux que moi, il eut su dire l'importance de ce volume dans l'histoire française des idées politiques. Mieux que moi aussi il eut su montrer comment aux ambitions d'un grand sujet a su répondre l'originalité d'un grand talent.

En choisissant d'étudier le nationalisme de Maurice Barrès, Zeev Sternhell ne pouvait manquer de se heurter à une question essentielle : comment le jeune écrivain des années 1880, dilettante et anarchisant, a-t-il pu devenir, en l'espace de quelques années, l'un des grands interprètes de la pensée traditionaliste française, le doctrinaire et le poète du culte de la Terre et des Morts ? Comment, en d'autres termes, s'est opéré le passage, dans le climat intellectuel et moral de la fin du XIXe *siècle, du principe de l'exaltation de la personne à l'idée de la subordination de l'individu à la collectivité, de l'affirmation hautaine du Moi individuel à la soumission au Moi national ? A cette interrogation majeure Zeev Sternhell répond d'abord en retraçant avec une impitoyable précision toutes les étapes d'une biographie intellectuelle : le recensement exhaustif (et c'est là sans doute l'un des apports les plus originaux de l'ouvrage) de l'œuvre journalistique de Barrès permet, sur ce plan, de fixer les points de repère essentiels, de suivre les cheminements, de démonter toute la logique interne d'une évolution. La seconde réponse est fournie par l'étude, non moins* exhaustive, de l'environnement politique et intellectuel, c'est-à-dire des formes d'engagement, des amitiés et des influences : l'action de certaines écoles, de certains groupes de pensée et de certains doctrinaires se trouve, dans ses perspectives, pleinement, et pour la première fois, mise en valeur ; c'est tout le panorama d'une certaine France de la fin du XIXe siècle qui se trouve en fait restitué.

Ainsi conduite, l'analyse de Zeev Sternhell fait très clairement apparaître les trois grandes phases autour desquelles s'organise toute la genèse du nationalisme barrésien. La phase boulangiste d'abord : phase de révolte contre tout un ordre politique et moral, contre « un monde incolore », contre une société dont on condamne à la fois la médiocrité et l'avilissement. La phase antidreyfusiste ensuite : période de guerre civile, où la hantise de la désintégration de la communauté nationale, de son proche anéantissement, conduit au rapprochement avec toutes les forces de l'ordre et de la conservation. La phase enfin des formulations dernières : le culte du Moi se trouve transposé à un niveau supérieur ; l'enracinement de l'individu dans le temps et dans l'espace par le biais de la Terre et des Morts est proposé comme la seule issue possible pour échapper au nihilisme ; la liberté humaine se réduit à comprendre et à accepter les facteurs historiques qui conditionnent le développement de la personne individuelle. Le cercle est désormais bouclé. Le jeune révolté se soumet à un Ordre qui le dépasse et en même temps le soutient : « L'homme libre accepte son déterminisme ».

Saisi dans son ensemble, au-delà de ses mutations et de la diversité de ses étapes chronologiques, le nationalisme barrésien apparaît ainsi sous un double visage. Un visage contestataire d'une part, plébéïen et socialisant : il est culte de la jeunesse, de l'énergie et de l'aventure, répudiation des normes de la vie et de la société bourgeoise, romantisme de l'action, abandon aux forces obscures de l'être. Un visage conservateur d'autre part : il s'agit de s'appuyer, pour assurer la survie d'une communauté nationale menacée d'anéantissement, sur toutes les forces de l'ordre et de la hiérarchie sociale, l'armée, l'Eglise, les institutions en place, les classes dirigeantes... « Il faut, affirme-t-il alors, des institutions traditionnelles, une éducation nationale, une religion acceptée. Sans quoi c'est une décadence de l'Esprit. » A la fois force de refus et facteur de conservation sociale, ce sont toutes les ambiguïtés présentées par le nationalisme français depuis la fin du XIXe siècle que le nationalisme barrésien tend, par là même, à résumer. « Il peut dépendre de la conjoncture politique, note Zeev Sternhell, que l'un des éléments dissimule la présence de l'autre, mais il ne l'abolit jamais complètement. » La remarque va loin. Du boulangisme à certaines formes du gaullisme, elle domine en fait toute l'histoire de nos mouvements, ou, pour employer l'expression *même de Barrès, de nos « fièvres » nationalistes : interprètes initialement d'un certain type de révolte, ils finiront tous, ou presque tous, par être intégrés à plus ou moins longue échéance dans les systèmes de défense de l'ordre existant.*

C'est, pour un livre d'histoire, un témoignage de richesse que de conduire ainsi son lecteur bien au-delà de son objet initial, que de l'amener à prolonger ses curiosités et ses réflexions. C'en est un aussi que de susciter des interrogations, autoriser une certaine marge de divergence, définir les termes d'un débat. Dans ces perspectives, c'est pour ma part autour de deux remarques principales que je solliciterai de l'amitié de Zeev Sternhell l'autorisation d'exprimer certaines réserves, de poser plutôt quelques questions complémentaires.

La première de ces deux remarques est la suivante : dans son analyse du nationalisme barrésien, Zeev Sternhell n'a-t-il pas eu tendance à sous-estimer ce que celui-ci présente de très spécifiquement « barrésien », c'est-à-dire à négliger l'homme au profit du « courant de pensée ». L'homme — Maurice Barrès lui-même — avec son dilettantisme, ses mépris et son sens du tragique, avec ses élans vers l'action et ses brusques dérobades, son goût du jeu et du geste, avec aussi son amour des beaux spectacles cruels, sa hantise des ruines et de la mort. Cet homme n'a rien d'un idéologue, encore moins d'un doctrinaire ; porté par l'instinct et se fiant à lui, capable parfois d'intuitions fulgurantes, il s'est toujours montré maladroit dans le maniement des idées. Je serais, pour ma part, beaucoup moins porté que Zeev Sternhell à rechercher dans l'expression de son nationalisme le reflet d'un système cohérent de réflexion théorique : « L'intelligence, cette petite chose à la surface de nous-mêmes... » La formule doit-elle réellement être comprise comme la simple traduction du déterminisme physiologique de Jules Soury, comme l'évident témoignage de l'influence décisive qu'aurait exercée ce curieux maître sur l'auteur des Déracinés *? N'est-ce pas plutôt tout le message barrésien qu'elle résume, de ses premières à ses dernières expressions, et ne vaut-elle pas autant pour l'affirmation de son esthétisme que pour celle de son nationalisme ? Dans quelle mesure d'ailleurs la politique barrésienne ne peut-elle être considérée comme le prolongement de cet esthétisme, c'est-à-dire liée au mouvement même, et le plus intime, de toute une œuvre et de tout un destin ?*

La seconde remarque va plus loin et concerne les pages, d'ailleurs lumineuses, où Zeev Sternhell s'efforce, dans son introduction, de replacer le nationalisme barrésien dans le contexte de la grande « crise » intellectuelle et morale de la fin du XIXe siècle et du début du XXe siècle. « Crise » peut-être, mais qui l'examine de près est rapidement conduit à s'interroger et sur son ampleur et surtout sur sa nature. Remise en cause générale du scientisme et du rationalisme des générations précédentes, de la foi dans l'individu, dans le progrès, dans la démocratie? La réalité est sans doute beaucoup plus complexe. Est-il tout d'abord permis de confondre dans une même analyse les jeunes intellectuels décadents des années 1880 avec les garçons épris d'ordre, d'action, de discipline et d'énergie de ce qu'il est convenu d'appeler « la génération d'Agathon »? Qu'ont représenté par ailleurs ces mouvements dans l'ensemble de la vie intellectuelle et morale de la société européenne de leur temps? Peut-on parler enfin de remise en cause véritable du scientisme alors que le jeune Maurras entend fonder, dans une démarche finalement assez parallèle à celle de Durkheim, les éléments d'une nouvelle science sociale, alors que le jeune Freud s'appuie, dans ses premières recherches de l'inconscient, sur les acquisitions de la psychiatrie moderne, alors que Barrès lui-même, dans la définition théorique de son nationalisme, ne se veut pas seulement disciple fidèle de Renan et de Taine, mais va aussi chercher des leçons (ou des formules) chez les plus déterministes des derniers disciples de Darwin? Il y a sans doute, au cours de ces années, une interrogation assez générale sur le destin des sociétés individualistes et industrielles, une dénonciation largement exprimée de l' « anomie » et du grand « désert » de la vie moderne. Il y a aussi, sur le plan de l'expression littéraire, un retour à l'exaltation de la sensibilité (« le retour du Centaure », dira D'Annunzio), un appel nouveau aux forces obscures, une réhabilitation des valeurs du tragique. Comment la politique de Maurice Barrès s'insère-t-elle dans cet ensemble, toujours confus, souvent contradictoire, de mouvements, de poussées et de retombées? La discussion reste ouverte, mais les données en sont, sans doute, plus diverses et plus obscures qu'on ne semble généralement le penser.

Le beau livre de Zeev Sternhell contribuera à les clarifier. Par la richesse de son apport, par la précision de ses analyses, par l'étendue de ses perspectives, il demeure, en tout état de cause, un élément capital pour l'étude et la compréhension non seulement d'une grande œuvre littéraire et politique, non seulement d'un mouvement de pensée, mais aussi de tout un temps et de toute une société.

Raoul GIRARDET

INTRODUCTION

Le dix-huitième siècle, qui voudrait durer encore, achève de mourir. Nous avons bien fini de lui demander des conseils de vie.

Maurice BARRÈS.
Discours à la Chambre,
juin 1912

A la fin du XIXᵉ siècle, le climat intellectuel de l'Europe marque une nette évolution qui contribue à créer une orientation politique nouvelle. En France, en Allemagne, en Russie, en Autriche-Hongrie, en Italie, des phénomènes apparaissent qui, au-delà de leurs aspects spécifiques dus aux conditions locales présentent une analogie fondamentale. Dans ces pays en effet, un même malaise existe. Et malgré les formes multiples que celui-ci a pu revêtir, il est partout reconnaissable à son expression : remise en cause de l'ensemble des idées et des institutions caractéristiques de la civilisation industrielle et négation systématique des valeurs héritées du XVIIIᵉ siècle et de la Révolution française. C'est ainsi que des hommes et des mouvements, évoluant dans des situations politiques pour le moins dissemblables, ont pu parvenir à des conclusions identiques. Il s'agit bien là de premiers frémissements d'un monde nouveau.

Les changements qui interviennent alors, et ce en l'espace d'une génération, sont si profonds qu'il n'est pas exagéré, en les évoquant, de parler de révolution intellectuelle [1]. Une révolution qui annonce et prépare, par ses thèmes comme par son style, la politique des

1. Cf. les études récentes de H. Stuart HUGHES, *Consciousness and society, The reorientation of European social thought 1890-1930,* New York, Alfred A. Knopf, 1961 ; Gerhard MASUR, *Prophets of yesterday, Studies in European culture 1890-1914,* New York, Harper and Row, 1966 ; W. Warren WAGAR, ed., *European intellectual history since Darwin and Marx, (Selected essays)*, New York, Harper and Row, 1966 ; John WEISS, ed., *The Origins of modern consciousness,* Detroit, Wayne State University Press, 1965.

masses propre à notre siècle. Car le vaste mouvement de pensée des années 1890 est d'abord un mouvement de révolte — un « souffle de révolte » disait le jeune Barrès. Un mouvement dirigé contre le monde de la matière et de la raison, contre le matérialisme et contre le positivisme, contre la société bourgeoise et sa médiocrité, contre la démocratie libérale et ses incohérences. Dans l'esprit de la génération de ces années-là, la civilisation est en crise, une crise à laquelle il ne peut être de solution que totale.

Les idéologies nouvelles qui se définissent au cours de cette période constituent essentiellement une réaction contre le scientisme triomphant de la seconde moitié du siècle ; contre l'utilitarisme en Angleterre, le positivisme en France, le matérialisme en Allemagne, contre le marxisme enfin, tous systèmes philosophiques « scientifiques ». Les doctrines qui s'élaborent, les options qui se déterminent, s'élèvent contre les effets de la révolution industrielle qui transforme le visage du continent, qui change totalement le rythme de la vie, qui assure le triomphe de la bourgeoisie et secrète la montée du prolétariat, contre le positivisme politique qui triomphe avec l'essor de l'industrialisation.

En fait, la souveraineté de la science et de la raison n'est pas toute nouvelle. Dès le milieu du siècle elle est installée, puis affermie dans les années qui suivent, par Comte, Littré et l'école positiviste anglaise de Harrison, par Marx et ses disciples, par la sociologie de Gumplowicz, par Spencer et Huxley, par Taine et Renan. C'est à la science que se référaient les libéraux de toutes les tendances, tout comme les socialistes ou les conservateurs, pour justifier les attitudes les plus opposées. A certains égards, les trois décennies qui suivent les années 1850 peuvent être comparées à un second *aufklärung*[2]. Seulement, les valeurs libérales qui caractérisaient le siècle des lumières ont dépéri, l'utopisme et l'optimisme dont s'était nourrie la pensée politique européenne à la veille de la Révolution ont fait place à la *machtpolitik* et à une vision du monde qui n'a que peu de choses en commun avec le vieil humanisme européen et les principes de 89. Cette tendance devait s'accentuer considérablement après 1870 — date qui, avec un siècle de recul, prend une valeur symbolique — alors que la nouvelle génération applique déjà des conceptions darwiniennes à la sociologie et à la politique.

Les grands thèmes de la révolte de la fin du XIXe siècle et des premières années du XXe siècle ne manquent pas de rappeler, souvent avec insistance, ceux d'un autre mouvement de révolte contre le

2. W. Warren WAGAR, ed., *op. cit.*, p. 5. Cf. aussi la conception de *new enlightenment* chez Franklin L. BAUMER, ed., *Main currents of Western thought*, New York, Alfred A. Knopf, 1961, pp. 454-457.

monde établi : le romantisme post-révolutionnaire et d'avant 1830 [3]. Cette période en effet, est marquée tout d'abord par la résurgence des valeurs irrationnelles, ensuite par le culte du sentiment et de l'instinct, enfin par la substitution de l'explication « organique » à l'explication « mécanique » du monde. Une importance nouvelle est donnée aux valeurs historiques ainsi qu'aux découvertes récentes en archéologie, en préhistoire et en ethnologie. En philosophie on assiste à une renaissance, sous une forme plus moderne, des tendances idéalistes et historicistes. Cependant dès la fin du XIXe siècle une méthode nouvelle, tirant ses principes de la biologie, se substitue à la méthode historique. Dès lors la notion d'organisme vivant déjà appliquée aux sciences humaines par les premiers romantiques, et considérablement renforcée par les découvertes de la biologie darwinienne, apparaît comme l'un des points essentiels de la pensée politique de la fin du siècle. En même temps, la psychologie moderne met à jour les motivations irrationnelles du comportement humain. On commence à se rendre compte que l'inconscient peut jouer dans la vie des hommes un rôle beaucoup plus important que ne l'avaient supposé les XVIIIe et XIXe siècles. Les forces irrationnelles apparaissent comme la seule source créatrice d'énergie, les seules capables d'engendrer l'enthousiasme et la grandeur, de libérer l'homme de la médiocrité et de la sécheresse de la vie intellectuelle.

Le mouvement de révolte de la fin du XIXe siècle pourrait donc aisément être rapproché d'un certain néo-romantisme [4]. Certes, on ne peut résumer cette époque dans ce seul mot et cette comparaison appelle beaucoup de nuances. Mais, chaque époque ayant son climat particulier, celui de cette fin de siècle semble en dernière analyse rappeler certaines des tendances et des préoccupations essentielles du romantisme d'origine.

Comme les premiers romantiques, les hommes de la génération de 1890 échappent aux classifications faciles. S'ils diffèrent, souvent

3. Certes, le romantisme d'origine ne peut plus être conçu comme une réaction pure et simple contre ce qui l'avait précédé. On sait, Jacques Droz insiste là-dessus, à quel point le culte de la sensibilité et de la nature, ainsi que le goût pour les sciences occultes et l'ésotérisme se sont mêlés depuis 1750 à la critique rationaliste. On sait également à quel point les dernières décennies du XVIIIe siècle présentent déjà les éléments essentiels de la pensée du romantisme (Jacques DROZ, *Le Romantisme allemand et l'Etat, Résistance et collaboration dans l'Allemagne napoléonienne*, Paris, Payot, 1966, p. 13). Cependant, il n'est pas moins vrai que le romantisme reste essentiellement une réaction contre la philosophie des lumières. Cette école aussi a pour origine la destruction et la réaction. Dans le domaine des sciences naturelles et humaines : destruction des valeurs rationnelles et dans le domaine politique et social, d'abord une réaction contre l'idéologie de la Révolution et contre la mutation de la société.

4. Cf. W. Warren WAGAR, *op. cit.*, pp. 7-8. Wagar pousse les analogies jusqu'à faire les comparaisons suivantes : Dilthey serait le nouveau Herder, Nietzsche (ou Shaw) le nouveau Goethe, Bergson le nouveau Hegel, Spengler le nouveau Schopenhauer et Barrès le nouveau Fichte.

profondément, les uns des autres, ils sont en revanche liés par plus d'un trait commun. Ainsi, à la recherche d'une vérité universelle et abstraite ils substituent la description d'une expérience originale et vécue ; leur pensée oscille entre le culte de l'histoire et l'approbation de la révolte sous toutes ses formes ; ils balancent entre un individualisme qui n'est pas autre chose que le culte du génie créateur et la subordination de l'individu à la collectivité et à l'Histoire.

Elèves de Fichte, les romantiques ont puisé dans la théorie du « Moi » la certitude que le destin appartient aux individualités puissantes, en l'occurrence celles qui ont su s'affranchir de l'esclavage du monde sensible et imposer à leur tour la loi de leur pensée sur ce qui leur est extérieur [5]. Dans leur volonté d'affirmer fortement l'originalité de la nation, les romantiques ont invité celle-ci soit à exprimer son énergie ou sa puissance vis-à-vis des autres peuples — d'où, chez certains une apologie de la guerre, considérée comme l'école de l'esprit civique et du patriotisme — soit même à s'isoler de l'étranger et à s'épurer en tenant hermétiquement clos son « Moi » national. La théorie de l'origine inconsciente de la nation qu'ils ont formulée, repose sur une série de facteurs irrationnels et exige un gouvernement qui respecte l'ensemble des forces vivantes qui constituent l'âme populaire et qui assure au besoin l'épuration du « Moi » national, sa « fermeture » à l'égard de tout contact étranger susceptible de le souiller et de le corrompre [6]. Ces thèmes classiques du romantisme politique, et plus particulièrement du romantisme allemand, on les retrouvera dans les idées maîtresses de la pensée barrésienne. Et comme chez les romantiques, chez Barrès, le culte du Moi-Individu aboutit très rapidement à un culte du Moi-Nation, à l'exaltation de la nation, à la subordination de l'individu à la collectivité, et finalement à un nationalisme fermé qui requiert, afin d'assurer l'intégrité du corps national, l'élaboration de tout un système de filtrages et de défenses. Il en est de même pour ce qui concerne les thèmes de l'âme populaire et de l'inconscient qui sont au cœur de la conception barrésienne de la nation : ce n'est pas par hasard que Barrès place les trois volumes du *Culte du Moi* sous le patronage de Hartmann et de Fichte ou qu'il se compare à ce dernier. Ce n'est pas par hasard non plus que cette trilogie traduit la profonde influence qu'a eue sur lui l'œuvre de Wagner.

A l'instar des romantiques, Barrès et la génération de 1890 font partir l'essentiel de leur réflexion, non de l'individu, qui n'a pas de signification en soi, mais de la collectivité sociale et politique, qui ne

5. Jacques Droz, *Le Romantisme politique en Allemagne*, Paris, Armand Colin, 1963, p. 12.

6. Jacques Droz, *op. cit.*, p. 24, p. 26. Cf. aussi H.S. Reiss, *The Political thought of the German romantics 1793-1815*, Oxford, Oxford University Press, 1955.

saurait être considérée comme la somme numérique des individus la constituant. C'est pourquoi ils s'élèvent violemment contre l'individualisme rationaliste de la société libérale, contre la dissolution des liens sociaux dans la société bourgeoise.

A la fin du XIXe siècle ce néo-romantisme prend les formes, pour reprendre les termes du philosophe du fascisme, Gentile, d'une révolte contre le positivisme [7], contre le mode de vie qu'engendre la société industrielle. Mais cette révolte éclate déjà dans un contexte intellectuel nouveau. Elle est imprégnée par la biologie darwinienne et par l'esthétique wagnérienne, par le racisme de Gobineau et par la psychologie de Le Bon, par les anathèmes de Baudelaire, par les noires prophéties de Nietzsche et de Dostoïewski, et plus tard, par la philosophie de Bergson et la psychanalyse de Freud.

La seconde moitié du XIXe siècle a souvent été définie comme l'âge de Darwin ou plutôt l'âge du darwinisme [8]. Il est vrai que nul n'a fait davantage que le père de la biologie moderne pour la psychologie scientifique, pour la sociologie, ou pour le triomphe des conceptions organiques en philosophie et dans le domaine des sciences historiques ou des sciences sociales. La biologie étroitement liée à la politique joue un rôle comparable à celui qu'avait joué l'histoire au début du siècle ; l'histoire elle-même, telle que l'écrit Treitschke par exemple, devient biologique [9]. Les disciples de Darwin, aussi bien les vulgarisateurs et les popularisateurs que les penseurs d'envergure, accréditent l'idée selon laquelle les théories du maître sont universellement valables : elles s'appliquent donc à l'homme tout autant qu'à son environnement. Dès lors, des conceptions comme celles du principe de l'évolution ou de la sélection naturelle sont abondamment utilisées en histoire et en politique comme en littérature. L'implantation du darwinisme social a pour effet immédiat de désacraliser la personne humaine et d'identifier vie sociale et vie physique [10]. Pour le darwinisme, la société étant un organisme soumis aux mêmes lois que les organismes vivants, la réalité humaine n'est plus qu'une lutte incessante dont l'issue naturelle est, pour employer le mot de Herbert Spencer, le grand-prêtre du positivisme rallié au darwinisme,

7. Giovanni GENTILE, « The philosophic basis of fascism », *Foreign Affairs*, V, 1927-1928, pp. 295-296.

8. Sur Darwin et le darwinisme, cf. W. Warren WAGAR, *op. cit.*, et surtout l'ouvrage de Jacques BARZUN, *Darwin, Marx, Wagner : Critique of a heritage*, New York, Doubleday Anchor Books, 1958.

9. Jean TOUCHARD, *Histoire des idées politiques*, t. II, Paris, Presses universitaires de France, 1962, p. 667.

10. En 1898-1899, le professeur allemand Haeckel, un des disciples les plus célèbres de Darwin — bien connu de Barrès — s'emploie à démontrer l'identité de la vie humaine et d'une cellule de protoplasme : d'autre part, il croit montrer que la vie n'est qu'une forme de la matière. Bien qu'en partie déjà désavouées par Darwin, ces idées remportent un succès considérable. Cf. Carlton J.H. HAYES, *A Generation of materialism, 1871-1900*, New York, Harper and Row, 1963, pp. 11-12, pp. 114-115.

la survie du plus apte. Le monde appartient au plus fort : il s'agit là d'une loi naturelle scientifiquement établie, ce qui lui fournit par conséquent une justification absolue. C'est ainsi que très rapidement le darwinisme politique en vient à identifier évolution et progrès, c'est-à-dire à confondre les plus aptes physiquement avec les meilleurs. Appliquées à la société, les hypothèses de Darwin cessent de constituer une théorie scientifique pour devenir une philosophie, presque une religion.

La révolution darwinienne imprègne profondément l'atmosphère intellectuelle de la seconde moitié du siècle, elle nourrit des formes de nationalisme et d'impérialisme très diverses mais qui se caractérisent toutes par leur brutalité et leur agressivité, leur culte de la vitalité, leur goût de la force et, bien sûr, leur profonde aversion pour la démocratie. En Angleterre, le darwinisme social permet de justifier la conquête de l'Irlande ; pour Danilevsky, en Russie, il apporte la preuve de la supériorité des slaves sur les autres espèces humaines, aux Etats-Unis, la victoire du Nord sur le Sud semble avoir été acquise en vertu d'une loi naturelle [11]. Treitschke fonde sur le darwinisme politique le culte du peuple allemand : son nationalisme pangermaniste s'achève sur l'exaltation de la guerre, non seulement inévitable mais bienfaisante. Ce thème inhérent au darwinisme social, déjà fortement marqué chez Spencer, fournit aux nombreux intellectuels, aux Etats-Unis comme en Europe, une preuve « scientifiquement » inattaquable : les guerres qui s'échelonnent de 1859 à 1871 apparaissent comme autant de batailles nécessaires dans la lutte pour l'existence, et leur issue consacre la victoire du plus apte à survivre, donc du meilleur [12]. Il convient finalement de souligner que le rigoureux déterminisme de Taine fondé sur « la race, le milieu et le moment », ajoute une dimension supplémentaire et extrêmement révélatrice aux nombreuses variantes du darwinisme politique. L'*Histoire de la littérature anglaise* trahit en effet une profonde influence darwinienne : tout compte fait, l'histoire, telle que la voit Taine, diffère peut-être moins qu'il ne le semble de prime abord de la vision qu'en a Treitschke.

Sous l'impact du darwinisme social, le positivisme subit de très profonds changements. A ses origines, imprégné des valeurs du siècle des lumières, puis de celles de l'utilitarisme anglais, le positivisme n'est qu'une philosophie intellectuelle fondée sur la conviction que les problèmes sociaux peuvent et doivent trouver une solution ration-

11. Carlton J.H. HAYES, *op. cit.*, pp. 12-13. Sur les Etats-Unis, on consultera avec profit Richard HOFSTADTER, *Social darwinism in American thought*, Boston, Beacon Press, 1955.

12. Cf. Hans KOHN, *Political ideologies of the twentieth century*, 3rd edition, New York, Harper Torchbooks, 1966, pp. 36-37.

nelle et universelle. Dans la seconde moitié du siècle, les notions d'hérédité, de race et d'environnement y remplacent le choix rationnel et délibéré en tant que facteurs qui commandent le comportement humain [13]. Le darwinisme social contribue ainsi puissamment à l'évolution du nationalisme et à la diffusion du racisme moderne ; il joue également un rôle considérable dans l'intérêt que manifeste la génération de 1890 pour la psychologie et la découverte de l'inconscient.

On connaît les antécédents immédiats de la pensée raciale contemporaine : l'*Essai sur l'inégalité des races humaines* remonte aux années 1853-1855. Généralement mal connues en France jusqu'à la fin du siècle, les théories de Gobineau y reviennent, après avoir été triomphalement accueillies en Allemagne. La seconde édition de l'*Essai,* parue en 1884 à Paris, reçoit déjà un accueil beaucoup plus chaleureux. Son succès est alors largement comparable à celui obtenu outre-Rhin [14]. Cette renaissance du gobinisme est largement favorisée par les succès du darwinisme, et ce à un point tel que l'*Essai* a pu être considéré par certains comme l'une des variantes de la sociologie darwinienne. Gobineau lui-même n'a pas manqué de s'élever contre une telle interprétation. Il avait, fort justement d'ailleurs, le sentiment d'avoir été le véritable précurseur. « Darwin et Buckle n'ont fait que créer », écrit-il, « les dérivations principales du ruisseau que j'ai ouvert » [15]. Wagner et Houston Stewart Chamberlain furent les disciples les plus malfaisants de Gobineau, ceux qui inspirèrent le plus directement peut-être les théories raciales nazies. Mais Gobineau eut aussi d'autres disciples. Parmi les intellectuels célèbres qui subirent son influence, on compte Taine, Renan, Bourget, Albert Sorel et bien sûr Barrès. En somme, l'auteur de *Scènes et doctrines du nationalisme,* ses maîtres, ses collaborateurs [16]. C'est ainsi que dans les vingt dernières années du siècle, le courant gobinien s'affirme aux côtés d'une puissante poussée darwinienne. Il en résulte une synthèse dont l'importance est énorme pour l'évolution de la pensée européenne entre les années 1880 et la Grande Guerre : il s'agit de la sociologie anthropologique de Vacher de Lapouge et d'Henri Muffang en France, de Chalumeau en Suisse, de Closson aux Etats-Unis, de Nicolucci et de Sergi en Italie, d'Ammon, de Gumplowicz et du marxiste-darwinien Ludwig Woltmann en Allemagne. Les contributions scientifiques ou pseudo-scientifiques qui façonnent une nouvelle vision du monde sont

13. H. Stuart HUGHES, *op. cit.,* pp. 38-39.

14. Cf. Jacques BARZUN, *Race, a study in superstition,* nouvelle édition, New York, Harper and Row, 1965, p. 69.

15. Comte de GOBINEAU, *Introduction à l'Essai sur l'inégalité des races humaines,* Paris, Nouvel office d'édition, 1963, p. 26.

16. Cf. *infra,* chap. VI.

alors légion. Elles jettent les bases d'un nouveau comportement et fournissent une nouvelle explication des relations entre les hommes [17].

En même temps que celle des anthropologues, commence la révolution de la psychologie sociale et politique. Les nouvelles théories rejettent complètement la traditionnelle et mécaniste conception de l'homme qui postule que le comportement humain est commandé par le choix rationnel. Il s'agit là d'une attaque générale contre la psychologie du siècle des lumières ainsi que d'une certaine forme d'anti-intellectualisme qui pèse d'un poids singulièrement lourd dans l'éclosion du nouveau climat intellectuel. En effet, l'idée que les sentiments comptent en politique bien plus que les raisonnements devient prédominante et, conséquence logique, avec elle prédomine le mépris de la démocratie, de ses institutions et de ses mécanismes.

La découverte de l'inconscient constitue à la fin du siècle un élément à la fois supplémentaire et complémentaire de la poussée anti-démocratique. On connaît l'énorme succès des ouvrages de Gustave Le Bon qui répandent aux quatre coins de l'Europe, sous une forme pseudo-scientifique, un racisme (puisé dans la biologie darwinienne) doublé d'une théorie de l'inconscient dont la conséquence première est de provoquer le mépris pour « la foule », pour le libéralisme, la démocratie et le socialisme [18]. Que Freud, dans le premier chapitre de sa *Psychologie collective et analyse du moi,* ait transcrit mot à mot les formules du médecin français, montre combien l'influence de celui-ci a pu être importante sur les esprits de son temps.

> « Nous pourrions commencer », écrit Freud, « par une définition de l'âme collective, mais il nous semble beaucoup plus rationnel de donner au lecteur un aperçu d'ensemble des phénomènes qui s'y rattachent, en mettant sous ses yeux quelques-uns d'entre eux, choisis parmi les plus saillants et les plus caractéristiques et en les faisant servir de point de départ à nos recherches ultérieures. Ce double but ne saurait être mieux réalisé qu'en prenant pour guide le livre devenu justement célèbre, de M. Gustave Le Bon : *Psychologie des foules.* » [19]

17. Cf. Carlton J.H. Hayes qui fournit un répertoire de trente-quatre noms d'auteurs et de titres d'ouvrages qui entre 1871 et 1905 traitent du problème des races (*op. cit.*, pp. 257-258). Pour sa part, se référant à la *Revue de l'école d'anthropologie,* Jacques Barzun a recensé pour la seule année 1896, trente ouvrages d'anthropologie sociale parus en France (*Race, a study in superstition,* p. 162).

18. *Les Lois psychologiques de l'évolution des peuples,* publié par Le Bon en 1894, atteint quatorze éditions en 1919 ; son ouvrage le plus célèbre, *Psychologie des foules,* date de 1895 : en 1925 il en est à sa 31e édition.

19. Sigmund FREUD, *Psychologie collective et analyse du moi,* Paris, Payot, 1924, p. 10. Pour les citations et les références à Le Bon, cf. les deux premiers chapitres de l'ouvrage et notamment pp. 11-25. Freud insiste, p. 25, sur le fait que s'il s'est servi « à titre d'introduction de l'exposé de M. Le Bon », c'est « parce que, par l'accent qu'elle met sur le rôle inconscient de la vie psychique, la psychologie de cet auteur se rapproche considérablement de la nôtre ». Il convient de signaler ici que Le Bon avait un précurseur qui l'accusait de plagiat.

Les divers courants de la psychanalyse, les disciples et les vulgarisateurs de Freud ont abondamment développé les découvertes du maître pour en conclure l'impuissance de l'homme à changer son propre sort ou le cours de l'histoire. Selon eux, la condition humaine est fixée pour l'éternité par les impulsions de l'inconscient [20].

L'œuvre de Le Bon, de Tarde, de Freud, de Jung, favorise grandement la percée d'une pensée politique anti-intellectualiste, antirationaliste et déterministe. Que Freud se soit lui-même défini comme conservateur n'est pas fortuit ; qu'il fut, finalement, très proche d'un Walras, d'un Pareto ou d'un Mosca n'est pas une coïncidence inexplicable. Et ce n'est pas non plus l'effet du hasard si *Les Origines de la France contemporaine* présentent des ressemblances avec *Psychologie collective et analyse du moi.* Toute cette convergence d'idées tient de l'essence d'une même idéologie marquée par la crainte de la foule, de la vile populace et des forces obscures mises à jour par la démocratie. Quarante ans après *Les Origines,* le concept de « masse » tel que l'entendait Freud était encore marqué par la terreur qu'inspirait le jacobin à Hippolyte Taine [21].

Il importe, de plus, de rendre à Bergson, dont le premier livre est de 1889, la part — grande — qui lui revient dans ce climat. Certes, Bergson n'a pas encore parlé de cet « élan vital » que Barrès semble annoncer dans le « sens vital » du *Jardin de Bérénice.* Mais déjà dans l'*Essai sur les données immédiates de la conscience,* le philosophe a rendu à l'intuition primitive des choses et de la vie ses droits que les idées associées et les habitudes acquises avaient affaiblis. Ce faisant, il a porté les premiers coups à l'intellectualisme [22].

Il s'agit de Scipio Sighele, professeur à l'université de Pise et auteur, en 1894, d'une *Psychologie des sectes* (traduction française en 1898). Freud n'a pas manqué de reconnaître la contribution du professeur italien : il signale que quelques-unes des conceptions les plus importantes de Le Bon ont été formulées peu de temps avant lui par Sighele (Sigmund FREUD, *op. cit.,* p. 24). Sighele, qui en 1891, avait déjà publié *La Folla delinquente,* est considéré comme l'un des fondateurs de la psychologie collective en tant que discipline et comme l'un des pères du nationalisme en tant qu'idéologie politique. Cf. A. James GREGOR, *The Ideology of fascism, The rationale of totalitarianism,* New York, The Free Press, 1969, pp. 76-77.

20. H. Stuart HUGHES, *op. cit.,* p. 138.

21. Tel est, implicitement, le sens de l'une des conclusions de la plus récente étude sur la psychologie politique de Freud : Philip RIEFF, « The Origins of Freud's political psychology », in W. Warren WAGAR, *op. cit.,* p. 94. D'autre part, il n'est pas sans intérêt de noter que l'expérience traumatisante du jeune Freud, confronté en 1885-1886, lors de l'hiver qu'il a passé à Paris, avec le bouillonnement de la rue parisienne, a joué un rôle important dans la formation de ses idées politiques. A la veille du boulangisme, venant de Londres, et après s'être installé au Quartier latin, Freud croyait être tombé dans le Paris de la Révolution et de la Commune. Les Français, « possédés par mille démons », lui apparaissaient comme une espèce extrêmement dangereuse, en tout cas, écrit-il, « différente de la nôtre ». Cf. Ernest JONES, *The Life and work of Sigmund Freud,* New York, Basic Books, 1953, t. I, p. 184.

22. Pierre MOREAU, *Barrès,* Paris, Desclée de Brouwer, 1970, p. 24.

En 1903, dans son *Introduction à la métaphysique*, Bergson stipule que :

« Il y a une réalité au moins que nous saisissons tous du dedans, par intuition et non par simple analyse. C'est notre propre personne dans son écoulement à travers le temps. C'est notre moi qui dure. Nous pouvons ne sympathiser intellectuellement, ou plutôt spirituellement, avec aucune autre chose. Mais nous sympathisons sûrement avec nous-mêmes (...) L'acte simple, qu'a mis l'analyse en mouvement et qui se dissimule derrière l'analyse, émane d'une faculté tout autre que celle d'analyser. Ce sera, par définition même, l'intuition. »[23]

De la même démarche intellectuelle procède *Le Culte du Moi* et même, dans certains de ses aspects, le nouveau nationalisme, qui y a trouvé plus d'un élément de justification. Car avec Bergson, l'ère cartésienne touche à sa fin. Mais comme le remarque Henri Gouhier, le bergsonisme ne signifie pas seulement que quelque chose finit, il signifie aussi que quelque chose commence. A l'école de la biologie, la philosophie ne peut que renoncer au préjugé de l'être immobile et intemporel[24]. D'où les attaques contre Kant qui devient, tout naturellement, le philosophe à réfuter. Commencé avec la conclusion à l'*Essai sur les données immédiates de la conscience*[25], le procès du kantisme se poursuivra dans l'*Introduction à la métaphysique* et, bien sûr, dans *L'Evolution créatrice*[26]. Dans la lutte contre le rationalisme, les écrits de Bergson ont été abondamment utilisés par des esprits peu portés aux finesses du raisonnement philosophique qui les ont réduits à un antikantisme primaire aux implications multiples et extrêmement dangereuses.

L'apport des arts et des lettres constitue un autre aspect, capital, de cette révolte contre le rationalisme qui ouvre le XXe siècle. La part de Wagner et de Nietzsche, de Baudelaire et de Dostoïewski dans l'éclosion de l'esprit des années 1890 est déterminante. En tout cas, elle aura sur la formation de la pensée barrésienne une influence que l'on ne saurait négliger.

Disciple de Schopenhauer et de Gobineau, Wagner a le culte de la volonté, essence du monde. Il s'élève contre l'humanitarisme et l'individualisme de son temps, il donne la caution du génie aux thèmes de la prédestination biologique, de la qualité supérieure de la race allemande et à un antisémitisme d'une virulence rarement atteinte jusqu'alors. Or, malgré son mysticisme racial, son nationalisme pangermaniste, sa haine de la France et de tout ce qui était français, la génération française de 1890 accorde un accueil triomphal à

23. Henri BERGSON, *Introduction à la métaphysique*, in *Œuvres*, Paris, Presses universitaires de France, 1963, pp. 1 396 et 1 431.
24. Henri GOUHIER, *Introduction* à *Œuvres* d'Henri Bergson, p. XIV, p. XVI.
25. Henri BERGSON, *op. cit.*, pp. 151-156.
26. *Op. cit.*, pp. 1 392-1 431 ; pp. 795-802.

Wagner. Son succès à Paris dépasse souvent celui qu'il connaît en Allemagne. Baudelaire, Verlaine, Villiers de l'Isle Adam, Mallarmé, Henri de Régnier, Catulle Mendès, Paul Valéry et bien sûr Barrès, presque tout ce qui compte dans le monde des lettres de ce temps doit à Wagner. C'est en France que paraît la *Revue wagnérienne* dont l'un des héros est le gendre de Wagner, Houston Stewart Chamberlain — le célèbre maître du tristement célèbre Alfred Rosenberg — qui se donne pour objectif d'expliquer aux Français la nature de la révolution wagnérienne. Le fondateur de la revue, Edouard Dujardin, confessera plus tard que son but, en la créant, était de propager non l'art wagnérien, mais plutôt les idées de Wagner le philosophe et le poète [27].

Nietzsche fut l'un des tout premiers à comprendre la nature du mal. L'auteur d'*Ecce homo* attaque violemment Wagner, Treitschke, Carlyle et le darwinisme, il s'oppose avec vigueur au militarisme, au nationalisme et à l'antisémitisme allemands [28]. Comme Ibsen, qui s'exile volontairement pour protester contre le nationalisme norvégien, comme Renan, Nietzsche représente une période de transition où le doute et le déséquilibre le disputent à la recherche de la vérité et des valeurs pour lesquelles il vaille la peine de vivre. Les deux grandes questions que se pose Renan : « Qui sait si la vérité existe ? » et, « De quoi vivra-t-on après nous ? », Nietzsche se les pose aussi. En ce sens la pensée de Nietzsche rejoint celle de Freud et présente des ressemblances avec la pensée de Barrès. Comme celui de Freud, l'anti-intellectualiste dont la contribution à la destruction de l'esprit du XVIIIe siècle fut si efficace mais qui peut aussi être considéré comme l'un des plus grands fils du siècle des lumières [29], les cas Nietzsche et Barrès reflètent toutes les ambiguïtés de la fin du siècle.

En effet, si comme le dit Camus, « nous n'aurons jamais fini de réparer l'injustice qui lui a été faite » [30], s'il est absurde de faire de Nietzsche un précurseur direct du nazisme, il ne l'est pas moins de nier les implications extrêmement dangereuses de son enseignement.

27. Jacques BARZUN, *Darwin, Marx, Wagner*, pp. 288-290.
28. Frédéric NIETZSCHE, *Ecce homo*, Paris, Mercure de France, 1909, pp. 151-154, et p. 76. On consultera aussi bien sûr *Le Cas Wagner* et *Nietzsche contre Wagner*. Dans ce plaidoyer autobiographique qu'est *Ecce homo*, Nietzsche porte des jugements extrêmement durs sur l'Allemagne. Les Allemands, écrit-il entre autres, « ont sur la conscience tous les grands crimes contre la culture des quatre derniers siècles » (p. 153). Cf. à ce sujet Pieter VIERECK, *Meta-politics, The roots of the nazi mind*, New York, Capricorn Books, 1961 (édition originale en 1941), pp. 90-143 ; Hans KOHN, *The Mind of Germany, The education of a Nation*, New York, Harper and Row, 1965 (1re édition en 1960), pp. 189-231 ; et Walter KAUFMANN, *Nietzsche. Philosopher, psychologist, antichrist*, New York, Meridian Books, 1965 (1re édition en 1950).
29. Peter GAY, « The enlightenment in the history of political theory », *Political Science Quarterly*, LXIX, sept. 1954, p. 379.
30. Albert CAMUS, *L'Homme révolté*, Paris, Gallimard, Collection Idées, 1963, p. 99.

Il serait tout autant inexact de croire négligeable son apport à l'atmosphère de négation des valeurs politiques et sociales de la civilisation occidentale. Son dégoût de la réalité, de la société moderne et du progrès technique l'amènent, à la fin de sa vie, non seulement à dénoncer la civilisation de son temps, mais à souhaiter sa ruine et à annoncer l'avènement d'un âge nouveau, héroïque et viril. Le nouveau type d'homme vivra dangereusement et sera fait pour dominer. L'humanité selon Nietzsche se divise en vile multitude et en élite : chacune de ces deux catégories remplit une fonction différente et a une morale différente.

L'élitisme nietzschéen n'est pas un phénomène isolé : il se rencontre avec l'élitisme de Renan et de Taine, avec les conceptions sociales de Dostoïewski, ou encore avec l'élitisme que Mosca, Pareto et l'école italienne de sociologie politique ont érigé en un véritable système de gouvernement. On sait le rôle que ces hommes ont joué, par leur critique aiguë du parlementarisme, de la démocratie et leur goût de la virilité, dans la débâcle du libéralisme italien [31].

Bien sûr, la philosophie de Nietzsche n'a souvent que peu de chose à voir avec la légende nietzschéenne, ou même avec le nietzschéisme élémentaire qui se répand alors bien au-delà du cercle des lecteurs attentifs, dans la plupart des cas d'ailleurs dans un sens totalement opposé à celui que Nietzsche lui-même donnait à ses intentions. C'est pourtant ce nietzschéisme là qui influencera si profondément la jeune génération européenne de la fin du siècle. C'est ce nietzschéisme qui, avec le message de Dostoïewski dont le nationalisme russe rappelle parfaitement le pangermanisme de Treitschke et dont la haine de la civilisation scientifique et industrielle et du rationalisme occidental est sœur de la haine de Nietzsche, formera cette synthèse curieuse et qui devait être plus tard terriblement explosive. En condamnant le positivisme, le libéralisme et le socialisme considéré par les révoltés de la fin du siècle comme une vague forme de positivisme, cette synthèse ne s'attaque plus seulement à certaines structures sociales ou à la nature des institutions politiques mais aussi à la civilisation occidentale en soi, considérée comme radicalement viciée.

C'est donc conjointement que s'expriment à travers toute l'Europe les mêmes craintes et les mêmes passions, que des hommes venus d'horizons très divers, de disciplines très éloignées, contribuent à formuler une même idéologie. On ne peut manquer de relever la

31. Sur Mosca, cf. H. Stuart HUGHES, *op. cit.*, pp. 215-216 ; pp. 252-259 ; pp. 272-273. Sur Pareto, cf. *op. cit.*, pp. 62-63 ; 73-74 ; 90-98 ; 106-107 ; 163-164 ; 180-181 ; 324-325, et surtout Raymond ARON, *Les Etapes de la pensée sociologique*, Paris, Gallimard, 1967, pp. 409-494. Cf. aussi A. James GREGOR, *op. cit.*, pp. 36-53 ; 76-80 ; 105-121 ; 167-168. Sur Dostoïewski, cf. Gerhard MASUR, *op. cit.*, pp. 97-105.

similitude certaine qui existe entre le nationalisme d'un Barrès, d'un Déroulède ou d'un Rochefort d'une part et, d'autre part, celui d'un D'Annunzio, d'un Carducci, d'un Corradini, d'un Karl Lueger et ses chrétiens-sociaux, de Georg von Schönerer et du parti national allemand en Autriche, des partis pangermanistes et antisémites en Allemagne ou des divers mouvements panslaves [32].

Les attaques de Dostoïewski contre l'intellectuel déraciné, le vagabond sans patrie qui se tourne vers les traditions étrangères offrent d'étranges ressemblances avec les thèmes des *Déracinés*, ainsi que le note Hans Kohn [33]. Entre *Les Fondations du XIXe siècle* de Houston Stewart Chamberlain, et *Campagne nationaliste* de Jules Soury, ouvrages publiés à trois ans d'intervalle mais écrits sans que ni Soury, ni Chamberlain aient été en contact, l'analogie est frappante. Une même parenté unit les idées de Drumont et celles d'Adolphe Stöcker : l'auteur de *La France juive* et le prédicateur allemand professent un même antisémitisme, un même antilibéralisme, un même anticapitalisme, un même antimarxisme. Unis pour condamner la société capitaliste, Maurice Barrès, directeur de *La Cocarde*, des agitateurs comme Morès et Guérin, et les bandes armées de Vienne lancent contre la bourgeoisie le même anathème.

Le sentiment de la décadence est commun à Barrès, Lemaître et Drumont, à Bourget et à Paul de Lagarde, à Julius Langbehn et à Moeller van den Bruck ; tous déplorent, en des termes souvent identiques, la médiocrité, le matérialisme, l'instabilité et la corruption de la société moderne. Ils sont ennemis des grandes cités où règne

32. Sur l'Italie, cf. James A. GREGOR, *op. cit.* ; F.L. CARSTEN, *The Rise of fascism*, London, Batsford, 1967 ; Robert PARIS, *Les Origines du fascisme*, Paris, Flammarion, 1968, et du même auteur, *Histoire du fascisme en Italie. Des Origines à la prise du pouvoir*, Paris, François Maspero, 1962 ; Alan CASSELS, *Fascist Italy*, London, Routledge and Kegan Paul, 1969. L'amitié de Barrès et D'Annunzio, leur influence réciproque, leur communauté d'idées sont bien connues. On en trouvera une synthèse dans Guy TOSI, « Maurice Barrès regarde D'Annunzio », in *Maurice Barrès. Actes du colloque organisé par la faculté des lettres et sciences humaines de l'université de Nancy*, Nancy, 1963, pp. 207-229. De nombreux passages des *Cahiers* attestent des liens spéciaux qui existaient entre les deux hommes. Cf. notamment *Mes Cahiers*, t. VII, pp. 15-16, p. 192 ; t. IX, p. 102, p. 106 ; t. X, p. 36, pp. 131-132 ; et t. XIV, p. 217 et pp. 230-231. En juin 1921, à la suite d'un discours prononcé à la Sorbonne pour célébrer le six-centième anniversaire de la mort de Dante, et après avoir rendu hommage à Carducci, Barrès place D'Annunzio sur le même pied que l'auteur de *La Divine Comédie* (*Les Maîtres*, Paris, Plon, 1927, p. 41). Sur l'Allemagne, cf. George L. MOSSE, *The Crisis of German ideology. Intellectual origins of the Third Reich*, New York, Grosset and Dunlap, 1964 ; Ernst NOLTE, *Three Faces of fascism*, New York, Holt Rinehart and Winston, 1965 ; Fritz STERN, *The Politics of cultural despair*, Berkeley, University of California Press. 1963. Sur le problème particulièrement compliqué que constitue la contribution de Hegel au nationalisme, cf. Shlomo AVINERI, « Hegel and nationalism », *The Review of Politics*, 24 (4), oct. 1962, pp. 461-484.

33. Hans KOHN, *Prophets and peoples*, New York, Macmillan, 1947, p. 140.

la routine, où se perd l'héroïsme ; ils opposent aux prétentions de la raison individuelle les vertus de l'instinct, voire de l'animalité [34].

Ces méditations sur la décadence sont à l'ordre du jour dès la décennie qui suit le milieu du XIXe siècle, mais c'est seulement vers 1885 que ce thème prend des dimensions d'une ampleur sans précédent, et qu'il constitue l'un des aspects de la réaction à l'égard de la philosophie des lumières. Il se manifeste depuis lors de façons très diverses et indépendamment de la conjoncture politique immédiate.

L'attaque contre la société bourgeoise est doublée d'une condamnation sans appel de la démocratie libérale et du régime parlementaire : la réforme des institutions dans un sens autoritaire constitue une plateforme idéologique commune à ce vaste mouvement de protestation. L'appel au chef, au sauveur incarnant les vertus de la race, retentit, en ce début de siècle, dans toute l'Europe. Lorsque l'évolution des événements est en contradiction avec ces idées, ce phénomène est expliqué par une même théorie du complot, dont les protagonistes sont, invariablement, les Juifs et les francs-maçons alliés à la grande finance internationale.

Il est donc arbitraire de séparer la pensée de Barrès de l'ensemble du mouvement que le monde occidental connaît alors. Cependant, au sein de ce courant, la doctrine qu'il formule revêt un caractère particulier parce qu'elle ne peut être dissociée de la défaite de 1870. Celle-ci a un double résultat : d'une part le choc du désastre accélère considérablement le processus de révision des valeurs léguées par le XVIIIe siècle français, par la Révolution et le nationalisme messianique d'un Michelet, mais d'autre part, la perte de l'Alsace-Lorraine a une influence salutaire sur l'évolution des pères du nouveau nationalisme. En effet, que le droit des peuples à disposer d'eux-mêmes ait été le seul argument à pouvoir être utilisé pour dénoncer le traité de Francfort a considérablement freiné les réactions contre les principes de 89, du fait que les fondements idéologiques de la Révolution et

34. Sur l'influence qu'ont exercée les trois auteurs allemands, cf. l'ouvrage que leur a consacré Fritz STERN, *op. cit.* « Je n'ai que faire de la vérité abstraite », s'écrie dès 1880 Paul de Lagarde pour se tourner vers le nationalisme et l'enracinement comme seuls moyens de salut (*op. cit.*, p. XIII). Quant à Julius Langbehn, il publie en 1890 un ouvrage dont l'énorme succès est symptomatique : *Rembrandt als erzieher*, un hymne à l'irrationalisme qui dénonce les tendances intellectualistes et scientifiques de la civilisation allemande. Pendant les deux décennies qui suivent, Moeller van den Bruck s'emploie à attaquer le libéralisme et la démocratie pour connaître à son tour la gloire en 1922 avec *Das Dritte Reich*. Il est aussi le premier à parler d'un Troisième Reich. Pour une étude comparative des idéologies de droite, cf. Hans ROGGER et Eugen WEBER, *The European right, A historical profile*, Berkeley, University of California Press, 1966. On consultera plus spécialement les études d'Eugen Weber : l'introduction et le chapitre sur la France. Sur la France, l'ouvrage classique est celui de René RÉMOND : *La Droite en France, De la première Restauration à la Ve République*, Paris, Aubier, 1963.

donc de la République, étaient les seuls, alors, à même de légitimer la revendication du retour des annexés. Car l'existence du problème alsacien-lorrain interdisait de pousser jusqu'à ses dernières conséquences le principe de la pureté du sang ou celui des droits historiques. Voilà pourquoi le principe selon lequel la nation est « un plébiscite de tous les jours » ne pouvait être totalement abandonné, et, partant, la vieille tradition républicaine de nationalisme qui remonte à Rousseau.

A la fin du XIXe siècle, le nationalisme français ne saurait donc être sommairement confondu avec la réaction à l'esprit du XVIIIe siècle et de la Révolution ; il s'agit en fait d'un phénomène beaucoup plus complexe. En effet, de Danton et Carnot à Gambetta, de la levée en masse à la Commune, la gauche révolutionnaire s'est toujours considérée comme le seul dépositaire de la ferveur nationale ; tout au long du XIXe siècle, c'est l'opposition libérale et républicaine qui a fait de l'exaltation patriotique un de ses thèmes favoris et qui accusait régulièrement le pouvoir de trahison. A la fin du siècle encore les radicaux ne sont pas les seuls à exalter le sentiment national, diverses fractions socialistes aussi en appellent au sentiment patriotique des masses urbaines. Mais, si le nationalisme de la fin du XIXe siècle ne saurait rejeter sans difficulté une tradition qui puise ses racines dans l'une des plus grandes périodes de l'histoire nationale, il formule en revanche une idéologie politique foncièrement étrangère à la mystique universaliste du nationalisme jacobin.

La pensée politique de Barrès illustre remarquablement ce nouveau climat intellectuel, elle met clairement à jour toutes les ambiguïtés du nationalisme. Certes, et en fin de compte, le nationalisme de Barrès constitue moins une réaction contre le désastre de 1870 qu'une révolte contre la démocratie libérale et contre les excès du capitalisme. En ce sens l'œuvre de l'auteur du *Roman de l'énergie nationale* constitue l'un des aspects les plus révélateurs et à coup sûr des plus riches de la réaction intellectuelle de la fin du siècle. La pensée barrésienne appartient aux forces qui, à la fin du XIXe siècle, sont en œuvre aussi bien chez les vaincus que chez les vainqueurs, c'est pourquoi on ne saurait en chercher l'origine dans le seul conflit franco-allemand.

A la fin du siècle, lorsqu'il s'efforce d'établir l'unité et la continuité de sa pensée, Barrès exagère considérablement la place tenue par les souvenirs et les effets de la défaite dans la formation de ses idées politiques. Il a aussi tendance, à mesure qu'il définit sa doctrine, à reconstruire à la lumière d'événements postérieurs d'autres étapes de son évolution intellectuelle. C'est ainsi que *L'Appel au soldat* est une recomposition du boulangisme selon les critères du nationalisme antidreyfusard, *Les Amitiés françaises*, une vision tardive et amplifiée de ses souvenirs de 1870. Et de nombreuses pages des *Cahiers* du Barrès quadragénaire attestent qu'ayant définitivement choisi son rôle, l'auteur de *Scènes et doctrines du nationalisme* aime mettre en lumière surtout ces parties du passé qui semblent préparer le présent et justifier son engagement [35].

Il faut bien le souligner cependant, le choc du désastre est énorme : il contribue grandement à créer une atmosphère extrêmement favorable à la révision des vieilles valeurs républicaines. C'est ainsi que Déroulède — le premier dans le camp républicain — remet en cause ouvertement le vieil héritage révolutionnaire ; c'est au nom du sentiment patriotique que la Ligue des patriotes se transforme progressivement en une machine de guerre contre la République. Voilà pourquoi le climat de révolte contre ce qui est — donc contre l'idéologie qui se trouve à la base de l'ordre établi — acquiert en France une dimension supplémentaire : car cette idéologie est non seulement tenue pour responsable de la défaite, mais aussi considérée comme incapable d'aider à la surmonter. Et pourtant, si les deux provinces tiennent dans l'œuvre de Barrès une place considérable, ce n'est que dans ses ouvrages publiés après l'échec du boulangisme et des efforts de rassemblement des années 1890 et après la victoire des dreyfusards. Pour lui, le problème alsacien-lorrain vient remplir le vide créé par les échecs successifs des divers mouvements d'opposition et c'est seulement alors qu'il devient un nouveau thème mobilisateur. Car c'est bien tardivement, et toujours intimement liée aux grands problèmes de politique intérieure, que la question des provinces perdues tient une place de premier plan dans ses écrits.

A beaucoup d'égards Barrès apparaît comme un précurseur et un novateur : moins par l'originalité ou la puissance de sa pensée que par ses facultés d'assimilation, de synthèse et d'exploitation des éléments puisés dans l'œuvre de ses contemporains, ou par la convergence de thèmes, souvent opposés, qui s'est opérée dans son esprit. Barrès est bien l'enfant de son siècle : Baudelaire et Wagner le fascinent, il se dit — et il est — disciple de Taine et de Renan, il a lu Nietzsche, Gobineau et Dostoïewski. Pour sa première trilogie, il dit s'être inspiré de Schopenhauer, de Fichte et de Hartmann. L'influence diffuse de la biologie darwinienne et de la psychologie moderne est sur lui profonde : l'enseignement de Jules Soury a été, à cet égard, décisif. Il est remarquable que les idées du célèbre psycho-physiologue reviennent, parfois dans leur formulation même,

35. C'est pourquoi l'une des tâches essentielles qui incombent au lecteur de Barrès consiste à faire une distinction fondamentale entre l'écrit immédiatement contemporain de l'événement et l'écrit postérieur à l'événement. Les infidélités du souvenir, mais surtout le souci de reconstitution logique et aussi celui d'avoir toujours raison, ont introduit une marge d'incertitude, d'approximation et aussi souvent, de déformation qu'il nous est indispensable d'essayer de préciser.

dans tous les ouvrages que publie Barrès durant les dernières années du XIXe siècle et celles qui leur sont immédiatement postérieures.

Au début, la pensée barrésienne jette les bases d'un nationalisme de refus et d'aventure, d'un nationalisme romantique et mystique qui exprime les « sentiments qui donnent un prix à la vie »[36]. Elle exprime alors un refus de la décadence, de la société industrielle et des valeurs bourgeoises. Elle prend parti et contre la misère ouvrière et contre l'enseignement bourgeois, contre le conformisme sous toutes ses formes — patriotisme professionnel ou chauvinisme culturel — et contre le poids du passé. Ce malaise que ressent Barrès face à la société de son temps le conduit donc à une révolte contre ce qui est ; son boulangisme et son socialisme constituent des aspects de cette révolte. Au niveau de l'action politique, l'antilibéralisme, l'anticapitalisme, le patriotisme — ces trois éléments essentiels du boulangisme — n'ont pas encore engendré cette vision du monde étroite et défensive qui est le propre du nationalisme de combat né avec l'Affaire. En effet, vers le milieu de la dernière décennie du siècle, la pensée de Barrès subit une lente évolution, que traduit en 1897 *Les Déracinés* et que consacrent *Scènes et doctrines du nationalisme* en 1902 et *Les Amitiés françaises* en 1903. Le nouveau nationalisme remet déjà en cause l'ensemble des fondements spirituels de la République.

Fondée sur un déterminisme physiologique, sur un relativisme moral, et sur un irrationalisme extrême, la pensée barrésienne telle qu'elle se fixe définitivement en ce début de siècle, traduit bien une nouvelle orientation intellectuelle. Elle appartient à ce courant de pensée qui, comme l'a montré J.L. Talmon, remplace la démarche analytique hésitante et incertaine de l'intellect, par l'intuition infaillible des masses ; elle propage le culte de l'élan et glorifie l'instinct qui pousse à l'action ainsi que l'émotivité qu'elle juge supérieure à la raison. Prise isolément, la raison est vouée à la stérilité : une tendance trop poussée à l'analyse intellectuelle affaiblit la volonté, émousse la vitalité, étouffe la voix des ancêtres. Elle diminue en outre la confiance en soi instinctive de l'individu ou l'amène à se dresser contre les vérités de la race. L'intellectualisme engendre par conséquent l'individualisme et détruit les impulsions élémentaires de l'homme[37]. L'éthique nationaliste de Barrès ne conçoit l'homme que comme le véhicule des forces produites par la collectivité : ses qualités personnelles n'ont qu'une importance secondaire. Dreyfus est le véhicule du mal sémite, M. Asmus, le jeune professeur allemand de *Colette Baudoche,* celui du germanisme : ces forces s'attaquent à l'organisme national, il faut donc les combattre et les détruire.

36. Cf. le sous-titre des *Amitiés françaises* de Barrès.
37. Cf. J.-L. TALMON, *Destin d'Israël, L'Unique et l'Universel,* Paris, Calmann-Lévy, 1967, pp. 75-81.

Le nationalisme barrésien constitue une vision complète de l'homme et de la collectivité. Il remplace la religion révélée ; son objectif est de créer un monde avec des critères fixes, libre de doutes, purifié de tous les apports étrangers ; son but est de rendre aux Français leur authenticité et, en leur faisant entendre la voix du sang, de rétablir l'unité compromise de la nation. Et lorsque la voix de la Terre et des Morts parlera en chaque Français, lorsque tous les individus réagiront de façon identique et donneront la même réponse aux problèmes qui se poseront à la collectivité, alors seulement les dreyfusismes et toutes les guerres civiles prendront fin et deviendront impossibles. Cette unanimité une fois acquise, les problèmes politiques et sociaux se réduiront à des questions de détail, le prolétariat sera intégré dans la nation devenue une communauté régie par les mêmes valeurs, épurée et disciplinée, solidement armée pour affronter, dans la lutte pour la vie, les communautés ennemies. L'activité d'agents de l'étranger restera sans effet, nulle conspiration ne pourra plus ronger l'organisme national. Un Etat fort veillera à concilier les intérêts divergents et établira de solides barrières protectionnistes. Alors sera enrayé le processus de décadence dans lequel s'est engagé le pays, et seront cultivées les vertus de l'action et de l'héroïsme. Alors s'exprimera, fondée sur une solidarité organique, la vitalité française.

En ce sens la pensée barrésienne représente la volonté de dépasser la banalité du monde bourgeois, le matérialisme de la société industrielle, la platitude de la démocratie libérale ; c'est la volonté de donner à la vie un sens nouveau. C'est pourquoi l'éthique du nationalisme barrésien se présente finalement comme une religion nouvelle possédant sa propre mystique et rejetant dans sa totalité le monde tel qu'il est.

PREMIÈRE PARTIE

La révolte

CHAPITRE I

Formation d'une doctrine

LE MONDE OUVERT DES PREMIÈRES ANNÉES

En novembre 1884, Maurice Barrès fonde une petite revue mensuelle, *Les Taches d'encre*, qu'il rédigera seul jusqu'en février 1885 [1]. Il y fait, au nom de la jeunesse intellectuelle, le procès de l'agitation patriotique.

De 1886 à 1888, il fait du cosmopolitisme dans *Le Voltaire*, journal d'orientation républicaine et anticléricale où il publie soixante-huit articles [2]. En 1892, et après le passage de la vague boulangiste, Barrès s'élève encore, dans un célèbre article du *Figaro*, souvent mal interprété, contre le chauvinisme culturel [3] ; Jules Lemaître notamment, futur président de la Ligue de la patrie française, y est l'objet de sarcasmes à peine voilés, de même que Déroulède et ses ligueurs firent, dans *Les Taches d'encre*, les frais de l'énergique protestation de Barrès contre les délires verbaux du patriotisme professionnel.

A cette époque, Maurice Barrès se place dans « un juste milieu » vis-à-vis d'un certain patriotisme vantard et belliqueux d'une part, des premiers manifestes d'un antimilitarisme non moins violent d'autre part. Les excès en entraînant d'autres, les déviations du patriotisme d'un Déroulède, de Paul de Cassagnac, de *L'Echo de Paris*, ou du *Petit Journal* — et on pourrait multiplier les exemples à volonté —

1. La collection complète se compose de quatre fascicules datés du 5 novembre et du 5 décembre 1884, de janvier et février 1885. Henri Massis a rapporté les récits des témoins de sa jeunesse sur la manière dont Barrès lança sa revue. Il la fit annoncer par des hommes-sandwiches qui promenaient sur les grands boulevards une affiche avec cette inscription : « Morin ne lira plus les Taches d'encre ». Morin était ce personnage qui, ayant insulté la femme du député socialiste — et futur collaborateur de Barrès à *La Cocarde* — Clovis Hugues, avait été abattu par elle à coups de revolver. Cf. Henri MASSIS, *Barrès et nous*, Paris, Plon, 1962, p. 33. Sur le lancement des *Taches d'encre* et les débuts barrésiens, cf. aussi Pierre de BOISDEFFRE, *Maurice Barrès*, Paris, Editions universitaires, collection Classiques du XXe siècle, 1962, pp. 27-30.

2. Pour ce qui concerne la collaboration de Barrès au *Voltaire*, cf. Pierre-Georges CASTEX, « Barrès collaborateur du *Voltaire* (1886-1888) », in *Maurice Barrès. Actes du colloque de Nancy*, p. 51.

3. BARRÈS, « La querelle des nationalistes et des cosmopolites », *Le Figaro*, 4 juillet 1892.

suscitent la riposte. En 1887 Abel Hermant publie *Le Cavalier Miserey ;* Lucien Descaves avec *Sous-Offs* en 1889, et en 1890 Georges Darien avec *Biribi,* précèdent de quelques mois seulement le scandale du *Joujou patriotisme* de Rémy de Gourmont [4]. Ce dernier, devant faire face à l'assaut de la grande presse, en appelle au « spirituel antipatriotisme » du Barrès de jadis [5].

Bien sûr, Barrès n'aurait jamais souscrit à une définition du patriotisme en termes de « virus nouveau » [6], mais il n'acceptait pas non plus l'extraordinaire chauvinisme culturel qui sévissait alors dans le camp des patriotes. Il était bien loin de penser, comme Paul de Cassagnac à propos d'une exposition de peintres français à Berlin, que là « où le drapeau français ne va pas, l'Art se fourvoie » [7]. Il convient de noter ici qu'au cours de la polémique soulevée par le pamphlet de Rémy de Gourmont, Henri Fouquier, critique de *L'Echo de Paris,* qui deviendra le journal préféré de Barrès, emploie un terme qui fera fortune, celui de « trahison morale » [8]. Le patriotisme de 1891 est mûr pour l'Affaire, mais Maurice Barrès, son futur théoricien, se situe encore bien en retrait. Non que le jeune Barrès ne soit, lui aussi, profondément patriote ; mais il l'est à sa manière, il a en horreur le patriotisme bavard qui sévit alors [9]. Sa vision du devoir est claire : il appartient à la jeune génération de reconstituer la France compromise par la génération précédente et de préparer le peuple pour le jour où « nos conducteurs agiteront le drapeau et sonneront le tocsin » [10].

Il insiste là-dessus à plusieurs reprises en des termes qui ne manquent pas de dignité :

> « Et notre tâche spéciale à nous, jeunes hommes, c'est de reprendre la terre enlevée, de reconstituer l'idéal français qui est fait tout autant du génie protestant de Strasbourg que de la facilité brillante du Midi. Nos pères faillirent un jour ; c'est une tâche d'honneur qu'ils nous laissent. Ils ont poussé si avant le domaine de la patrie dans les pays de l'esprit que nous pourrons, s'il le faut, nous consacrer quelques années au seul souci de reconquérir les exilés. Il n'y faudra qu'un peu de sang et quelque grandeur d'âme » [11].

4. Rémy de GOURMONT, *Le Joujou patriotisme,* Paris, Pauvert, 1967, préface et notes de Jean-Pierre Rioux. Le pamphlet de Rémy de Gourmont fut publié dans le fascicule d'avril 1891 du *Mercure de France.*
5. *Op. cit.,* p. 64.
6. *Op. cit.,* p. 62.
7. Cité dans l'introduction de Jean-Pierre RIOUX, *op. cit.,* p. 20.
8. Cité dans les commentaires qui suivent *Le Joujou patriotisme,* p. 90.
9. BARRÈS, « Gazette du mois », *Les Taches d'encre,* janvier 1885, p. 47.
10. BARRÈS, « Un mauvais français : M. Victor Tissot », *Les Taches d'encre,* 5 novembre 1884, p. 33.
11. Art. cité, p. 32. Il est curieux de constater qu'Henri MASSIS, *op. cit.,* p. 5, et Pierre de BOISDEFFRE, *op. cit.,* p. 55, citent ce texte avec trois erreurs identiques et facilement discernables : « la facilité brillante de Metz » au lieu de « du Midi », « notre tâche sociale » au lieu de « spéciale », les « domaines de

Barrès est parfaitement conscient de la tâche de régénération morale qu'implique une telle entreprise : rendre à la France sa confiance en elle-même, ne saurait se faire par le biais d'un patriotisme simpliste mais par un travail en profondeur, comme celui « des éducateurs d'âmes » que sont les Taine et les Albert Sorel et qui « serviront plus au relèvement de l'esprit national que ne peuvent faire nos patriotes les plus affichés » [12].

Ces derniers sont d'ailleurs, selon Barrès, profondément étrangers à l'esprit de la jeune génération, car « le patriotisme d'aujourd'hui », écrit-il, « ne ressemble pas plus au chauvinisme d'hier qu'au cosmopolitisme de demain » [13]. Le refus de s'enfermer dans une xénophobie défensive et haineuse est alors net. Pour la grandeur de la France, écrit-il encore, « il suffit que nous soyons forts et ouverts à tous les penseurs... » [14]. Ce patriotisme ouvert se double, dans l'esprit du jeune Barrès, d'un profond sentiment de fierté nationale et d'un universalisme missionnaire qu'il tient de son maître Michelet : « le peuple de France (...) se maintiendra, pour le service de l'esprit humain, à la tête des peuples d'Europe » [15], souligne-t-il dans *Les Taches d'encre* pour préciser tout ce qui le sépare du patriotisme professionnel. Certes, il s'agit toujours de la place de la France dans le monde, et celle-ci ne saurait être qu'une place de choix, mais il n'est question ni de s'affirmer aux dépens des autres nations ni de les diminuer. Et si Barrès s'élève avec une telle véhémence contre les patriotes du *Drapeau,* c'est précisément parce que ceux-ci ne conçoivent la grandeur de la patrie qu'en fonction de l'abaissement des autres nations. Il exprime « le mépris de la jeune génération » à M. Victor Tissot, membre respectable de la Ligue des patriotes, auteur de plusieurs livres sur l'Allemagne animés d'un extrême chauvinisme [16]. Barrès couvre de ridicule les divagations de ce M. Tissot qui pense servir la cause de son pays en publiant une série d'anecdotes scandaleuses sur l'Allemagne ; il dénonce l'étroitesse d'esprit

l'esprit » au lieu de « les pays de l'esprit ». Dix années plus tard, tandis qu'il était déjà le théoricien du nationalisme, Barrès portait un jugement beaucoup plus sévère sur les hommes de 1870 : « Cette génération qui a fait et subi la guerre », dit-il après les obsèques d'Alphonse Daudet, « qui ne nous laisse aucun grand homme... qui a eu pour dernier homme politique Ferry et puis plus rien, je me surprends à la haïr » (*Mes Cahiers,* t. I, p. 241). Cette génération perdue, Barrès la maudissait dans *L'Appel au soldat,* Paris, E. Fasquelle, 1900 : « Malheur à toi génération qui n'a pas su garder la gloire ni le territoire » (p. 334).

12. BARRÈS, « Les historiens de 1887 », *Le Voltaire,* 16 décembre 1887. Le mot « patriotes » est en italique dans le texte.

13. BARRÈS, « Un mauvais Français : M. Victor Tissot », *Les Taches d'encre,* 5 novembre 1884, p. 32.

14. Art. cité, p. 33.

15. *Ibid.*

16. *Ibid.* Le nom de M. Victor Tissot ornait alors la couverture du *Drapeau :* « Le mauvais français » était en effet l'un des principaux collaborateurs de l'organe de la Ligue des patriotes.

de cette espèce de littérateurs en laquelle il ne voit que le sous-produit d'un passé étranger à l'esprit de la nouvelle génération de Français. Il signale aussi, en passant, le tort qu'ils causent au pays ; car à l'étranger on considère leurs œuvres comme exprimant l'état d'esprit de la France [17].

Un autre revenant est M. Déroulède. On croit rêver en lisant telle page d'une cuisante ironie où le jeune Barrès observe les grands gestes du chef de la Ligue des patriotes. Il éprouve beaucoup de pitié et un peu de tristesse aussi face à un homme, rempli, certes, de bons sentiments, mais qui n'en est pas moins un exhibitionniste. S'il exprime son respect pour quiconque se dévoue à un idéal, s'il ne doute point du désintéressement de la Ligue, il la trouve « un peu bien bruyante », et quant à son chef, « son chauvinisme paraît à quelques-uns encombrant » [18]. Barrès n'aime ni « les chants guerriers de M. Déroulède » [19], à qui il conseille d'acheter « un bon traité de versification pour apprendre à ne plus faire de vers. Et comme ce serait patriotique ! » [20], ni les souscriptions : « Monsieur Déroulède y a été de ses cent francs (...) voilà un généreux gaillard ! » [21] ni même les discours patriotiques dont il sera pourtant si friand plus tard. Pour sincère qu'il soit, ce patriotisme théâtral lui paraît bien vulgaire [22], et il lui oppose le profond désir de coopération intellectuelle qui anime la jeunesse cultivée.

Au nom d'un patrimoine spirituel commun, Barrès exprime sa sympathie pour cette société internationale de dilettantes vagabondant à travers l'Europe [23] ; en évoquant Heine et Tourgueniev, deux grands écrivains qui aimaient la France et furent séduits par Paris, il propose d'édifier une « place de l'Europe » qui « se prêterait fort bien à quelque décoration cosmopolite » [24].

Le jeune journaliste a conscience de l'unité culturelle fondamentale de l'Europe, unité que les troubles passagers ne sauraient remettre en cause : « Nous avons des pères intellectuels dans tous les pays », écrit-il dans le premier numéro des *Taches d'encre,* « Kant, Goethe, Hegel, ont des droits sur les premiers d'entre nous » [25]. Ce qui est significatif, c'est non seulement la reconnaissance d'une filiation intellectuelle commune du monde européen, mais encore le fait que le premier des « pères intellectuels » cités soit Kant. Barrès est

17. *Ibid.*
18. Art. cité, p. 31.
19. *Ibid.*
20. Barrès, « Gazette du mois », *Les Taches d'encre,* janvier 1885, p. 47.
21. *Ibid.*
22. *Ibid.*
23. Barrès, « La société cosmopolite », *Le Voltaire,* 5 juillet 1887.
24. Barrès, « Heine et Tourgueniev », *Le Voltaire,* 6 janvier 1888.
25. Barrès, « Un mauvais Français : M. Victor Tissot », *Les Taches d'encre,* 5 novembre 1884, p. 32.

encore loin, à cette époque, d'avoir élaboré l'antikantisme qui sera, quinze ans plus tard, l'un des piliers de sa doctrine. Comme *L'Appel au soldat*, *Les Déracinés* appartiennent aussi à une certaine vision rétrospective, élaborée en fonction de l'Affaire Dreyfus. En 1885, il conçoit la culture européenne comme un ensemble harmonieux s'appuyant sur trois nations : la France, l'Angleterre et l'Allemagne. Chacune de ces trois composantes est indispensable à l'harmonie de l'ensemble : « si l'un de ces flambeaux disparaissait, l'humanité chancellerait » [26]. « Nous disons la France grande et l'Allemagne aussi », écrit-il dans *Les Taches d'encre* [27]. Trois ans plus tard, dans *Le Voltaire*, il parle encore du monde civilisé comme d'un musée admirable, appartenant à tous les hommes, et « dont l'Allemagne forme une des salles les plus intéressantes » [28].

Cette unité spirituelle de l'Europe semble à Barrès tellement fondamentale, elle lui semble si bien constituer l'essence même de la civilisation dont il est nourri, que les vicissitudes de la politique internationale ne sauraient lui porter préjudice. L'expression qu'il emploie pour exprimer ce que l'on peut considérer comme le fond de sa pensée à cette époque est significative : « Quels que soient d'ailleurs les instants de la politique, trois peuples guident la civilisation dans ce siècle : la France, l'Angleterre, l'Allemagne aussi » [29].

La politique, on le voit, se trouve opposée à quelque chose de bien plus fondamental : la culture commune, le mode de vie et les façons de penser formés par le patrimoine spirituel commun. Barrès oppose aux accidents de l'histoire et de la politique, la continuité, pour ne pas dire l'éternité, d'une civilisation commune dont les trois grands pays sont les gardiens et les usufruitiers. Trois ans plus tard, à l'époque du *Voltaire*, lorsqu'il est déjà électrisé par le nom du général Boulanger, Barrès est encore très loin d'adopter les idées d'un Déroulède ou d'un Paul de Cassagnac quant aux relations franco-allemandes. Ne doit-on pas se demander alors si l'expérience de 1870, celle du jeune garçon traumatisé par la défaite, n'est pas une élaboration tardive, une expérience « revécue » à la lumière de la crise politique intérieure d'abord, sous le poids de la Grande Guerre plus tard, plutôt qu'une constante susceptible d'orienter toute prise de posi-

26. Art. cité, p. 31.
27. *Ibid.*
28. Barrès, « En Allemagne », *Le Voltaire*, 19 octobre 1887 : « Le monde civilisé est un musée admirable de tableaux d'art et de tableaux de nature dont l'Allemagne forme une des salles les plus intéressantes (...) La beauté du monde et l'héritage des morts sont une *vaine pâture* ouverte à tous. (...) M. Renan l'a dit bien justement : nous sommes dans ce monde à l'état de simples locataires. (...) la propriété où ils (les Allemands) sont installés (...) est, en somme, l'apanage de tous les hommes ».
29. Barrès, « Un mauvais Français : M. Victor Tissot », *Les Taches d'encre*, 5 novembre 1884, p. 31.

tion ? N'était-ce pas un souvenir ultérieurement dramatisé et érigé en système ? Même si cette hypothèse s'avérait fausse, s'il est vrai que le traumatisme de son enfance a été extrêmement vif, on peut en tout cas affirmer que ce n'est pas lui qui est à l'origine de son nationalisme de combat. En effet, puisant ses racines dans *Le Culte du Moi*, le nationalisme barrésien n'atteint son plein épanouissement ni dans les écrits de jeunesse ni dans le boulangisme, mais bien au temps de l'Affaire. Ce fut une crise de politique intérieure qui fixa la vision barrésienne du monde extérieur et qui engendra le nationalisme fermé, le nationalisme de défense.

L'article « La querelle des nationalistes et des cosmopolites » [30], marque bien la distance qui sépare le Barrès d'avant l'Affaire du Barrès antidreyfusard. Contre Jules Lemaître, son futur collaborateur de la Patrie française à qui il dédicacera *L'Appel au soldat*, contre le critique dramatique du *Temps*, Francisque Sarcey, qui ne cache pas son mépris pour l'art étranger, il se range résolument dans le camp cosmopolite. Il y apporte le manifeste de la jeune génération, et on le sent nettement plus proche du *Mercure de France* et du mouvement symboliste que de la grande presse bien-pensante qui donne dans le chauvinisme. Si Barrès a largement contribué à diffuser le terme de nationaliste, celui-ci a d'abord dans sa bouche un sens plutôt péjoratif. Les nationalistes sont à ses yeux des esprits plutôt bornés ; tel est Jules Lemaître par exemple, qui s'étonnait au temps de l'Exposition « qu'on puisse être si fort javanais », qui « ne veut comprendre ni Shakespeare, ni Ibsen, ni Dostoïewski » ; tels sont « MM. de Goncourt, Daudet et Zola » qui soutiennent que « ces étrangers, après tout, ne nous apportent rien que nous n'ayons dans notre littérature... » [31]. A tous ceux qui pensent n'avoir plus rien à apprendre, à tous ceux qui s'enferment dans une plate auto-satisfaction nationale et même aux fondateurs de l'école romane, Jean Moréas et Charles Maurras qui « donneraient toute la Bibliothèque nationale (côté des chefs-d'œuvre littéraires), pour Bérénice, Phèdre, Andromaque et Esther », Barrès rappelle délicatement que « l'intelligence hospitalière, c'est une grande vertu intellectuelle » [32]. Il expose sa pensée dans un texte qui mérite d'être longuement cité, car il révèle un Barrès souvent méconnu :

> « Les nationalités n'y font donc pas grand-chose. On peut être du même pays, du même temps, des mêmes mœurs, et se sentir étrangers l'un à l'autre. Il y a des rangs épais de douaniers entre nous et M. Sarcey, par exemple (...) Il y a entre les artistes des différences

30. *Le Figaro*, 4 juillet 1892.
31. *Ibid.*
32. *Ibid.*

plus profondes que celles qui tiennent aux nationalités, ce sont celles qui naissent des tempéraments.
Les jeunes gens, une bonne part des jeunes gens du moins, se plient mieux sur le plus frénétique des Russes, sur le plus embarrassé des Danois, sur le plus fumeux des Américains, que sur le plus clair des Français modernes. (...)
Les littératures étrangères nous donnent ces curiosités de bouche si nécessaires à des lettrés français fatigués de la table nationale trop bien servie. Vive la France ! Elle est parfaite. Mais surtout Vive l'Europe ! Elle a pour nous ce mérite d'être un peu inédite. Elle nous réveille par des poivres et des épices nouveaux. Nos maîtres français sont des épiciers dont nous avons épuisé la boutique » [33].

En 1895, à la veille de l'Affaire, répondant à une enquête du *Mercure de France* sur les relations culturelles entre la France et l'Allemagne, Barrès déclare encore : « Jamais l'échange des idées n'a été interrompu entre la France et l'Allemagne, qui l'une et l'autre ont su tirer de cette collaboration un bénéfice admirable (...) C'est une pénétration ininterrompue des idées. Elles passent d'un peuple au second pour revenir modifiées au premier et de telle façon qu'après se les être assimilées il les repasse encore modifiées à son voisin et ainsi indéfiniment », et Barrès termine en montrant tout ce que la pensée française doit « au fleuve sacré qui de Kant par Hegel s'épand et se ramifie... », à « ces héros inspirés que furent les métaphysiciens allemands » [34]. Bien sûr, il n'oublie pas « la juste réparation » à laquelle a droit le pays, mais la question des deux provinces ne saurait constituer une barrière intellectuelle. Telle est aussi la conception du co-listier de Barrès à Nancy, aux élections de 1889, Paul Adam : « Les artistes, les socialistes, les marchands des deux pays devraient fonder une ligue germano-franque avec le but bien net de mettre à rien les expectatives militaires d'une minorité bruyante, infime » [35]. En 1903 enfin, dans *La Mort de Venise*, Barrès, en exprimant son respect envers « tous ceux qui président au développement des diverses nationalités », précise : « il n'est point une civilisation dont je ne me déclare débiteur » [36].

Le chauvinisme culturel est donc étranger au jeune Barrès. A l'issue de l'Affaire Dreyfus et pendant la guerre, ses prises de position sur ce point évolueront considérablement ; il n'en reste pas moins cependant qu'il se refusera toujours à basculer dans les aberrations de nombre de ses compagnons d'armes et amis politiques. Sur le plan culturel, Barrès se présente alors comme un européen ;

33. *Ibid.*
34. « Réponse à une enquête franco-allemande », *Mercure de France*, t. XIV, avril 1895, pp. 7-8.
35. « Réponse à une enquête franco-allemande », p. 5.
36. Barrès, *La Mort de Venise*, in *Amori et dolori sacrum*, Paris, Plon, 1960, (première édition en 1903), p. 19.

et ce fut le grand regret de ses admirateurs les plus intelligents, Thibaudet notamment, qu'il n'ait pas su saisir, aux lendemains de la guerre, l'occasion qui se présentait à lui de se placer, politiquement, au centre de l'Europe [37]. Mais il est passé le temps des *Taches d'encre !*

Cette vision du monde ouvert sur le plan international, comporte, comme cela est le cas en général, un certain nombre de corollaires sur le plan de la politique intérieure. Collaborant au *Voltaire,* le jeune Barrès y lance, par exemple, une attaque en règle contre le monde monarchique et clérical qui domine l'Académie des inscriptions et belles lettres et dénonce les critères de l'admission au sein de cette vénérable institution [38] : être légitimiste et catholique pratiquant. Parallèlement à cet anticléricalisme militant et par le biais de l'hommage à une vieille institutrice laïque « faiseuse de citoyens », adepte de Jean-Jacques, Barrès exprime sa profonde sympathie pour l'enseignement laïque [39]. Pour Rousseau, d'ailleurs, Barrès n'a que louanges : « Que Rousseau est admirable ! C'est notre source de vie ; les passions ardentes et tristes, les fiers caractères sont sortis pêle-mêle de son incomparable génie. (...) c'est (le) meilleur des hommes qui sont dans ma bibliothèque » [40]. Des années plus tard, Maurice Barrès se fera, à la tribune de la Chambre des députés, le porte-parole de l'anti-rousseauisme [41] ; ce sera lui encore qui mènera la droite conservatrice à l'assaut de l'enseignement laïque [42].

Un autre sujet traité par Barrès dans *Le Voltaire,* à cette époque, dans une optique totalement différente de celle qui sera la sienne dans les années à venir, est la question juive. Son « Israël restitué » [43] est aux antipodes de la campagne antisémite du *Courrier de l'Est* ou des *Scènes et doctrines du nationalisme.* Il y exalte, en

37. Albert THIBAUDET, *Les Princes lorrains,* Paris, Bernard Grasset, collection « Les cahiers verts », 1924, pp. 205-206.

38. BARRÈS, « Byzantisme d'érudits », *Le Voltaire,* 11 novembre 1887.

39. BARRÈS, « La doyenne des institutrices laïques », *Le Voltaire,* 29 août 1887.

40. *Ibid.*

41. *Journal officiel, débats parlementaires, Chambre des députés,* Discussion du projet de loi portant ouverture d'un crédit pour la célébration du bi-centenaire de la naissance de J.-J. Rousseau, séance du 11 juin 1912, p. 1 376, deuxième colonne : « Que d'autres fassent leur bible de l'Emile, du Discours sur l'inégalité et du Contrat social. Pour moi, je l'écoute comme un enchanteur dans ses grandes symphonies, mais je ne demanderai pas de conseils de vie à cet extravagant musicien ».

42. *Journal officiel, débats parlementaires, Chambre des députés,* Question adressée à M. le ministre de l'Instruction publique sur le suicide d'un élève du lycée de Clermont-Ferrand, séance du 21 juin 1909, pp. 1 542-1 543.

43. BARRÈS, « Israël restitué », *Le Voltaire,* 3 janvier 1888. On ne peut s'empêcher de remarquer que les articles du *Voltaire* sont d'une lecture plus aisée et plus agréable que ceux de *L'Echo de Paris* auquel Barrès collabora pendant dix-sept années consécutives, à partir de 1906. On n'y trouve ni la grandiloquence, ni la suffisance qui caractérisent les centaines d'articles qu'il donna au grand journal conservateur.

parlant de la Bible, « la rudesse des livres juifs » et « la vigueur et la flamme des écrivains d'Israël » [44]. Il est vrai que dans *Les Diverses familles spirituelles de la France,* Barrès parlera avec émotion des descendants des Macchabées tombant sur les champs de bataille pour le salut de la France, mais auparavant il aura parcouru, de Nancy jusqu'à Rennes, une très longue route en compagnie des Drumont, Guérin et autres Morès. Douze mois seulement après « Israël restitué », Barrès ouvre une violente campagne antisémite dans son journal électoral de Nancy. Néanmoins, la première période de l'évolution de sa pensée est aussi celle où l'antisémitisme est absent.

Un dernier thème qui sera longuement développé dans toute son œuvre et dont les origines remontent à cette première période, est celui de la Lorraine et des provinces de France. La ferveur de la terre lorraine, conçue comme une parcelle originale du sol de la patrie est déjà extrêmement vive [45]. Dans un article paru en 1888, Barrès glorifie les vertus de cette race de guerriers qui donna à la France Jeanne d'Arc et Drouot [46]. Il attache une telle importance à cet article, qu'il le reprend dans *Un Homme libre,* celui de ses ouvrages auquel il resta peut-être le plus attaché [47].

D'autre part, on trouve en germe dans une série d'articles sur la Bretagne, les thèmes essentiels de ce nationalisme barrésien qui, tout en percevant de chaque province la physionomie très particulière, en souligne toujours l'accord profond avec le génie national : « tout le sol de France s'épanouit pour faire la patrie » [48]. Barrès considère les provinces, Lorraine, Bretagne ou Provence, comme autant d'expressions particulières d'un même génie national. Pour cette raison, il n'attache guère d'importance à la survie des dialectes ; l'œuvre de Mistral qu'il essaiera de transformer plus tard en symbole, sans faire quoi que ce soit pour que l'exemple soit suivi en d'autres parties du territoire, ne représente alors pour lui qu'un objet de curiosité, voire d'étonnement : « Je m'étonne seulement que de beaux talents comme ces poètes de Provence s'emploient à ce vain labeur de faire revivre la vieille langue d'oc » [49]. S'il parle avec émotion du breton, c'est parce que « cet idiome celtique fut parlé par tous nos aïeux » [50]. Il n'est donc pas question de régionalisme. Il ne

44. *Ibid.*
45. Pierre-Georges CASTEX, art. cité, p. 54.
46. BARRÈS, « L'esprit militaire en Lorraine », *Le Voltaire,* 11 mars 1888. Cf. *Un Homme libre,* Paris, Perrin, 1889, chap. VI, « En Lorraine », et plus particulièrement : « Cinquième journée : la Lorraine morte », p. 157.
47. *Mes Cahiers,* t. I, p. 186 : « *L'Homme libre,* pauvre petit livre où ma jeunesse se vantait de sa solitude ! Il demeure mon expression centrale ! ».
48. BARRÈS, « La Bretagne ivre », *Le Voltaire,* 3 septembre 1886. Cf. aussi Pierre-Georges CASTEX, art. cité, p. 54.
49. *Ibid.*
50. *Ibid.*

semble pas d'ailleurs qu'il en fût jamais sérieusement question pour Barrès. Son ardeur régionaliste sera d'une part un expédient et d'autre part le fruit de son profond intérêt pour l'ensemble de l'histoire nationale. On sait, d'autre part, qu'il ne professait qu'un enthousiasme modéré pour le midi de la France, ce bastion de la facilité et du radical-socialisme et l'on se souvient combien il s'était inquiété en constatant l'existence d'un solide esprit particulariste dans l'Alsace-Lorraine retrouvée. L'impatience avec laquelle il insistera sur la nécessité de procéder rapidement à la départementalisation des territoires reconquis tranchera singulièrement sur son provincialisme de jadis [51].

Bien que coupée par le boulangisme, cette première période de l'évolution de la pensée barrésienne ne prend réellement fin qu'avec l'Affaire. C'est essentiellement une période d'essai et de recherche. Barrès se lance alors dans plusieurs directions à la fois, sa pensée renferme déjà bon nombre d'éléments dont sera faite l'œuvre de sa maturité, mais aussi des thèmes dont l'apparition, bien qu'éphémère sous leur forme initiale, laissera cependant des traces plus durables. Il restera dans Barrès, surtout dans le Barrès des *Cahiers,* quelque chose du jeune homme des *Taches d'encre,* du jeune journaliste à l'esprit ouvert et accueillant.

A cette époque, en effet, Maurice Barrès n'est pas encore l'homme d'un combat. Il s'interroge plus qu'il ne donne des réponses faites d'une pièce ; il a des doutes qu'il n'enfouit pas dans les *Cahiers* mais qu'il livre à ses lecteurs. C'est une pensée d'un grand éclectisme qui se dessine à travers les écrits des premières années.

Mais on distingue déjà au sein même de cette pensée ouverte et hospitalière, les éléments classiques de la doctrine barrésienne. De même que l'on verra dans *Le Culte du Moi* l'individualisme et l'égotisme sceptiques et quelque peu stoïciens s'estomper peu à peu pour s'ériger en un Moi collectif sur lequel sera reportée plus tard l'idolâtrie du Moi individuel, on discerne déjà dans la toute première période de Barrès les germes du nationalisme futur. En effet, les éléments de ce nationalisme humanitaire, d'une largesse d'esprit et d'une générosité remarquables que l'on voyait s'amorcer dans les écrits de jeunesse, n'ont jamais été élaborés en système. On les verra parfois reparaître, plus tard, mais ce ne seront plus que des éclairs éphémères : la pensée de Barrès portera toujours l'empreinte du boulangisme et, à un degré infiniment plus profond, celle de l'Affaire.

Ce passage d'un nationalisme humanitaire et ouvert à un nationalisme fermé et violemment agressif, n'est pourtant pas uniquement un produit des circonstances ; en tout cas il n'est certainement pas fortuit. Durant les premières années, tout était possible ; la pensée barrésienne était parvenue à un carrefour. Si Barrès fait le choix avec une

51. Cf. chap. VII.

telle facilité, s'il ne lui en coûte pas davantage pour s'engager dans la voie qui fut la sienne au temps du boulangisme et surtout de l'Affaire, il faut rechercher les origines de cette évolution dans les autres aspects de ses écrits de jeunesse.

Le Culte du Moi fournit les éléments essentiels d'une réponse. *Les Taches d'encre* et *Le Voltaire* esquissent également la direction future de la pensée barrésienne. C'est l'apport de la première trilogie qui est le plus substantiel, car on y voit son aspect individualiste et anarchisant s'effacer rapidement devant le primat de la collectivité et de l'histoire. En fait, et avant même la parution du *Culte du Moi*, certains écrits édités dans *Le Voltaire* même peuvent déjà témoigner du glissement de Barrès vers le nationalisme déroulédien et le boulangisme. En effet, Barrès, qui dans *Les Taches d'encre* avait non seulement gardé ses distances à l'égard de l'esprit cocardier mais avait aussi ironisé sur Déroulède et flétri M. Tissot, prend à son tour les accents de ceux qu'il appelait dédaigneusement « nos patriotes les plus affichés ». Dans un article de septembre 1887, il loue le vaillant chanteur de café-concert qui redonne « à nos soldats la chaleur patriotique »[52], et adresse les mêmes louanges aux poètes qui pour un public inculte composent des refrains exaltants : Coppée, Arène, Richepin[53]. C'est le point à partir duquel s'amorce une nouvelle étape de l'évolution de Maurice Barrès, où la gloire de l'armée et du général Boulanger tiennent une grande place et dont le style est celui-là même de cette exaltation patriotique dont il condamnait la bassesse dans *Les Taches d'encre*. Dès lors, Barrès salue le nom du Général dans le plus pur style déroulédien : lorsque le chanteur de café-concert entonne un refrain en l'honneur de Boulanger, « nous fûmes tout de suite électrisés », écrit-il, et « comme il avait dit "l'armée", nous nous trouvâmes tous debout »[54]. Son admiration pour Boulanger est déjà profonde à cette époque. En avril 1888, date de son engagement politique, Barrès quittera *Le Voltaire*.

Il n'est pas sans intérêt de constater que le premier article à la gloire de Boulanger et de l'armée date du 14 septembre 1887 ; il est suivi, dès le 5 octobre, d'un article sur Napoléon, « cet homme dont le monde avait été plein »[55]. Le rapprochement des deux personnages et le début du culte de Napoléon annoncent et amorcent le passage à l'action. La jeune génération que Barrès veut représenter, semble avoir trouvé son maître, son chef et la voie de la renaissance.

On découvre donc déjà dans *Le Voltaire*, pour reprendre la formule de P.-G. Castex, l'austérité du futur leader nationaliste, mais

52. Barrès, « La chanson en province », *Le Voltaire*, 14 septembre 1887.
53. *Ibid.*
54. *Ibid.*
55. Barrès, « Un entretien de Bonaparte », *Le Voltaire*, 5 octobre 1887.

associée à la disponibilité d'un homme encore libre [56]. L'engagement n'a pourtant pas tardé, et au fur et à mesure qu'il est poussé plus loin, on assiste au retrécissement de cette disponibilité, à la disparition progressive de cet esprit ouvert et quelque peu bohème qui caractérisait le très jeune Barrès. Plus rien de tout cela ne subsistera au temps de l'Affaire.

Fin 1887, Barrès se rapproche de l'opposition. Il est cependant curieux de constater que contrairement à Déroulède, dont l'évolution peut être aisément suivie, la glorification de Boulanger est chez Barrès l'unique symptôme de mécontentement : rien n'annonce l'explosion d'avril 1888, l'extraordinaire violence de l'attaque que lance Barrès, dans *La Revue indépendante*, contre le régime, ses mœurs politiques et les hommes en place [57].

L'explication devra en être recherchée dans le climat moral où évolue cette jeune génération dont Barrès se veut le porte-parole. Dans l'atmosphère de malaise qui semble miner leur vitalité, nombreux sont les jeunes intellectuels qui ont le sentiment de vivre le crépuscule d'une civilisation.

LE MALAISE MORAL ET LES MÉDITATIONS SUR LA DÉCADENCE

Le malaise politique et social qui se fait jour dans les années 1880 est doublé d'un profond désarroi intellectuel. Il s'agit en fait d'un pourrissement intellectuel et moral, très caractéristique d'un certain climat qui se fait alors jour à travers toute l'Europe.

> « ... Nous aspirons à la mort et nous la dédaignons parce qu'elle est facile et qu'elle viendra toujours (...) L'ennui bâille sur ce monde décoloré par les savants. Tous les dieux sont morts ou lointains : pas plus qu'eux, notre idéal ne vivra. Une profonde indifférence nous envahit. La souffrance s'émousse. Chacun suit son chemin, sans espoir, le dégoût aux lèvres, dans un piétinement sur place, banal et toujours pareil, du cri douloureux de la naissance au râle déchirant de l'agonie — dernière certitude ouverte sur toutes les incertitudes » [1].

56. Pierre-Georges CASTEX, art. cité, p. 60.
57. BARRÈS, « M. le général Boulanger et la nouvelle génération », *La Revue indépendante*, t. VIII, avril 1888.

1. BARRÈS, « Le sentiment en littérature. Une nouvelle nuance de sentir. M. Leconte de Lisle », *Les Taches d'encre*, janvier 1885, p. 33. Au nom des jeunes gens de l'avant-guerre, Henri Massis rendit hommage à la génération de Barrès, celle qui supporta le poids de la défaite, qui connut les pires douleurs, l'humiliation, le doute. Aux yeux de ses cadets, c'était une génération intermédiaire, sacrifiée. Cf. AGATHON, *Les Jeunes gens d'aujourd'hui*, 12e édition, Paris, Plon-Nourrit, 1919, p. 51.

Dans un autre numéro de sa revue, il constate le « nihilisme moral de la génération que nous sommes »[2]. Huit ans plus tard, après avoir publié déjà sa première trilogie, Barrès définira encore son époque comme celle d'une génération dégoûtée de beaucoup de choses, « de tout peut-être »[3].

Il partage donc bien cette impression assez généralisée au sein de la jeunesse européenne des années 1880 et 1890, que l'on manque de principe dirigeant, de valeurs solides, de vérités. Les maîtres à penser de la jeunesse portent une lourde responsabilité. Selon Barrès, Renan plus que quiconque, a contribué à répandre ce « nihilisme moral »[4]. Quant à Paul Bourget, il considère l'auteur de *L'Avenir de la science* comme un professeur de dilettantisme[5]. C'est un monde de doute dans lequel s'infiltre le découragement de Schopenhauer et de Hartmann, où la religion attaquée par la science n'a pas été remplacée, et où la science elle-même est maintenant battue en brèche. Ainsi, pour Barrès, c'est elle qui porte la responsabilité de la décadence intellectuelle, du déssèchement spirituel et finalement, de la médiocrité générale. En fait, l'ensemble de ses œuvres de jeunesse peut être considéré comme un long procès du positivisme, comme une recherche permanente de nouveaux facteurs d'exaltation.

> « Où trouver aujourd'hui », écrit-il, « les passions qu'exalta George Sand ? Plus d'amour, plus de sanglots (...) Nos pères auraient eu la fièvre où nous verbalisons (...) Ceux qui savent nous émouvoir s'adressent à notre pitié, jamais à nos enthousiasmes. Et tout cela au nom de la science. Elle seule subsiste, ayant envahi le domaine entier de la pensée. Elle apparaît aux masses une forme de l'utile ; ils la confondent volontiers avec l'industrie. Pour des esprits vulgaires et pour quelques malins, elle est le " réalisme ", le " naturalisme ". Des politiciens qu'un mot satisfait aisément la nomment " progrès " »[6].

2. BARRÈS, « Gazette du mois », *Les Taches d'encre*, 5 novembre 1884, p. 63.
3. BARRÈS, *Le Culte du Moi. Examen de trois idéologies*, Paris, Perrin, 1892, p. 13. Ce petit livre que Barrès publie en 1892, constitue sa propre interprétation des trois volumes du *Culte du Moi*. Il a le mérite de rendre plus intelligibles certaines thèses de cette première trilogie.
4. BARRÈS, « Gazette du mois », *Les Taches d'encre*, 5 novembre 1884, p. 63.
5. Paul BOURGET, *Essais de psychologie contemporaine*, 4e édition, Paris, Lemerre, 1885, p. 292. La nouvelle génération de nationalistes n'a jamais pardonné à Renan son esprit critique. En 1910, Déroulède s'exprime encore de la façon suivante : « Ce prince de scepticisme, ce professeur d'incrédulité..., ce semeur de négations qui lançait un jour en pleine Académie cette phrase imprégnée du plus pur nihilisme : « La vérité est un phare à deux changeants ». Paul DÉROULÈDE, *L'Alsace-Lorraine et la fête nationale. Conférence faite à Paris le 12 juillet 1910*, Paris, Bloud, 1910, p. 7. Sur l'atmosphère intellectuelle de la « fin de siècle » en France, on consultera avec profit l'étude de Eugen WEBER, « The secret world of Jean Barois. Notes on the portrait of an age », in John WEISS, *op. cit.*, pp. 79-109.
6. BARRÈS, « Le sentiment en littérature. Une nouvelle nuance de sentir. M. Leconte de Lisle », art. cité, pp. 10-11. Paul BOURGET, *op. cit.*, pp. 289-290, insiste également sur le fait que les réalistes en littérature « abondent surtout au déclin des civilisations ».

Le malaise est d'une ampleur d'autant plus grande qu'il est nourri d'un profond sentiment de décadence qui trouve son expression la plus saisissante dans cette phrase terrible prononcée par Renan devant Déroulède : « La France se meurt, jeune homme, ne troublez pas son agonie » [7].

L'idée de la décadence a fasciné non seulement une certaine littérature marginale, mais aussi des hommes comme Taine, Lemaître, Bourget, Baudelaire, Flaubert et Huysmans ; elle est, au fond, une protestation contre la prétention de la raison humaine à résoudre tous les problèmes de l'existence. « On maudit le " progrès ", on déteste la civilisation industrielle de ce siècle, on la juge écœurante de rationalisme... », écrit Lemaître en 1887 dans un article sur Baudelaire [8]. L'assaut contre le progrès mené par les révoltés du XIXe siècle est assez bien exprimé par le « quoi de plus absurde que le progrès ? » de Baudelaire [9]. Le progrès technique, la croissance industrielle, la civilisation moderne sont assimilés à la corruption, au vice, à la décadence. Mais le « poète maudit » n'est pas le seul à s'élever avec violence contre la civilisation industrielle et le mode de vie qu'elle engendre : sa protestation rejoint, dès la décennie qui suit le milieu du siècle, celle d'un Taine. Cette convergence donne bien l'idée de l'ampleur du mouvement qui pèsera d'un poids si lourd dans la formation intellectuelle de Barrès et de la génération de 1890. Il est hautement significatif que le seul terrain sur lequel puisse se faire l'accord du positivisme tainien avec la révolte de Baudelaire soit le procès de la société moderne. Car, pour Taine, le Paris du XIXe siècle « est comme Rome sous les Césars, ou Alexandrie sous les Ptolémées, un terreau puissant, étrangement composé de substances brûlantes, capable de produire des fruits extraordinaires, maladifs souvent, enivrants parfois, mais que le sol natal ne revendique pas » [10].

Le sentiment de la corruption et de la décadence est déjà vif dans les années 1860. Pour Théophile Gautier, Baudelaire est le parfait représentant d'un « art arrivé à ce point de maturité extrême que déterminent à leurs soleils obliques les civilisations qui vieillissent (...) Ce style de décadence (...) on peut rappeler, à propos de lui, la langue marbrée déjà des verdeurs de la décomposition et comme fai-

7. Paul DÉROULÈDE, *L'Alsace-Lorraine et la fête nationale*, p. 7. Cf. aussi Ernst Robert CURTIUS, *Essai sur la France*, Paris, Bernard Grasset, 1932, p. 330. Curtius fait observer que ce sentiment de décadence était né par réaction contre la conception optimiste de l'avenir qui triomphait entre 1830 et 1840.

8. Jules LEMAITRE, « La semaine dramatique », *Journal des Débats*, 4 juillet 1887, p. 2.

9. A.E. CARTER, *The Idea of decadence in French Literature, 1830-1900*, Toronto, University Toronto Press, 1958, p. 9.

10. Hippolyte TAINE, *La Fontaine et ses fables*, Paris, Hachette, 1861, p. 60. Sur l'influence de Taine et de Renan sur Barrès, cf. *infra*, chap. VII.

sandée du Bas-Empire romain et les raffinements compliqués de l'école byzantine... »[11]. Pour Paul Bourget aussi, en 1885, la comparaison avec le Bas-Empire romain s'établit spontanément :

> « Par le mot décadence », écrit Bourget, « on désigne volontiers l'état d'une société qui produit un trop grand nombre d'individus impropres aux travaux de la vie commune (...) La société romaine produisait peu d'enfants : elle en arrivait à ne plus mettre sur pied de soldats nationaux (...) L'entente savante du plaisir, le scepticisme délicat, l'énervement des sensations, l'inconstance du dilettantisme, ont été les plaies sociales de l'Empire romain, et seront en tout autre cas des plaies sociales destinées à miner le corps tout entier »[12].

Ce texte annonce étrangement *Les Déracinés* où la France sera décrite « dissociée et décérébrée »[13], de même qu'il explique la réaction politique de Bourget, de Barrès et de Jules Lemaître. Ce n'est point l'effet du hasard si, dix ans plus tard, les trois hommes se retrouvent dans le nationalisme. Il est certain que l'une des raisons fondamentales qui les y amènent est la volonté de réagir contre ce qu'ils considèrent comme un pourrissement, une désagrégation sociale et une course vers une fin aussi peu enviable que celle de l'Empire romain. Pour Bourget, en effet :

> « Une société doit être assimilée à un organisme. Comme un organisme (...) elle se résout en une fédération d'organismes moindres, qui se résolvent eux-mêmes en une fédération de cellules. L'individu est la cellule sociale. Pour que l'organisme total fonctionne avec énergie, il est nécessaire que les organismes composants fonctionnent avec énergie (...) Si l'énergie des cellules devient indépendante, les organismes qui composent l'organisme total cessent pareillement de subordonner leur énergie à l'énergie totale, et l'anarchie qui s'établit constitue la décadence de l'ensemble. L'organisme social n'échappe pas à cette loi... » — D'autre part, « une société ne subsiste qu'à la condition d'être capable de lutter vigoureusement pour l'existence dans la concurrence des races »[14].

On remarque déjà ici l'impact du darwinisme social, mais comme Barrès, Bourget n'en est encore qu'au stade de l'analyse ; il faudra attendre l'ébranlement de l'Affaire Dreyfus pour que, de ces prémisses, soient tirées toutes les conclusions. Pour l'instant il considère le XIXe siècle, cet âge des « races cultivées et fatiguées »[15], d' « une civilisation vieillissante »[16], « fatiguée », qui crée « le malaise de notre

11. Théophile GAUTIER, *Introduction* à l'édition de 1868 des *Fleurs du Mal*, Paris, Michel Lévy, 1868.
12. Paul BOURGET, *Essais de psychologie contemporaine*, pp. 24-25.
13. BARRÈS, *Les Déracinés*, Paris, E. Fasquelle, 1897, chap. IX.
14. Paul BOURGET, *Essais de psychologie contemporaine*, pp. 24, 25, 26.
15. *Op. cit.*, p. 290.
16. *Op. cit.*, p. 23, p. 127.

monde trop vieux » [17], comme engagé dans le processus de la décadence romaine. Il s'y résigne, faisant preuve d'ailleurs d'un fatalisme assez surprenant : « Les Orientaux disent souvent : quand la maison est prête, la mort entre... Que cette visiteuse inévitable trouve au moins notre maison à nous, parée de fleurs » [18]. Ses *Essais* sont, en 1885, un effort de définition et de synthèse de ce courant de pensée. Bourget parvient à la conclusion que le XIXe siècle est dominé par un thème commun à Baudelaire, Stendhal, Flaubert, Taine et Renan : « La philosophie dégoûtée de l'universel néant » [19]. Il pense qu'au niveau de l'individu le malaise du XIXe siècle provient de la perfection matérielle et de l'excessive complication de sa civilisation : l'homme moderne au « cœur raffiné » vit une existence malheureuse, dévoré par l'ennui. Quant à Jules Lemaître, son verdict est identique. En analysant, en 1884, la différence entre le romantisme et la décadence, Lemaître écrit : « Aujourd'hui René n'est plus mélancolique ; il est morne et il est âprement pessimiste. Il ne doute plus, il nie ou même ne se soucie plus de la vérité... Sa volonté est morte (...) » [20]. Telle est pour Bourget la « terrible rançon de notre bien-être mieux assis et de notre éducation plus complète » [21]. Là aussi réside l'origine de la réaction de l'homme moderne contre la culture qu'il a créée : le nihilisme russe, le pessimisme allemand, la névrose latine sont autant de symptômes de cette négation de la vie qui obscurcit les horizons de l'Occident [22].

On voit parfaitement comment l'analyse de Barrès, dans *Les Taches d'encre,* rejoint celle de Lemaître et de Bourget : l'homme moderne, représenté plus tard par Bouteiller dans *Les Déracinés,* par l'ingénieur Charles Martin dans *Le Jardin de Bérénice,* pèche donc tout d'abord par son intellectualisme excessif qui stérilise les sensations naturelles. De cet excès provient ce que Barrès appelle « la maladie du siècle... faite... d'une fatigue nerveuse excessive » [23] qui se traduit par un profond pessimisme, une sensation de vide et un certain fatalisme.

Bourget avait vu juste en comparant les différentes formes que prenait la décadence ; il s'agit en effet d'un phénomène européen

17. *Op. cit.,* p. 144.
18. *Op. cit.,* p. 308.
19. *Op. cit.,* p. 322.
20. Cité in A.E. CARTER, *op. cit.,* p. 87.
21. Paul BOURGET, *Essais de psychologie contemporaine,* p. 14.
22. *Op. cit.,* p. 15. « Une nausée universelle devant les insuffisances de ce monde soulève le cœur des Slaves, des Germains et des Latins, et se manifeste, chez les premiers par le nihilisme, chez les seconds par le pessimisme, chez nous-mêmes par de solitaires et bizarres névroses ».
23. BARRÈS, Préface au *Monsieur Vénus* de Rachilde, nouvelle édition, Paris, L. Genonceaux, 1902, p. 17. L'édition originale du livre date de 1889. Cf. aussi Jules LEMAITRE, « La semaine dramatique », art. cité.

qui débouche, au XXᵉ siècle, sur une violente réaction dont Barrès est l'un des précurseurs. En France, la défaite, la crise boulangiste et l'Affaire Dreyfus fournissent des éléments de fermentation et le terrain est prêt plus rapidement que dans d'autres pays d'Europe. La réaction contre ce sentiment d'enlisement, d'abandon, de décadence politique et morale, est l'un des éléments de base de l'éclosion du nationalisme. Au doute et au pessimisme sont opposées les certitudes de l'histoire ; à l'artifice, le culte de l'énergie et de la vitalité ; à une civilisation vieillissante, celui de la jeunesse ; à la désagrégation et à l'individualisme, le sens de la discipline. Au rationalisme scientifique sont opposées les forces de l'instinct.

La littérature de la décadence possède encore une autre dimension : le culte de l'artifice. Gautier, Verlaine et Baudelaire se délectent dans l'atmosphère des boulevards, des casinos et des music-halls parisiens. Tout compte fait, et comme Huysmans, ils considèrent la civilisation industrielle et son artificialité comme l'expression de la supériorité de l'homme qui a conquis la nature. Pour Huysmans l'artificialité, c'est-à-dire le désir de violer la nature, la volonté de vivre « à rebours », est l'expression du génie de l'homme moderne [24]. Les choses en arrivent à un point tel qu'en 1883 Paul Bourget considère ce phénomène comme l'expression d'une profonde crise spirituelle de la civilisation européenne : « Lentement, sûrement, s'élabore la croyance à la banqueroute de la nature, qui promet de devenir la foi sinistre du XXᵉ siècle, si la science ou une invasion de barbares ne sauve pas l'humanité trop réfléchie de la lassitude de sa propre pensée » [25]. Car le culte de l'artifice est devenu une névrose, le trait caractéristique de la sensibilité décadente et une source de perversion et de psychose.

Barrès est lui-même, à un moment, tenté par le courant décadent. En 1889, il préface longuement un livre de Rachilde, *Monsieur Vénus*, contant l'histoire d'un mâle « désexué » qui devient « la maîtresse » de l'héroïne, Raoule de Vénérande. Le livre qui « proclame la haine de la force mâle » [26] à l'instar d'autres ouvrages qui, eux, expriment

24. J.K. HUYSMANS, *A Rebours*, Paris, Charpentier, 1884, p. 31 : « l'artifice », écrit-il, « paraissait à des Esseintes la marque distinctive du génie de l'homme... »

25. Paul BOURGET, *Essais de psychologie contemporaine*, pp. 15-16. Il est intéressant de constater que dans l'édition de 1901 (Paris, Plon-Nourrit), Bourget a complètement transformé son texte : « Mais lentement, sûrement », écrit-il, « une croyance à la banqueroute de la nature ne s'élabore-t-elle pas, qui risque de devenir la foi sinistre du XXᵉ siècle, si un renouveau, qui ne saurait guère être qu'un élan de renaissance religieuse, ne sauve pas l'humanité trop réfléchie de la lassitude de sa propre pensée ? » On le voit, à l'instar de Barrès, Bourget avait lui aussi bien évolué : en 1901, à l'issue du dreyfusisme et dans le cadre du nationalisme, la religion venait de prendre la place de la science.

26. BARRÈS, Préface au *Monsieur Vénus*, p. 17. Il lui consacre aussi un article dans *Le Voltaire* du 24 juin 1886 : « Mademoiselle Baudelaire ».

le « dégoût de la grâce féminine », est considéré par Barrès comme « un petit chef-d'œuvre »[27] parfaitement représentatif de la « maladie du siècle ». Dans ce contexte, Barrès rappelle de nouveau « la pente d'énervation qui va de Joseph Delorme aux *Fleurs du Mal* »[28].

Une fois de plus, Barrès revient à Baudelaire. Celui-ci le fascine, ainsi qu'il le dit tout au long de la grande étude qu'il consacre à l'auteur des *Fleurs du Mal* dans les deux premiers numéros des *Taches d'encre*[29]. Il existe un « esprit baudelairien », un flot qui « avance chaque jour », qui porte Mallarmé, Verlaine, Rollinat et enfin Catulle Mendès et Huysmans, qui « se complaisent aux plus hideuses maladies pourvu qu'elles soient rares et poussent l'amour de l'unique jusqu'au culte du décadent »[30]. Puis il poursuit : « Les chairs pourries, les parfums sous les dentelles, les vierges dépravées de Mendès sont un raffinement de luxure baudelairienne »[31].

Le héros d'*A Rebours*, des Esseintes, contribue lui aussi à créer un climat où « grouillent de pauvres malheureux grisés de cette atmosphère (et qui resteront) inassouvis jusqu'à la mort »[32].

Finalement, Barrès fait le bilan : il ne doute pas de la supériorité de cette littérature sur la science et la philosophie : « Les systèmes, les philosophes, leurs arguments, tout leur génie, n'atteignent pas là » ; mais d'autre part, il résume sa pensée en rendant aux choses leur juste proportion : « S'ils me séduisirent », dit il, « ces artistes singuliers (...) il convient toutefois de voir clair jusqu'en nos enthousiasmes. L'œuvre de ce groupe est mince au résumé »[33].

Ainsi, après s'en être rapproché, Barrès ne bascule pas dans cette tendance, car d'autres influences s'exercent alors sur lui. En effet, en cette époque de doute et d'incertitudes, Barrès subit l'attrait de Wagner. Wagner le philosophe, disciple de Schopenhauer, le fascine. En décembre 1885, il lui consacre un premier article[34], un second le 29 juillet 1886[35]. Entre temps, du 21 au 29 juillet 1886, Barrès a

27. *Op. cit.*, p. 11.
28. *Ibid.*
29. Barrès, « La sensation en littérature. La folie de Charles Baudelaire », *Les Taches d'encre*, novembre 1884, pp. 3-26 ; décembre 1884, pp. 21-45. Pierre de Boisdeffre, *op. cit.*, pp. 19-21, raconte l'ivresse que provoque chez le tout jeune Barrès, encore lycéen, la lecture des *Fleurs du Mal*.
30. Barrès, « La folie de Charles Baudelaire », *Les Taches d'encre*, décembre 1884, p. 36.
31. Art. cité, p. 37.
32. Art. cité, p. 38.
33. Art. cité, p. 39. Cf. aussi *Stanislas de Guaita*, in *Amori et dolori sacrum*, pp. 123-157. Dans cette brochure écrite en 1898 à la mémoire de son ami d'enfance, expert en matière d'occultisme, Barrès montre bien qu'il a toujours su garder ses distances avec certains courants de l'antirationalisme qui prolifèrent à la fin du XIXe siècle.
34. Barrès, « Musiques », *Revue illustrée*, 1 (1), 15 décembre 1885, pp. 5-8.
35. Barrès, « La mode de Bayreuth », *Le Voltaire*, 29 juillet 1886.

fait le pèlerinage de Bayreuth [36]. Quelques années plus tard, en 1894, il écrira, à la gloire de Wagner, une page éloquente : « Le prophète de Bayreuth est venu à son heure pour discipliner ceux qui n'entendent plus les dogmes ni les codes. Allons à Wahnfried, sur la tombe de Wagner, honorer les pressentiments d'une éthique nouvelle » [37]. En quoi consiste donc cette éthique nouvelle ?

> « Wagner rejette tous les vêtements, toutes les formules dont l'homme civilisé est recouvert, alourdi, déformé. Il réclame le bel être humain primitif, en qui la vie était une sève puissante. (...) Le philosophe de Bayreuth glorifie l'impulsion naturelle, la force qui nous fait agir avant même que nous l'ayons critiquée. Il exalte la fière créature supérieure à toutes les formules, ne se pliant sur aucune, mais prenant sa loi en soi-même. Par son sacrifice, Socrate promulgue les lois de la Cité. Jésus la loi de Dieu, l'amour. Que fondent Gundry, Tannhauser, Tristan, héros déchirants de Wagner ? Les lois de l'Individu. Une seule loi vaut : celle que nous arrachons de notre cœur sincère. Pour nous diriger dans le sens de notre perfection, nul besoin de nous conformer aux règles de la Cité ni de la Religion. Un citoyen ? Un fidèle ? Non pas : être un individu, voilà l'enseignement de Wagner. Mais que nul ne s'y trompe. Ce n'est point une doctrine de jouissances faciles. La culture du Moi, aussi bien que le culte de Dieu et de la Cité, exige des sacrifices. (...) Wagner enfin, cet effréné individualiste (...) ne permit jamais à son être intérieur de se détourner de sa destinée » [38].

Pendant longtemps, pratiquement jusqu'à la guerre, Barrès restera fidèle à Wagner [39]. Avec Nietzsche qu'il découvre en 1892 et avec qui il se sent de profondes affinités, l'auteur de *Parsifal* exerce sur Barrès une grande influence, c'est pourquoi au moment où il termine la publication du *Culte du Moi,* il ne manque pas de rendre hommage à Wagner [40].

36. Cf. Sylvia King, *Maurice Barrès. La pensée allemande et le problème du Rhin,* Paris, H. Champion, 1933, pp. 54-55, p. 57. Le milieu dans lequel se trouve Barrès à Paris est essentiellement wagnérien : c'est en effet par ses relations avec les parnassiens que Barrès a pu se faire une idée de l'œuvre de Wagner.

37. Barrès, *Le Regard sur la prairie,* in *Du Sang, de la volupté et de la mort,* édition définitive, Paris, Plon, 1959, p. 300 (ce recueil fut publié en 1894).

38. *Op. cit.,* pp. 297-299.

39. Cf. *Mes Cahiers,* t. III, p. 140, pp. 161-162 ; *Mes Cahiers,* t. IV, p. 67 et *Mes Cahiers,* t. VII, p. 192 : « Il y a trois livres sublimes : Le *Sardanapale* de Byron. Le *Parsifal* de Wagner. *La Tentation de Saint-Antoine* ». En 1914 Barrès s'exprime encore ainsi : « Je vois comme c'est Wagner qui a dominé notre jeunesse » (*Mes Cahiers,* t. X, p. 260).

40. Barrès, « *La querelle des nationalistes et des cosmopolites* », art. cité. A la fin de sa vie, et alors qu'il avait déjà parfaitement pris conscience de tous les dangers du wagnérisme, Barrès faisait ce témoignage :

« Devant Wagner, je ne me suis pas trompé. J'ai senti une force puissante, capable de soulever et de lever des foules, une force religieuse.

J'ai cru : " Ici naît une religion nouvelle ". Quelle religion ? C'est là mon erreur singulière. J'avais reçu un tonus. Tout ce qui était en moi s'émouvait. Et ces idées dont je vivais alors, du Culte du Moi, s'exaltaient, croyaient entendre leur messe. En fait, les Allemands y trouvaient l'exaltation de leur propre personnalité. Ils assistaient à la messe du pangermanisme. Je ne tardais pas à m'en apercevoir » (*Mes Cahiers,* t. XIII, pp. 117-118).

A l'égard de Nietzsche sa position est plus mitigée : « Il m'a prévu », écrit-il quelques années après dans le troisième volume des *Cahiers* [41], et dix ans plus tard, en 1912, il considère que dans le *Culte du Moi*, sa pensée rencontre celle de Nietzsche [42]. Ce point de rencontre, c'est leur commune aversion pour la civilisation industrielle, pour le progrès technique, pour le monde moderne : « Toute cette *modernité* », écrit Barrès, « est contre quoi je lutte, modernité telle que Nietzsche la définit... » [43].

Mais d'autre part, lorsqu'il découvre *La Volonté de puissance*, il sent qu'entre lui et le philosophe allemand il y aurait toujours l'enseignement de Pascal : « il outrage mon état d'esprit », dit-il en août 1901. « Je regarde Pascal et je ris avec mon maître de cet orgueilleux... » [44]. Quelques années plus tard, Barrès se dira profondément choqué par le caractère « antipathique » et « inhumain » du surhomme de Nietzsche, ce « brutal insensé » : « Pour affirmer sa personnalité », poursuit-il, « Nietzsche sort de l'humanité » [45].

Si Barrès découvre Nietzsche relativement tôt, il faut pourtant attendre 1901 pour trouver les traces d'une lecture approfondie. Par contre Schopenhauer, Hartmann et plus encore Fichte, dont il s'était nourri en préparant *Le Culte du Moi*, ont sur lui, à l'époque de sa formation, une influence décisive.

L'influence de la métaphysique allemande sur le jeune Barrès a

41. *Mes Cahiers*, t. III, p. 139. Cf. aussi p. 161.
42. *Mes Cahiers*, t. IX, p. 124.
43. *Mes Cahiers*, t. III, p. 139.
44. *Mes Cahiers*, t. II, p. 243. Le 29 août 1901, en travaillant à la préparation des *Scènes et doctrines du nationalisme*, Barrès fait allusion à Nietzsche. Il avait alors un goût fort prononcé pour le philosophe allemand. Le troisième volume des *Cahiers* renferme déjà des notes de lecture qui montrent bien que Barrès s'était livré à une étude relativement approfondie de Nietzsche (pp. 137-139). Il y cite de longs passages extraits des pages 82-84 de *La Volonté de puissance* particulièrement ceux qui selon lui glorifient le nationalisme, ainsi que ceux faisant le procès du pessimisme et du modernisme. Il semble aussi que certains aspects du pragmatisme barrésien furent nourris par la théorie des relations de puissance exposée par Nietzsche. Page 139, Barrès écrit : « La note 54 m'enivre de plaisir ». Or, le paragraphe 54 de *La Volonté de puissance* traite des principaux symptômes du pessimisme ainsi que des formules d' « affranchissement passager du pessimisme : les grandes guerres, les fortes organisations militaires, le nationalisme, la concurrence industrielle, la science, le plaisir ». On comprend bien qu'au moment où il préparait *Scènes et doctrines du nationalisme*, Barrès ait été envoûté par cet hymne à la puissance, à la vitalité, et aussi par ce pessimisme dont il avait toujours subi l'attrait. Cf. *Scènes et doctrines du nationalisme*, t. I, édition définitive, Paris, Plon, 1925, pp. 4-5. Sur la tentation nietzschéenne de la droite française et plus particulièrement de l'Action française, cf. Reino VIRTANEN, « Nietzsche and the Action française », *Journal of the History of Ideas*, 11 (2), avril 1950, pp. 191-214. La droite apprécie en Nietzsche, comme en Taine et en Renan, surtout l'adversaire des idées de gauche.
45. *Mes Cahiers*, t. VI, p. 6 ; pp. 10-11.

donc été considérable et il est le premier à le reconnaître [46]. Il le dit clairement dans son *Examen de trois idéologies* : après avoir insisté sur ce qu'il doit à Fichte [47], à Schopenhauer [48], il termine en signalant « qu'ici l'on a mis Hartmann en action » [49].

La formation intellectuelle de Barrès s'effectue dans une période de déséquilibre et d'accablement, mais le doute et l'incertitude engendrent un soulèvement intellectuel ; l'obsession de la décadence appelle et suscite une réaction [50] dont le culte du Moi au niveau de la recherche intellectuelle et le boulangisme, sur le plan de l'action politique, constituent les deux aspects.

EN QUÊTE D'ABSOLU

A l'origine du culte du Moi il y a la révolte, révolte à première vue individualiste et non-conformiste, s'il en fut, contre le monde extérieur, le monde des barbares. L'axe de cette révolte est l'antithèse bien connue du Moi et des barbares. Parti à la recherche d'un quelconque terrain solide dans un monde en décrépitude, Barrès trouve le Moi. Dans cet effort pour pénétrer au-delà des apparences, pour creuser l'idée de l'existence, pour s'accrocher à un point d'appui ferme, il découvre la seule réalité tangible, le seul facteur dans l'existence humaine qui ne soit pas une nuée : le Moi. C'est le terme de

46. *Un Homme libre*, p. 299 ; *Mes Cahiers*, t. III, p. 115. Henri Massis place *Le Culte du Moi* sur le même niveau que *L'Etre et le Néant* de Sartre : non seulement, selon Massis, les deux ouvrages eurent une influence et un retentissement comparables, mais leur composition témoigne d'une méthode sensiblement identique. En effet, toujours selon Massis, Sartre a pillé Husserl, Jaspers, Heidegger, de même manière que Barrès avait puisé dans Hegel, Fichte et Hartmann (Henri MASSIS, *Barrès et nous*, *op. cit.*, p. 7). Si Massis ne le remarque pas explicitement, il s'avère cependant, à en juger par ses propos, que c'est la métaphysique allemande qui aura, à des époques différentes, nourri une grande partie de la jeunesse française.

47. BARRÈS, *Le Culte du Moi, Examen de trois idéologies*, p. 26. En 1897 Barrès se compare à Fichte : « Je suis né en 1862 et Fichte en 1762 ; il me conviendrait de mourir comme lui en 1914 après avoir vu un 1813 » (*Mes Cahiers*, t. I, p. 246). Après la guerre encore, alors qu'il se sera déjà dressé contre la littérature et la philosophie allemandes, Barrès note dans ses *Cahiers :* « Que m'ont dit Fichte, Hegel et plus directement Goethe ? Parler de devoir ? Non, j'ai à dégager et à développer le Moi. La nation a à se conformer au droit ? Non, à dégager et achever son destin, sa mission » (t. XII, pp. 59-60). La similitude entre le nationalisme de Barrès et celui de Fichte, on le voit, n'était pas l'effet du hasard.

48. *Op. cit.*, p. 32. Barrès avait dû se familiariser pour la première fois avec la pensée de Schopenhauer par l'intermédiaire de son professeur de philosophie, Auguste Burdeau, qui, en 1879 avait traduit en français *Le Fondement de la morale*. (Sur les ouvrages philosophiques traduits par Auguste Burdeau, cf. Maurice DAVANTURE, « Barrès, Burdeau et Bouteiller », in *Maurice Barrès : Actes du colloque de Nancy*, p. 36.

49. *Op. cit.*, p. 33.

50. Cf. J.-M. DOMENACH, *Barrès par lui-même*, Paris, Seuil, collection « Ecrivains de toujours », 1962, p. 9.

la première étape du long voyage entrepris par Barrès à la recherche du transcendant. Dans une large mesure, c'est cette recherche d'une vérité première sur laquelle on pourrait fonder l'existence humaine ou plutôt, qui pourrait lui donner un sens, qui constitue l'un des fils conducteurs de la pensée barrésienne et qui lui confère son unité. De nombreuses contradictions apparentes se résolvent dès que l'on comprend ce que fut la grande inquiétude de la pensée de Barrès : découvrir le vrai, le solide, l'immuable, échapper à la terrible incertitude qui plane sur l'existence humaine. Ceci explique également l'extraordinaire âpreté avec laquelle, dès qu'il les eut découvertes, Barrès lutta pour ses vérités. Son intransigeance, sa violence, son style politique d'agitateur, compagnon d'armes des Guérin et des Morès, est le fruit de sa conviction qu'en dehors du système par lui découvert il n'y a point de salut.

« Par elle-même, la vie n'a pas de sens », écrit Barrès dans *Les Amitiés françaises,* à l'époque où déjà il entrevoit que la seule issue pour échapper au nihilisme est dans l'enracinement de l'individu dans le temps et dans l'espace par le biais de la Terre et des Morts, dans cette parfaite expression de la continuité historique qu'est la nation : « Si nous repoussons la règle, quelle qu'elle soit, qui disciplina nos pères et à quoi nous approprie notre structure mentale, nous n'avons aucune raison de choisir une vérité plutôt qu'une autre dans le riche écrin des systèmes. Il ne nous reste que de jouer à pile ou face » [1]. En 1898, Barrès explique son évolution comme une révolte contre le nihilisme : « Si je suis passé », dit-il, « de la rêverie sur le Moi au goût de la psychologie sociale, c'est par des voyages, par la poésie de l'histoire, c'est surtout par la nécessité de me soustraire au vague mortel et décidément insoutenable de la contemplation nihiliste » [2]. Son traditionalisme est donc le fruit de cette recherche de l'absolu dans laquelle il se lance dès son premier ouvrage. Il semble parfois que cette volonté tenace d'échapper au relativisme — cette vie dépourvue de sens — ou la volonté de trouver une signification à l'existence soit le véritable fondement et le moteur de l'immense effort fourni par Barrès pendant les quarante années de son activité politique et littéraire.

Mais pour en arriver aux conclusions traditionalistes de l'antidreyfusisme, Barrès fait un détour qui, sans qu'il soit nécessaire d'en exagérer l'importance, n'en est pas moins significatif.

1. *Les Amitiés françaises,* p. 16.

2. BARRÈS, *Stanislas de Guaita,* in *Amori et dolori sacrum,* pp. 130-131. Dans *Une Impératrice de la solitude* (*op. cit.,* p. 225), il fait encore preuve d'un penchant naturel pour un certain nihilisme, pour ceux qui surent être des hommes libres dans un sens qui l'avait un jour effleuré lui-même. C'est avec une réelle admiration qu'il évoque Elisabeth d'Autriche dont « l'existence (était) le poème nihiliste le plus puissant de parfum qu'on ait jamais respiré dans nos climats ».

Le but de *Culte du Moi* est la recherche de la vérité en soi, et la méthode, celle du « roman de la métaphysique » et « de l'idéologie passionnée » [3]. C'est la méthode choisie délibérément par « une génération dégoûtée de tout peut-être, hors de jouer avec des idées... » [4].

Deux éléments de ce qui peut être considéré comme une première profession de foi de Barrès doivent être retenus ici. Tout d'abord l'objet du culte du Moi appartient au domaine du transcendant : dès ses premiers pas, Barrès s'attaque donc aux vérités premières, à l'essence même de l'existence humaine. D'autre part, il constate la ruine complète de tout un système de valeurs hérité de l'époque antérieure : « Notre morale, notre religion, notre sentiment des nationalités sont choses écroulées... » [5]. Le monde se trouve privé de critères de comportement, « de règles de vie » [6], et « l'idée de patrie » qu'on essaie de rebâtir, le « souci social » que l'on essaie de communiquer à la jeunesse, la « direction morale » que l'on essaie de lui indiquer, ne sont que des « fausses religions » [7].

Ce monde contemporain de Barrès est donc un monde artificiel dont l'échelle de valeurs est le fruit de l'incertitude et de l'arbitraire, car les certitudes qui furent celles des générations précédentes ont disparu avec elles. Et « en attendant que nos maîtres nous aient refait des certitudes » [8], il conclut qu'il n'existe qu'un seul élément solide, inchangeable, inébranlable, seul point d'appui dans un monde tombant en ruines, le Moi : « il n'y a qu'une chose que nous connaissions et qui existe réellement... Cette seule réalité tangible, c'est le Moi, et l'univers n'est qu'une fresque qu'il fait belle ou laide » [9]. Ou encore :

> « Assurément le Moi seul existe. Il n'y a pas un monde extérieur, étranger et hétérogène par rapport à la conscience. Une telle conception est le produit d'un développement philosophique incomplet. Outre qu'elle est basse, elle a des conséquences déplorables. Car dès l'instant que la vie sensible, le monde extérieur et tous les intérêts qui s'y rapportent sont un pur néant, sans valeur ni réalité en eux-mêmes, les efforts dont elle est le principe et le but sont également vaine agitation et néant » [10].

Ce Moi, source de toute apparence, créateur de toute vérité « n'est

3. *Le Culte du Moi, Examen de trois idéologies*, p. 13.
4. *Ibid.*
5. *Op. cit.*, p. 18.
6. *Ibid.*
7. *Op. cit.*, p. 45.
8. *Op. cit.*, p. 18.
9. *Op. cit.*, p. 45.
10. BARRÈS, *Toute licence sauf contre l'amour*, pp. 178-179. Ce texte, qui date de 1892, fut réimprimé à la suite de *Huit jours chez M. Renan*, Paris, Plon-Nourrit (série Œuvres complètes), 1923. Cf. la conclusion du premier chapitre de *Sous l'œil des barbares* (Paris, Lemerre, 1888, p. 30) qui se termine sur le cri « Attachons-nous à l'unique réalité, au Moi ». Cf. aussi *Le Culte du Moi, Examen de trois idéologies*, p. 18 et p. 21 où il écrit : « Le premier point c'est d'exister ».

pas immuable ; il nous faut le défendre chaque jour et chaque jour le créer »[11]. On reconnaît là aisément, dans ce qui constitue l'essentiel du premier livre de Barrès, un des grands thèmes de l'esthétique wagnérienne ou plutôt de ce que l'auteur de *Sous l'œil des barbares* considérait comme l'esthétique wagnérienne. En effet, Barrès qui ignore l'allemand ne connaît alors Wagner philosophe que par les critiques de *La Revue wagnérienne* et de *La Revue indépendante ;* d'ailleurs il confond souvent Wagner et Téodor de Wyzéwa[12]. Ce dernier, écrivain d'origine polonaise, collaborateur de *La Revue des Deux Mondes,* co-directeur de *La Revue wagnérienne* et auteur de nombreuses études sur Wagner[13], exerça un ascendant certain sur le jeune Barrès. Les références de Barrès à Wyzéwa l'attestent clairement. Tout autant que les témoignages d'Henri Massis ou de Maurras[14] et, surtout, les textes mêmes dont Wyzéwa est l'auteur et qui ressemblent étrangement à certains passages clés de *Sous l'œil des barbares*[15].

11. *Le Culte du Moi, Examen de trois idéologies,* p. 25.

12. Isabelle de WYZÉWA, *La Revue wagnérienne. Essai sur l'interprétation esthétique de Wagner en France,* Paris, Perrin, 1934, p. 155.

13. En dehors des articles de *La Revue wagnérienne,* on consultera son *Beethoven et Wagner, Essais d'histoire et de critique musicales,* Paris, Perrin, 1914.

14. Maurice BARRÈS-Charles MAURRAS, *La République ou le Roi, Correspondance inédite 1888-1923,* Paris, Plon, 1970, p. 68, p. 212, p. 433 et p. 477. Cf. aussi un article de Barrès dans *Le Figaro* du 8 décembre 1891, « Les Meneurs », ainsi que les lettres inédites adressées à André Maurel et publiées par lui dans *L'Eclair* du 15 mars 1925. Pour sa part, Henri Massis témoigne que « ce qui traîne, par endroits, de Fichte, de Hegel, de métaphysique allemande, dans *Le Culte du Moi,* il (Barrès) l'avait recueilli sur les lèvres savantes de l'universel Téodor de Wyzéwa... » (*Barrès et nous,* p. 51).

15. En juillet 1885, trois ans avant la publication du premier livre de Barrès, pour expliquer la conception que Wagner avait de « l'être », Téodor de Wyzéwa écrivait :

« Cet être n'est point la ridicule volonté absolue de Schopenhauer ; cet être c'est *l'homme,* c'est *moi,* c'est la volonté individuelle, créant le monde des phénomènes. Au fond des apparences est l'esprit qui les connaît et qui pour les connaître les produit. L'univers que nous vivons est un rêve, un rêve que volontairement nous rêvons. Il n'y a point de choses, point d'hommes, point de monde ; ou plutôt il y a tout cela mais parce que l'être se doit nécessairement projeter en des apparences. Et notre douleur, aussi, est le volontaire effet de notre âme. *Seul vit le Moi et seul est sa tâche éternelle : créer* ». (« Le pessimisme de Richard Wagner », *La Revue wagnérienne,* 1re année, 8 juillet 1885, pp. 168-169.)

En 1886, Wyzéwa écrivait de nouveau :

« L'art, nous dit Wagner, doit créer la vie. Pourquoi ? Parce qu'il doit poursuivre, volontairement, la fonction naturelle de toute activité intellectuelle. C'est que le monde où nous vivons, et que nous dénommons réel est une pure création de notre âme. L'esprit ne peut sortir de lui-même ; et les choses qu'il croit extérieures à lui sont, uniquement, ses idées. Voir, entendre, c'est créer en soi des apparences, donc créer la Vie. Mais l'habitude funeste des mêmes créations nous a fait perdre la conscience joyeuse de notre pouvoir créateur ; nous avons cru réels ces rêves que nous enfantions, et ce moi personnel, limité par les choses, soumis à elles, que nous avions conçu ». (« Notes sur la peinture wagnérienne et le Salon de 1886 », *La Revue wagnérienne,* 2e année, 8 mai 1886, p. 101.)

Les wagnériens français ont également appris à Barrès que le processus permanent de création, de renouvellement du Moi, est un facteur de tension : c'est lui qui crée la tension entre le Moi et le monde extérieur. Le Moi ne peut se réaliser que dans l'affrontement avec les non-Moi, avec les barbares : or le barbare c'est tout le milieu qui entend brimer l'individu, c'est le non-Moi, individuel ou collectif, « tout ce qui peut nuire ou résister au Moi »[16]. Tout ce qui est capable d'offrir une quelconque résistance à sa réalisation est l'ennemi du Moi. Il s'ensuit que l'existence ne peut être qu'une éternelle bataille entre le Moi et le non-Moi, c'est-à-dire entre le Moi et tout ce ou tous ceux qui résistent à cette sorte d'impérialisme d'abord passif et plus tard terriblement actif du Moi barrésien. Il n'y a point de neutralité possible dans cet éternel affrontement de façons différentes de croire, de sentir, de penser, c'est-à-dire de concevoir le sens de l'existence. Il n'y a place dans cette enceinte où s'empoignent les adversaires que pour les combattants eux-mêmes : la vie étant une lutte permanente des différents Moi entre eux, il s'agit pour chacun d'être le plus fort. Il faut vaincre ou disparaître : déjà, le jeune Barrès formule donc une idée qui caractérisera la pensée de sa maturité et qui rappelle curieusement les éléments essentiels du darwinisme social.

A la lumière de ce qui constitue l'une des conceptions les plus fondamentales de la pensée barrésienne, on conçoit que la défense du Moi ne constitue pas un but en soi, mais une condition pour pouvoir porter la lutte sur le terrain de l'adversaire. La « tour d'ivoire »[17] du haut de laquelle le défenseur de son Moi « se penchait... comme d'un temple sur la vie »[18], les « hautes murailles »[19] dont il s'entourait, ne sont pas seulement une citadelle destinée à repousser les attaques des barbares, mais aussi un point d'appui pour lancer l'offensive permanente contre ce monde des barbares. D'autre part, de même qu'il passe graduellement d'une conception défensive du Moi à une conception offensive, d'un Moi retranché du monde à un Moi se jetant dans la bataille, Barrès découvre son enracinement dans le passé.

Au passage graduel d'une conception défensive du Moi à une conception offensive, correspond une évolution corrélative de la notion de barbare. Défini tout d'abord comme le non-Moi pur et simple — « qu'on le classe vulgaire ou d'élite, chacun hors moi n'est que

16. *Le Culte du Moi, Examen de trois idéologies*, pp. 26-27.
17. *Sous l'œil des barbares*, p. 198.
18. *Op. cit.*, p. 161.
19. *Un Homme libre*, p. 132.

barbare » [20] — le barbare devient dans une définition ultérieure « tout ce qui peut nuire ou résister au Moi » [21].

C'est pourquoi le Moi barrésien ne saurait reconnaître aux autres Moi la même valeur intrinsèque. On est ici en présence d'une échelle de valeurs où le Moi, dont la « tâche... est de se conserver intact » [22], ne peut même envisager, sous peine de se trahir, de ne pas s'opposer aux autres Moi. Ce postulat, qui constitue le point de départ de la première trilogie, est d'une importance capitale pour la compréhension de la pensée barrésienne. Car il impose la négation de toute vérité autre que celle créée par le Moi. Le Moi étant le créateur et l'unique détenteur de la vérité, la première règle de l'éthique barrésienne consiste à s'affirmer contre le non-Moi, le barbare, et contre tous ceux qui appartiennent en fait à une réalité différente et sont porteurs d'une vérité étrangère. Le nombre de vérités est, à ce stade du Moi individualiste, équivalent au nombre de sujets créateurs de vérités. Il ne peut donc qu'exister un abîme entre le Moi et les innombrables non-Moi, entre la vérité et les vérités des autres. Or, constatation capitale, ces autres, les barbares, ne sont ni une catégorie sociale, ni des non-intellectuels, mais « des êtres qui de la vie possèdent un rêve opposé à celui » que le Moi « s'en compose (...), des êtres qui ne sont pas de sa patrie psychique » [23]. Etre un homme libre c'est donc défendre jalousement son Moi contre tout empiètement de l'extérieur, d'où qu'il vienne, du monde qui l'entoure ou du passé : « Alienus ! étranger au monde extérieur, même à mon passé, étranger à mes instincts, connaissant seulement des émotions rapides que j'aurai choisies : véritablement homme libre » [24].

Ce passage célèbre était sans doute pour beaucoup dans la boutade de Taine prédisant à Barrès la folie.

Une telle conception du monde n'aurait pas porté à conséquence si elle avait été réellement limitée au niveau de l'individu. Tel ne fut pas le cas de Barrès qui, en élevant immédiatement au niveau des collectivités sa vision des relations entre le Moi et le barbare — relations de lutte perpétuelle — donna à cette vision des attributs d'une loi naturelle. Très rapidement en effet, la première règle de l'éthique barrésienne qui consistait à s'affirmer contre tout ce qui n'était pas le Moi [25], à se cantonner dans un monde fermé à la vie des hommes, acquiert la dimension du collectif. Ce réajustement, il le fait un jour

20. *Sous l'œil des barbares*, p. 141. Il revient sur cette définition dans *Un Homme libre*, p. 182 : « Tous hors moi, sont des barbares », mais il ajoute : « des étrangers ». Ce qui est significatif, c'est le fait que les « étrangers » apparaissent déjà dans le contexte lorrain.

21. *Le Culte du Moi, Examen de trois idéologies*, pp. 26-27.

22. *Sous l'œil des barbares*, p. 165.

23. *Le Culte du Moi, Examen de trois idéologies*, pp. 22-23.

24. *Un Homme libre*, p. 291.

25. *Op. cit.*, p. 228.

qu'il est à Nancy, « près la pierre tombale de René dans la froide église des Cordeliers »[26]. C'est alors que se fait jour en Barrès la « haine des étrangers, des barbares... »[27]. « La Lorraine », écrit-il, « n'a pas abouti précisément parce qu'elle dut se soumettre à l'étranger »[28]. La notion du Moi collectif fait ainsi son apparition à un moment où les prises de position de Barrès semblent être empreintes de l'individualisme le plus extrême.

Le développement de la pensée barrésienne se fait donc en deux temps extrêmement rapprochés. Dans un premier temps, celui de la négation, se manifeste la révolte contre l'ordre établi, contre le conformisme. Les barbares sont « les convaincus, sourds et bruyants », ayant donné « à chaque chose son nom »[29] : « nous avons », disent-ils, « au fond de nos poches la considération, la patrie et toutes les places. Nous avons créé la notion du ridicule contre ceux qui sont différents... »[30]. Barrès donne donc l'assaut à un système dont le fondement est le refus de remettre en cause l'échelle de valeurs établies, les idées reçues et les positions sociales bien ou mal acquises, à une société régie par le conformisme, la défense des privilèges et, ce qui est beaucoup plus frappant, par l'idée de patrie. Le patriotisme, il convient de le rappeler, est encore à cette époque marqué par le gambettisme, héritier du patriotisme jacobin, auréolé par la résistance des vieux républicains de l'Empire et le Gouvernement de la défense nationale. Il est le cheval de bataille du régime et de l'ordre établi, le tabou des bien-pensants, des bruyants personnages tels Déroulède et ses ligueurs. Ce n'est pas par hasard que Barrès avait déjà flétri les professionnels du patriotisme dans *Les Taches d'encre*.

Dans un deuxième temps, l'homme libre découvre qu'il est impossible d'isoler son Moi et de le posséder jalousement : au fond du Moi survit en effet le passé qui conditionne le Moi. A l'instant même où l'individu accomplit tous les efforts pour s'en détacher, il constate son échec : il y a en fait lutte contre sa volonté de liberté et les forces du passé dont la volonté de l'individu sort vaincue. Barrès en est terriblement conscient et au moment même où « coupant sans cesse derrière moi », écrit-il, « je veux que chaque matin la vie m'apparaisse neuve et que toutes choses me soient un début », il sait qu' « un chez soi est comme un prolongement du passé ; les émotions d'hier le tapissent »[31]. Lues à la lumière de celles qui les précèdent de cent pages, ces lignes prennent toute leur signification : « Les

26. *Op. cit.*, p. 130.
27. *Op. cit.*, p. 132.
28. *Op. cit.*, p. 182.
29. *Sous l'œil des barbares*, p. 161.
30. *Op. cit.*, pp. 161-162.
31. *Op. cit.*, p. 288.

individus si parfaits qu'on les imagine, ne sont que des fragments du système plus complet qu'est la race, fragment elle-même de Dieu »[32].

Il n'y a donc point ici d'individualisme outrancier comme l'affirme l'un des plus récents critiques de l'œuvre barrésienne, Michaël Curtis[33]. L'individualisme ne peut être conçu que dans le cadre d'un système complet dont l'individu n'est qu'une infime parcelle. La recherche des sensations nouvelles n'est en aucune façon incompatible avec les liens qui relient le présent au passé : les sensations nouvelles, le début de toutes choses restent, indépendamment de la volonté particulière, conditionnés par le passé. Il n'y a point de début qui ne soit le prolongement du passé, qui ne soit étape d'une histoire : cette considération du temps est un des piliers de la pensée de Barrès. En réalité, le Moi, enraciné dans le passé le plus lointain, se prolonge dans un avenir indéterminé : l'individu n'est qu'un maillon d'une longue chaîne qui unit les morts aux vivants et le passé à un avenir imprévisible. Tout en coupant derrière soi, à la recherche de sensations nouvelles, il vient de découvrir sa qualité de parcelle de l'éternité, il vient « de distinguer et d'accepter son déterminisme »[34].

Les conclusions politiques qu'en a tirées Barrès furent à l'origine de l'extraordinaire déception de toute cette partie de la jeunesse qui tout d'un coup, en découvrant au temps de l'Affaire ce qu'elle croyait être un Barrès métamorphosé se sentit trahie par l'auteur du *Culte du Moi.* Celui-ci, pour sa part, était parfaitement conscient du désarroi causé en 1897 aux disciples que lui avait valus la première trilogie : la préface à l'édition de 1905 d'*Un Homme libre* en témoigne. Barrès considère, à juste titre, ce désarroi comme un malentendu de la part de tous ceux qui n'avaient pas su discerner dans *Le Culte du Moi* les éléments traditionalistes qui relient la première trilogie au *Roman de l'énergie nationale.*

32. *Op. cit.,* p. 187.

33. Michaël Curtis, *Three against the Third Republic,* Princeton, Princeton University Press, 1959, p. 105. En examinant de près l'interprétation de Michaël Curtis, on se rend rapidement compte que celle-ci repose sur une analyse de textes délibérément choisie. Il est en effet étonnant de constater que l'auteur commence sa citation au milieu d'une phrase alors que l'ensemble du texte lui confère un sens sinon différent, du moins beaucoup plus nuancé. Il commence en effet sa citation du texte tiré de la page 288 d'*Un Homme libre* à : « je veux que chaque matin..., etc. » sans référence à l'autre fragment de phrase cité plus haut : « un chez soi est comme un prolongement du passé..., etc. ». Cette citation hors contexte confère évidemment à l'ensemble de la conception barrésienne un sens tout à fait différent. Car, en réalité, s'il y a soif de renouveau, il n'est aucunement question de renier le passé : il ne peut donc s'agir d'individualisme dans le sens que lui donne Curtis.

34. *Un Homme libre,* préface de 1905, Paris, Fontemoing, Collection Minerve, 1905, pp. 11-12. Cette nouvelle édition est augmentée d'une préface très importante pour l'étude de l'évolution de la pensée de Barrès.

C'est ainsi qu'au-delà des thèmes d'un certain anarchisme qui avait, comme l'a fait remarquer Roger Labrousse, secoué toutes les contraintes, y compris celles du passé [35], apparaissent dans *Le Culte du Moi* les éléments d'acceptation qui préparent le traditionalisme et *Le Roman de l'énergie nationale*. On discerne en effet que le même fil — l'acceptation du verdict de l'histoire — rattache ses premiers romans aux *Déracinés*, à sa campagne pour les églises de France et enfin à son refus de rallier l'Action française. La découverte de l'histoire est capitale dans l'évolution de la pensée barrésienne ; elle constitue la clé de voûte de son système : « Au milieu d'un océan et d'un sombre mystère qui me pressent », écrit-il, « je me tiens à ma conception historique comme un naufragé à sa barque (...). A force d'humiliation, ma pensée d'abord si fière d'être libre, arrive à constater sa dépendance de cette terre et de ces morts qui, bien avant que je naquisse, l'ont commandée jusqu'à dans ses nuances... » [36].

Sept années plus tard, l'essentiel de son œuvre accompli, Barrès insiste sur l'unité de sa pensée qui, à son sens, depuis *Un Homme libre*, n'a fait que suivre une courbe ascendante : l'homme libre, en acceptant son déterminisme, achève sa libération. Etre libre se résume à comprendre les facteurs qui conditionnent l'individu et à les accepter [37]. A l'issue d'un long parcours, « l'homme libre », dit Barrès, « distingue et accepte son déterminisme. Un candidat au nihilisme poursuit son apprentissage et, d'analyse en analyse, il éprouve le néant du Moi, jusqu'à prendre le sens social. La tradition retrouvée par l'analyse du Moi, c'est la moralité que renfermait l'*Homme libre*, que Bourget réclamait et qu'allait prouver le *Roman de l'énergie nationale* » [38].

La question qui se pose cependant est de savoir dans quelle mesure cette interprétation, postérieure à la composition d'*Un Homme libre*, représente réellement le sens de la pensée de Barrès dans la première trilogie elle-même. C'est en tout cas une question qui pourrait être légitimement posée par tous ceux qui considèrent qu'il existe une

35. Roger LABROUSSE, « Quelques étapes de l'idée nationale », *Esprit*, 1er janvier 1934, pp. 577-578.

36. *Un Homme libre*, préface de 1905, pp. 16-17.

37. *Mes Cahiers*, t. IX, pp. 285-286 :
« L'individu affranchi d'*Un Homme libre* avait détruit une à une toutes les valeurs morales pour reconstruire avec les matériaux séculaires un temple intérieur bien à lui. Ce même individu ne suit-il pas une courbe rationnelle en entrant dans l'Eglise de ses pères, si près de ses morts, pour écouter les sollicitations effectives des choses qui ont résisté aux grands courants de la vie ? N'achève-t-il pas pleinement sa vraie libération ? Ne va-t-il retrouver le sens profond de sa race ? Tout ce qui paraît effectif dans la brochure sur les *Eglises* était enfermé dans *Un Homme libre*. Je l'ai dit un jour : *Un homme libre* est le livre qui demeure mon expression centrale. Je n'ai fait que développer depuis ».

38. *Un Homme libre*, préface de 1905, p. 13.

rupture entre le Barrès du *Culte du Moi* et celui du *Roman de l'énergie nationale*.

Dans un ouvrage désormais classique, Thibaudet remarque que Barrès avait sans doute changé plus qu'il ne voulait lui-même l'admettre [39]. En effet, le leader nationaliste était souvent tenté de minimiser des périodes ou des phénomènes qui n'entraient que difficilement dans le cadre du système élaboré à partir de l'Affaire Dreyfus. Pourtant, le jugement de Barrès sur son œuvre repose sur une base solide, car dans *Le Jardin de Bérénice*, il avait déjà largement amorcé une ligne de pensée qui devait s'épanouir dans la seconde trilogie, dans *Les Amitiés françaises* — cette sorte d'anti-Rousseau — et pratiquement dans toute son œuvre ultérieure : « A étudier l'âme lorraine, puis le développement de la civilisation vénitienne », dit-il, « je compris quel moment je représentais dans le développement de ma race, je vis que je n'étais qu'un instant d'une longue culture, un geste entre mille gestes d'une force qui m'a précédé et qui me survivra » [40].

C'était déjà le thème du second volume du *Culte du Moi* : « Toute une race », écrivait-il, « aboutit (...) en moi » [41] ; « Je ne suis qu'un instant d'un long développement de mon être... » [42]. De même les chapitres sur la Lorraine et sur Venise « décrivent les moments où Philippe se comprit comme un instant d'une chose immortelle » [43].

Le pas était franchi : l'individu n'est conçu que comme le résultat d'un long travail, l'aboutissement de toute une lignée. Il s'intègre dans un ensemble infini et, au fond de lui-même survivent les morts [44].

Ainsi s'effectue, au sein même des tout premiers ouvrages de Barrès, le processus de transition du Moi individuel à une conception du Moi collectif. Barrès prend dès ce moment parfaitement conscience de ce qui constituera, plus tard, l'essentiel de sa conception de l'individu et de la collectivité : les aspirations et les instincts de l'individu sont enracinés dans le passé et pour connaître la loi de son être et la réaliser, c'est la loi de l'être collectif et national qu'il importe de discerner et d'adorer [45].

Ce qui s'opère dans la pensée de Barrès, c'est donc une transposition du culte du Moi à un niveau supérieur : de l'adoration et de la défense du Moi individuel, Barrès passe au culte d'un Moi

39. Albert Thibaudet, *La Vie de Maurice Barrès*, Paris, N.R.F., 1921, p. 87.
40. *Le Jardin de Bérénice*, Paris, Perrin, 1891, p. 183.
41. *Un Homme libre*, p. 233.
42. *Op. cit.*, p. 223.
43. *Le Culte du Moi, Examen de trois idéologies*, p. 32.
44. *Un Homme libre*, pp. 222-223.
45. Cf. Dominique Parodi, « La doctrine politique et sociale de M. Maurice Barrès », *La Revue du mois*, t. III, 2e année, 1907, p. 22.

collectif, un Moi nourri de passé et de tradition, un Moi national. Et, à partir du moment où c'est le Moi collectif qui est devenu le créateur de la réalité, tous les efforts déployés pour la défense et la réalisation du Moi seront consacrés avec une même ferveur à la réalisation du Moi national : « Le Moi individuel (...) supporté et nourri par la société »[46] s'intègre totalement au Moi collectif au point de ne pouvoir se concevoir qu'en tant que simple composante d'un organisme. La supériorité de la collectivité sur l'individu s'affirme ainsi sans appel.

La notion de barbare elle-même prend un sens nouveau : contre le danger de déformation que présentent les barbares, « rien de plus excellent que de réfléchir sur notre passé », car « l'individu est mené par la même loi que sa race »[47]. Le passé, l'histoire, la tradition deviennent des remparts élevés contre l'envahisseur, les barbares et tous ceux qui n'appartiennent pas à la même « famille psychique ». Or, il n'appartient qu'au Moi d'effectuer le tri entre ce qui fait partie de cette patrie psychique et ce qui n'en fait pas partie : il n'existe pas d'autre critère. Rien de plus naturel donc, pour Barrès que de tirer, le jour venu, les conclusions qui s'imposent. Sa notion de « patrie psychique » lui permettra de jeter l'exclusive contre toute personne ou tout groupe tenu pour être étranger à cette patrie.

En effet, les affinités entre différents Moi s'établissent en fonction d'une commune vision du monde : leur solidarité face aux barbares procède de l'instinct, elle les englobe tous dans un même élan, au-delà de toute distinction sociale ou intellectuelle. Le barbare — l'adversaire du *Jardin de Bérénice* — c'est le technocrate, le conformiste. Au temps de l'Affaire ce sera l'intellectuel « déraciné », celui qui n'est pas de l'avis de Barrès, le naturalisé, le protestant ou le Juif.

Un grand nombre des éléments de l'éthique barrésienne — le traditionalisme, le déterminisme historique et culturel, biologique à la limite, le culte du Moi national et de l'égotisme collectif, le principe de la lutte contre les Moi — apparaissent ainsi dès la première trilogie. Ils ne prendront cependant toute leur signification que dans les dernières années du siècle.

Au temps des *Taches d'encre* et du *Voltaire*, Barrès pensa un instant à une sorte de fraternité d'intellectuels cosmopolites, ces bohèmes de l'esprit vers lesquels allait sa sympathie. Cela ne dura que fort peu de temps, guère plus que l'ironie qui prenait Déroulède pour cible. Mais ceci montre qu'il y eut, dès le début, une volonté de dépassement du Moi individuel qui, à un certain moment, parut s'orienter vers une sorte d'internationalisme d'intellectuels. Si le jeune

46. *Un Homme libre*, préface de 1905, pp. 14-15.
47. *Op. cit.*, p. 167. Cf. aussi, *Sous l'œil des barbares*, p. 161.

Barrès fut tenté par ce genre de cosmopolitisme, cette tentation d'intégration dans une entité plus grande que soi-même, dès le moment où elle commença à être élaborée en système, fut canalisée par la collectivité nationale.

C'est également dans cette optique qu'est définie la notion de liberté. Etre libre, cela veut dire « fuir les barbares, les étrangers »[48], et c'est parce qu'il se consacre à fuir les étrangers que Barrès peut écrire : « Le perpétuel ressort de ma vertu, c'est que je me veux homme libre »[49]. L'exemple qu'il donne, est l'exemple lorrain : « Que je dépense la même énergie (que les Lorrains) », dit-il, « la même persévérance à me protéger contre les étrangers, contre les barbares, alors je serai un homme libre »[50]. Dans le même contexte apparaît une autre expression qui, en quelque sorte, boucle le cercle : celle de race libre. En déplorant la décadence lorraine, Barrès écrit : « Cette brave population dut accepter de toute part les étrangers qu'elle avait repoussés tant qu'elle était une race libre, une race se développant selon sa loi »[51].

Homme libre et race libre, race dans le sens de collectivité, sont des concepts parfaitement superposés. Ce sont deux organismes identiques dont l'un est supporté et nourri par l'autre : le premier tire son existence du second et par là il lui est inférieur, mais il en extrait le sens et le sentiment de l'éternité. Etant déterminé par la race, par la longue lignée des ancêtres, le Moi fait corps avec le passé le plus lointain et l'avenir le plus imprévisible : « Je ne suis qu'un instant d'un long développement de mon être ; de même la Venise de cette époque n'est qu'un instant de l'âme vénitienne. Mon être et l'être vénitien sont illimités »[52]. Cet être illimité constitue l'héritage qu'il appartient au Moi de transmettre intact aux générations à venir, de préserver, d'épurer de tous les éléments étrangers que la réalité de tous les jours tend à y déposer et en même temps de développer en lui ajoutant « tout ce qui lui est identique, assimilable... »[53], et Barrès souligne qu'il conçoit l'accord du Moi avec la collectivité « comme l'effort de l'instinct pour se réaliser »[54].

Transposée sur le plan de la collectivité, cette méthode formera les fondements de l'antidreyfusisme : l'organisme national devra être épuré des étrangers comme Zola, des Juifs, ou des métèques comme Jean Psichari. Pour suivre son destin, cet organisme doit s'abandonner aux forces de son instinct et laisser parler la loi de la race.

48. *Un Homme libre*, p. 228.
49. *Ibid.*
50. *Op. cit.*, p. 158.
51. *Op. cit.*, pp. 151-152.
52. *Op. cit.*, p. 223.
53. *Le Culte du Moi, Examen de trois idéologies*, p. 25.
54. *Op. cit.*, p. 32.

On se trouve ici en présence de l'un des éléments fondamentaux de l'éthique barrésienne : l'omnipotence de l'instinct collectif. C'est l'instinct qui constitue le seul critère de comportement valable.

En mettant en avant la conception de l'instinct, notion subjective s'il en est, Barrès vient de se forger un instrument de travail qui, dans le cadre de son système, est parfaitement inattaquable. Car, nulle critique des faits ne peut avoir de prise sur un concept imperméable à l'analyse rationnelle classique : toute argumentation à ce niveau sera repoussée par lui comme étant hors de propos et ne pouvant qu'apporter la preuve de l'aliénation du critique envers la collectivité. Cette disposition d'esprit rend impossible, au temps des grands affrontements, tout dialogue entre Barrès et ceux qui sont étrangers à son système de valeurs. Aucune critique ne peut percer l'épaisse armature de subjectivité qui entoure son système. Il n'existe d'autre possibilité que d'appartenir à une même famille psychique ou d'y être totalement étranger. Ce n'est qu'au sein de la même famille qu'on peut éventuellement ne pas s'accorder sur des questions de détail bien déterminées, mais pas sur les grands principes ; car toute remise en question de l'un de ceux-ci devient une preuve flagrante que celui qui s'en rend coupable, est en réalité un ver dans le fruit. Le monde est par conséquent coupé en deux et les choix sont fixés. Il s'en suit que la critique est désarmée, le débat au niveau des faits et de leur explication dépourvu de sens, dès que l'on accepte le postulat que Barrès vient de formuler, à savoir, le primat de l'instinct créateur de toute réalité, par le biais de l'histoire, en elle-même considérée comme le devenir de l'instinct collectif.

Parvenu à ce stade de son argumentation, Barrès en déduit la notion de l'inconscient : « A force de s'étendre », écrit-il, « le Moi va se fondre dans l'inconscient » [55]. Or, si l'on considère qu'il vient de démontrer longuement que le Moi, soutenu et nourri par la société, n'existe que par elle, se fond en elle, on ne peut que conclure que ce sont les forces de l'inconscient qui ont créé la collectivité. L'inconscient et l'instinct — deux concepts qui, pour l'instant, possèdent pour Barrès une signification pratiquement identique — sont le vrai moteur de l'histoire, la source de vie de la collectivité. Celui qui ne reconnaît pas ce qui est une vérité première, est par définition le barbare. Il est étranger à cette « patrie psychique » dont font partie uniquement ceux qui ont du monde une image identique, tous ceux auxquels un même instinct dicte le comportement, ou dont un inconscient identique détermine les attitudes.

C'est ainsi que le premier massif de l'œuvre barrésienne, fort éloigné d'un anarchisme de jeunesse que trop souvent on a voulu y discerner, forgea les armes du penseur nationaliste. Le moment

55. *Ibid.*

venu, après le prologue du boulangisme, lors de l'appel aux armes du temps de l'Affaire, il sera facile au leader nationaliste de transposer son éthique sur le plan de la théorie et de l'action politiques. Les principes de défense du Moi et de son épuration des éléments étrangers « qu'y rejette sans cesse le fleuve immonde des barbares » [56], sont appliqués dans *Scènes et doctrines du nationalisme ;* c'est alors que la lutte entre les différents Moi est considérée comme une sorte de loi naturelle en vertu de laquelle il s'agit pour chacun d'être le plus fort. D'autre part, comme l'a souligné J.-M. Domenach, bien que rien dans *Un Homme libre* ne se rapporte directement à la politique ou à la situation sociale, l'exaspération et le mépris qu'il traduit, l'appel au maître et au sauveur inconnu qui le concluent, portent la marque de l'époque [57]. On y distingue en effet, les premiers accents de l'appel aux armes et le volume qui lui fait suite, s'ouvre par une discussion entre M. Renan et M. Chincholle, ayant lieu peu de jours après la triomphale élection parisienne du général Boulanger.

56. *Sous l'œil des barbares,* p. 165.
57. Jean-Marie DOMENACH, *Barrès par lui-même,* p. 12.

CHAPITRE II

Anatomie d'une crise : le boulangisme

LE POIDS DE LA DÉFAITE

« En politique », écrit Maurice Barrès en faisant le bilan de vingt-cinq années d'activité, « je n'ai jamais tenu profondément qu'à une seule chose : la reprise de Metz et de Strasbourg. Tout le reste je le subordonne à ce but principal (...) Ce sont là des idées que je tiens de ma petite enfance, d'un grand-père officier de la Grande Armée, et des images de la guerre qui se sont fixées dans mon esprit, en Lorraine et en Alsace, quand j'avais huit ans » [1].

Même si l'on fait la part de l'exagération qui est considérable dans cette affirmation du théoricien du nationalisme qu'est Barrès en 1908, il n'en reste pas moins que le désastre de 1870 a profondément marqué l'évolution de sa pensée. En fait, ce n'est qu'au début de notre siècle, à l'issue de toutes les batailles perdues du nationalisme, que le poids de la défaite se fait réellement sentir dans l'œuvre de l'auteur des *Bastions de l'Est ;* c'est alors seulement qu'il va puiser dans ce que Jean Touchard appelle une révolte d' « enfant humilié », le refus d'accepter comme définitive la défaite de la France [2]. Aussi, c'est cela qui lui permettra, à la fin de sa vie et en toute sincérité, de noter dans le dernier volume des *Cahiers* : « C'est persuasif pour toujours d'avoir vu dans sa huitième année, une troupe prussienne entrant sur un air de fifre, dans une petite ville française » [3].

Mais le patriotisme du jeune enfant de Charmes n'a rien d'exceptionnel et ne détermine nullement l'évolution du futur auteur du *Roman*

1. BARRÈS, « Vingt-cinq années de vie littéraire », *Le Matin,* 1er mars 1908.
2. Jean TOUCHARD, « Le nationalisme de Barrès », in *Maurice Barrès. Actes du colloque de Nancy,* p. 162.
3. *Mes Cahiers,* t. XIV, p. 279. Il convient également de noter que le texte de mars 1908, fort connu et souvent cité, comporte deux éléments bien distincts : les images de la guerre et de la débâcle y cohabitent en effet avec une vision du monde que Barrès sait puisée dans les idées qui appartiennent à l'héritage des ancêtres, et qui par conséquent, se forment en lui instinctivement et nécessairement. On reconnaît là une explication qui est déjà bien davantage celle du disciple de Taine et de Jules Soury, que du petit lorrain, témoin de l'invasion.

de l'énergie nationale : il est celui de toute une génération et de toute une nation [4]. A l'instar de tous les autres jeunes Français, Barrès avait contemplé les taches noires sur la carte de la France, comme eux il avait écouté les instituteurs commenter *La Dernière classe* d'Alphonse Daudet et comme eux il s'était imprégné de toute une littérature de l'humiliation et du « devoir sacré ». Il avait été conditionné par une période exceptionnelle où, comme l'a montré Raoul Girardet, les thèmes essentiels d'un certain nationalisme suscitent une très large et très fervente adhésion, où l'expression même de ce nationalisme tend pratiquement à se confondre, dans le grand ébranlement de la défaite, avec celle de la conscience nationale tout entière [5]. Claude Digeon a montré combien fut profonde et durable la crise de la pensée française après 1870 [6], et Raoul Girardet a brossé le tableau de l'immense effort de régénération entrepris par la République et plus spécialement par l'école républicaine. Du *Tour de France par deux enfants* jusqu'au « petit Lavisse », des exercices de composition française et des thèmes pédagogiques proposés aux membres de l'enseignement, se dégage le même souci de formation patriotique [7]. L'amour inconditionnel de la patrie, l'acceptation du sacrifice suprême sont alors les premiers devoirs du civisme républicain propagé par tous les manuels scolaires. Les souffrances de la patrie vaincue, l'anathème jeté sur le vainqueur sont un sujet inépuisable pour toute une littérature de consommation, pour les Coppée et les Richepin, mais aussi pour Victor Hugo, Leconte de Lisle, Sully Prudhomme, Verlaine, Erckmann-Chatrian. Littré se livre à un douloureux examen de conscience, Fustel de Coulanges et Renan définissent l'idée de la nation en fonction de l'Alsace-Lorraine. Taine s'interroge avec l'auteur de *La Réforme intellectuelle et morale* sur les causes profondes de la défaite. Avec Michelet, au prix d'un retour sur eux-mêmes, les républicains définissent un nouveau nationalisme [8].

Bien que puisant à la tradition révolutionnaire et jacobine, le nationalisme de la Troisième République est sensiblement en retrait sur le patriotisme humanitaire et messianique de Michelet et des milieux de la gauche républicaine au temps de l'Empire [9]. Avec Littré, Sully Prudhomme ou Edmond About (ces deux derniers, membres de la Ligue des patriotes), l'idéologie officielle répudie le pacifisme

4. Jean TOUCHARD, art. cité, p. 162.
5. Raoul GIRARDET, *Le Nationalisme français (1871-1914)*, Paris, Armand Colin, 1966, p. 15.
6. Claude DIGEON, *La Crise allemande de la pensée française (1870-1914)*, Paris, Presses universitaires de France, 1959. La thèse de Claude Digeon est indispensable pour l'étude de la réaction intellectuelle en France après 1870.
7. Cf. Raoul GIRARDET, *Le Nationalisme français*, pp. 70-84.
8. *Op. cit.*, pp. 62-67, p. 70. Cf. aussi l'introduction de Jean-Pierre Rioux à *Le Joujou patriotisme* de Rémy de Gourmont, pp. 24-25.
9. *Op. cit.*, p. 50.

humanitaire : à l'exaltation patriotique fait pendant la haine de l'adversaire, le civisme républicain se double de patriotisme militaire. La religion patriotique, martiale et laïque, remplace le Dieu de l'enseignement confessionnel. « Pour tout dire, si l'écolier n'emporte pas avec lui le vivant souvenir de nos gloires nationales, si l'écolier ne devient pas un citoyen pénétré de ses devoirs et un soldat qui aime son fusil, l'instituteur aura perdu son temps », écrit Ernest Lavisse[10]. L'idéologue officiel de l'enseignement républicain a des accents qui ne le cèdent en rien à ceux de Déroulède : « Depuis l'année terrible, pas une minute je n'ai désespéré, jamais la flèche de Strasbourg ne s'effaça de mon horizon. Toujours je l'ai vue, solitaire, monter vers le ciel. Je suis Strasbourg, je suis l'Alsace, je fais signe, j'attends »[11]. Le nationalisme, en tant qu'ardent regret des deux provinces, que sens du devoir patriotique et culte de l'armée, on le voit, imprègne alors la nation tout entière. S'il est, dans la France des quinze années qui suivent la défaite, un terrain sur lequel puisse se faire l'unanimité, c'est bien celui du sentiment patriotique.

Le nationalisme, au moment où le jeune Barrès commence sa carrière, est encore un symbole, patiemment forgé, de l'unité nationale. L'armée, instrument de la revanche et école de patriotisme, est « l'Arche Sainte »[12]. La revanche qui est sa principale raison d'être, est au cœur du nationalisme, cette religion commune à tous les Français.

Moins de dix ans plus tard, la situation est renversée : de ciment d'une France nouvelle, la revanche est devenue facteur de division ; autrefois élément d'unité nationale, l'armée, en cette fin de siècle, est accusée de complot contre la République ; la Ligue des patriotes est poursuivie en vertu de l'article 84 du code pénal, et Déroulède, condamné par la Haute-Cour, part en exil. Progressivement le culte de la revanche devient l'apanage d'une fraction de l'opinion publique ; en multipliant ses excès verbaux, ses déviations malsaines, il suscite de violentes réactions. Par le biais de l'Affaire Dreyfus, le patriotisme à la Déroulède, annexé par la droite, se transforme en machine de guerre contre le régime. Comment est-on arrivé à ce discrédit qui frappe le nationalisme aux yeux de la gauche ? Comment ses assises se sont-elles rétrécies au point qu'il soit devenu l'idéologie d'un parti montant à l'assaut de la République parlementaire ?

10. Cité in Pierre Nora, « Ernest Lavisse : son rôle dans la formation du sentiment national », *Revue historique*, 86e année, t. 228, juillet-septembre 1962, p. 102.

11. Art. cité, p. 84.

12. Pour tout ce qui concerne l'idée militaire et le rôle de l'armée, cf. Raoul Girardet, *La Société militaire dans la France contemporaine, 1815-1939*, Paris, Plon, 1953. Sur ce point précis, pp. 179-195.

A cet égard, l'évolution de Paul Déroulède, le plus fidèle compagnon d'armes de Barrès, l'homme qui plus que quiconque personnifie alors dans l'imagination populaire l'idée de la revanche et l'œuvre de régénération, est particulièrement significative. Elle rend parfaitement compte de la nature du processus par lequel le nationalisme français, idéologie officielle, devient, en un laps de temps étonnamment court, l'idéologie commune des oppositions de droite ; elle montre comment un mouvement patriotique faisant preuve d'une parfaite orthodoxie républicaine, la Ligue des patriotes, est amené à entrer en lutte ouverte avec le régime. Les idées de Déroulède, jusqu'à son engagement dans le boulangisme, présentent un intérêt considérable non point pour leur originalité, mais précisément parce qu'elles ne sont qu'une synthèse des courants de pensée les plus largement répandus, parce qu'elles ne sont qu'une mosaïque de fragments d'idées reçues et représentatives d'un état d'esprit général. Elles présentent aussi un intérêt particulier pour l'étude de l'évolution de la pensée barrésienne, car le président de la Ligue des patriotes, malgré l'opinion qu'en eut le Barrès des années 80, exerça une assez grande influence sur le Barrès boulangiste.

C'est en effet, au temps du boulangisme que les deux hommes se rencontrèrent et se lièrent d'amitié. Barrès qui avait auparavant ridiculisé Déroulède et son patriotisme exhibitionniste, ne cessa plus dès lors d'admirer ses qualités d'homme d'action, son désintéressement, son intégrité à toute épreuve : « C'est la plus noble figure que j'aie rencontrée dans le monde politique », écrit-il en 1903. « Il est héroïque selon la tradition française et cornélienne (...) C'est ma plus grande amitié »[13]. Plus tard, tout en le comparant à Don Quichotte[14], il le place sur le même pied que Roland, Dugesclin et Bayard[15]. En 1901, lorsque Déroulède est exilé, Barrès accepte, par amitié pour lui, la rédaction en chef du *Drapeau*, devenu quotidien[16]. Le 23 février 1899, il s'était joint à Déroulède alors que celui-ci, à l'occasion des obsèques de Félix Faure, dans une tentative aussi désespérée que ridicule, cherchait à entraîner à l'Elysée les troupes du général Roget. Exilé à Saint-Sébastien, ou se battant en duel à Lausanne,

13. *Mes Cahiers*, t. III, p. 363. Vingt ans plus tard, il vantait encore « sa merveilleuse habileté d'agitateur » (BARRÈS, *La Politique rhénane, Discours parlementaires*, Paris, Bloud et Gay, 1922, p. 10). Né en 1846, Paul Déroulède s'engage dès la déclaration de guerre de 1870 et fait preuve d'une bravoure incontestable. Fait prisonnier et interné à Breslau, il s'évade, participe, comme sous-lieutenant, aux combats de Montbéliard, pour être finalement blessé dans les rangs de l'armée de Versailles. En 1872, il écrit *Chants du soldat*. En 1889, Déroulède est élu député d'Angoulême. Il y sera réélu en 1898.

14. *Mes Cahiers*, t. X, p. 311.

15. *Op. cit.*, p. 305.

16. Il l'assume du 11 mai au 15 septembre 1901. Cf. *Mes Cahiers*, t. II, p. 201.

Déroulède trouvera toujours Barrès à ses côtés [17]. Succédant à Déroulède, mort en 1914, à la tête de la Ligue des patriotes, Barrès aura toujours à cœur de rendre un émouvant hommage à celui qui fut « un classique du patriotisme » [18], un « poète-patriote, qui... ne voulut être qu'un sonneur de clairon » [19].

Les heures du triomphe français furent aussi, pour Déroulède, celles de la consécration : à l'agitateur boulangiste, au condamné de la Haute-Cour, Metz libérée dressait une statue que Louis Barthou, ministre de la Guerre, inaugurait au nom du gouvernement de la République. « L'œuvre de Déroulède et de sa Ligue », dit alors Barrès, « son apostolat patriotique (...) sont définitivement jugés comme dans une sorte de cour de cassation par le gouvernement de la République » [20]. Le cercle venait ainsi de se refermer : le poète-patriote recevait la même consécration officielle que celle que lui avaient accordée les fondateurs de la République, lorsqu'il entreprenait, d'une manière théâtrale, parfois caricaturale, souvent peu efficace, mais toujours pleine de foi et d'abnégation, son œuvre de redressement.

Son point de départ est une refonte totale des conceptions léguées par l'époque antérieure : « L'heure est venue », écrit Déroulède au lendemain de la défaite, « d'un égoïsme national... d'une passion nationale absorbante, exclusive, jalouse comme toutes les passions » [21]. Il revient sur cette idée chaque fois que l'occasion s'en présente : « Quant à la fraternité des peuples », dit-il lors de la fondation de la Ligue, « nous en reparlerons le jour où Caïn nous aura rendu ce qu'il nous a pris » [22]. Pour l'instant, les Français se doivent à eux-

17. *Mes Cahiers*, t. II, p. 179, p. 200. En août 1900 et en février 1901, Barrès fait le voyage d'Espagne pour y passer quelques jours avec Déroulède. Le 15 mars 1901, il va à Lausanne pour le duel Déroulède-Buffet, une des séquelles des démêlés du chef de la Ligue avec les royalistes lors de l'affaire de la place de la nation. Déroulède avait en effet considéré comme injurieuses les allégations des chefs royalistes selon lesquelles il se serait engagé à un coup d'Etat en faveur de la monarchie.

18. Barrès, *L'Appel du Rhin, La France dans les pays rhénans.* (*Une tâche nouvelle*). Paris, Société littéraire de France, 1919, p. 15.

19. Barrès, *Le Génie du Rhin*, Paris, Plon-Nourrit, 1921, pp. 3-4.

20. Barrès, *La Politique rhénane*, p. 9. Cf. aussi, sa déclaration écrite pour le journal américain *The World* à l'occasion de l'arrivée de Clemenceau en Amérique en 1922, figurant en appendice de l'édition de 1932 de *Leurs Figures*, p. 314.

21. Paul Déroulède, *La Défense nationale*, conférence faite à Rouen le 22 juin 1883, Paris, Calmann-Lévy, 1883, p. 6. Il convient de souligner ici que l'histoire de la Ligne des patriotes reste encore à écrire : jusqu'à présent elle n'a été l'objet que d'une communication présentée par Raoul Girardet à la Société d'histoire moderne et contemporaine le 20 avril 1958, et résumée dans la *Revue d'histoire moderne et contemporaine*, supplément n° 3, 1958, pp. 3-6. Raoul Girardet montre l'obédience gambettiste de la Ligue, ses attaches avec le monde opportuniste, son apolitisme officiel.

22. Paul Déroulède, *Le Livre de la Ligue des patriotes, Extraits des articles et discours*, Paris, Bureaux de la Ligue des patriotes, 1887, p. 5.

mêmes, à leur pays mutilé : leur seul devoir consiste à forger l'instrument de la revanche [23], afin de mettre finalement la force au service du droit [24]. Comme tant d'autres Français nourris de la vieille tradition républicaine, Déroulède entreprend une révision totale des doctrines héritées de ses maîtres : « Avant les désastres de 1870 (...) nous avions Michelet pour prophète et Louis Blanc pour docteur. Combien il nous eût étonné celui qui eût troublé notre glorieuse quiétude vis-à-vis de l'étranger, pour nous dire qu'à côté de ce droit de l'homme qui s'appelle la liberté, un jour viendrait où il faudrait songer à défendre et à reconquérir ce droit des nations qui s'appelle l'indépendance » [25]. Le choc du désastre ébranle toute l'échelle de valeurs héritée de la tradition révolutionnaire et humanitaire. Dans une certaine mesure, Déroulède rend celle-ci responsable de la mutilation du territoire, de l'humiliation, de la perte du rang de la France dans le monde : « Nous n'imaginions pas », écrit-il, « qu'il y eût d'autres questions à résoudre que des questions d'organisation intérieure » [26]. L'idéologie humanitaire, en laissant « s'éteindre l'esprit militaire », a engendré « un péril national » [27]. Par conséquent, le

23. Paul DÉROULÈDE, « Vive la France », in *Chants du soldat*, Paris, Arthème Fayard, 1909, p. 7 :

Et la revanche doit venir, lente peut-être
Mais en tout cas fatale, et terrible à coup sûr ;
La haine est déjà née, et la force va naître :
C'est au faucheur à voir si le champ n'est pas mûr.

Le recueil *Chants du soldat* comporte : *Chants du soldat* (1872) ; *Nouveaux chants du soldat* (1875) ; *Marches et sonneries* (1881) ; *Refrains militaires* (1888) ; *Chants du paysan* (1894). Dans ses *Chants du soldat*, Déroulède se référait volontiers à Béranger. Il se déclarait fidèle disciple du « poète national ». Pour le retour à Béranger que favorise le mouvement nationaliste, cf. Jean TOUCHARD, *La Gloire de Béranger*, Paris, Armand Colin, 1968, vol. II, pp. 483-485. « Le Vieux Sergent » de Béranger est publié dans *Le Drapeau*, 2e année, n° 29, 21 juillet 1883, p. 334. Pour donner une idée de la popularité de Déroulède, il suffit d'indiquer que le catalogue de la Bibliothèque nationale mentionne en 1878, 49 éditions pour *Chants du soldat*, 91 éditions pour *Nouveaux chants du soldat* en 1883. Dans la seule année 1894, *Chants du paysan* connurent 19 éditions. L'ensemble du recueil fut traduit en italien en 1882 et préfacé par Edmond de Amicis.

24. Paul DÉROULÈDE, *Le Livre de la Ligue des patriotes*, p. 2 et p. 65. En s'adressant aux membres des sociétés de gymnastique, lors de la fondation de la Ligue, Déroulède s'exprime en ces termes : « C'est parce que la force a primé le droit que vous voulez que le droit ait une force ». Plus tard il ajoute : « ... C'est qu'il y a des nations chez qui la force prime le droit et qu'il y en a d'autres chez qui la force sert le droit ». Déroulède revient ici sur le thème classique qui domine l'idée de la revanche et que Gambetta exprima aux obsèques du maire de Strasbourg, Küss : il appartenait aux républicains de « s'unir étroitement dans la pensée d'une revanche qui sera la protestation du droit et de la justice contre la force et l'infamie » (cité in Raoul GIRARDET, *Le nationalisme français*, p. 51).

25. Déroulède aux obsèques d'Henri Martin, *Le Drapeau*, 2e année, n° 51, 22 décembre 1883, p. 609.

26. *Ibid.*

27. Paul DÉROULÈDE, *De l'Education militaire*, Paris, Librairie nouvelle, 1882, p. 22.

premier pas vers le relèvement consiste à protéger le pays contre toutes les doctrines internationalistes qui ne sont guère plus que « l'exploitation de la France par l'étranger »[28], contre toutes les chimères humanitaires, et en général, à remettre en question toutes les valeurs léguées par l'époque antérieure.

C'est dans cette ligne de pensée que l'honneur national cesse d'être confondu avec la propagation de valeurs universelles : la physionomie morale de la France, d'où la défaite avait retranché ses traits d'idéalisme, se voile d'un certain pessimisme[29].

La Ligue des patriotes est fondée le 18 mai 1882 au cours d'une fête de gymnastique. L'historien Henri Martin, disciple de Michelet, en est le premier président[30] ; Victor Hugo accepte de la patronner et donne au *Drapeau* du 3 mars 1883 un poème patriotique[31] ; Gambetta, « le grand patriote »[32] à qui Déroulède vouera, jusqu'à la fin de sa vie, un culte quasi fétichiste, y adhère l'un des premiers. Après la disparition de l'homme de la Défense nationale, ce « grand avocat de la Patrie »[33] qui restera toujours pour lui le symbole de la grandeur républicaine, l'image de ce qu'aurait pu être la République, Déroulède reporte sa ferveur sur « ce dernier filleul politique de Gambetta »[34], Waldeck-Rousseau qui, ministre de l'Intérieur en 1883, préside les réunions des sociétés de gymnastique[35].

Aucun doute n'est donc possible ; à ses débuts, patronnée par les plus hauts personnages du régime, subventionnée par les pouvoirs publics, ses militants récompensés et décorés, la Ligue des patriotes s'inscrit dans la plus parfaite orthodoxie républicaine[36]. Déroulède

28. Paul DÉROULÈDE, *Le Livre de la Ligue des patriotes*, pp. 171-172.
29. Roger LABROUSSE, « Quelques étapes de l'idée nationale », art. cité, pp. 571-574.
30. Paul DÉROULÈDE, *Le Livre de la Ligue des patriotes*, pp. 1-2. Selon les estimations d'Henri Deloncle, auteur de l'avant-propos de l'ouvrage, la Ligue compte en 1887, avec les sociétés groupées autour d'elle, 200 000 adhérents venus, pour la plupart, des « milieux populaires, et recrutés parmi les jeunes générations » (p. II). Dans l'état actuel des connaissances, il est impossible de vérifier ce chiffre ; en revanche, Raoul Girardet a montré que la Ligue recrutait essentiellement dans la petite bourgeoisie et parmi les militaires en retraite (cf. sa communication à la Société d'histoire moderne et contemporaine, art. cité). Déroulède devient président de la Ligue le 13 mai 1885 après la démission d'Anatole de la Forge qui avait lui-même succédé à Henri Martin. Jusqu'alors Déroulède assurait la délégation générale.
31. Victor HUGO, « A ceux qui reparlent de fraternité », *Le Drapeau*, 2e année, n° 9, 3 mars 1883, p. 94.
32. Les nos 1 et 2 du *Drapeau* de 1883 (6 et 13 janvier 1883) sont consacrés à la mort de Gambetta.
33. Paul DÉROULÈDE, *Le Livre de la Ligue des patriotes*, p. 86.
34. Paul DÉROULÈDE, discours du Trocadéro du 26 octobre 1884, in *Le Livre de la Ligue des patriotes*, p. 118.
35. Paul DÉROULÈDE, discours d'Angoulême sur l'Education militaire, *Le Drapeau*, n° 21, 26 mai 1883, p. 238.
36. Cf. les discours-fleuve de Déroulède publiés dans les numéros 46, 47, 48 du *Drapeau* des 26 octobre, 15 et 29 novembre 1884 (premier discours du

lui-même fait partie d'une commission présidée par Paul Bert, ministre de l'Instruction publique du « grand gouvernement » Gambetta, chargée d'établir un programme d'instruction militaire dans les écoles [37].

Les principes d'action de la Ligue sont définis dans les articles 2 et 30 de ses statuts : « La Ligue a pour but la révision du traité de Francfort et la restitution de l'Alsace-Lorraine à la France, elle a pour tâche : la propagande et le développement de l'éducation patriotique et militaire. C'est par le livre, le chant, le tir et la gymnastique que cette éducation doit être donnée ». L'article 30 stipule d'autre part que « la Ligue des patriotes ne s'occupe ni de politique intérieure ni de religion » [38]. Organisation patriotique, fédérant des sociétés de tir et de gymnastique, ayant pour but le « développement des forces morales, intellectuelles et physiques de la nation » [39], sa raison d'être est la préparation du jour glorieux de la revanche. La Ligue considère donc comme son premier devoir de bannir tout élément de division de quelque nature qu'il soit ; elle prêche l'unité nationale [40], elle combat « l'émiettement » de l'esprit national en « esprit particulariste » [41].

La préparation de la revanche prend pour Déroulède les formes d'un immense effort d'éducation. Ses idées se révèlent d'ailleurs beaucoup moins sommaires qu'on ne l'admet en général. Sonneur de clairon pour les uns et pour lui-même, avaleur de drapeaux pour d'autres, le président de la Ligue n'en avait pas moins une claire vision des impératifs nationaux. Si ses poèmes étaient généralement d'une médiocrité consternante, le personnage ne l'était point : il serait aussi peu équitable qu'inexact de juger Déroulède sur les seuls *Chants du soldat* [42].

Trocadéro) ; numéros 45, 46, 47 du *Drapeau* des 7, 14 et 21 novembre 1885 (deuxième discours du Trocadéro).

37. Paul DÉROULÈDE, *De l'Education militaire*, pp. 3-4.

38. Paul DÉROULÈDE, *Le Livre de la Ligue des patriotes*, p. 289. Tels qu'ils étaient définis dans ce texte, ces statuts sont valables pour 1887, l'année où Déroulède est déjà engagé dans l'opposition au régime. A ses origines, la Ligue pousse ses scrupules d'apolitisme jusqu'à censurer certains passages d'un discours de Waldeck-Rousseau qui se référaient à la politique intérieure. Le ministre de l'Intérieur venait de présider une manifestation patriotique à Angoulême (*Le Drapeau*, 2e année, n° 21, 26 mai 1883, p. 239).

39. Paul DÉROULÈDE, *Le Livre de la Ligue des patriotes*, p. 4.

40. *Op. cit.*, p. 4, p. 231. Cf. aussi *De l'Education militaire*, pp. 7-8.

41. Paul DÉROULÈDE, *Le Livre de la Ligue des patriotes*, p. 5.

42. Tout a déjà été dit sur la qualité des œuvres poétiques de Paul Déroulède. Son recueil de poèmes patriotiques connut pourtant un immense succès, ce qui prouve que l'auteur de *Chants du soldat* touchait bien la sensibilité des Français. Si les *Chants* abondent en formules telles que : « On sait que les Français sont des Français encore » (« Fragment », p. 12), ou « La mort n'est rien. Vive la tombe quand le pays en sort vivant » (« En avant », p. 37), (et l'on pourrait multiplier les citations de ce genre), ses articles et ses discours n'en révèlent pas moins un Déroulède quelque peu différent.

Tout d'abord, Paul Déroulède avait parfaitement assimilé la leçon de la défaite. Certes, dans *Chants du soldat,* il en rend responsable la seule supériorité numérique de l'ennemi :

« Dix contre un comme des larrons
Ils nous ont volé la Victoire » [43].

Cependant, le poète-patriote est parfaitement conscient de la faiblesse d'une telle explication. Nécessaire au relèvement du moral de l'armée, baume bienfaisant étendu sur les plaies de l'amour-propre national, elle ne saurait conduire, si l'on s'y tient, qu'à un autre désastre. C'est pourquoi Déroulède juge utile de s'inspirer de l'exemple de l'ennemi :

> « Quand on dit que c'est le maître d'école prussien qui a été vainqueur à Sadowa — et il l'a été ailleurs aussi, hélas — on n'a pas voulu dire qu'il avait mis les armes aux mains de nos jeunes ennemis... mais bien qu'il avait appris à l'enfant l'histoire de sa patrie, la géographie de sa patrie, l'amour et le respect du nom prussien, en même temps que la haine de l'ennemi héréditaire. Le premier outil d'éducation allemand n'est pas le fusil, mais le livre... » [44].

Pour Déroulède, il est important de le souligner, la haine de l'adversaire est le commencement du patriotisme. Il clame donc son horreur de « ce peuple de vandales, de reîtres, de bourreaux ». Et il fait cette promesse : « Oui certes elle suffit cette leçon de haine : nous la savons par cœur, nous la dirons souvent » [45].

Le système d'éducation préconisé par Déroulède repose sur deux principes de base : « Le patriotisme, qui est aussi une religion », écrit-il en 1883, « a ses symboles et ses rites comme il a ses apôtres et ses martyrs » [46]. Il appartient donc à l'éducateur, afin de donner aux enfants « par tous les moyens un amour profond et raisonné de leur nation et de leur sol » [47], de les nourrir de toutes les gloires de la France : livres d'histoire et de géographie, images et gravures, recueils de chants obligatoires, fêtes nationales. Voilà autant de moyens de chanter tous les héroïsmes de tous les moments de l'histoire de France. C'est aussi le moyen d'en recréer l'unité, d'intégrer la vieille France et celle qui est née sur les champs de bataille de la Révolution dans un même culte, et par conséquent de jeter un pont sur

43. Paul DÉROULÈDE, « Chant de guerre » (p. 96), in *Chants du soldat.* Cf. aussi « Pro patria », in *Chants du soldat,* p. 70 ; *Le Drapeau,* 2e année, n° 33, 18 août 1883, p. 382 (dans un discours prononcé lors de l'inauguration du monument de la Défense à Paris); *Désarmement,* Paris, E. Dentu, 1891, p. 9.

44. Paul DÉROULÈDE, Discours d'Angoulême sur l'éducation militaire, *Le Drapeau,* n° 21, 26 mai 1883, p. 238.

45. Paul DÉROULÈDE, « Une leçon », in *Chants du soldat,* p. 19. Cf. aussi p. 20.

46. Paul DÉROULÈDE, « La madone de la patrie », *Le Drapeau,* n° 29, 21 juillet 1883, p. 333.

47. Paul DÉROULÈDE, *De l'Education militaire,* p. 12.

l'abîme qui sépare la France laïque de la France croyante, les petits-fils des émigrés des descendants des régicides [48]. De la Gaule jusqu'à Valmy c'est dans un même esprit d'héroïsme et d'abnégation que doivent communier tous les Français, car de Jeanne d'Arc jusqu'aux soldats de l'an II s'exprime la continuité française [49]. Au-delà de ses formes politiques, des institutions qui la régissent, il existe une nation. Bien des années plus tard, Déroulède résumera encore sa pensée dans la même veine : « La patrie est le domaine matériel et immortel acquis et transmis par les ancêtres. La nation en est le propriétaire : l'Etat n'en est et n'en doit être que le régisseur. » [50].

A un moment où il s'agit de rassembler « toutes les bonnes volontés nationales » [51], il est vital de dépasser toutes les divisions. Déroulède effectue ce dépassement aussi bien au niveau politique qu'aux niveaux social et religieux. « Il n'est pas de plus grand dissolvant que la politique » [52], dit Déroulède en 1885 en excluant la politique intérieure des domaines qui retiennent l'attention de la Ligue. Il refuse de s'engager sur la question de la laïcité : s'il eût préféré que « les vertus militaires fussent appuyées de vertus chrétiennes », il se déclare cependant satisfait, du moment que « l'amour de la patrie » remplace la religion révélée [53]. Il rejette également tout antisémitisme : « Un peuple n'a que les Juifs qu'il mérite... et je reconnais... que depuis 1789, la France a mérité de bons Juifs et elle les a » [54]. Ce n'est qu'au temps du nationalisme antidreyfusard que Déroulède évoquera le catholicisme comme l'un des piliers du patriotisme et de l'esprit militaire [55] : il sera alors parvenu, comme Barrès, au terme de son évolution. Il est également conscient du problème que pose

48. *Op. cit.*, p. 16. Cf. aussi pp. 14-15. P. 24, il écrit : « on n'a pas impunément vécu pendant vingt ans en ne regardant dans nos drapeaux que les aigles qu'on voulait en arracher ; dans nos victoires que les victoires de l'Empire ; dans nos soldats que les armées de l'Empire : la France a trop longtemps disparu pour eux et quand ils la cherchent ils ne la retrouvent plus ». Les dates historiques proposées sont les suivantes : « Le 29 avril, jour anniversaire de la délivrance d'Orléans par Jeanne d'Arc ; le 20 septembre, date de la défaite des Prussiens à Valmy. La jeunesse de nos écoles fêterait ainsi tour à tour, dans ces deux fêtes, la première grande patriote de la France et la première victoire des armées républicaines ».

49. Déroulède revient souvent sur le thème de la Gaule : cf. par exemple *Le Livre de la Ligue des patriotes*, p. 80, p. 84, p. 87. Il exalte Jeanne d'Arc dans les *Chants du soldat* (p. 36) et entretient d'un même souffle le mythe de la Révolution française (p. 93).

50. Paul Déroulède, *La Patrie, la Nation, l'Etat, Discours prononcé à Paris le 10 juin 1909 au théâtre du Gymnase*, Paris, imprimerie de *La Presse* et de *La Patrie*, 1909, p. 11.

51. Paul Déroulède, *Le livre de la Ligue des patriotes*, p. 4.

52. Paul Déroulède, deuxième discours du Trocadéro, *Le Drapeau*, 4e année, n° 46, 14 novembre 1885, p. 544. Cf. aussi *La Patrie, la Nation, l'Etat*, p. 10.

53. Paul Déroulède, *De l'Education militaire*, pp. 7-8.

54. Paul Déroulède, *La Défense nationale*, p. 11.

55. Paul Déroulède, *La Patrie, la Nation, l'Etat*, p. 7, p. 24.

pour le relèvement de la France le problème social : l'unité nationale passe par l'intégration du monde ouvrier dans la collectivité nationale. Mais, comme Barrès, il n'envisage que des solutions peu réalistes car les hommes du nationalisme, prisonniers du concept de l'unité nationale, ne parviennent guère à envisager autre chose qu'un protectionnisme sommaire, même à un moment où la condition ouvrière les préoccupe sincèrement. C'est ainsi que pour Déroulède le problème social est d'abord un problème de défense : du prolétariat français contre le travail étranger [56], de l'industrie et du commerce français contre la concurrence étrangère [57]. De cette conception, qui sera reprise par Barrès au temps du boulangisme, la pièce maîtresse est la solidarité du capital et du travail, solidarité qui en permettant la collaboration du patronat et des chambres syndicales, doit assurer la protection du travailleur français [58].

Le nouveau nationalisme est un nationalisme de défense à tous les niveaux, mais s'il manifeste un souci social, il comprend mal les aspirations et les besoins du monde ouvrier. Il est, en effet, mal armé pour s'attaquer à la question sociale. La condition ouvrière ne présente pour lui qu'un intérêt accessoire et ses postulats sont trop éloignés des intérêts du prolétariat pour que puisse s'établir, comme on le souhaitait sur son aile gauche, un front commun durable. Pas plus que la conception opportuniste et libérale de l'égalité, le « Gallia Gallorum sit » [59] de Déroulède n'apporte de solution à la question sociale.

Le second grand principe de la Ligue est la culture de l'esprit militaire. Car sans l'esprit militaire, les aptitudes militaires « ne sont guère plus dans l'homme le plus fort qu'une balle sans poudre dans le plus beau fusil du monde » [60]. Assurer à l'école la propagation de l'esprit militaire, cette « institution de salut public » [61], y assurer la présence de l'armée et de l'instruction militaire, « transformer la jeunesse de nos écoles en une légion de braves Français » [62], tel était le programme de la commission Paul Bert. L'arrivée de Jules Ferry au ministère stoppa brutalement les projets de réforme et l'éducation militaire devint une simple éducation physique. C'est alors que pour la première fois Déroulède se dresse contre les pouvoirs publics : *De l'Education militaire*, qu'il publie en 1882, est un pamphlet antiferryste. Déroulède craint en effet que le culte de l'armée ne

56. Paul DÉROULÈDE, *La Défense nationale*, p. 5, p. 25.
57. *Op. cit.*, p. 5, p. 30.
58. *Op. cit.*, p. 12.
59. Paul DÉROULÈDE, *Le Livre de la Ligue des patriotes*, p. 150.
60. Paul DÉROULÈDE, *De l'Education militaire*, p. 5. Cf. aussi p. 22 : « Il y avait péril national à laisser s'éteindre l'esprit militaire... ».
61. *Op. cit.*, p. 22.
62. *Op. cit.*, p. 3.

soit sinon abandonné, du moins un peu délaissé ; ce qui, pour lui, risque d'être lourd de conséquences. En effet, l'armée, instrument de la revanche, n'est pas que le symbole de l'indépendance, de la force, de la dignité — retrouvée — elle est, aussi, celui de l'unité dans le sacrifice.

En 1882, les reproches de Déroulède ne s'adressent encore qu'à un homme et à sa politique. En 1884, c'est aux principes mêmes de l'action politique du gouvernement qu'il s'attaque. Et d'abord à sa politique coloniale, néfaste. Néfaste, parce qu'elle lance la France contre l'Angleterre, multiplie les conflits avec l'Italie et qu'enfin, « plus mauvaise encore dans son application que dans ses principes », elle disperse les forces de la nation [63]. Déroulède craint aussi, bien sûr, qu'elle ne détourne l'attention des Français du seul problème vraiment digne de les retenir. Déjà en 1881, l'auteur des *Chants du soldat* lançait un avertissement à tous ceux qui parlant au nom de la République, « follement remplis de sagesse panique... ont trop baissé la voix » [64]. A cette époque cependant, il s'applique à souligner que la République n'est pas en cause : « La faute, je le sais, n'en est pas à ses lois, l'effort, elle l'a fait ; la route elle l'indique » [65].

Mais, début 1885, Déroulède fait un grand pas en avant. En effet, on discerne alors les premières critiques, encore voilées, mais fermes du régime et de ses mœurs politiques. Il est alors clair que la Ligue est engagée dans un lent processus de transformation. Anatole de la Forge l'a remarqué qui, dans sa lettre de démission de la présidence de la Ligue, écrit à son délégué général, le 7 mars : « Vous êtes un patriote autoritaire, je suis un patriote libéral » [66]. En octobre de la même année, place du Trocadéro, Déroulède, après avoir fait l'éloge de l'esprit — de civisme — qui règne au sein des sociétés de tir et de gymnastique, et après avoir insisté sur leur organisation démocratique, déclare comme pour prendre acte : « Les délégations qu'ils (les membres des sociétés) ont consenties pour une période déterminée, ils ne les retirent pas chaque matin ; si bien que par un phénomène assez digne de remarque à notre époque, les chefs qu'ils se sont choisis ont plus d'autorité sur eux pendant toute la durée de leurs fonctions qu'ils n'en ont eux-mêmes sur leurs chefs » [67]. L'allusion au régime parlementaire, à ses crises d'au-

63. Paul DÉROULÈDE, *Le Livre de la Ligue des patriotes*, p. 135, p. 124. Déroulède a toujours attaché un grand prix à ce que la France entretienne les meilleures relations possibles avec tous les alliés potentiels : les Espagnols (pp. 216-217); les Grecs (p. 274); et surtout les Italiens, plus particulièrement les irredentistes, « nos frères d'armes et d'idée » (p. 271).

64. Paul DÉROULÈDE, « Stances », in *Chants du soldat*, p. 65.

65. *Ibid.*

66. « Démission d'Anatole de la Forge », *Le Drapeau*, n° 10, 7 mars 1885, p. 112.

67. Paul DÉROULÈDE, Deuxième discours du Trocadéro du 25 octobre 1885, *Le Drapeau*, n° 46, 14 novembre 1885, p. 544.

torité et à ses incohérences est claire. La suite de la déclaration est encore plus révélatrice. Dans le même discours en effet, Déroulède répond à des accusations lancées contre la Ligue selon lesquelles les sociétés de gymnastique pourraient constituer un danger quelconque pour l'Etat. Sa réponse souligne l'esprit de discipline qui règne au sein des ligueurs groupés autour du drapeau tricolore et insiste sur leur loyauté envers la démocratie ; c'est d'ailleurs moins le contenu de cette réponse qui importe que le fait que Déroulède ait été amené à se défendre contre des accusations d'une telle nature [68].

Il existe donc en 1885 une question Déroulède : la Ligue et son chef glissent imperceptiblement vers l'autoritarisme et l'opposition à la République parlementaire. Des voix s'élèvent pour dénoncer le danger et elles sont déjà suffisamment nombreuses pour que Déroulède se sente dans l'obligation d'y répondre au cours d'une manifestation tenue en plein Paris.

Dans le courant des premiers mois de 1886, le ton se durcit. Pour la première fois aussi Déroulède prend publiquement position sur un problème fondamental de politique intérieure. L'unité du pays, dit-il en substance, doit être sauvée quoi qu'il en coûte : l'autoritarisme ne serait pas un prix trop élevé. Toute activité « sectaire » dont l'issue ne pourrait que mener à une « désintégration intérieure » doit être interdite. Cette mesure doit frapper le drapeau rouge et, en général, toute autre expression de particularisme.

Cette fois il ne se défend plus. Il est, il se veut autoritaire et il le dit, en son nom comme au nom de la Ligue, dans un texte dont la clarté ne laisse aucune place au doute : « L'heure viendra peut-être où, moins autoritaires, sinon plus libéraux, nous verrons accorder sans peine à l'individu plus d'expansions et plus de droits, mais ce ne sera jamais qu'au lendemain du jour où la justice et la paix réconciliées dans la gloire s'embrasseront sur les bords du Rhin. D'ici là ne laissons se disperser aucune de nos forces » [69]. C'est ainsi que Déroulède, en ce début 1886, renforce le nationalisme dans cette voie qu'il ne quittera plus désormais : l'individu est subordonné à la collectivité, sa finalité est dans le service de la nation et enfin les impératifs nationaux excluent l'ordre libéral. Le patriotisme xénophobe, le culte inconditionnel de l'armée lient l'idée de patrie à l'idée de guerre. L'éducation patriotique entreprise par les milieux républicains dans les premières années de la Troisième République aboutit à un militarisme de plus en plus accentué, doublé du culte du chef. Le chef, dit Déroulède, « doit être cru, il doit en tout cas être obéi » [70].

68. *Ibid.*
69. Paul DÉROULÈDE, Discours de Buzenval du 23 janvier 1886, *Le Drapeau*, n° 6, 5e année, p. 65.
70. Paul DÉROULÈDE, *La Défense nationale*, p. 2.

Le culte des vertus militaires s'accompagne d'une assez extraordinaire exaltation de la mort : « Appartenir à l'armée », écrit Déroulède, « c'est-à-dire appartenir au devoir, au danger, à la mort, n'être plus à soi, n'être plus soi presque... » [71]. Sur ce thème, le maître est surpassé par un membre de la Ligue qui, en 1891, s'exprime en ces termes :

> « Et puisqu'il faut mourir un jour, puisque cette mort que nous venons de dire est celle qui attend les trois quarts d'entre nous, quel est l'homme brave et réfléchi qui, au lieu d'une fin banale, misérable et sans éclat, ne choisirait, n'envierait le trépas sublime non du lansquenet ou du soldat mercenaire, mais celui du soldat citoyen, jeune encore, plein d'illusions, d'insouciance et d'enthousiasme, qui n'a connu de la vie que les roses et qui, sans laisser d'orphelins, verse son sang pour l'honneur, l'indépendance, l'intégrité nationale, ou pour défendre pied à pied, les libertés publiques, le foyer, la famille, le sol de la patrie ? » [72]

Une nouvelle note d'agressivité marque alors la pensée de Déroulède et les articles du *Drapeau*. Peu de temps après, poussant plus avant l'opposition au régime, le président de la Ligue déplore ouvertement « cette éternelle confusion du pouvoir exécutif et du pouvoir législatif » [73]. On mesure le chemin parcouru en moins de quatre ans : d'abord créature de la République, la Ligue des patriotes en arrivera non seulement à formuler de graves critiques contre le régime, mais encore à être soupçonnée de complot. Début 1886, Déroulède avait en effet acquis la conviction que la République parlementaire ne pourrait jamais, de par les défauts inhérents au système, mener à bien l'œuvre de la revanche. Il est alors mûr pour le boulangisme. En janvier, en effet, après la formation du cabinet Freycinet, il se rend rue Saint-Dominique. A Boulanger, le nouveau ministre de la Guerre qu'il avait connu directeur de l'Infanterie, il propose un coup d'Etat [74]. Abolition du régime parlementaire, changement radical de la politique coloniale, mobilisation de toute l'énergie nationale pour le jour de la revanche, tel était le programme dont la réalisation bénéficierait de l'appui de la Ligue : Boulanger n'a pas dit non. Dès lors, persuadé d'avoir trouvé l'homme capable de réaliser ce que le Parlement ne pourrait jamais faire, Déroulède s'attache à faire état publiquement de ses convictions : Boulanger devient le symbole de la revanche.

71. Paul Déroulède, « Les funérailles d'Henri Rivière », *Le Drapeau*, 4e année, n° 6, 7 février 1885, p. 65.

72. Dr Jérôme Aubœuf, *Cri de guerre*, Paris, E. Dentu, 1891, p. 52. L'ouvrage est consacré à démontrer la thèse de la supériorité militaire de la France sur l'Allemagne, donc de l'opportunité d'une guerre. Cf. p. 92.

73. Paul Déroulède, *Le Livre de la Ligue des patriotes*, p. 270.

74. Adrien Dansette, *Le Boulangisme*, Paris, Arthème Fayard, 15e édition, 1946, pp. 63-64.

A la fin de l'année, rentrant d'un long voyage à l'étranger, Déroulède pouvait déclarer : « Le nom d'un homme, le nom d'un vaillant soldat m'a servi de palladium. Ce nom c'est celui du chef suprême de notre armée, celui du général Boulanger » [75]. Le boulangisme revanchard et autoritaire était né : pour la première fois, le sentiment patriotique se retourne contre la République. Au nom de la revanche, au nom de la patrie sont mises en cause les institutions parlementaires. Les assises du nationalisme se rétrécissent singulièrement : après avoir dénoncé le libéralisme politique, Déroulède s'attaque à la clé de voûte du régime, au parlementarisme. Convaincu que seul un régime fort serait susceptible de préparer la France pour le jour de la revanche, il envisage la solution de l'homme providentiel.

LA CRISE DE CONFIANCE

> « La société française est régie par des lois justes parce qu'elle est une société démocratique. Tous les Français sont égaux en droits ; mais il y a entre nous des inégalités qui viennent de la nature ou de la richesse. Ces inégalités ne peuvent disparaître. Le suffrage universel a mis fin aux conflits sociaux. Les révolutions, qui étaient nécessaires autrefois, ne le sont plus aujourd'hui » [1].

Ce texte d'Ernest Lavisse, écrit en 1895 à l'usage des élèves de l'enseignement public, résume parfaitement certaines idées maîtresses des fondateurs de la République ; il éclaire aussi la nature de la réaction boulangiste.

Vers 1885, le régime s'était installé dans l'immobilisme de ce que l'on peut appeler le gouvernement du centre [2]. Cette analyse de Maurice Duverger a des précédents car dès le 31 mai 1881, Alfred Naquet, le futur penseur du boulangisme, déplorait un système qui revenait à imposer au pays un quelconque « ministère hybride pris dans tous les centres de l'Assemblée » [3]. En 1885, le centre opportuniste est au pouvoir depuis six ans. Pour les vieux républicains de l'Empire et du Gouvernement de la défense nationale, les temps héroïques sont révolus. Leur victoire aux élections de 1881 consacre dix années d'efforts au cours desquelles il s'agissait chaque jour de sauver à nouveau la République. La pérennité du régime une fois

75. Cité par le député boulangiste Francis LAUR, *L'Epoque boulangiste, Essai d'histoire 1886-1890*, Paris, Le livre à l'auteur, 1912-1914 (2 volumes), volume I, p. 177. En octobre 1887, alors que le boulangisme est déjà lancé, Déroulède acclame en Boulanger le symbole de la « protestation ». Cf. *Qui vive ? France ! « Quand même », Notes et discours, 1883-1910*, Paris, Bloud, 1910, p. 88.

1. Cité in Pierre NORA, art. cité, p. 102.
2. Maurice DUVERGER, *La Démocratie sans le peuple*, Paris, Seuil, 1967, p. 8.
3. Alfred NAQUET, *Questions constitutionnelles*, Paris, E. Dentu, 1883, p. 129.

assurée, le parti qui, plus que tout autre en est le symbole, estime que l'ère des grandes réformes a pris fin. En effet, dans l'esprit des hommes au pouvoir, la Révolution vient d'atteindre son but : instaurer le régime de la bourgeoisie libérale ; ils n'aspirent donc plus qu'à diriger le progrès en développant l'activité économique et à répandre les lumières d'un enseignement rationnel [4].

L'alliance centriste avait permis de réaliser toute une série de réformes libérales : liberté de la presse, de réunion et d'association, établissement de l'instruction primaire obligatoire, laïcité. On est souvent enclin à sous-estimer l'œuvre des Républicains de la première génération et à exagérer leur médiocrité en oubliant de porter au crédit du Centre bourgeois la démocratie, le suffrage universel et l'enseignement primaire obligatoire. Dans l'Europe entière, seul le peuple français jouissait de libertés aussi étendues ; c'est une vérité que l'on ne saurait ignorer. Un Ferry [5], un Waldeck-Rousseau [6] ou, à un niveau différent, un Jules Siegfried, ce « parfait opportuniste » [7] selon l'admirable tableau qu'en donna son fils, n'étaient pas des médiocres. Cependant, ces grands bourgeois libéraux, s'ils étaient soucieux de progrès, manquaient d'une doctrine sociale suffisamment

4. Cf. François GOGUEL, *La Politique des partis sous la Troisième République*, Paris, Seuil, pp. 65-67 ; Andrien DANSETTE, *Le Boulangisme*, pp. 10-11. « La conjonction des centres, cette constante de la politique française », selon Maurice Duverger, s'opère en février-mai 1875, quand il devient clair que la restauration monarchique est impossible. Alors, les Orléanistes acceptent la République conservatrice comme un moindre mal, et s'unissent aux républicains modérés pour l'établir et pour la gouverner. L'avènement du ministère Buffet inaugure ces renversements de majorité parlementaire, sans intervention des électeurs, par simple volte-face des groupes centraux (*La Démocratie sans le peuple*, p. 142). Dès lors, selon la thèse de Maurice Duverger, l'histoire politique de la France est dominée non point, comme le pense François Goguel (*op. cit.*, pp. 17-18), par l'affrontement d'un parti de l'ordre et d'un parti du mouvement, mais par un balancement de faible amplitude à l'intérieur du centre. De 1875 à 1940, écrit Duverger, le pendule politique a oscillé du centre-droit au centre-gauche, non de la droite à la gauche (*op. cit.*, p. 9).

Il ne semble pas qu'il y ait contradiction entre les thèses de François Goguel et de Maurice Duverger, dès lors que l'on considère l'histoire de la Troisième République au niveau de l'opinion et non plus seulement au niveau de l'exercice du pouvoir. L'affrontement d'un parti de l'ordre et d'un parti du mouvement était une réalité idéologique que Maurice Duverger a tort de négliger, tandis que la coalition des modérés des deux côtés contre leurs propres extrêmes était une nécessité de gouvernement. Maurice Duverger est d'ailleurs le premier à reconnaître que c'est précisément cette coalition centriste qui permit à la France d'échapper au cycle infernal des Terreurs et des Contre-terreurs (*op. cit.*, p. 149, p. 209).

5. Sur l'œuvre de Ferry, cf. les ouvrages récents d'Antoine PROST, *L'Enseignement en France*, Paris, Armand Colin, 1968, notamment pp. 191-203, et de Pierre BARRAL, *Les Fondateurs de la Troisième République, Textes choisis et présentés par Pierre Barral*, Paris, Armand Colin, 1968.

6. Sur Waldeck-Rousseau, cf. Pierre SORLIN, *Waldeck-Rousseau*, Paris, Armand Colin, 1966.

7. André SIEGFRIED, *Mes Souvenirs de la Troisième République, Mon père et son temps : Jules Siegfried, 1836-1922*, Paris, Editions du Grand Siècle, 1946, p. 63.

hardie pour répondre aux aspirations des foules urbaines qui avaient cru à la République comme à l'avènement d'une ère nouvelle, et qui furent profondément déçues par le refus du parti républicain au pouvoir de promouvoir des réformes sur le plan économique et social. Elles exigeaient plus que le suffrage universel et l'enseignement laïque. C'est parce qu'un Jules Siegfried « restait intelligemment conservateur » [8] qu'un Laisant pouvait s'écrier, en battant le rappel de l'extrême-gauche radicale à la veille des élections de 1885, que : « L'opportunisme a été le perpétuel ajournement, le refus perpétuel de toutes les réformes promises. Aux revendications les mieux établies, les plus justifiées, il répond : " pas encore ", quand il n'ose pas dire : " jamais " » [9].

C'est par le biais du problème social que la question du régime se pose de nouveau en 1885. Mais là ne réside pas l'unique source de mécontentement : la politique étrangère en est une autre. Dans leur majorité, les Français n'entrevoient guère encore à cette époque le profit des expéditions coloniales et leur vocation colonisatrice ne s'est pas encore révélée. Ils sont, par contre, un certain nombre d'intellectuels mis à part, profondément préoccupés par les provinces perdues.

Pour cette majorité de Français qui restent sincèrement attachés à l'idée de la revanche, pour tous ceux qui ressentent profondément l'humiliation de la défaite, la République opportuniste semble s'écarter de plus en plus de la voie tracée par ses fondateurs. Après l'abandon de fait de la revanche, après le renoncement aux réformes sociales, la République se débat dans ses crises de pouvoir et ses scandales politico-financiers. L'affaire Wilson fait la preuve qu'un régime républicain peut être aussi corrompu que l'Empire ; en un certain sens, le scandale des décorations a largement contribué au lancement du boulangisme. Mais la responsabilité de l'effritement de l'autorité gouvernementale incombe essentiellement à la Chambre, scindée en trois groupes égaux depuis 1885 et où les crises ministérielles se succèdent sans arrêt. Pour la grande masse des Français, le Parlement est l'institution où, par excellence, s'incarne la République. Or, qu'y voit-on ? A peine ont-ils accédé au pouvoir que les gouvernements retombent dans l'anonymat parlementaire ; les noms des ministres, à quelques exceptions près, sont presque toujours inconnus de la majo-

8. *Op. cit.*, p. 45.

9. Charles-Ange LAISANT, *La Politique radicale en 1885, Quatre conférences*, Paris, H. Messager, 1885, p. 72. Né en 1841, polytechnicien, docteur ès sciences mathématiques, Laisant est élu député républicain de Nantes en 1876. Lors du Seize Mai, il signe l'ordre du jour de défiance à Mac-Mahon. Réélu à Nantes en 1881, puis dans la Seine en 1885, Laisant siège à l'extrême-gauche. En 1889, il est élu député boulangiste du XVIIIe arrondissement de Paris. Il signe ses écrits : **A. Laisant.**

rité des Français. C'est un pouvoir sans visage. Tout cela fait que l'on conclut couramment à l'absence de responsabilité, voire de probité, dans les affaires de l'Etat.

Si les ministères vont et viennent à une cadence passablement rapide, le Parlement est toujours là et devient naturellement le bouc émissaire responsable de tous les maux du pays. La virulence des attaques dont il est l'objet va croissant au fur et à mesure que se dégradent les mœurs publiques et la situation sociale. Le Parlement, source de l'autorité et centre indiscutable de la vie politique, est rapidement chargé de tous les péchés par une opinion publique que rien n'incite à l'indulgence. A travers le Parlement, c'est l'ensemble des rouages politiques du régime qui est remis en cause : aux yeux de bien des Français, ce régime, qui peu de temps auparavant avait suscité tant d'enthousiasme, commence à apparaître comme fondamentalement impuissant, qu'il s'agisse de venger une défaite dont le souvenir reste cuisant, d'épurer les mœurs publiques, ou de donner aux problèmes sociaux une solution à leur mesure. L'antiparlementarisme qui se fait jour est sans doute la cristallisation de ce mécontentement général. Pour une opinion publique hautement sensibilisée, la République bourgeoise et parlementaire consacre une crise d'autorité permanente, abaisse le pays devant l'étranger, s'accommode de l'humiliation et de la perte de l'Alsace-Lorraine. Pour les uns, c'est le régime de la misère ouvrière, pour d'autres, c'est le régime de la facilité et de la médiocrité, régime sans grandeur ni honneur, expression d'un monde en faillite. Des hommes venus d'horizons très divers s'accordent à condamner le régime, jusque dans les termes qu'ils emploient : « France a dit une grande chose », écrit Barrès, « quand il a dit de ce régime : « La République n'est point la liberté, elle est la facilité ! On n'a que faire des héroïsmes, de grandes forces sont inutiles » [10]. Quant à sa propre pensée, Barrès l'exprime en deux courtes formules : « Je suis plébéien, mais je proteste contre la démocratie si elle veut faire de mon pays une étable à porcs » [11]. Quelques années plus tard, il ajoutera que « les mots républicains... dépriment, flattent ce qui est bas » [12]. Alors que Drumont est effrayé par le spectacle d'une « époque de laquelle tout héroïsme a disparu » [13], Rémy de Gourmont parle, en 1892, de « la démocratie mitoyenne (entre le marécage et le carnage — entre Panama et Fourmies) » [14] et Octave Mirbeau, en 1887, de « politique rabaissée,

10. *Mes Cahiers, t.* III, p. 166.
11. *Mes Cahiers,* t. II, p. 196.
12. *Mes Cahiers,* t. VII, pp. 15-16.
13. Edouard Drumont, *La France juive, Essai d'histoire contemporaine,* 13e éd., Paris, C. Marpon et E. Flammarion, 1885, p. 438.
14. Rémy de Gourmont, « La Fête nationale », in *Le Joujou patriotisme,* p. 101. L'article fut publié dans le numéro de juillet 1892 du *Mercure de France.*

littérature rapetissée, art galvaudé, société désemparée et dont les débris flottent pêle-mêle sur les vagues montantes de la démocratie... »[15].

C'est ainsi qu'aux yeux de nombreux intellectuels de tous bords, la République opportuniste représente la bassesse et la médiocrité par excellence.

Au niveau de l'opinion publique, on voit à la fin des années 1880 s'amorcer un processus de désintéressement des affaires publiques. Pour Maurice Barrès, l'une des raisons de cet état de choses réside dans le fait que les Français deviennent de simples rouages d'une immense machine administrative : « Dans la France organisée par le système parlementaire », écrit-il dans *Leurs Figures,* « il n'y a de solide que les bureaux. A eux seuls ils constituent la France. Ils pensent et ils agissent pour trente-neuf millions de Français »[16].

Aux yeux du Français moyen, la vie politique se présente comme un inextricable réseau de débats parlementaires confus, d'intérêts économiques obscurs constitués en groupes de pression, d'intérêts locaux ou personnels qui, eux, sont par trop clairs. Sur le fond embrouillé des affaires publiques, éclate çà et là un scandale politico-économique qui ne contribue pas peu à miner le crédit chancelant des hommes au pouvoir.

Du krach de l'Union Générale à l'affaire Wilson, la République ne cesse de se déconsidérer. Or, dans l'esprit de nombreux Français, le gouvernement du centre bourgeois est identifié avec le principe même de la démocratie parlementaire ; cette confusion pèse d'un poids singulièrement lourd dans la vie politique française de la fin du siècle. Barrès en tout cas est de ceux-là. Affairisme, instabilité ministérielle, faiblesse de l'exécutif, incapacité de mener une politique, scandales politiques et financiers : voilà, irrémédiablement confondue avec l'ordre bourgeois, la démocratie parlementaire telle qu'elle apparaît à Barrès comme à ces nombreux Français. La déception que les Français éprouvent est à la mesure de l'espoir, sans doute démesuré, qu'ils avaient placé dans la République lors de sa fondation. Et cette déception est évidemment à l'origine de la violente réaction dont Barrès se fait l'écho.

Battu en brèche de toutes parts, le centre bourgeois n'en fait pas moins preuve d'une étonnante vitalité. Ne peut-on y voir une preuve qu'en dépit de leur langage révolutionnaire, beaucoup de Français sont en fait plus solidement attachés à ce régime qu'ils ne veulent l'avouer ? Ne faut-il pas bien distinguer entre mécontentement et esprit de révolte ? L'échec du boulangisme en septembre 1889, après les

15. Cité in Pierre de BOISDEFFRE, *Maurice Barrès,* p. 59.
16. *Leurs Figures,* p. 6.

triomphes électoraux de 1888 en province et du 27 janvier 1889 à Paris, ne suggère-t-il pas que le mécontentement avait créé une atmosphère qui, si elle se prêtait à des aventures électorales, n'était ni universelle ni suffisamment constante ?

Toujours est-il que Barrès et bien d'autres jeunes intellectuels cultivent cette image exclusivement négative du régime. Il en est de même pour cette extrême-gauche radicale qui, en 1885, monte à l'assaut de l'opportunisme et prépare le terrain sur lequel s'épanouira le boulangisme. Les contemporains de la République opportuniste, comme Barrès et les leaders du boulangisme, en exagèrent considérablement l'intensité des vices ; ils ont à leur décharge de traduire fidèlement les sentiments d'une grande partie du monde ouvrier et de la petite bourgeoisie menacée par la stagnation économique [17]. Le succès électoral des radicaux, en 1885, l'audience du boulangisme dans ces mêmes milieux semblent leur donner raison. C'est le raz-de-marée anti-opportuniste de 1885, ainsi que la réussite de Boulanger à Paris, qui fait prendre conscience aux boulangistes d'origine radicale, de la puissance du courant qui les porte.

Et pourtant, le boulangisme devait s'écrouler avec une rapidité étonnante ; et la classe ouvrière, à l'heure du choix véritable, au temps de l'Affaire, se dressera pour défendre la République.

Bien des années après l'échec du boulangisme, en 1904, alors que l'antidreyfusisme avait à son tour été vaincu, Barrès, tirant les leçons de quinze années d'activité politique, fait cet aveu :

> « Je ne le dis point et je ne charge personne de le dire, mais depuis trente-trois ans, le suffrage universel n'a pas si mal réussi au plus grand nombre, à ceux qui sont le suffrage universel. Je crois pourtant qu'ils vont à une désillusion, et que ces idées de désarmement et d'arbitrage ne leur ménagent rien de bon, mais enfin jusqu'à cette heure, ils ne se sont pas trompés et ils ont voté d'une telle manière que leurs intérêts ont été améliorés, satisfaits. Alors ? qu'espérer ? » [18].

Trois ans plus tard, il revenait aux réflexions de sa jeunesse : « J'aimerais mieux ce Mun, j'aimerais mieux ce Jaurès, mais il faut se résigner à l'ordre. Se résigner au centre, s'humilier au centre avec l'humanité moyenne qui ne veut que dormir, manger, multiplier » [19].

En effet, en cette première décennie du XXe siècle, il ne lui restait guère d'autre issue que de se résigner à demeurer dans ce centre où il avait glissé dans les années qui suivirent l'Affaire, après l'avoir

17. Aujourd'hui encore, certains analystes, et non des moindres, croient pouvoir confirmer cette conclusion des premiers boulangistes. Ainsi de Jean-Marie DOMENACH (*Barrès par lui-même*, p. 39 et p. 41) et de Maurice DUVERGER (*La Démocratie sans le peuple*, p. 161, p. 173) qui poussent au noir la grisaille et l'immobilisme de la Troisième République.

18. *Mes Cahiers*, t. III, p. 187.

19. *Mes Cahiers*, t. V, p. 118.

honni au temps du boulangisme. N'étant pas encore à l'Académie française, il lançait alors une bien fière apostrophe :

> « Oui, cher monsieur, je pense peu de bien des jeunes gens qui n'entrent pas dans la vie l'injure à la bouche. Beaucoup nier à vingt ans, c'est signe de fécondité. Si la jeunesse approuvait intégralement ce que ses aînés ont constitué, ne reconnaîtrait-elle pas d'une façon implicite que sa venue en ce monde fut inutile ? Pourquoi vivre, s'il nous est interdit de composer des républiques idéales ? Et quand nous avons celles-ci dans la tête, comment nous satisfaire de celle où nous vivons ? Rien de plus mauvais pour la patrie que l'accord unanime sur ces questions essentielles du gouvernement. C'est s'interdire les améliorations, c'est ruiner l'avenir » [20].

LES ORIGINES RADICALES DE L'IDÉOLOGIE BOULANGISTE

L'engagement de Barrès dans le boulangisme date d'avril 1888, alors que la campagne plébiscitaire bat son plein et que Boulanger remporte ses premiers succès. Le 12 mars, paraît le premier numéro de *La Cocarde* qui lance son célèbre slogan « dissolution, révision, constituante ». En soi, ce cri de guerre boulangiste n'a alors rien de nouveau ni de révolutionnaire : ce n'est que le résumé du vieux programme républicain dont l'extrême-gauche radicale réclame l'application depuis dix ans. De plus, l'antiparlementarisme qui fait le fond de l'agitation menée sur le nom de l'ancien ministre de la Guerre, ne s'identifie nullement à la droite. La vision des contemporains est fort différente de la nôtre ; d'autant plus qu'ils ignorent tout des contacts de Boulanger avec la droite monarchiste. Au moment où Barrès publie sa première profession de foi, Paul Lafargue apprécie dans le boulangisme « un mouvement populaire » [1], d'autres guesdistes partagent cette opinion [2], et le point de vue de Barrès n'est guère différent.

Ce n'est qu'avec la publication, en 1890, des *Coulisses du boulangisme* de Mermeix [3], qu'éclate au grand jour la collusion de Boulanger et des monarchistes. L'entourage de Boulanger, celui qui lui sert de façade devant le pays, Dillon et Georges Thiébaud mis à part, restera jusqu'à la fin composé de républicains de gauche.

20. *Le Jardin de Bérénice*, pp. 11-12.

1. Cité in Claude Willard, *Le Mouvement socialiste en France, Les Guesdistes* (*1893-1905*), Paris, Editions sociales, 1965, p. 36.
2. *Op. cit.*, pp. 37-39.
3. Mermeix (Gabriel Terrail), *Les Coulisses du boulangisme*, Paris, L. Cerf, 1890. Rédacteur en chef du grand journal boulangiste, *La Cocarde*, élu en 1889 député du VIIe arrondissement de Paris, Mermeix publie d'abord les résultats de son enquête dans *Le Figaro*. Il devient la bête noire du dernier carré des fidèles.

Le boulangisme est d'origine radicale, non parce que Boulanger fut imposé à Freycinet par Clemenceau, ou qu'il fut réellement un ministre républicain, mais parce qu'il n'y avait pas dans le programme boulangiste, y compris le programme barrésien, un seul thème qui n'ait été longuement développé par les radicaux lors de leur campagne électorale de 1885. Pour certains d'entre eux, Naquet notamment, la campagne en faveur de la révision, contre le parlementarisme et pour les réformes sociales, était de dix ans antérieure au boulangisme. Avec Naquet, Laguerre, Laisant, Michelin et Rochefort venaient se battre dans le boulangisme pour des principes qu'ils défendaient depuis des années. En ce sens, le boulangisme n'était pas plus dépourvu de doctrine que ne l'était l'extrême-gauche radicale : c'est la médiocrité de Boulanger lui-même qui voile ce qu'il pouvait y avoir de vigueur dans le mouvement à ses origines. Le premier boulangisme apparaît donc comme un prolongement du radicalisme, et même, dans l'esprit de ses partisans de gauche, comme le radicalisme authentique.

Dans le sillage de Boulanger, ses partisans d'extrême-gauche s'attaqueront à l'immobilisme de la République opportuniste ; il faut cependant insister sur le fait que la plupart d'entre eux n'a pas attendu l'apparition du général pour se mettre à l'œuvre.

Le premier des principaux boulangistes à apparaître sur la scène politique est Alfred Naquet. Le 31 mai 1881, Naquet demande à la tribune de la Chambre la révision de la Constitution [4] ; il développe longuement ce thème dans un petit livre publié en 1883 qu'il fait distribuer dans les milieux politiques. *Questions constitutionnelles* [5] est un long réquisitoire bien documenté contre le régime parlementaire, ses incohérences, son inefficacité, sa nature antidémocratique. Naquet reviendra sur ces idées dans une série de quatre articles publiés dans la *Revue Bleue* de décembre 1886 et janvier 1887 [6], puis dans un long discours prononcé en septembre 1888 au cercle révisionniste de Marseille [7]. Le 15 mars 1894, il les développera de nouveau à la Chambre [8].

4. *Journal officiel ; débats parlementaires, Chambre des députés,* 1881, p. 1 085. Naquet est né en 1834. Il était docteur en médecine et professeur de chimie organique à la faculté de médecine. Condamné à de nombreuses reprises par les tribunaux de l'Empire, il est, en 1867, l'un des organisateurs du Congrès de la Paix à Genève. Secrétaire à la délégation de Tours du Gouvernement de la défense nationale, élu député radical du Vaucluse le 8 février 1871, Naquet s'oppose, à partir de 1878, à la politique opportuniste. Pendant ce temps, il s'emploie à faire voter la loi sur le divorce. Le 22 juillet 1883, il est élu sénateur.

5. Cf. p. 75, note 3.

6. Alfred Naquet, « Le Parlementarisme », *Revue Bleue,* 3e série, n° 25, 18 décembre 1886, pp. 769-774 ; n° 26, 25 décembre 1886, pp. 801-807. Les deux derniers articles paraissent sous le titre : « Le Régime représentatif », n° 4, 22 janvier 1887, pp. 97-103 et n° 5, 29 janvier 1887, pp. 138-143.

7. Alfred Naquet, *Discours prononcé le 28 septembre 1888 au cercle révisionniste de Marseille,* Avignon, Imprimerie de Gros, 1888.

8. *Journal officiel ; débats parlementaires, Chambre des députés,* 1894, p. 525.

Avec Laisant, Naquet est le théoricien de l'antiparlementarisme boulangiste, le spécialiste en matière institutionnelle. Dans ce domaine, on ne trouve ni dans le discours-programme prononcé à la Chambre le 4 juin 1888 par Boulanger, ni dans les articles de Barrès dans *Le Courrier de l'Est*, une seule idée qui n'ait été auparavant développée par Naquet. C'est d'ailleurs pourquoi, en 1889, Barrès se présente aux électeurs de Nancy comme un disciple du sénateur radical [9]. Ce n'est que plus tard, dans *L'Appel au soldat*, qu'il dénoncera son influence, qu'il juge alors néfaste, sur le général. En effet, et sans pour autant lui dénier sa qualité de « théoricien du parti » [10], il tiendra le sénateur pour responsable de l'aversion de Boulanger pour l'antisémitisme ; aversion que Barrès considère comme l'une des raisons de l'échec du boulangisme [11]. Si dans *Le Roman de l'énergie nationale* Barrès emploie le terme de « naquettisme » pour indiquer l'enlisement du boulangisme des temps héroïques dans l'intrigue parlementaire [12], il avoue dans les *Cahiers* avoir admiré et admirer encore Naquet [13].

Pour Naquet, le régime parlementaire, importé d'Angleterre, est un rouage de la monarchie constitutionnelle et non pas de la démocratie de suffrage universel. Or, en France, ce régime fait partie de l'héritage de la monarchie de Juillet, il est donc en contradiction avec toutes les traditions républicaines et révolutionnaires [14], ou pour reprendre une définition de Laisant dans une brochure publiée à la veille des élections de 1885, c'est « l'orléanisme transplanté dans la République » [15]. Selon Naquet, le fonctionnement correct du régime parlementaire suppose le suffrage restreint et l'existence d'une classe politique homogène. D'après Laisant, le régime parlementaire c'est tout simplement « le gouvernement au profit d'une caste » [16].

Pour Naquet, dans la réalité française, où le suffrage universel se divise et se subdivise infiniment, le régime parlementaire débouche sur une crise chronique du pouvoir : « Avec le régime parlementaire qui prend les ministres dans les Chambres et les déclare politiquement responsables devant elles, cette impuissance à gouverner devient presque absolue » [17]. Les principaux défauts du régime actuel, poursuit Naquet, sont « de pousser à l'excès l'instabilité gouvernementale,

9. Barrès, « M. Naquet », *Le Courrier de l'Est*, 10 mars 1889 ; « La République ouverte », *Le Courrier de l'Est*, 24 mars 1889.
10. *L'Appel au soldat*, p. 123.
11. *Op. cit.*, p. 464 ; cf. chap. IV.
12. *Op. cit.*, pp. 282-283 ; p. 392.
13. *Mes Cahiers*, t. I, p. 40.
14. Alfred Naquet, *Questions constitutionnelles*, pp. 80-81 ; Cf. aussi pp. 107-109 et *Discours de Marseille*, pp. 7-11.
15. A. Laisant, *La Politique radicale en 1885*, p. 84.
16. *Ibid.*, cf. aussi p. 76.
17. Alfred Naquet, *Questions constitutionnelles*, p. 15.

de transformer perpétuellement les questions de législation en questions ministérielles, de favoriser l'immixtion permanente des membres du Parlement dans l'administration du pays, si bien que, par une interversion funeste, mais forcée, de toutes les règles naturelles, c'est le pouvoir législatif qui administre et le pouvoir exécutif qui légifère »[18]. Il s'ensuit une paralysie quasi totale du système car la moindre réforme exige d'interminables délais et dans la mesure où les transactions aboutissent, on ne parvient à élaborer que des demi-mesures qui ne satisfont personne. Il est naturel que cette impuissance fatigue le pays, déconsidère le régime représentatif et fasse la partie belle « aux panégyristes du pouvoir personnel »[19]. Parce qu'il empêche toute politique continue, ce régime de chaos et de stérilité engendre un péril national[20].

Pour Laisant, « un pareil système », cette « déplorable copie de la monarchie », est la négation même de l'esprit républicain car :

> « C'est dans les couloirs, c'est par les intrigues, par la distribution des faveurs et la menace des disgrâces qu'un ministère agit sur les membres du Parlement et se fait une majorité. Les discussions publiques ne sont plus qu'un vain décor, destiné à tromper le pays en cachant les manœuvres de groupes, le travail des coteries, les luttes d'ambition ayant pour objet la conservation ou la conquête des portefeuilles »[21].

Naquet et Laisant reviennent inlassablement sur ces thèmes qui sont, en 1885, des thèmes classiques du radicalisme et qui seront, jusque dans leur formulation, repris par Barrès et le boulangisme.

Mais les futurs boulangistes n'étaient pas seuls à s'attaquer à la République parlementaire. S'il semble naturel de trouver sous la plume de Rochefort des expressions comme « saletés parlementaires »[22], ou « pourriture d'Assemblée »[23], on s'attend moins à constater chez des hommes qui refusent, en décembre 1886, le projet Michelin de révision et qui combattront ardemment le boulangisme, une conception identique des réalités politiques[24].

> « C'est tout de même une drôle de mécanique que le parlementarisme », écrit Sigismond Lacroix dans un éditorial du grand quotidien d'extrême-gauche *Le Radical*. « Tout s'y déforme, s'y dénature, s'y fausse (...) ces faiblesses, ces faussetés sont rendues presque inévitables par le

18. *Op. cit.*, p. 75.
19. *Op. cit.*, p. 14.
20. Alfred NAQUET, *Discours de Marseille*, pp. 26-27 et p. 31.
21. A. LAISANT, *La Politique radicale* en 1885, p. 77.
22. Henri ROCHEFORT, « Impudence et lâcheté », *L'Intransigeant*, 10 juin 1885.
23. Henri ROCHEFORT, « Moins que rien », *L'Intransigeant*, 11 janvier 1885.
24. Né en 1847, docteur en droit, Henri Michelin est élu en 1884, président du conseil municipal de Paris. A ce titre, il représentera la capitale aux funérailles de Victor Hugo. L'extrême-gauche le considère comme l'un de ses leaders et, en 1885, lorsqu'il sera élu député de la Seine, il siègera avec ce groupe, peu de temps d'ailleurs, car il lui est reproché son manque de combattivité et ses complaisances pour les opportunistes.

régime parlementaire, et (...) si l'on veut ramener dans les votes la sincérité, la loyauté et la fermeté, il faut changer de régime »[25].

Quant à Henry Maret, rédacteur en chef de ce même journal, il constate que « le régime parlementaire, tel que nous le possédons, c'est l'abdication périodique de la nation en faveur d'un certain nombre d'hommes », et achève son réquisitoire, en prophétisant le proche « effondrement du régime parlementaire »[26].

Il existait donc au sein de la gauche un courant antiparlementaire, nourri de l'opposition à la Constitution de 1875. L'opposition du centre opportuniste à une refonte de la Constitution est à l'origine de la scission de cette fraction des radicaux pour qui la notion de solidarité républicaine avait perdu sa raison d'être, et qui formeront l'état-major boulangiste.

A l'issue des élections de 1885, alors que les mécanismes du pouvoir semblaient bloqués, leur exaspération augmente. Dans un livre au titre suggestif, *L'Anarchie bourgeoise*[27], publié en 1887, Laisant fait de nouveau le procès de l'impuissance et de l'intrigue parlementaire[28], de la « curée des portefeuilles »[29] ; mais cette fois le ton se fait plus dur, les accusations plus violentes — c'est le « parlementarisme bourgeois »[30] qui est en cause, c'est la « bourgeoisie parlementaire »[31] qui, ayant pris possession de la France, réduit à néant la souveraineté du peuple[32].

En 1885, Laisant avait déjà accusé le régime parlementaire tel que le pratiquaient les opportunistes, d'être « l'exploitation de la France au profit d'une classe dirigeante »[33]. Ce thème, qui sera l'un des éléments de base du boulangisme barrésien, est également celui qui, sous des formes différentes, revient le plus fréquemment dans *L'Intransigeant*[34].

25. « Effets de tactique », 30 mai 1885.
26. « Le gouvernement direct », 22 juillet 1885. Un an plus tard, dans un article intitulé « Gâtisme », Maret croit pouvoir rappeler le bien-fondé de sa prophétie en dévoilant la décrépitude mentale des députés de la Chambre, symbole du régime : « Cette Chambre est affligée d'une maladie assez curieuse (...) un état de gâtisme assez avancé » (*Le Radical*, 16 juillet 1886).
27. A. Laisant, *L'Anarchie bourgeoise* (*politique contemporaine*), Paris, C. Marpon et E. Flammarion, 1887.
28. *Op. cit.*, p. 220.
29. *Op. cit.*, p. 228. Cf. mêmes thèmes chez Alfred Naquet, *Questions constitutionnelles*, pp. 82-87 et *Discours de Marseille*, pp. 18-23.
30. *Op. cit.*, p. 247.
31. *Op. cit.*, p. 231.
32. *Op. cit.*, p. 200.
33. A. Laisant, *La Politique radicale en 1885*, p. 37.
34. *L'Intransigeant* paraît dès le 14 juillet 1880. A ses origines, le journal compte parmi ses collaborateurs des hommes comme Benoît Malon, Clovis Hugues, Allemane, et mène de vives campagnes contre Gambetta, puis contre Ferry et l'opportunisme. Il soutient les grévistes d'Anzin et de Decazeville, insère les communiqués des groupes socialistes et, en période électorale, fait campagne pour leurs candidats.

D'un tempérament naturellement frondeur, que stimule un certain désir de justice sociale, et une aversion profonde pour les traitants, les trafiquants et les hommes d'argent, Rochefort attaque inlassablement les « concussionnaires, pot-de-viniers, trafiquants de mandats et administrateurs de sociétés véreuses dont se compose la majorité de notre représentation nationale » [35] ; « les coquins qui nous dévalisent en nous gouvernant ou nous gouvernent en nous dévalisant... » [36]. Il cloue au pilori l'affairisme et la pourriture des milieux officiels, les escroqueries et les faillites des hommes de l'opportunisme [37]. Il entretient, dans un journal dont l'influence est énorme dans les faubourgs parisiens et qui sera l'arme la plus efficace du boulangisme, une constante atmosphère d'agitation, de soupçons et de scandale. « Jamais à aucune époque », écrit-il dans son premier éditorial de 1885, « sous aucun gouvernement et dans aucun pays, un tel amas de crimes, d'impostures, de pirateries et d'assassinats ne s'est produit entre le 1er janvier et la Saint-Sylvestre » [38].

Barrès conservera toujours une grande estime à Rochefort. Il se dit fasciné par cet « homme de proie » [39], par « son immense popularité, sa souveraineté du boulangisme » [40]. Son *Courrier de l'Est,* pâle reflet de *L'Intransigeant,* lui ressemblera quelque peu. Il essaiera d'imiter le style de Rochefort, ses formules à l'emporte-pièce, mais il n'atteindra que rarement la puissance de l'ancien communard. Il lui empruntera cependant, avec succès, une certaine tendance à la diffamation, aux accusations gratuites et aux procès d'intention. Dans le boulangisme, au temps de *La Cocarde,* dans l'antidreyfusisme, les deux hommes se retrouveront toujours dans le même camp. Ce sont Barrès, Rochefort et Déroulède qui assurent, après la débâcle, la per-

35. Henri ROCHEFORT, « Les conseils de Brisson », *L'Intransigeant,* 29 janvier 1885. Henri Rochefort sera le plus prestigieux des chefs boulangistes. Né en 1831, il a, au moment où se déclenche la campagne boulangiste, un long passé d'agitateur et de pamphlétaire. Après avoir accumulé duels et condamnations, il est élu, en 1869, député de la Seine et siège à l'extrême-gauche. Membre du Gouvernement de la défense nationale, il démissionne pour être élu, le 8 février 1871, de nouveau député de la Seine. Les préliminaires du traité de paix adoptés, il abandonne son siège de député, prend part à la Commune. La Commune vaincue, il est condamné et déporté. Il s'évade, gagne la Suisse d'où il envoie des articles aux journaux parisiens. Rentré à Paris après l'amnistie de 1880, il fonde *L'Intransigeant.* En 1885, il est réélu député de la Seine mais, quatre mois après, en février 1886, il démissionne encore. En 1889, la Haute-Cour le condamne en même temps que Boulanger à l'exil. Il sera violemment antidreyfusard.

36. Henri ROCHEFORT, « Les suites d'un enterrement », *L'Intransigeant,* 2 janvier 1885.

37. Cf. Henri ROCHEFORT, « L'année honteuse », *L'Intransigeant,* 2 janvier 1885 : « la ruine de nos finances, engloutis dans les poches de la famille Ferry ». Cf. aussi « Le vivisecteur prodigue », du 14 janvier : « nos soldats transformés en agents miniers de la famille Ferry ».

38. Henri ROCHEFORT, « L'année honteuse », *L'Intransigeant,* 2 janvier 1885.

39. *Mes Cahiers,* t. VI, p. 338.

40. *Mes Cahiers,* t. X, p. 162.

manence de cet esprit boulangiste dont l'apport pèsera d'un si grand poids dans le nationalisme.

Rochefort dans la rue parisienne — il n'oublie jamais de préciser sous une forme ou sous une autre que « le vol et la prostitution sont au pouvoir » [41] — Naquet et Laisant au Parlement, dans les milieux politiques et devant l'électorat radical, préparent le champ de bataille et les munitions du boulangisme.

Le boulangisme est issu de l'attitude d'opposition de l'extrême-gauche radicale face aux républicains de gouvernement, de sa surenchère verbale dans laquelle il entrait une bonne part de démagogie. Dans une certaine mesure, il puise aussi, surtout dans le cas de Rochefort et de Naquet, dans les souvenirs de la Commune.

Les radicaux s'étaient déjà heurtés aux hommes au pouvoir sur la question de l'enseignement : ils récusaient alors la conception libérale de la laïcité à la manière de Jules Ferry [42]. En 1885, ils reprochent aux républicains de gouvernement la médiocrité de leur politique européenne face à l'Allemagne et leur inertie dans le domaine des réformes constitutionnelles et sociales. La hargne des radicaux les plus avancés ne provient pas seulement des nécessités de tactique électorale ou des vieilles rancœurs : ils s'opposent aux républicains de gouvernement sur la plupart de leurs grandes options politiques et sociales.

La violente campagne antiparlementaire et antibourgeoise se nourrit aussi de l'opposition de l'extrême-gauche à ces « entreprises coloniales lointaines » qui, selon Laisant, ont trois buts essentiels :

> « D'abord, on détourne ainsi l'attention du peuple de ses affaires intérieures. C'est une diversion qui fait gagner du temps et qui permet de manquer aux engagements pris et de ne pas accorder les réformes promises. En second lieu, on ouvre des débouchés aux fonctionnaires, sous prétexte d'en ouvrir au commerce (...) L'article sous-préfet est le seul que nous exportions réellement ». Et finalement : « La bourgeoisie estime qu'une saignée périodique dans le corps social est d'une bonne hygiène politique, dégage le cerveau, entretient la fraîcheur. Et les expéditions coloniales offrent cet avantage précieux que c'est le sang du peuple qui coule, non pas celui de la bourgeoisie... » [43].

Quant à Rochefort, il verse une pièce supplémentaire au dossier des méfaits de la bourgeoisie opportuniste : « C'est Bismarck qui a ordonné à Ferry l'envoi de 50 000 hommes au Tonkin » [44]. Pour lui, comme pour Laisant, Ferry s'est rendu coupable de haute trahison :

41. Henri ROCHEFORT, « Les suites d'un enterrement », *L'Intransigeant,* 2 janvier 1885.
42. Cf. Antoine PROST, *L'Enseignement en France,* p. 199.
43. A. LAISANT, *La Politique radicale en 1885,* pp. 78-79. Cf. aussi, *L'Anarchie bourgeoise,* p. 256 : « Une bonne expédition coloniale, habilement conduite, vaut une insurrection réprimée ».
44. Henri ROCHEFORT, « L'accusé Ferry », *L'Intransigeant,* 8 janvier 1885.

à la solde de l'Allemagne, le président du Conseil s'est engagé à « lui livrer la France sans armée et sans défense » [45].

Le thème de la capitulation et de la trahison qui deviendra l'un des lieux communs de la légende boulangiste et qui fera fortune au temps de l'Affaire, est déjà amplement exploité en 1885.

Le refus des réformes constitutionnelles, les expéditions coloniales, l'abaissement de la France devant l'Allemagne [46], constituent, selon les futurs boulangistes, un ensemble cohérent dont l'évident objet est la volonté de pratiquer un parfait immobilisme social. Grâce à « la mise en œuvre d'un mécanisme politique et gouvernemental qui s'appelle le parlementarisme moderne », écrit Laisant en 1885, « la bourgeoisie dirigeante » parvient à rester confinée dans son égoïsme et freine toute réforme profonde et sérieuse. Et il résume sa pensée en disant que « la République a fait faillite » [47].

Moins violent, Henri Michelin lui fait crédit de deux réformes fructueuses : la liberté de la presse et la création de l'enseignement primaire laïque et obligatoire, mais il s'accorde avec Laisant et Maret pour dénier à Ferry toute part dans cet heureux succès [48].

La haine des radicaux envers Ferry est bien connue. Il est à leurs yeux le symbole de l'opportunisme, c'est-à-dire de l'évanouissement de « toutes les espérances que fit naître le mot magique de République » [49]. Pour Rochefort, « l'odieux Ferry » [50], « le lépreux Ferry » [51], « le meurtrier Ferry » [52], « l'affameur Ferry » [53], est « l'infecte canaille... à qui nous devons... le chômage et la misère » [54].

45. Henri ROCHEFORT, « Homicide par imprudence », *L'Intransigeant*, 28 janvier 1885. Cf. aussi, A. LAISANT, *La Politique radicale en 1885*, p. 76.

46. Dans « L'année honteuse », 2 janvier 1885, Rochefort s'exprime de la façon suivante : « Bafoué et insulté par M. de Bismarck... Ferry ne s'en est pas moins traîné à plat ventre devant le chancelier allemand. Celui-ci, après lui avoir flanqué sa botte dans le derrière, s'amuse aujourd'hui à la lui faire cirer ».

47. A. LAISANT, *La Politique radicale en 1885*, p. 76. Cf. aussi p. 44.

48. Henri MICHELIN, « En avant », *L'Action*, 19 novembre 1886. Autour de Michelin, qui prend le 19 novembre 1886 la direction de *L'Action*, se groupent les radicaux avancés qui désirent pousser plus en avant encore que *Le Radical* dans la voie de la réforme constitutionnelle. Dans ce premier éditorial, Michelin reprend tous les thèmes développés déjà par Laisant et Naquet. Cf. A. LAISANT, *La Politique radicale en 1885*, p. 72 ; Henry MARET, « Le discours de Lille », *Le Radical*, 3 mai 1885. Selon Maret et Laisant, la réforme de l'enseignement fut acquise contre Ferry et malgré son opposition. Sans Ferry, elle eût été plus complète encore.

49. A. LAISANT, *La Politique radicale en 1885*, p. 33.

50. Henri ROCHEFORT, « La candidature Gatineau », *L'Intransigeant*, 23 janvier 1885.

51. « Le vivisecteur prodigue », *L'Intransigeant*, 14 janvier 1885.

52. « L'assassiné », *L'Intransigeant*, 17 juin 1885.

53. « La guerre électorale », *L'Intransigeant*, 5 janvier 1886.

54. « Le ministre et le colonel », *L'Intransigeant*, 9 juin 1885. Dans un autre article du 14 juin 1885, « Le monomane de Foucharupt », Rochefort fait, en une courte phrase, le bilan du passage de Ferry au pouvoir : « Pendant les vingt-cinq mois de son ministère, cet horrible bonhomme a plus travaillé contre la République que, pendant quinze ans, tous les monarchistes réunis ».

Jour après jour, les éditoriaux de Rochefort, en attisant le mécontentement, voire la haine, contribuent puissamment à créer le climat qui permettra l'éclosion du boulangisme. Sa violence et aussi son extraordinaire aptitude à trouver la formule qui démolit l'adversaire, rencontrent un écho profond auprès de la traditionnelle clientèle radicale, celle qui donnera au boulangisme son capital de dévouement désintéressé, qui élira à Paris des députés boulangistes et dont la réceptivité à l'agitation antidreyfusarde fera finalement basculer la capitale dans le nationalisme.

La réforme constitutionnelle n'est pas l'unique souci des futurs boulangistes ; ils se préoccupent au moins autant de la question sociale. Ce n'est point de leur part vaine démagogie : s'ils font très souvent preuve d'une ignorance totale en matière économique, ils ne manquent pas de sincérité. Dès 1878, dans une longue conférence faite à Béziers, Naquet s'attaque au problème social. Il se déclare socialiste dans la mesure où socialisme signifie « vouloir l'amélioration du sort des travailleurs, vouloir que le travailleur sorte de l'état d'infériorité où il se trouve aujourd'hui. Quiconque... veut que le produit de ses œuvres ne soit pas absorbé par le capitaliste est socialiste » [55]. La question sociale peut être, selon Naquet, résolue de la même manière que le fut le problème paysan au temps de la Révolution, c'est-à-dire, en accordant aux ouvriers la propriété de leur « instrument de travail ». Puisque l'on ne saurait morceler une usine de même manière que l'on a morcelé les grandes propriétés, il faudra créer des « associations coopératives » dont les ouvriers seront les propriétaires [56].

Dans un livre publié en 1890 et qui est une critique de l'économie marxiste, Naquet reprend les grands thèmes de la conférence de Béziers [57]. L'adhésion au boulangisme ne modifie pas ses prises de position fondamentales. Il se déclare « profondément socialiste » [58] et, comme en 1878, préconise la création de « sociétés par actions (qui) ne sont pas autre chose que le moyen indirect de morcellement de l'usine » [59]. Le postulat fondamental de Naquet est que « la loi dite d'airain n'est plus coulée que dans un métal malléable » car les conditions de l'industrie moderne, la limitation de la population et une demande accrue de biens à consommer, permettent au travailleur d'augmenter ses revenus et, par conséquent, d'économiser. C'est ainsi que le travailleur peut, par le biais de la coopération ou par l'achat

55. *Conférence de M. Naquet à Béziers, sur la question sociale, le 23 octobre 1878.* Compte rendu sténographique. Béziers, Imprimerie de Rivière, 1878, p. 1.
56. *Ibid.*
57. Alfred NAQUET, *Socialisme collectiviste et socialisme libéral,* Paris, E. Dentu, 1890.
58. *Op. cit.,* p. 202.
59. *Op. cit.,* p. 189.

d'actions, accéder aux « bienfaits directs de la société »[60]. Comme en 1878, Naquet se moque des « billevesées collectivistes » des socialistes « qui éloignent d'eux les esprits sensés »[61] ; dans sa conférence de Béziers, il s'élevait déjà contre les « révolutions sociales », les antagonismes de classe et prônait la collaboration du capital et du travail, « ces deux forces qui devraient être littéralement unies, qui devraient se confondre »[62].

Pour Naquet, la question sociale sera résolue quand les travailleurs accèderont à la propriété des moyens de production et donc par l'élimination du prolétariat grâce à l'augmentation des capacités de production et de consommation de la société moderne. Laisant, pour sa part, fait une proposition qui montre bien, elle aussi, combien les boulangistes sont ignorants en matière économique : il préconise « la démocratisation de la force mécanique » et, afin d'empêcher en même temps l'éclosion de centres d'industrie gigantesques, il propose « de fournir au travailleur à domicile la force mécanique nécessaire à son industrie »[63]. Quant à Francis Laur, élu en 1889 député boulangiste à Saint-Denis, il défend le principe de la coopérative minière et de la participation aux bénéfices[64]. Les futurs leaders du boulangisme se rattachent à une certaine vision proudhonienne et volontariste du socialisme, ils s'opposent au marxisme et au socialisme d'Etat, ils bannissent le principe de la lutte des classes. S'ils font preuve d'un réel souci social, aucun d'entre eux ne trouvera la voie du socialisme qui était pourtant, entre le boulangisme et l'Affaire Dreyfus, non moins accueillant que ne l'était le « Parti national » lui-même. On retrouve leurs idées dans le socialisme que Barrès élabore dans *Le Courrier de l'Est* et, plus tard, dans *La Cocarde*. Les réformes immédiates demandées par Naquet et Laisant y figurent également : nationalisation des mines, de la Banque de France, du crédit foncier, des chemins de fer et de toute l'industrie des transports publics[65], réforme de l'impôt, réforme du service militaire (réduction à trois ans et suppression du volontariat)[66]. Mais comme l'a fait remarquer René Rémond, l'adhésion à un petit nombre de thèmes, constituant un tout plus ou moins cohérent ne fait pas une doctrine, pas plus que le

60. *Op. cit.*, pp. 191-193.
61. *Op. cit.*, p. 201.
62. Alfred NAQUET, *Conférence de Béziers*, pp. 1-2.
63. A. LAISANT, *L'Anarchie bourgeoise*, p. 269.
64. Francis LAUR, *Essais de socialisme expérimental, La mine aux mineurs*, Paris, E. Dentu, 1887, pp. 117-122. Né en 1848, ingénieur des mines, Francis Laur est élu député de la Loire en 1885. Au moment de la grève de Decazeville, il est favorable aux mineurs : depuis lors, il accordera beaucoup d'attention à la condition ouvrière.
65. Alfred NAQUET, *Conférence de Béziers*, p. 2.
66. A. LAISANT, *L'Anarchie bourgeoise*, p. 62 et pp. 70-71. Alfred NAQUET, *Conférence de Béziers*, p. 1 ; *Questions constitutionnelles*, p. 15 ; *Socialisme collectiviste et socialisme libéral*, p. 187.

ralliement d'individualités éparses à un vocable commun ne constitue une force[67]. C'est pourquoi les boulangistes d'origine radicale et blanquiste, même avec l'appoint d'individualités comme Barrès, ne parvinrent jamais à élaborer un système qui leur permît de s'intégrer de façon durable dans le socialisme français.

A l'origine de l'adhésion des radicaux d'extrême-gauche au boulangisme, se trouve donc la volonté de dépasser l'immobilisme opportuniste perpétué par le régime parlementaire. C'est pourquoi, selon eux, la révision inscrite depuis tant d'années au programme radical s'impose plus que jamais après les élections de 1885 qui amènent à la Chambre trois blocs d'importance presque égale, surtout que le Sénat remplissait alors avec zèle le rôle qui lui était assigné par la Constitution de 1875.

Après la chute du ministère Freycinet, Michelin dépose sur le bureau de la Chambre une proposition de loi de révision, car « le seul moyen de sortir de ce gâchis, c'est de demander la révision de la Constitution par une Constituante »[68]. Naquet et Laisant l'avaient déjà dit, l'un dès 1883, l'autre en 1885, mais l'ensemble des radicaux rejette le projet Michelin. Cette première faille dans l'unité radicale marque les débuts du boulangisme de gauche[69]. En refusant la révision pour des raisons de tactique, qui bien que parfaitement justifiées n'en étaient pas moins en contradiction avec la vieille doctrine radicale, les radicaux de gouvernement se coupaient de leur aile marchante. Ceci dit, il faut signaler qu'une révision n'avait aucune chance d'aboutir faute d'une majorité républicaine pour la mettre en œuvre. Certes, les radicaux d'extrême-gauche, en soumettant leur proposition, restaient fidèles aux principes du radicalisme mais, ce faisant, ils ne s'apercevaient pas qu'ils ouvraient la voie à la politique du pire. Adoptée, leur révision n'eut fait que prouver l'impuissance de la République. Le boulangisme, dans lequel ils voyaient un radicalisme authentique, fut la conclusion logique de cette première coupure de la gauche, le premier exemple d'une aventure de gauche inaugurant une conjonction des extrêmes.

Le 4 décembre 1887, Michelin demande de nouveau l'élection d'une Constituante. Mais cette fois il est moins isolé. Autour de lui s'est constitué un « groupe parlementaire socialiste » d'une vingtaine

67. René RÉMOND, « L'originalité du socialisme français », in *Tendances politiques dans la vie française depuis 1789*, Paris, Hachette, 1960, p. 41.

68. Henri MICHELIN, discours à la Chambre publié dans *L'Action* du 8 décembre 1886.

69. L'expression « boulangistes de droite et boulangistes de gauche » est employée d'abord par Pierre DENIS dans « Fausse Légende », *La Cocarde*, 4 octobre 1894, et plus tard dans « Une explication », *La Cocarde*, 5 mars 1895. Arthur MEYER la reprend dans *Ce que mes yeux ont vu*, Paris, Plon-Nourrit, 1911, p. 87 et p. 96. Quant à BARRÈS, il mentionne la notion de « boulangiste de droite », dans « Sauvons la République », *Le Courrier de l'Est* (2e série), 17 mai 1898.

de membres, parmi lesquels les deux futurs leaders du boulangisme, Laisant et Laguerre [70]. Ceux-ci avaient un programme de révision tout prêt, élaboré par eux-mêmes et par Naquet depuis 1883. Il est fondé sur deux principes : « séparation absolue des pouvoirs » [71], et indivisibilité de la souveraineté. « La souveraineté dans un pays unitaire », écrit Naquet, « ne se divise pas ... Elle réside dans la majorité des citoyens ; elle est une... » [72].

Du premier principe découle la suppression du régime d'assemblée et de la responsabilité ministérielle devant la Chambre, ainsi que l'incompatibilité du mandat législatif avec des fonctions ministérielles. Responsables devant l'exécutif, les ministres cessent d'être des hommes politiques pour devenir de simples administrateurs. Ainsi sera-t-il remédié au « système de la confusion complète et légale de tous les pouvoirs » qui prévaut dans la Constitution de 1875 [73]. Dans son discours de Marseille, prononcé en pleine période boulangiste, Naquet précise sa pensée. Les membres du corps législatif seraient élus pour cinq ans avec renouvellement partiel tous les ans ; l'Assemblée ne pourrait être dissoute que si elle le décidait elle-même ; le pouvoir exécutif serait tenu par un président ou un directoire — Naquet penche pour la seconde solution. Elu à la majorité absolue pour cinq ans, par suffrage à deux degrés avec mandat impératif, l'exécutif aurait l'initiative en matière législative ainsi qu'un droit de veto, sur les lois votées par l'Assemblée [74]. Celle-ci aurait néanmoins la faculté de déposer ce président ou ce directoire en en appelant à son corps électoral [75]. La composition du corps électoral de l'exécutif n'est pas clairement définie : il semble que Naquet pense à un Congrès

70. Cf. Jacques NÉRÉ, *Le Boulangisme et la presse,* Paris, Armand Colin, 1964, p. 87. L'avocat Georges Laguerre est le plus jeune, le plus brillant, mais aussi le plus dépourvu de scrupules parmi les leaders boulangistes. Né en 1858, il avait à peine vingt ans quand il fut secrétaire de Louis Blanc, fondateur en 1878 du groupe de l'Extrême-Gauche. Laguerre devient célèbre en défendant les grévistes de Lyon et, plus tard, ceux de Decazeville, des socialistes et des anarchistes. En 1883, Naquet, élu sénateur, lui cède son siège de député du Vaucluse : il le retrouve en 1885. A la Chambre, Laguerre est une des figures marquantes de l'extrême-gauche. En 1888, il fonde *La Presse* qui sera, avec *La Cocarde* et *L'Intransigeant,* l'un des trois grands journaux boulangistes.

71. Alfred NAQUET, *Questions constitutionnelles,* p. 73.

72. *Op. cit.,* p. 10.

73. Alfred NAQUET, *op. cit.,* p. 73 ; p. 107. Cf. aussi Alfred NAQUET, *Discours de Marseille,* p. 35 ; A. LAISANT, *La Politique radicale en 1885,* p. 95. Page 96, Laisant ajoute que c'est le seul moyen de mettre fin à « la chasse éhontée au portefeuille ». Dans son discours de Marseille (p. 15), Naquet déplore que le parlementarisme dégénère toujours en questions de personne.

74. Alfred NAQUET, *Discours de Marseille,* pp. 36-42. Dans ses *Questions constitutionnelles,* pp. 111-117 et p. 73, Naquet avait déjà abondamment cité l'exemple des Etats-Unis, de la Suisse et du Directoire pour montrer qu'il existait plusieurs solutions et que le choix entre elles était question d'aménagement de détails dès que le principe était appliqué.

75. *Op. cit.,* p. 52.

composé du corps législatif et de représentants spécialement élus à cet effet [76]. Le sénateur radical prévoit encore deux clauses auxquelles il attache une grande importance : sanction de la Constitution par le suffrage universel [77], et référendum obligatoire sur une pétition de cinq cent mille citoyens. « Le plébiscite, loyalement et librement pratiqué, c'est l'exercice le plus haut de la souveraineté nationale », écrit Naquet [78]. De ce second principe découle la suppression du Sénat, réclamée d'ailleurs par tous les radicaux car, représentant un corps électoral plus restreint, le Sénat est une institution qui détourne l'essence du suffrage universel. De plus, en alourdissant le travail législatif, en imposant la navette entre deux assemblées, la seconde chambre multiplie les inconvénients du régime représentatif [79].

Les radicaux d'extrême-gauche apportèrent au boulangisme un programme, leur caution et une clientèle populaire. Au niveau de sa clientèle urbaine, de ses militants de bonne foi et, comme Barrès, éloignés des intrigues d'état-major, le boulangisme apparaît comme un authentique mouvement populaire ayant son origine dans la scission de l'extrême-gauche du parti républicain.

Mais si l'apport du radicalisme d'extrême-gauche au boulangisme était essentiel, il n'était pas le seul : d'autres éléments y participèrent.

LE BOULANGISME DU GÉNÉRAL BOULANGER

Après les élections de 1885, Alfred Naquet, selon les témoignages, concordants, de Mermeix et de Barrès, craignait que le pays, écœuré de l'impuissance du régime et afin d'obtenir le changement que la République lui refusait, ne s'adressât aux monarchistes. Il fallait donc, coûte que coûte, que la réforme constitutionnelle précédât les élections générales de 1889 ; mais, puisqu'elle ne pouvait être obtenue légalement, le recours au coup de force s'imposait. Dès lors, Naquet s'appliqua à inculquer au ministre de la Guerre sa propre conception des coups d'Etat : de simples moyens, ceux-ci valent ce que valent

76. *Op. cit.*, p. 38.
77. *Op. cit.*, p. 46.
78. *Op. cit.*, p. 56.
79. Alfred NAQUET, *Questions constitutionnelles*, pp. 9-11, p. 13, p. 23. A. LAISANT, *La Politique radicale en 1885*, pp. 93-95. Cf. aussi les deux articles d'Henri MARET dans *Le Radical* du 1er et du 3 janvier 1885 : dans le premier article, « L'émiettement », Maret déclare que « nous n'avons pas de démocratie, car la Constitution et le Sénat en sont la négation » ; dans le second — « 1885 » — il annonce que « le Sénat est un cadavre ». Dans son discours de Marseille (p. 36), Naquet est moins catégorique sur la question de la suppression du Sénat, car Boulanger ne s'était pas clairement prononcé le 4 juin 1885 (voir plus bas, chap. III). S'il ne cache pas ses propres préférences pour une seule Chambre, il s'en remet finalement à la Constituante.

leurs fins. On peut, par conséquent, « en faire pour le compte de la démocratie »[1]. Naquet pensait que le Dix-huit Brumaire n'était pas en lui-même un coup d'Etat contre les idées révolutionnaires : « Bonaparte essaya par un coup de force de remonter le courant qui entraînait la France à la réaction et qui bientôt après l'entraîna lui-même. Son opération fut en deux temps : il faut louer le premier »[2]. Dans son esprit, il appartenait à Boulanger de stopper le processus de glissement à droite dans lequel s'était engagée la République opportuniste en usant de moyens même auxquels Bonaparte avait eu si heureusement recours.

A cette même époque, Déroulède, on s'en souvient, était parvenu, lui aussi bien que pour des raisons très différentes, à considérer le générale Boulanger comme l'homme à utiliser. C'est pourquoi en automne 1886, le président de la Ligue engagea, sur le nom du ministre de la Guerre, une vaste campagne en faveur de la revanche. Déroulède fut bien servi par les circonstances, car Boulanger lui-même, par journaux interposés, entretenait une constante agitation en ce sens. Il fit tant et si bien qu'il devint bientôt l'incarnation de l'esprit guerrier, le général Revanche.

Très tôt, la diplomatie allemande s'était émue des intentions du ministre de la Guerre. Croyait-elle réellement au danger d'une agression française, désirait-elle la devancer ou la conjurer en créant un état de tension qui fît reculer le gouvernement français et l'amenât à se débarrasser de l'encombrant général ? L'affaire devenait d'autant plus compliquée que Bismarck semblait saisir l'occasion que l'on venait de lui fournir pour amener son Parlement, passablement réticent, à voter une nouvelle loi militaire de sept ans. Quoi qu'il en soit, prenant la parole au Reichstag le 11 janvier 1887, Bismarck désigna en la personne du général Boulanger l'obstacle à l'entretien de bonnes relations entre l'Allemagne et la France[3]. Il n'en fallait pas davantage

1. *L'Appel au soldat*, p. 48.

2. *Ibid.* Le témoignage de Barrès est conforme à celui de Mermeix, *op. cit.*, pp. 6-9.

3. Andrien DANSETTE, *op. cit.*, pp. 65-68. Sur la carrière du général Georges, Ernest, Jean-Marie Boulanger, cf. pp. 19-31 et J. NÉRÉ, *Le Boulangisme et la presse*, pp. 225-226. Né le 29 avril 1837 à Rennes, Boulanger entre à Saint-Cyr en 1854. Sous-lieutenant, il est blessé pendant la campagne de la Grande-Kabylie et une seconde fois au cours de la bataille de Magenta. Sa bravoure exceptionnelle lui vaut une rapide et brillante carrière. De 1861 à 1864, le lieutenant Boulanger se bat en Cochinchine et y est de nouveau blessé. Capitaine en 1865, instructeur à Saint-Cyr en 1867, commandant en 1870, il est nommé, la même année, lieutenant-colonel au 114e de ligne. Blessé à Champigny, il se bat à la tête de ses troupes jusqu'à la fin de la bataille. A la suite des combats de Bobigny et de Drancy, il est promu colonel. Général de brigade en 1880, directeur de l'infanterie en 1882, général de division en 1884, le plus jeune de sa promotion, il commande les troupes d'occupation de Tunisie. Pendant les années qui précèdent son accession au pouvoir, Boulanger s'attache à s'assurer de puissants appuis politiques : il se lie notamment avec Clemenceau.

pour que Boulanger soit sacré héros national. Il est à peu près certain qu'à ce moment-là, la paix fut sauvée à la fois par le sang-froid du gouvernement français et par les élections du 21 février qui donnèrent à Bismarck une majorité favorable au septennat. Deux mois s'étaient à peine écoulés depuis les élections allemandes, lorsque éclata l'affaire Schnaebelé [4]. Aux yeux de l'opinion publique non avertie des détails de l'affaire, Boulanger apparaît comme l'homme qui avait fait reculer Bismarck.

Toutes les conditions étaient donc réunies pour que Boulanger acquiert les dimensions de premier personnage du pays. Il est alors plus spécialement acclamé par la clientèle radicale encore attachée à une tradition vieille d'un siècle car, comme l'a montré René Rémond, une certaine forme de patriotisme, vibrante, romantique, de chauvinisme cocardier, était encore le propre de la gauche révolutionnaire [5]. Il ne faut pas cependant en conclure que la France de 1887 cherchait l'occasion d'une guerre.

Il serait bien difficile de fournir une définition raisonnable du sentiment réel des Français à l'égard de la revanche : certes, le désir de voir les deux provinces rendues à la France était général, mais il ne semble pas que la majorité des Français ait eu l'intention de se battre pour les reconquérir. La revanche était surtout un mythe, mais l'opinion publique désirait que ce mythe fût entretenu ou que l'on fît au moins mine de se préparer à la reconquête. C'est pourquoi, si dans leur majorité ils ne désiraient pas un nouvel affrontement armé avec l'Allemagne, les Français se refusaient à entériner un état de fait qui consacrait l'humiliation du pays ; c'est pourquoi les opportunistes ne seront pas pardonnés d'avoir voulu étouffer les ressentiments nés de la défaite.

Même si, comme le pense Jacques Madaule, la France subit dans les années 1880 le contre-coup du désastre de 1870 [6], elle ne veut pas la guerre : les boulangistes eux-mêmes s'en défendent. « La nation allemande », écrit Laisant en 1887, « pas plus que la nation française, ne désire la guerre » [7]. Dans une brochure destinée à ses électeurs, il s'attache même à expliquer le rôle que l'ancien ministre de la guerre joua dans la sauvegarde de la paix au temps de l'affaire Schnaebelé.

4. Le 20 avril 1887, un commissaire de la gare de Pagny-sur-Moselle était arrêté en territoire allemand et inculpé d'espionnage. Il s'ensuivit une tension diplomatique qui, venant se greffer sur la crise intérieure allemande du début de l'année, créait une situation dangereuse. Le 30 avril, Schnaebelé qui avait été convoqué par son vis-à-vis allemand fut relâché : la preuve du guet-apens était faite, l'incident était clos.

5. René Rémond, *La Droite en France, De la première Restauration à la Ve République*, p. 160.

6. Jacques Madaule, *Le Nationalisme de Maurice Barrès*, p. 60.

7. A. Laisant, *Pourquoi et comment je suis boulangiste*, Paris, Imprimerie typographique Mayer, 1887, p. 12.

Le général Boulanger, qui s'était appliqué à développer les capacités défensives du pays, avait réussi, selon le leader boulangiste, à empêcher Bismarck, alors aux prises avec une opinion publique qui refusait l'idée d'une nouvelle guerre, de prendre de vitesse à la fois l'Allemagne et la France [8]. Il va plus loin encore en affirmant qu'être boulangiste, c'est désirer la paix [9], mais que cela implique aussi, face à l'Allemagne triomphante, une attitude de dignité et de fermeté.

Les autres leaders du boulangisme naissant, Déroulède mis à part, ne sont guère plus belliqueux : nul texte contemporain des événements ne trahit des velléités guerrières. Une même impression se dégage du *Courrier de l'Est* et de *La Cocarde* : pas plus qu'eux, Barrès ne veut d'une nouvelle guerre [10]. Mais comme de très nombreux Français, il se refuse à accepter la solution de facilité qui consiste à faire le silence autour de l'Alsace-Lorraine, et il aspire à une attitude de fermeté face au chancelier allemand. Boulanger est homme à assouvir cette soif de respect de soi-même dont le pays a besoin. Le boulangisme revanchard est donc bien davantage un sentiment diffus dans l'opinion, cultivé par l'imagination populaire et répondant à une certaine sensibilité, qu'une politique.

Au moment où tous les yeux se fixent sur lui, le général Boulanger occupe ses fonctions depuis un peu plus de quinze mois, mais sa popularité date des toutes premières semaines qui suivent la formation du ministère Freycinet, en janvier 1886. Elle éclate à la face du pays lors de la mémorable revue du 14 juillet de la même année. C'est à elle surtout qu'il devra de conserver, avec l'appui de l'extrême-gauche, son portefeuille dans le cabinet Goblet, formé le 11 décembre.

En cette année 1886, le général Boulanger donne toute satisfaction à la gauche ; il devient, par contre, dès le début, la bête noire des monarchistes. Saisissant l'occasion que présente le débat sur la grève de Decazeville, le ministre affirme la neutralité de l'armée dans les conflits sociaux. Ce faisant, il se place à l'extrême-gauche du parti républicain : homme de Clemenceau, il entend jouer son rôle de général républicain. Il se taille par là même une énorme popularité : il ressort de sa déclaration du 13 mars 1886, si on la prend à la lettre, que l'armée n'interviendra plus dans les conflits opposant patrons et ouvriers [11]. On comprend la réaction du centre : les modérés, opportunistes ou orléanistes, regardent avec stupeur le jeune général affirmer que rien n'oblige l'armée à prendre automatiquement fait et

8. *Ibid.*
9. *Ibid.*
10. Cf. chap. v.
11. *L'Appel au soldat*, p. 45. On connaît la célèbre formule que Boulanger laissa tomber du haut de la tribune du Palais-Bourbon : « Les soldats partageront leur pain avec les ouvriers grévistes ».

cause pour le patronat. Veut-il remettre en cause les structures sociales ? N'est-il qu'un dangereux démagogue ? De toutes façons, il leur inspirera dès lors les plus vives inquiétudes.

Après avoir pris la défense des mineurs de Decazeville, Boulanger se préoccupe de l'évolution de l'esprit de l'armée. Toujours admirée et respectée, l'armée inquiète cependant par son absence de loyalisme républicain, son esprit antidémocratique. On s'aperçoit de plus en plus que le corps des officiers recrute essentiellement parmi la vieille aristocratie nobiliaire et la grande bourgeoisie bien-pensante. Raoul Girardet a montré que le mouvement qui ramène vers le métier des armes la vieille noblesse, amorcé à la fin de l'Empire, s'accentue dans les premières années de la Troisième République [12].

Vers le milieu des années 1880, le monde conservateur semble avoir tiré les conclusions naturelles d'un tel état de fait : il reporte sur l'armée ses espoirs d'une future rénovation politique. En 1848, en 1851, ou 1871, l'armée avait mis son épée au service de l'ordre : pourquoi ne le ferait-elle pas une fois de plus ? Seule institution encore contrôlée par la réaction, l'armée peut devenir l'instrument d'une double revanche, à l'intérieur aussi bien qu'à l'extérieur. Arthur Meyer, le commanditaire royaliste du boulangisme, caresse de telles idées au moment où il s'applique à noyauter le mouvement. Ses souvenirs ne laissent aucun doute là-dessus [13]. Un boulangiste de gauche comme Laisant s'en fait l'écho. Il fait état d'un complot militaire qui se serait ourdi lors de l'affaire Schnaebelé, en avril 1887 : divers officiers généraux auraient alors proposé au ministre de la Guerre de mettre à profit le climat d'exaltation patriotique qui s'était emparé du pays pour tenter un coup de force [14]. Certes, il est difficile d'accorder beaucoup de crédit aux dires du député boulangiste ; on voit mal des chefs de corps proposer une affaire semblable à un simple divisionnaire de passage rue Saint-Dominique qui, de plus, n'avait pas leur estime. Cependant, ces propos, dont l'objectif évident est de sauver la réputation républicaine déjà bien compromise du général, n'en sont pas moins révélateurs d'un certain état d'esprit. En effet, Laisant insiste sur le fait que Boulanger, non content de rester sourd à ces avances, n'hésita pas à réprimer vigoureusement « les velléités

12. Raoul GIRARDET, *La Société militaire dans la France contemporaine*, p. 186. Raoul Girardet a montré que c'est après 1870 que l'on voit apparaître à l'annuaire de Saint-Cyr des Clermont-Tonnerre, des Ségur, des Nompar de Caumont, des Metz-Noblat, des Rohan-Chabot, des Noailles. C'est dans une armée républicaine que reprennent du service un Villèle, un Cadoudal, plusieurs La Bourdonnaye... C'est aussi sous la République laïque que l'on trouve, en 1886, dans une promotion de 410 Saint-Cyriens, 140 élèves des écoles religieuses. De 1871 à 1887, les établissements religieux ont fait recevoir dans l'armée 1 800 élèves (p. 195). Moins élevé à Polytechnique, le pourcentage n'en est pas moins de 18 % (p. 196).

13. Arthur MEYER, *Ce que mes yeux ont vu*, pp. 74-75.

14. A. LAISANT, *Pourquoi et comment je suis boulangiste*, p. 15.

factieuses qui se manifestaient, en petit nombre, dans quelques corps de l'armée française ». Cette ferme attitude lui a valu, selon le député de la Seine, « le concours et l'adhésion du parti républicain, peu habitué à rencontrer une aussi grande netteté de conduite chez les hommes placés à la tête de l'administration de la guerre »[15].

Même si l'on considère le témoignage de Laisant comme tendancieux ou peu digne de foi, il n'en reste pas moins que ses accusations n'ont pas créé pour autant de scandale et qu'au fond, une intervention de l'armée dans la politique n'était pas exclue. Un coup de force constituait une éventualité que les républicains devaient prendre en considération. Le fait qu'il n'en ait pas été question au temps du boulangisme, pour la simple raison que Boulanger était loin de pouvoir compter sur l'appui du haut-commandement, ne change rien au problème de fond que créait l'existence, à l'intérieur du système républicain, d'une armée dont les cadres étaient dans l'ensemble hostiles au régime. L'Affaire Dreyfus révèlera toute la complexité d'une telle situation.

Quant à Boulanger, en s'aliénant, avec l'expulsion des princes, les cadres orléanistes[16], en ouvrant une série de crises avec le général Saussier[17], il s'interdit tout espoir de pouvoir un jour avoir recours à l'armée et à ses chefs.

Mais, en 1886 précisément, Boulanger ne songe nullement à une telle éventualité. Il est un général républicain, un ministre de la Guerre soutenu par les radicaux, il jouit d'une immense popularité et ne demande qu'à servir la République. Boulanger n'a point d'ambition en dehors du ministère de la Guerre, et il n'a aucune raison de ne pas être fidèle à un régime qui l'a comblé. Aussi ne manque-t-il jamais de rappeler l'armée, avec la plus grande fermeté, à ses devoirs républicains.

15. *Ibid.*

16. On connaît les suites d'une réception quelque peu tapageuse donnée par le comte de Paris dans les salons de l'hôtel Galliéra : en vertu de la loi du 23 juin 1886, étaient expulsés les chefs des familles ayant régné sur la France et leurs héritiers directs. L'article 4 interdisait en outre aux membres de ces familles, l'entrée dans l'armée. En donnant aux textes une interprétation qui allait à l'encontre de l'esprit qui avait présidé à leur élaboration, Boulanger raya des cadres de l'armée le duc d'Aumale, le duc de Chartres, le duc d'Alençon, le duc de Nemours et le prince Murat. Quelques jours plus tard, à la suite d'une lettre ouverte adressée par le duc d'Aumale au président de la République, Boulanger expulsait l'ancien chef de corps auquel il devait sa nomination au grade de général. Or, *Le Figaro* du 1er août et des jours suivants publia la série de lettres dans lesquelles le colonel Boulanger sollicitait l'intervention du duc en sa faveur, l'assurait de sa gratitude et de son dévouement. Boulanger démentit les faits, nia l'évidence : l'affaire lui fit peu de bien dans les milieux politiques mais n'atténua en rien sa popularité.

17. Gouverneur militaire de Paris, généralissime désigné en temps de guerre, le général Saussier était la plus haute personnalité militaire du pays. Il possédait en outre toute la confiance du centre opportuniste.

Le 10 mai 1886, à l'Ecole polytechnique, il exalte l'esprit démocratique de celle-ci, « créée par la Convention et héritière de notre grande Révolution »[18]. Le 4 novembre 1886, il revient sur la nécessité qu'il y a à sauvegarder « ce patrimoine que nous a légué la Révolution française »[19]. A Nantes, le 14 juin 1886, Boulanger affirme que « l'armée est aujourd'hui indissolublement liée à la nation »[20]. Dans *L'Appel au soldat*, Barrès lui prête de longs développements sur ce thème[21]. Mais c'est un auditoire de choix et aussi peu réceptif que possible, celui des cadets de l'Ecole de cavalerie de Saumur, qu'il choisit pour rappeler l'armée à ses devoirs et affirmer les principes sur lesquels repose son action : « Le ministre de la Guerre a le devoir et le droit, sans vouloir pour cela faire de la politique d'exiger de tous les membres de l'armée, le plus profond respect pour les institutions que le pays, notre maître à tous, s'est librement données »[22]. Ce langage, aussi clair que possible, ne fut guère apprécié dans les milieux conservateurs.

A Nantes, Boulanger avait déjà exprimé son attachement inébranlable aux institutions[23], et à Romans, le 27 juin, le ministre de la Guerre rend hommage au Parlement « fermement résolu à pousser droit devant lui dans la voie du progrès »[24]. Quelques jours plus tôt, à l'occasion d'une distribution de récompenses aux Sociétés de gymnastique de Limoges, il en appelait au « vénéré président de la République »[25]. Il s'agissait évidemment de Monsieur Jules Grévy.

On le voit, les républicains les plus pointilleux ne pouvaient que se féliciter de voir installé rue Saint-Dominique un officier général aussi fermement attaché à l'orthodoxie républicaine. Boulanger avait même assimilé le jargon des réunions publiques : on ne retrouve guère dans les textes qu'on vient de citer, le verbe, tant apprécié de Barrès, qui tombait à la mi-mars du haut du Palais Bourbon. Devant les cadres de l'Ecole de Saumur, Boulanger tient un langage qui ne serait point déplacé dans une réunion électorale.

Homme des radicaux, Boulanger l'est encore après sa chute. En effet, les 28 et 29 novembre 1887, l'ombre d'une éventuelle présidence Ferry plane sur les radicaux, artisans de la démission imminente de Grévy. Leur aile marchante envisage plusieurs combinaisons de rechange destinées à sauver Grévy pour quelques jours afin de barrer

18. Général BOULANGER, *Les Discours du général Boulanger depuis le 4 août 1881 jusqu'au 4 septembre 1887*, Paris, Agence Périnet, 1888, p. 67.
19. *Op. cit.*, p. 120.
20. *Op. cit.*, p. 79.
21. *L'Appel au soldat*, pp. 131-132. Cf. aussi Général BOULANGER, *La Lettre patriotique du général Boulanger*, Paris, Gabillaud, 1887, p. 1.
22. *Les Discours du général Boulanger*, p. 85.
23. *Op. cit.*, p. 80.
24. *Op. cit.*, p. 96.
25. *Op. cit.*, p. 92.

la route au « Tonkinois ». A l'immense activité déployée pendant les deux « nuits historiques », participent, aux côtés de Clemenceau et de Boulanger réconciliés par la force des circonstances, les futurs membres de l'état-major boulangiste : Laguerre, Déroulède, Le Hérissé, Naquet, Rochefort. En même temps, la Ligue des patriotes et les organisations blanquistes fraternisent dans la rue et entretiennent un climat de constate agitation [26]. On assiste donc à une véritable levée de boucliers de la gauche radicale et jacobine, appuyée sur sa clientèle traditionnelle, contre une éventuelle alliance du centre et de la droite qui déboucherait sur une présidence Ferry. Mais c'est au moment même où il constitue la pièce maîtresse de l'opération radicale, que Boulanger établit les premiers contacts avec les royalistes [27].

26. Sur « les nuits historiques », cf. *L'Appel au soldat*, p. 107. Barrès a abondamment puisé dans l'ouvrage de Mermeix : pp. 46-51, pp. 65-66 et pp. 206-229.
27. Dans la nuit du 28 au 29 novembre, Boulanger, par l'intermédiaire du député radical Le Hérissé, prend contact avec le baron de Mackau qui lui parle de « la gloire enviable de Monk » (*L'Appel au soldat*, p. 106). L'ancien ministre de la guerre s'engagea plus ou moins à un coup d'Etat en faveur des royalistes. De retour rue Saint-Dominique, le général donnerait la parole au pays en lui recommandant la monarchie. La Restauration effectuée, il conserverait le commandement suprême de l'armée. En fait, le général ne voyait pas si loin : pour l'instant il lui importait avant tout d'empêcher une élection de Ferry qui l'éloignerait à jamais du ministère de la Guerre. Il s'engage à faire connaître le nom du candidat à la présidence sur lequel la droite reporterait ses suffrages (*op. cit.*, p. 107). Le récit que fait Barrès de cet arrangement, dans *L'Appel au soldat*, est en tous points parfaitement conforme à celui de MERMEIX, *Les Coulisses du boulangisme*, pp. 60-65. Ce n'est qu'un exemple parmi d'autres des emprunts de Barrès à Mermeix qu'il présente, dans *L'Appel au soldat*, sous les traits du journaliste dépravé Renaudin, profiteur du boulangisme et traître à la cause du général. Le livre du député boulangiste est la source principale où puise non seulement Barrès mais aussi l'historien du boulangisme, Adrien Dansette. Les *Coulisses du boulangisme* suscitèrent un immense scandale et un déchaînement de haines peu commun. En révélant la collusion de Boulanger et des royalistes, Mermeix montrait que les boulangistes d'origine républicaine, dans la mesure où ils n'étaient pas complices, furent des dupes. La thèse de Mermeix est dans sa totalité certifiée par les souvenirs d'Arthur Meyer — *Ce que mes yeux ont vu* — et, implicitement par Barrès qui reprend dans *L'Appel au soldat*, la thèse du noyautage du boulangisme par les royalistes. Barrès, cependant, pense que Boulanger lui-même fut trompé par Dillon, alors que selon Mermeix et A. Meyer il avait, dès les premières élections partielles, pris des engagements formels envers les représentants du comte de Paris, et savait que toutes ses campagnes électorales, depuis l'élection de l'Aisne, étaient financées par la duchesse d'Uzès. Sur les engagements de Boulanger et les finances du boulangisme, cf. Mermeix : pp. 58 et suiv. sur l'élection de l'Aisne ; pp. 89-90 sur l'élection du Nord ; pp. 129-142 sur le processus de noyautage du boulangisme ; pp. 134-138, Mermeix affirme que Boulanger est allé jusqu'à s'engager explicitement à torpiller le comité républicain. Les affirmations de Mermeix sont confirmées à la lettre par Meyer, à une époque où il n'existait plus aucune raison de déformer la vérité. A. Meyer raconte (*op. cit.*, pp. 75-83) les tractations entre Boulanger et Dillon d'une part et lui-même et les chefs royalistes d'autre part. Comme Mermeix, il affirme que Boulanger s'était formellement engagé à œuvrer en faveur de la Restauration (pp. 84-85).

LA DIFFUSION DU BOULANGISME

Fin novembre 1887 se forge, aux côtés du boulangisme radical et du boulangisme revanchard, le boulangisme royaliste, ou, pour employer l'expression d'Emile Faguet, un « boulangisme monkiste »[1]. Barrès y restera étranger. Un an plus tard, à Nancy, il se place dans la lignée de Rochefort, de Naquet et de Laisant, sur le plan politique aussi bien que sur le plan social. Son opposition à la République bourgeoise et parlementaire s'apparente à la tradition d'extrême-gauche, même si elle comporte en outre des éléments qui lui sont propres. Barrès ignore, comme la quasi-totalité des militants, les engagements de Boulanger et de Dillon envers les royalistes, ainsi que l'identité des bailleurs de fonds du boulangisme, pour la simple raison que l'affaire est tenue parfaitement secrète. A. Meyer atteste que si Boulanger trompait ses amis, le comité national n'en savait rien. Meyer et les royalistes redoutent par-dessus tout une éventuelle défection de Rochefort et de Déroulède qui priverait le boulangisme de ses soutiens les plus efficaces dans les milieux populaires[2]. C'est pourquoi l'existence de l'état-major royaliste, ou « Comité de la bourse de la duchesse », comme l'appelle Mermeix[3], qui fonctionne clandestinement aux côtés de l'état-major républicain, reste secrète. Elle est a fortiori inconnue de jeunes militants anonymes comme Barrès. Détail significatif : le duc de Doudeauville, qui au nom de la droite prend violemment à partie Boulanger lors du mémorable débat du 4 juin 1888, et qui est un antiboulangiste déclaré, fait partie du comité royaliste aux côtés d'Arthur Meyer et de Cassagnac[4].

Cependant, si la collusion de Boulanger et des royalistes reste inconnue, nul ne peut ignorer, à partir de juillet 1888, que la droite monarchiste entend employer Boulanger comme « la plus merveilleuse machine de guerre »[5] jamais conçue « pour battre en brèche la République », comme une arme qu'on prend « sans regarder de trop près à la poigne »[6]. Or, justement c'est ce que pensent les boulangistes

1. Emile FAGUET, Introduction à l'ouvrage d'Arthur Meyer, *Ce que mes yeux ont vu*, p. VII. Meyer lui-même s'exprime dans le même sens, p. 75.
2. Arthur MEYER, *op. cit.*, pp. 87-88.
3. MERMEIX, *op. cit.*, p. 128.
4. Arthur MEYER, *op. cit.*, p. 86.
5. Arthur MEYER, « Qui s'abstient abdique », *Le Gaulois*, 24 juillet 1888.
6. Arthur MEYER, « La Peur », *Le Gaulois*, 3 août 1888. Dans un article du 31 juillet, « Après le trou la trouée», Meyer trace les grandes lignes de la tactique royaliste. Partout où les conservateurs détiennent la majorité, partout où celle-ci « n'est pas menacée par les républicains, pas besoin de l'appui du général Boulanger. Dans les autres départements, où le général Boulanger peut nous apporter l'appui des voix républicaines désabusées ou des voix flottantes... nous voterons pour lui ».

de l'appoint des voix monarchistes : à Nancy, Barrès mobilise le prince de Polignac au profit d'un mouvement se réclamant des principes de 89, de 48 et de la Commune.

En mars 1888, un observateur aussi averti que Francis Magnard pense que le général a « définitivement rendu son épée aux radicaux » : il n'est pas cet homme d'ordre que quelques conservateurs avaient cru discerner en lui. Le rédacteur en chef du *Figaro* prévoit que les troupes du boulangisme lui seront fournies par la rue parisienne : il lance par conséquent au gouvernement un pressant appel le sommant de ne pas abdiquer devant une bande de « braillards »[7]. Pour le grand quotidien conservateur, le boulangisme se situe donc carrément à gauche : c'est semble-t-il le sentiment général au moment où Boulanger est sur le point d'être rendu à la vie civile et donc à l'activité politique au grand jour.

Cependant, au moment où il semble, au niveau de l'opinion, que le boulangisme restera un phénomène de gauche et essentiellement parisien, apparaît une dimension nouvelle de ce que sera le « Parti national ». Tout en se situant à gauche, fait démontré en avril lors de l'élection du Nord, le boulangisme naissant avait auparavant fait la démonstration de sa puissance en milieu paysan et conservateur puisque, le 25 mars, Boulanger avait recueilli 45 000 suffrages dans le département de l'Aisne, où il n'était pas officiellement candidat. Ce premier grand succès, survenant un mois après les sept élections législatives partielles où le général avait recueilli 55 000 voix, eut un retentissement considérable. Le suffrage universel venait de se prononcer clairement en faveur de l'homme en uniforme. L'analyse du scrutin fait ressortir deux conclusions majeures. Il s'avère d'une part que le général a mordu aussi bien sur l'électorat républicain que sur l'aile bonapartiste du parti conservateur et, d'autre part, que le courant qui porte Boulanger n'est pas uniquement un phénomène parisien[8]. La réceptivité du milieu paysan au boulangisme est indiscutablement établie.

La presse parisienne s'en préoccupe vivement en ce printemps 1888. L'explosion du 26 février est à l'origine de ces réflexions. Un article du *Figaro*, consacré à la réaction de la paysannerie de l'Est, semble

7. Francis MAGNARD, note en tête de l'article proboulangiste de Théodore CALIN, « Le retour de Clermont-Ferrand », *Le Figaro*, 17 mars 1888.

8. L'analyse des résultats publiés dans *Le Figaro* du 28 mars 1888, montre clairement que le total des suffrages recueillis par l'ancien ministre de la Guerre lui a été donné autant par les conservateurs que par les républicains : le candidat conservateur avait perdu 28 000 voix sur les élections précédentes alors que le candidat républicain enregistrait un recul d'environ vingt mille suffrages. *Le Figaro* souligne aussi la poussée boulangiste dans le très impérialiste arrondissement de Vervins, et en tire la conclusion qui s'impose : l'électorat bonapartiste avait dû basculer, dans sa quasi-totalité, dans le boulangisme. Cf. « Histoire d'une élection », *Le Figaro*, mercredi 28 mars 1888, article signé « un électeur de l'Aisne ».

résumer très fidèlement les raisons du boulangisme paysan [9]. Pour le conseiller général, auteur anonyme de cet article, il est nécessaire de distinguer nettement le boulangisme parisien du boulangisme paysan. A Paris, en effet, le boulangisme est l'expression d'une volonté d'opposition : on y acclame le général pour manifester son opposition au Pouvoir. Il en va tout autrement dans les campagnes où le boulangisme est la manifestation de sentiments patriotiques mal compris et d'aspirations césariennes inconscientes. Les paysans, pense l'auteur, dans leur majorité hostiles à la République, ont gardé la nostalgie du temps où le gouvernement n'était pas une idée abstraite, mais un être tangible, en costume de général, à cheval, avec un grand cordon en écharpe. Bien sûr, la débâcle de 1870 a laissé des blessures profondes, mais même le paysan qui est républicain par haine de celui qui perdit les deux provinces, conserve le souvenir de l' « homme à cheval ». Pour peu qu'on lui en présente un autre, susceptible d'effacer cette défaite qui est son seul grief contre celui d'autrefois, il lui sera tout de suite acquis. La République dictatoriale ne l'effraie point. Quant au paysan conservateur, hostile à la République, conclut le conseiller général, s'il n'est pas, à proprement parler, gagné au bonapartisme, il est prêt à en accepter n'importe quelle variante. Le général bonapartiste représente pour lui cette forme concrète de conservatisme qui, seule, trouve agrément à ses yeux [10]. Ces velléités bonapartistes, dont l'existence était indéniable dans le pays, avaient beaucoup contribué à préparer le terrain à l'éclosion de cette nouvelle popularité. Le pays, depuis des années semble-t-il, n'avait fait qu'attendre ce général, jeune, beau, adulé par les journaux ; son apparition avait exaucé un vœu profond et mis à jour un état d'esprit latent.

La popularité du général est alors sans précédent dans les campagnes : en affirmant dans *L'Appel au soldat* que « nos paysans, depuis Gambetta jusqu'à Boulanger, n'avaient pas connu un nom de ministre », Barrès ne faisait que rapporter fidèlement un état de fait [11]. Il en avait tiré les conclusions qui s'imposaient lors de sa campagne électorale à Nancy. Mais il avait aussi recueilli les enseignements de l'élection du Nord où le succès de Boulanger en avril est extrêmement révélateur des tendances boulangistes de l'électorat ouvrier.

9. Un conseiller général républicain, « L'esprit boulangiste dans les campagnes », *Le Figaro*, 9 mars 1888.

10. Selon le témoignage d'Emile Faguet, les paysans de la Charente n'avaient, au temps du boulangisme, qu'un mot : « Il nous faut un homme ». Ils voulaient un régime de n'importe quelle monarchie, même une monarchie républicaine, un régime où l'on ne soit pas « gouverné par une troupe et une troupe besogneuse, intrigante et suspecte » (Préface à *Ce que mes yeux ont vu*, d'Arthur Meyer, p. VI).

11. *L'Appel au soldat*, p. 49.

L'étude de Jacques Néré sur les élections partielles des 15 avril et 19 août 1888 en Flandre [12] montre clairement qu'une proportion considérable des électeurs conservateurs n'a pas voté pour Boulanger, mais qu'en revanche un bon nombre de républicains, sans doute des plus avancés, a sûrement voté pour lui dans plus d'un centre urbain ou industriel. A Dunkerque et dans les communes maritimes, on enregistre l'effondrement des républicains qui ne retrouvent pas le tiers de leurs voix de 1885 ; quant à Boulanger, il obtient 2 690 voix de plus que les conservateurs [13]. A Lille et dans la région, la plupart des socialistes, malgré la campagne du *Cri des travailleurs,* ont voté pour Boulanger. Celui-ci a également rallié de nombreux républicains à Roubaix-Tourcoing [14]. On enregistre un puissant courant boulangiste dans les trois gros centres de mines et d'industrie lourde : Vieux-Condé, Denain et Anzin [15]. Le courant paraît irrésistible dans la métallurgie lourde, il est très fort dans le textile de Fourmies qui est une industrie jeune, au développement récent. Il apparaît finalement que Boulanger perd des voix conservatrices dans les bastions de la droite mais qu'en revanche, il recueille un nombre de voix supérieur à celui obtenu lors des élections antérieures par les républicains. Le gain des voix républicaines compense la perte des voix conservatrices [16]. Les élections de l'Aisne et du Nord symbolisent les deux voies qui s'ouvrent devant le boulangisme naissant en ce printemps 1888, au moment où Barrès est sur le point de se lancer dans la bataille.

C'est dans la première que Georges Thiébaud voudrait engager le mouvement. Il le dit sans détours dans une interview avec Gaston Calmette [17]. L'artisan de la campagne plébiscitaire pose en effet la question fondamentale : le boulangisme sera-t-il un mouvement de gauche ou de droite ? En mettant en garde le général contre le groupe Laguerre, autrement dit contre l'extrême-gauche boulangiste, issue du groupe ouvrier à la Chambre, du radicalisme et du blanquisme, il apporte sa réponse. Car, pour Thiébaud, l'élection de l'Aisne vient

12. Jacques Néré, *Les Elections Boulanger dans le département du Nord,* thèse complémentaire pour le doctorat ès lettres présentée à la faculté des lettres de l'université de Paris, Paris, 1959 (dactylographié), p. 136. Pour tout ce qui concerne le contexte sociologique du boulangisme ainsi que ses origines économiques, cf. la thèse principale de Jacques Néré, *La crise économique de 1882 et le mouvement boulangiste,* Paris, 1959, dactylographié.
13. *Op. cit.,* p. 137.
14. *Op. cit.,* pp. 145-147.
15. *Op. cit.,* p. 155.
16. *Op. cit.,* pp. 132-134. C'était un véritable coup de théâtre dans le Nord.
17. Gaston Calmette, « Après la retraite », interview avec Georges Thiébaud, *Le Figaro,* 22 mars 1888. Georges Thiébaud est le conseiller personnel du général Boulanger. Obscur journaliste, de convictions bonapartistes, il était jusqu'alors parfaitement inconnu. Au temps de l'Affaire, il militera dans les rangs de la Ligue de la patrie française. Barrès le considérait comme l'un des plus grands orateurs de son temps.

d'indiquer clairement la direction à suivre : « Marseille, ville échauffée, a lâché pied pour aller tout droit à Félix Pyat[18], tandis que l'Aisne, contrée rurale, riche, plantureuse et solide, où s'épanouit le vieil esprit de l'Ile-de-France, a voté, en dépit de tout, pour le général »[19]. Pour Thiébaud donc, aucun doute n'est permis : les assises du boulangisme sont conservatrices et si le général est républicain, fait qui ne saurait être mis en doute, il doit veiller à ce que « sa » République n'effraie pas la masse de la paysannerie française qui d'instinct se porte vers lui. La voie se trouvant ainsi tracée par le suffrage universel, il appartient encore au général de ne pas se laisser entraîner par un état-major où sont trop nombreux les hommes « classés », alors que la force du boulangisme réside dans la qualité d'homme nouveau de son chef, libre de toutes les hypothèques du passé, y compris la question religieuse. C'est ainsi que Thiébaud saisit l'occasion de l'interview pour lancer un avertissement aux parlementaires du comité : il n'est point question de fonder un nouveau parti de gauche qui découragerait tous ceux qui jusqu'à ce jour ne sont pas venus à la République, mais d'œuvrer au nom du patriotisme pour mettre sur pied un régime nouveau où le parlementarisme occuperait une place conforme à « notre génie latin », c'est-à-dire, pratiquement nulle, et où deux millions de conservateurs trouveraient la leur[20]. Avec Thiébaud voit donc le jour un boulangisme conservateur, de tendance bonapartiste, et son éclosion est sensiblement encouragée par l'élection de l'Aisne. L'idée que se fait Thiébaud du boulangisme est nettement différente de celle qui prévaut alors au sein du comité de protestation nationale : avant d'entrer véritablement en lice, le boulangisme accuse déjà les faiblesses qui le mèneront à sa perte.

Barrès lui, choisit la deuxième voie. En effet, lorsqu'il décide de rallier le boulangisme, il rejoint tout de suite son aile gauche, d'origine radicale ou, pour employer une distinction d'André Siegfried, cette branche de la démocratie venue à la République directement par la Révolution et plus particulièrement par 1793[21]. Certes, la tentation bonapartiste n'est pas sans attraits pour lui, mais tout au long de l'aventure boulangiste il restera insensible à l'appel de la droite. Non sans essayer pour autant de mordre sur son électorat. Son boulangisme sera résolument républicain, se réclamera hautement de 89, de 48 et de la Commune et sera d'un anticléricalisme militant. De plus, il sera caractérisé par un souci social certain, ce qui précipitera, après la débâcle de 1889, son évolution vers la gauche.

18. Ancien communard, député socialiste des Bouches-du-Rhône.
19. *Ibid.*
20. *Ibid.*
21. André SIEGFRIED, *Tableau politique de la France de l'Ouest sous la Troisième République*, Paris, Armand Colin, 1913, pp. 485-486.

Avec le boulangisme, on voit des radicaux d'extrême-gauche s'élever contre le rôle des comités, déclarer qu'il y a des réalités plus importantes que les partis et se préoccuper de stabiliser l'autorité gouvernementale en affaiblissant le contrôle parlementaire. Le terme national revient souvent sur leurs lèvres. Si ce glissement vers la démocratie autoritaire a pu être facile pour des démocrates sincères — certains radicaux particulièrement — c'est surtout parce qu'ils étaient obnubilés par le désir, obscur ou avoué, d'asseoir l'autorité sur une base nationale en la soustrayant aux fluctuations provoquées par les partis. En réalité, ce sont des plébiscitaires qui, sans toujours l'avouer, préfèrent la puissance du pouvoir à la liberté. Soucieux d'efficacité plus que de procédure, répugnant à se soumettre à l'autorité des Assemblées, alliant la menace d'un soulèvement populaire à des velléités de coup d'Etat, ces hommes au tempérament autoritaire représentent un courant qui est une des grandes constantes de la vie politique française : il se fait souvent jour indépendamment des étiquettes politiques d'origine.

« Il y a toujours profit à remonter à l'origine des mouvements », écrit René Rémond : « la source étant plus pure, elle offre une image encore intacte »[22]. Dans les années 1880, le terrain le plus propice à l'éclosion renouvelée de cet esprit autoritaire en plein régime de démocratie parlementaire, était le radicalisme qui se voulait gardien de la tradition révolutionnaire et auquel venaient s'ajouter d'autres éléments d'extrême-gauche comme les blanquistes, ou bien des anciens communards ou autres socialisants à tempérament autoritaire et révolutionnaire. Des républicains sincères, fascinés par l'aventure, cette fièvre des journées populaires dont parle Barrès, sont venus au boulangisme par une sorte de romantisme historique : il leur semblait en effet revivre les jours glorieux des grands soulèvements populaires. Très souvent ce qui compte d'abord pour cette famille d'esprit, c'est l'action et ses objectifs et non pas les formes qu'elle revêt.

Le boulangisme bénéficie d'un tropisme connu de la gauche française : la dissidence d'éléments qui se préoccupent avant tout de stabiliser l'autorité en affaiblissant le poids du législatif, et qui font appel à la nation contre ses représentants au nom de l'intérêt national. Ce tempérament, au contraire, ne se rencontre que fort rarement chez les modérés : le centre respecte les règles du jeu, la légalité ; mais, comme Barrès l'a parfaitement compris, leur conception du bien politique peut aisément se passer du suffrage universel[23]. Dans *L'Appel au soldat,* Barrès reconstruit fidèlement les origines du « Parti national » : « Pour le Général, au Parlement », écrit-il, « le radicalisme fait le seul

22. René Rémond, *La Droite en France,* p. 287.
23. *L'Appel au soldat,* p. 179 et p. 192.

terrain d'attente »[24]. Il est pour les radicaux « le moyen décisif de la démocratie »[25]. Se voulant représentant direct de la nation, Boulanger est poussé par une logique puissante à suivre toutes les étapes d'une campagne plébiscitaire. Presque dès le début, comme le montre Barrès, il est amené à renier l'idée de parti : « bien qu'il ne proposât expressément rien qui prêtât à la critique, tous les politiques comprenaient que son emploi était de reconstituer l'unité de sentiment »[26]. Par là même, poursuit Barrès, il mécontentait « les chefs radicaux, par l'image hors cadre et supérieure au radicalisme, que se composait de lui le public ». Or, « l'unité de sentiment en France... c'est... la négation du parlementarisme »[27].

Cela était, Barrès l'avait bien compris, en contradiction flagrante avec l'esprit même de la démocratie parlementaire : invoquer en politique intérieure « l'unité de sentiment », donc se placer au-dessus des partis, équivalait à s'engager sur la voie du plébiscite. En sapant le régime des partis et en invoquant l'argument national en politique intérieure, Boulanger ne pouvait que déboucher sur la voie de l'antiparlementarisme. Il était d'ailleurs servi, et cela était une heureuse conjoncture, par la tension avec l'Allemagne : face au chancelier de fer, le ministre de la Guerre pouvait jouer le rôle de l'homme national. Il pouvait donc, un certain temps, entretenir l'équivoque en transposant des préoccupations étrangères sur le plan des affaires intérieures. Cependant, l'affaire Schnaebelé liquidée, Boulanger était déjà trop engagé dans l'appel à l'opinion publique par-dessus la tête de ses gouvernants et de ses représentants, pour ne pas entrer en lutte ouverte avec le régime et les partis.

24. *Op. cit.*, p. 116.
25. *Op. cit.*, p.196.
26. *Op. cit.*, p. 58.
27. *Ibid.*

CHAPITRE III

A l'assaut de la démocratie libérale

LES DIMENSIONS DU BOULANGISME BARRÉSIEN

« On doit voir le boulangisme », écrit Barrès dans sa dédicace de *L'Appel au soldat,* « comme une étape dans la série des efforts qu'une nation dénaturée par les intrigues de l'étranger, tente pour retrouver sa véritable direction »[1]. Plus de vingt ans après, il note dans le dernier volume des *Cahiers* : « Le boulangisme. Je ne vais pas raconter le boulangisme. Comme je me suis amusé ! Il y avait bien de la fantaisie, de l'allégresse, de jeunesse, l'idée d'embêter le pion, le philistin, les grandes personnes »[2]. Voilà deux explications absolument contradictoires qui, en s'excluant mutuellement, illustrent parfaitement les nombreux problèmes que pose l'étude de l'œuvre de Barrès, et plus spécialement, ceux que soulève l'analyse de son boulangisme.

Jean Touchard a déjà insisté avec force sur le fait que la première tâche dans l'étude de la pensée de Barrès consistait à marquer les étapes[3], que le nationalisme de Barrès s'exprimait à plusieurs niveaux et que, finalement, en persistant à considérer l'œuvre de Barrès comme un bloc, on s'exposait à simplifier grossièrement la réalité[4]. Cette méthode devra constituer le fil conducteur de notre investigation : l'analyse de la pensée barrésienne s'effectuera ici dans le cadre d'une périodisation rigoureuse et d'une claire distinction des niveaux de son évolution. C'est dans cette perspective qu'il faut par conséquent considérer les deux textes cités.

Donc, si l'on en croit le Barrès de 1923, le boulangisme n'avait été pour lui qu'un divertissement d'écolier, un joyeux monôme sans

1. *L'Appel au soldat,* p. IX.
2. *Mes Cahiers,* t. XIV, p. 199.
3. Jean TOUCHARD, « Le nationalisme de Barrès », in *Maurice Barrès, Actes du colloque de Nancy,* p. 161.
4. Art. cité, pp. 167-168.

grande conséquence. Cette conception du boulangisme est en contradiction flagrante non seulement avec cette autre vision rétrospective qu'est *L'Appel au soldat,* mais surtout avec ce qu'il est légitime d'appeler le boulangisme authentique, pris sur le vif pendant les six ou sept premières années de l'activité politique de Barrès, et dans lequel il s'engagea avec beaucoup de conviction, de bonne foi, d'honnêteté et d'ardeur. Des centaines d'articles, du *Courrier de l'Est* jusqu'à *La Cocarde,* d'innombrables réunions politiques et professions de foi, jalonnent le boulangisme barrésien, un boulangisme qui n'est pas mort avec Boulanger et pour lequel Barrès milite activement pendant la période qui va de la débâcle d'octobre 1889 à l'Affaire. Il est resté pendant de longues années fidèle à ce que furent les temps héroïques, temps où tout semblait possible et où finalement rien n'a été atteint. Il est resté fidèle à une époque où il avait fait ce qu'il considérait comme son devoir d'intellectuel, époque qui était aussi, et peut-être surtout, celle de sa jeunesse.

Mais, on peut comprendre qu'à la fin de sa vie, contemplant le long chemin parcouru, réconcilié avec la République parlementaire qui venait de rendre à la France l'Alsace et la Lorraine, l'ancien militant boulangiste ait pu considérer comme une joyeuse kermesse le temps de sa jeunesse. Comme tout cela paraît loin au moment où le paria de 1889, devenu entre temps une des plus respectables figures de l'ordre établi, suit dans Metz et Strasbourg, l'armée française victorieuse !

Pour apprécier à sa juste valeur le jugement que, dans le quatorzième volume des *Cahiers,* Barrès porte sur le boulangisme, il faut aussi avoir présente à l'esprit son opposition, qui pour être momentanée n'en était pas moins formelle, à la réédition de *Leurs Figures ;* ceci afin de ne pas diminuer « l'homme sacré » qui venait de conduire la France à la victoire [5].

Quant à la seconde version que donne de son boulangisme *L'Appel au soldat,* elle est une interprétation fortement marquée par l'Affaire, et élaborée après coup. Les 130 pages du chapitre XI, *La Vallée de la Moselle,* constituent l'expression centrale d'un boulangisme revu et corrigé à la lumière de la théorie de la Terre et des Morts proposée par Barrès à la Ligue de la patrie française pour être la doctrine de l'antidreyfusisme.

5. Cf. une lettre de Philippe Barrès à Jean Martet, auteur d'un livre intitulé *Le Silence de M. Clemenceau,* in *Leurs Figures,* édition de 1932, réimpression de 1960, Appendice, pp. 315-317. Contrairement à Jean Martet, qui avait fait dire à Barrès, « C'est le regret de ma vie d'avoir écrit *Leurs Figures* », Philippe Barrès affirme que jamais Barrès n'eut l'intention d'interdire une nouvelle édition de son ouvrage. Il en avait ajourné la réédition, mais ne songeait nullement à renier ce passage de son œuvre et de sa vie.

Le Roman de l'énergie nationale tout entier est écrit dans cette optique. A *La Vallée de la Moselle* fait pendant, dans *Leurs Figures,* la *Lettre de Saint-Phlin sur une « nourriture » lorraine* qui conclut le dernier volume de la trilogie. Cependant les thèses des *Déracinés,* écrits en 1897 mais dont l'action se déroule entre 1880 et 1885, sont fort éloignées de celles que le jeune Barrès a soutenu dans *Les Taches d'encre* ou dans *Le Voltaire.*

On le voit, si les interprétations fournies par Barrès dans ses œuvres romanesques étaient acceptées telles quelles, on serait amené non seulement à ignorer les autres aspects d'une pensée dont la complexité constitue précisément la richesse, mais le sens même de cette pensée serait souvent faussé.

Dans son ensemble, *Le Roman de l'énergie nationale,* la plus connue des œuvres de Barrès, est une reconstruction d'une période de l'histoire de France selon les normes politiques de la période suivante. En effet, à ses conclusions du temps de l'Affaire, Barrès donne une portée rétrospective qui est souvent peu conforme à la nature du boulangisme tel qu'il s'est exprimé sur le terrain de l'action politique : à Nancy, de janvier 1889 à août 1892 ; dans *Le Journal,* entre 1892 et 1895, et enfin dans *La Cocarde,* de septembre 1894 à mars 1895, ainsi que dans les discours et les brochures de propagande publiés au cours de cette époque. Ses préoccupations étaient alors d'ordre politique et social : son engagement dans le boulangisme n'avait pas été motivé, comme cela était le cas pour le Sturel de *L'Appel au soldat,* par « son désir de se rallier à la France éternelle » [6]. Barrès considérait-il vraiment le boulangisme comme « un instant de la tradition française » [7], « une convulsion nationale » [8], la fleur d'une époque exceptionnelle où « notre pensée nationale » est « à son plus haut niveau chez tous les Français » [9] ? C'est ce qu'il affirme dans le second volume du *Roman de l'énergie nationale* [10]. En tout cas, l'analyse des livres, articles et discours écrits entre 1888 et 1894 atténue considérablement la portée de cette affirmation.

Le boulangisme de *L'Appel au soldat* est recomposé, réinterprété à deux niveaux, il possède deux dimensions : une dimension descriptive et analytique et une dimension prescriptive et idéale. Ce dernier aspect de son œuvre est aussi celui où l'on découvre un Barrès moraliste, « philosophe » au sens du XVIIIe siècle.

6. *L'Appel au soldat,* p. 120.
7. *Op. cit.,* p. 118.
8. *Op. cit.,* dédicace, p. IX.
9. *Op. cit.,* p. 44.
10. *Op. cit.,* pp. IX-X. Il est significatif qu'en dédicaçant son ouvrage à Jules Lemaître, antiboulangiste notoire mais devenu entre temps son compagnon d'armes au temps de l'Affaire, Barrès souligne qu'il lui offre ce deuxième tome du *Roman de l'énergie nationale* « pour éclairer... les titres du mouvement que nous servons » (p. XI). Le mouvement en question est évidemment la Ligue de la patrie française.

L'Appel au soldat est, bien sûr, un roman, mais c'est aussi de l'histoire. En comparant l'ouvrage à d'autres sources de l'époque, aux *Cahiers,* en consultant les écrits d'historiens contemporains, on s'aperçoit qu'il est relativement aisé de distinguer dans l'œuvre de Barrès la réalité de la fiction.

Barrès avait en effet recueilli un grand nombre de témoignages qu'il consignait consciencieusement dans *Mes Cahiers* et qu'il employait tels quels, souvent sans y rien changer, dans *Le Roman de l'énergie nationale.* Il reconstruit les événements, il les analyse ; en recherchant leurs causes et effets, il les explique. En voulant circonscrire les forces en présence et les motifs de leur action, il cherche à démonter les mécanismes du courant qui porte le « Parti national » : c'est là la dimension descriptive et analytique de l'ouvrage.

Il fait œuvre d'historien encore, en considérant le boulangisme comme un moment de l'histoire de France que l'on ne peut expliquer par une simple conjoncture ou une série de hasards. Il est historien enfin quand il s'efforce de dégager les causes profondes des événements afin d'en tirer des conclusions générales.

Ce dernier thème de sa démonstration est aussi le point d'intersection des deux niveaux sur lesquels Barrès se situe dans *L'Appel au soldat.* C'est en effet le point de convergence de l'étude et l'analyse des faits et de l'image d'un autre boulangisme, un boulangisme tel qu'il eût pu être mais qui n'a jamais existé. C'est déjà la dimension prescriptive de l'ouvrage, celle dont le centre est *La Vallée de la Moselle,* et dont l'importance est considérable du point de vue des idées politiques. En effet, cet aspect du boulangisme de Barrès exprime sa vision du Bien politique, ainsi que sa conception de la mission historique que le boulangisme ne sut pas mener à bien. Cet aspect normatif de son œuvre, c'est aussi la vision d'un boulangisme supérieur, c'est « l'idée » du boulangisme dans le sens platonicien du terme. Ici se dessinent les contours d'un système de valeurs idéal où l'on retrouve les éléments d'une réflexion doctrinale exprimés sous forme de desiderata dont l'action politique doit s'inspirer.

Ce boulangisme supérieur est indépendant de la personne du général Boulanger, du mouvement boulangiste, de la conjoncture politique ou du concours de circonstances qui lui permirent de voir le jour ou qui l'abattirent. Dans sa pureté, ce boulangisme est l'expression d'un effort fourni par l'organisme national. Ses formes concrètes sont déterminées par le moment de l'histoire où il se déclenche : en 1889, il prend les formes du boulangisme, dix ans plus tard celles de l'antidreyfusisme et, finalement, en 1914, de l'Union sacrée. Il s'agit, en quelque sorte, d'un réflexe lié à l'instinct de conservation qui, en toute période de danger, joue pour protéger l'intégrité du corps national : c'est une des lois de l'auto-défense de cet organisme qu'est la nation. Voici pourquoi, tel qu'il fut, le boulangisme n'a eu qu'une portée limitée : « Boulanger n'est qu'un incident, nous retrouverons d'autres boulangismes », s'écrie Sturel alors que le mouvement commence déjà à sombrer [11].

Le boulangisme idéal ne trouve pas, entre 1887 et 1889, les moyens d'expression et les structures qui lui permettraient de se transformer en force politique. En effet, par la nature de ses préoccupations, il dépasse trop le boulangisme du général et de son état-major pour pouvoir être traduit par eux en principes d'action. Les personnages qui en sont les représentants dans *L'Appel au soldat,* Sturel, Roemerspacher, Saint-Phlin, sont des personnages imaginaires. Les deux derniers ne sont pas des boulangistes actifs, car ils comprennent, Roemerspacher en historien rigoureux, discipline de Taine, Saint-Phlin en catholique traditionaliste ancré dans cette Lorraine qui détermine son comportement, que, tel qu'il se déroule sous leurs yeux, le mouvement n'est pas armé pour dépasser la phase de la politique. Ces deux camarades de Sturel, les plus proches du militant boulangiste, symbolisent les immenses réserves du boulangisme qui se tinrent à l'écart de la lutte, parce qu'elles refusaient l'enlisement dans la politique. Leur boulangisme est d'une même qualité que celui de Sturel : l'engagement de celui-ci ne le sépare pas d'eux, au contraire. Ils sont, en effet, pour employer la terminologie barrésienne de l'Affaire, de sa « race », de son « sang » ; « cœurs autochtones », ils sont amenés « héréditairement » à participer à la « fièvre française » [12]. L'un d'entre eux — question de tempérament — se jette dans la mêlée tout en faisant état de ses réticences. Si finalement, en refoulant ses doutes, il accepte l'engagement, c'est par loyauté envers la personne du général, mais non sans l'adjurer de le réserver « pour ce second boulangisme, le vrai », qui est un désaveu du boulangisme tel qu'il est pratiqué [13].

Ce n'est point l'effet du hasard si les trois personnages vraiment « positifs » du *Roman de l'énergie nationale,* écrit à un moment où Barrès professe pour des personnages authentiques, Déroulède ou Rochefort par exemple, une admiration sans borne, sont des personnages imaginaires Barrès indique ainsi qu'il n'y avait pas, parmi les chefs du mouvement, une seule personnalité qui ait été boulangiste comme il aurait fallu l'être. Bien sûr, certains d'entre eux sont des hommes profondément désintéressés : Déroulède, Naquet, Laisant, Rochefort ne sont pas des opportunistes sautant dans un train en marche ; tous cependant poursuivent des buts partiels qui ne représentent que des aspects de ce qu'aurait dû être le boulan-

11. *Op. cit.,* p. 406.
12. *Op. cit.,* pp. IX-X.
13. *Op. cit.,* p. 415.

gisme, et non point le boulangisme dans sa totalité. Ils poursuivent tous une politique, mais c'est leur seul et unique bagage. Revanche pour l'un, super-radicalisme pour un autre, autoritarisme, action directe, plébiscite pour d'autres encore, telles sont leurs contributions qui ne portent à vrai dire, que sur certains aspects de la doctrine. Aucun d'entre eux n'a une vue d'ensemble de ce qu'aurait pu être un boulangisme « total », aucun n'est capable de comprendre et de traduire en termes politiques la masse de sentiments et d'énergies individuelles que charriait le boulangisme et qu'un homme, un symbole, avait fait surgir des profondeurs de la conscience nationale. C'est pourquoi le boulangisme pur, le boulangisme idéal, ne prit jamais corps : resté à l'état de sentiment, de « fièvre » aux accès violents, il ne fut jamais, finalement, qu'un état d'esprit.

Parce qu'il est une mystique, le boulangisme pur, afin d'émerger des profondeurs de l'inconscient et être saisi par l'intelligence — « cette très petite chose à la surface de nous-mêmes » [14] — exige une initiation. C'est pourquoi Sturel, même Sturel, le boulangiste par excellence, a besoin de l'enseignement du faible Saint-Phlin qui n'a pour lui, condition suffisante mais nécessaire, que sa qualité d'enraciné. Car c'est Saint-Phlin qui initie Sturel au boulangisme pur : cette constatation est capitale. Saint-Phlin, le gentilhomme-campagnard, le seul des sept élèves de Bouteiller à être resté fidèle à sa terre, le seul à n'avoir pas subi l'influence du kantien parce qu'il était, de par son éducation et son mode de vie, naturellement apte à éliminer les apports étrangers, est dans *L'Appel au soldat* l'authentique professeur de boulangisme. C'est lui qui, le long de la Moselle, fait comprendre à Sturel la nature et les origines du boulangisme. Entraîné à prendre un contact vivant avec le pays et, partant, avec soi-même, amené à plonger dans les profondeurs de l'histoire et de son propre inconscient, Sturel saisit à la fois le sens du boulangisme, cette « construction spontanée » [15] engendrée par l'âme populaire, l'immensité de la tâche comme les dimensions de son échec. Mais lorsque l'initiation est finie, le boulangisme est déjà engagé dans le processus de désintégration qui, à court terme, devait entraîner la débâcle : il ne restait à Sturel qu'à retenir la leçon et se préparer pour d'autres boulangismes.

Dix années se sont à peine écoulées qu'une nouvelle « convulsion nationale » ébranle le pays : les anciens boulangistes, dans leur majorité, sont fidèles au rendez-vous. A leur intention, Barrès élabore la théorie de la Terre et des Morts et la projette dans une vision rétrospective du boulangisme. Barrès obtient ainsi un double résultat : d'une part l'évolution de sa propre pensée est artificiellement accélérée et d'autre part le boulangisme vient s'ajouter à la longue lignée

14. *Op. cit.*, p. X.
15. *Op. cit.*, p. IX.

des grandes crises nationales. Mais, et il faut bien insister là-dessus, il ne s'agit pas seulement pour Barrès de donner à son œuvre l'aspect d'un ensemble cohérent : le dreyfusisme est pour lui réellement révélateur du boulangisme idéal. Cette extraordinaire crise qu'est l'Affaire l'amène à reconsidérer le passé ; elle lui fait découvrir dans le boulangisme des motifs d'action ainsi que des thèmes idéologiques qui, sous l'éclairage de ce nouvel affrontement, prennent une dimension nouvelle. La chose est d'autant plus aisée que certains éléments essentiels du boulangisme barrésien — patriotisme, xénophobie, antisémitisme, action directe, par exemple — se retrouvent dans l'antidreyfusisme. En ce sens, le boulangisme avait bien été l'ancêtre de l'antidreyfusisme : il avait bien jeté les fondements du nationalisme de combat du temps de l'Affaire. Barrès avait bien milité à l'époque, sur des thèmes et en des termes qu'il reprend dix ans plus tard ; la continuité est donc une réalité, mais elle repose beaucoup plus sur l'identité, terme pour terme, de certains éléments, que sur l'identité de l'ensemble.

Si l'amalgame boulangiste n'a pas été ce que sera l'antidreyfusisme, c'est qu'il a manqué à la première doctrine le nationalisme, l'organicisme et les principes de prédestination que Barrès concevra au temps de l'Affaire.

Une autre remarque s'impose ici : Barrès était mûr pour effectuer cette synthèse car il avait déjà découvert, dans *Le Culte du Moi*, le poids de l'histoire. Cependant, cet élément essentiel de sa pensée n'occupait pas encore l'avant-scène de son boulangisme authentique parce que les problèmes auxquels il devait alors faire face étaient d'une nature différente. Mais au temps de l'Affaire, l'affrontement se plaçant sur un terrain nouveau, Barrès se trouve armé pour la bataille. C'est sans doute une des raisons qui l'ont amené à croire, en toute bonne foi, qu'il avait toujours suivi une même ligne ascendante. Or, s'il existe dans sa pensée une réelle continuité, elle est sans doute moins nette qu'il ne le pensait : les fautes de parcours, les parenthèses, les hésitations sont nombreuses ; les différences de fond aussi, car Barrès, différent en cela de Maurras et de ses disciples, n'évoluait pas dans le cadre d'un système imperméable aux événements et aux influences extérieures.

Il convient donc, dans l'analyse du boulangisme barrésien, de séparer les éléments du boulangisme authentique de ceux qui forment le boulangisme idéal et recomposé dix ans plus tard. Les différences sont parfois considérables. C'est pourquoi le rapprochement des textes présente un tel intérêt et apparaît comme indispensable pour dégager l'ensemble de la pensée barrésienne.

UNE RÉVOLTE DE LA JEUNESSE

Partisan, dès la première heure, du général Boulanger [1], Barrès adhère avec éclat au boulangisme en avril 1888. Dans *La Revue indépendante* [2], puis dans *Le Figaro* [3], il apporte à l'ancien ministre de la Guerre, engagé dans une violente campagne plébiscitaire, le soutien de la jeunesse. En effet, au moment où il se lance dans l'action politique, Barrès considère le boulangisme tout d'abord comme le fait de la nouvelle génération [4] : c'est le message qu'apporte à la nation « la France vivante, le parti jeune », celui qui est « tout l'avenir » [5]. Le boulangisme est, selon lui, la forme que prend la protestation de la génération qui monte et qui sera « une des forces de la France prochaine » contre « le tumulte parlementaire » ; c'est aussi un appel à « l'homme fort qui ouvrira les fenêtres par où les bavards seront précipités et l'atmosphère renouvelée » [6].

Le premier article d'engagement politique de Barrès se veut le manifeste d'un soulèvement des « princes de la jeunesse » [7], de la « jeunesse mécontente et mystique », contre « les repus, nos fameux politiciens... ces mandarins... », cette « bande vulgaire qui exploite nos aînés et que nous saurons réduire » [8].

Un mois plus tard, dans un article du Figaro qui eut un retentissement considérable et qui complétait l'article de *La Revue indépendante,* Barrès présente le boulangisme comme une révolte des « jeunes gens dédaigneux de s'enrégimenter » contre cette « nouvelle aristocratie » [9] que constitue le personnel parlementaire, ces « ratés de quelques littérature, médecine et avocasserie » [10]. Cette poignée

1. Barrès ne perdait nulle occasion de rappeler ses origines boulangistes. Cf. par exemple « Boulangistes par nécessité », *Le Courrier de l'Est,* 23 février 1889.

2. Barrès, « M. le général Boulanger et la nouvelle génération », *La Revue indépendante,* t. VIII, avril 1888, pp. 55-63.

3. Barrès, « La jeunesse boulangiste », *Le Figaro,* 19 mai 1888.

4. Barrès, « Aux parlementaires du Quartier Latin », *Le Courrier de l'Est,* 22 janvier 1889.

5. Barrès, « Eloge de nos adversaires »,*Le Courrier de l'Est,* 9 mars 1889.

6. Barrès, « M. le général Boulanger et la nouvelle génération », p. 56.

7. Art. cité, p. 57.

8. Art. cité, p. 56.

9. Barrès, « La jeunesse boulangiste », art. cité. L'article de *La Revue indépendante* n'est pas passé inaperçu. Il avait valu à Barrès des pointes ironiques de Francis Magnard (Echos - La Politique, *Le Figaro,* 11 mai 1888). Celui-ci n'en juge pas moins opportun, huit jours plus tard, de donner la parole au jeune écrivain, atteint du « coup de soleil... pour le brav' général », pour lui demander les raisons de son boulangisme. Dans *Le Figaro,* Barrès ne fait que revenir, à l'usage du grand public, sur les arguments déjà fournis aux lecteurs de *La Revue indépendante.* Cet article a cependant son importance car c'est alors seulement que le boulangisme barrésien apparaît au grand jour, en première page d'un grand quotidien parisien.

10. Barrès, « M. le général Boulanger et la nouvelle génération », p. 58. Cf. p. 63 : parmi les quelques exceptions qui échappent à la règle, Barrès cite de Mun, Pelletan, Ribot, Simon, Spuller.

de politiciens qui n'a cessé « de haïr, de maltraiter et de proscrire l'aristocratie intellectuelle », qui « usa toujours de grossièreté avec les jeunes gens »[11], qui abreuva d'insultes les grands esprits de son temps[12], cherche à enfermer la « jeunesse intellectuelle »[13] dans un « triste isolement » où elle ne peut que s'assécher[14]. Voilà pourquoi, écrit Barrès, étouffée « par les barbares, par la vulgarité », cherchant à « échapper au flot » qui recouvre et salit le pays, la jeune génération s'est portée « avec tous les honnêtes gens de France », vers « l'homme élu par l'instinct populaire »[15].

L'apparition du général, que Barrès sait ami de jeunes artistes et écrivains, respectueux envers ceux en qui il reconnaît une « force énorme... à Paris et devant l'étranger », a pour effet d'ouvrir des horizons nouveaux. « Voici qu'enfin s'épanouit (...) un champ d'action pour les milliers de jeunes gens, sensibles et désorientés, qui peuvent selon qu'on les satisfera, servir ou desservir la chose publique »[16]. Cette jeune génération qui attendait le boulangisme « pour prendre goût à la chose publique »[17], acclame en Boulanger « cette parfaite honorabilité de n'être pas un politicien »[18] qui permettra « d'expulser les bavards du Palais-Bourbon, qui nous assourdissent et qui sont de vilaines gens »[19].

L'antiparlementarisme et la révolte contre l'ordre établi constituent le fond de ces deux articles d'engagement politique. Par contre, on y chercherait en vain la moindre allusion aux deux provinces, à l'Allemagne, et à plus forte raison à la revanche ; on n'y retrouve pas un seul thème qui puisse d'une façon quelconque s'apparenter au boulangisme mystique de *L'Appel au soldat* ou à la thèse de la Terre et des Morts. Cette omission ne peut être attribuée à une simple distraction, mais bien à un choix délibéré : à ce moment, dans l'esprit de Barrès, le boulangisme est le moyen de battre en brèche la démocratie parlementaire et l'ordre bourgeois, et non pas l'outil de la revanche ou l'expression de l'inconscient national. Barrès se place sur un terrain de pure politique intérieure, il insiste sur la qualité d'homme nouveau de Boulanger ; il souligne que son apparition est susceptible de favoriser l'éclatement des cadres politiques traditionnels et l'effacement des vieilles traditions et des vieilles divisions. Barrès insiste

11. BARRÈS, « La jeunesse boulangiste », art. cité.
12. *Ibid.* Les grands esprits de son temps : « les Jules Simon ; les J.-J. Weiss ; les Jules Soury ; les Ménard ».
13. *Ibid.*
14. BARRÈS, « M. le général Boulanger et la nouvelle génération », p. 57.
15. Art. cité, pp. 56-57.
16. Art. cité, pp. 56-58.
17. Art. cité, p. 56.
18. Art. cité, pp. 58-59.
19. BARRÈS, « La jeunesse boulangiste », art. cité.

sur les affinités de Boulanger avec la nouvelle génération : unis dans un même dégoût de la République opportuniste, la jeunesse éclairée et son chef naturel donneront l'assaut décisif contre l'ordre établi.

Dix ans plus tard, Barrès reconstitue admirablement, dans *Les Déracinés,* l'état d'esprit de cette nouvelle génération avide « d'arriver » et de construire un monde à son image. Se refusant à passer par la filière traditionnelle des comités et des antichambres républicains, cette jeunesse, dont il se veut le porte-parole, recherche les moyens d'accéder rapidement aux leviers de commande. Or, elle sait que la chose n'est possible que dans une situation révolutionnaire ; le boulangisme devait en fournir l'occasion.

Voilà pourquoi, contrairement à Simon (*Le Culte du Moi*) et à André Maltère (*L'Ennemi des lois*) qui se meuvent dans les hautes sphères de la métaphysique, les sept jeunes Lorrains des *Déracinés* sont jetés sur le champ de bataille parisien. Ce livre est l'illustration d'une idée, mais il est aussi le roman de l'action ; c'est l'histoire d'une faillite, mais aussi l'épopée d'une bataille contre l'ordre établi. Le septième chapitre des *Déracinés,* qui décrit la visite de Taine à Roemerspacher, est consacré à des spéculations intellectuelles ; il se termine cependant par un appel à l'action [20]. Rendez-vous est pris sur le tombeau de Napoléon. En ce haut lieu de l'aventure, les sept provinciaux, venus conquérir Paris, la gloire et la puissance, interrogent le destin :

> « Nos études vont se terminer. Nous contenterons-nous d'exploiter nos titres universitaires ? Serons-nous de simples utilités anonymes dans notre époque ? Rangés, classés, résignés, après quelques ébrouements de jeunesse, laisserons-nous échoir à d'autres le dépôt de la force ? Dans cette masse encore amorphe qu'est notre génération, il y a des chefs en puissance, des têtes, des capitaines de demain. Si quelque chose nous avertit que nous sommes ces élus de la destinée, ne cherchons pas davantage, croyons-en le signe intérieur : camarades, nous sommes les capitaines ! Au tombeau de Napoléon, professeur d'énergie, jurons d'être des hommes » [21].

Après ce serment, ils s'organisent pour « agir et dominer » [22] : ils « aspirent à s'enrôler » [23]. L'un d'entre eux leur propose de rechercher « l'homme national » qu'ils pourraient « servir pour le lâcher en temps voulu » [24]. Un Sturel ne peut souscrire à cette brutale formule du

20. Dans un texte du 18 août 1944, Maurras raconte que la visite de Taine à « Roemerspacher » eut réellement lieu : « Roemerspacher » était Maurras que Taine venait voir à l'issue d'un article que le jeune journaliste avait publié. Barrès demanda à ce dernier ses impressions et les transcrivit telles quelles dans *Les Déracinés.* Cf. Bibliothèque nationale, Manuscrits, N. A.F. 14 827, n° 80.

21. *Les Déracinés,* p. 232.

22. *Op. cit.,* p. 256.

23. *Op. cit.,* p. 125.

24. *Op. cit.,* p. 232.

journaliste dépravé que représente Renaudin : il a un sens plus noble de l'action, mais c'est encore l'action en elle-même qui le préoccupe bien davantage que ses objectifs : « Je voudrais », dit Sturel, ce porte-parole de Barrès, « me faire une conception du monde ; mais je vais plus loin, je voudrais qu'elle me fût un motif d'agir, qu'elle donnât une direction aux forces qui sont en moi. N'importe quelle direction, pourvu qu'elle m'entraîne et me soit plus chère que moi-même » [25].

Il faut évidemment souligner ici l'expression « n'importe quelle direction » : elle traduit en effet la disponibilité fondamentale de ces « barrésiens ».

Ces passages de l'œuvre la plus dense, la plus travaillée de Barrès recoupent parfaitement les deux articles boulangistes qui la précèdent de dix ans. En 1888, comme dans *Les Déracinés,* Barrès montre quelle force explosive représente cette génération enfermée dans un monde qu'elle méprise, auquel elle refuse de s'adapter, et qu'elle veut conquérir. Mais il sait aussi combien est longue la route à parcourir avant que ces jeunes gens ne puissent faire entendre leur voix : « Sturel, Roemerspacher, eussent-ils la décision, la précision, la concision, qualités qui sont rares chez les prophètes, ils seraient tout de même, jusqu'à ce que leur vérité fût reconnue par un grand nombre de leurs compatriotes, des poètes, des gens en l'air, sans valeur sociale » [26].

Au nom de cette jeunesse assoiffée d'action, enfermée dans son « triste isolement », étouffée par les barbares, par la vulgarité, Barrès fait à l'homme providentiel un accueil triomphal : « Nous avons senti », écrit-il en avril 1888, « les murs de cette prison humaine qui chancelaient » [27]. Et il acclame Boulanger le libérateur : « Je me sens porté par toute la jeunesse, par l'élite française » [28], par tous ceux qui seront « demain la France intellectuelle » [29]. Parce qu'il ouvre la voie de la délivrance et de la régénération, « il nous sera », dit Barrès, « léger et glorieux ce chef qui nous aime et qui est de notre race, au sens large de ce beau mot. Nous oublierons alors les années où nous avons vécu dans l'humiliation et l'isolement... » [30].

Mais il faut encore distinguer une autre dimension de l'engagement de Barrès dans le boulangisme. En effet, Barrès se fait l'interprète, non seulement d'une génération avide d'accéder aux responsabilités, mais aussi d'une catégorie d'hommes, politiquement nouveaux, qui, sur le plan idéologique, montrent un remarquable détachement à

25. *Op. cit.,* p. 212.
26. *Op. cit.,* p. 300.
27. Barrès, « M. le général Boulanger et la nouvelle génération », art. cité, p. 57.
28. Art. cité, p. 63.
29. Art. cité, p. 61.
30. Art. cité, p. 59.

l'égard des anciens clivages : « Que nous font à nous, nouveaux venus », s'exclame Barrès, « ces vieilles querelles : républicains, royalistes ou bonapartistes ? Nous sentons qu'il est d'honnêtes gens dans toutes les factions... » [31]. Barrès se sent étranger aux préoccupations politiques de la génération précédente, autant qu'à ses principes : les vieilles divisions étaient dans son esprit dépassées, et ne répondaient plus aux nouvelles réalités. Dans *Les Déracinés,* il reconstruit avec exactitude le sens de l'affrontement entre les vieux républicains et les hommes nouveaux : il montre très clairement qu'il ne s'agissait pas simplement de renouveler le personnel politique. Les anciens élèves de Burdeau-Bouteiller, venus lui offrir leurs services, s'attirent cette réponse qui résume tout ce qui sépare les nouveaux venus des fondateurs de la République et de leurs héritiers : « Messieurs, il y a deux sortes de républicains : ceux de naissance, qui ont horreur qu'on discute la République ; ceux de raisonnement, qui s'en font une conception à leur goût. Vous êtes des républicains de raisonnement. Je puis les estimer, je ne les accepte pas. Nous nous rencontrerons dans la vie, nous ne nous entendrons jamais » [32].

Homme de la vieille école, un Bouteiller est un partisan qui distingue entre les républicains et les autres, entre ceux qui ne sauraient mettre en doute les principes sur lesquels repose la République, et ceux pour qui ces principes sont toujours parmi les questions à débattre. Un Barrès, par contre, ignore l'ancestral réflexe jacobin qui fait d'un républicain un croisé ; pour lui, ces actes de foi ne sont que de vieilles lunes. Un Bouteiller est un républicain viscéral : il sert son parti, car celui-ci est la République ; pour lui, il se fera panamiste. De même qu'Alain rejettera vers la droite quiconque met en doute la réalité d'une coupure entre gauche et droite, Bouteiller exclut de la famille républicaine quiconque nie la réalité du clivage entre républicains et non-républicains.

En ce sens, Barrès est bien un homme nouveau, parfaitement préparé à rallier un « parti national », celui qui sonnerait le glas de la République jacobine. Il commence à l'époque du boulangisme, à se libérer des préjugés de la génération précédente : ce processus se précipitera au temps de l'antidreyfusisme sans que pour autant Barrès bascule dans la réaction. C'est cela précisément qui constitue la nouveauté et l'originalité de sa doctrine.

31. Art. cité, p. 60.
32. *Les Déracinés,* p. 301. Cf. aussi pp. 297-300. Sur Burdeau-Bouteiller, cf. Maurice DAVANTURE, « Barrès, Burdeau et Bouteiller », art. cité, pp. 33-44.

En janvier 1889, Barrès quitte Paris et abandonne pratiquement son activité littéraire pour défendre les couleurs boulangistes à Nancy. La manière dont il mène sa campagne tranche singulièrement sur l'activité somnolente de l'état-major parisien. Installé sur place, Barrès déploie une activité intense : il prend pour coéquipiers un jeune romancier, Paul Adam et un employé blanquiste, Alfred Gabriel ; il fonde un comité de soutien, lance un journal, organise des réunions. Enfin, et cela est encore plus digne d'être remarqué, il construit une doctrine boulangiste dont la cohérence dépasse de loin celle de l'entourage du général.

Dès lors, le boulangisme nancéien s'organise sur une initiative personnelle de Barrès et de son équipe sans que le comité national lui apporte un concours appréciable [1]. Barrès n'y comptait d'ailleurs pas, il fonde lui-même son journal ; il est raisonnable de penser qu'il dut en assumer les frais [2]. Aux subsides de l'état-major boulangiste n'avaient droit, Barrès l'a bien montré dans *L'Appel au soldat,* que ceux parmi les candidats qui connaissaient à fond l'art de jouer des coudes dans les antichambres du comité, d'abord à Paris, puis à Londres ou à la permanence de la rue Galilée [3].

En homme de lettres connaissant la puissance de l'écrit, Barrès se donne pour premier objectif de fonder un journal. Le premier numéro du *Courrier de l'Est,* dont il est le rédacteur en chef, paraît le 22 janvier 1889 [4]. Quatre jours plus tard, se constitue le « comité

1. Barrès en témoigne dans *L'Appel au soldat,* p. 412. Il laisse parfaitement entendre qu'il n'avait rien à attendre de l'état-major londonien (pp. 412-413). Mermeix d'ailleurs rend hommage aux facultés d'organisation de Barrès et à son succès qui ne devait rien au comité national ; il ajoutera même que c'était Boulanger en personne qui bloquait toute organisation sérieuse (*Les Coulisses du boulangisme,* pp. 249-252).

2. Nulle part Barrès ne donne de véritables précisions sur les moyens et les appuis dont il disposait pour fonder *Le Courrier.* Même dans sa correspondance privée avec André Maurel à qui il faisait part de ses intentions et dont il sollicitait le concours pour lui trouver un jeune collaborateur qui serait son premier rédacteur, Barrès reste muet à ce sujet. Cf. les lettres publiées par André Maurel dans *L'Eclair* du 25 mars 1925.

3. *L'Appel au soldat,* p. 426.

4. Le journal porte en sous-titre : Journal républicain révisionniste. Quotidien jusqu'au 17 mars 1889, *Le Courrier de l'Est* est transformé à cette date en hebdomadaire. Le dernier numéro est daté du 27 août 1892. Une nouvelle série de l'hebdomadaire paraîtra à partir du 10 avril 1898 lorsque Barrès tentera de nouveau sa chance à Nancy. Le journal comporte deux éditions : l'une à l'intention des abonnés, l'autre « populaire » à cinq centimes. *Le Courrier de l'Est* est un journal électoral : il n'affiche pas de plus vastes ambitions. Avec l'aide de quelques militants de Nancy, Barrès, Paul Adam et Gabriel sont pratiquement ses seuls rédacteurs. Barrès y republie des articles qu'il avait donnés dans le passé à la presse parisienne ; il y reproduit aussi assez souvent, certains articles et déclarations des leaders du boulangisme publiés par les organes boulangistes de la capitale.

républicain révisionniste de Meurthe-et-Moselle » dont Barrès assure la présidence d'honneur. Il donne chaque jour un éditorial au *Courrier de l'Est,* multiplie les réunions publiques, anime l'action du comité révisionniste. Il est alors l'homme d'un combat, sans arrière-pensées et sans hésitations. Avec une foi inébranlable, il entre dans le rôle du parfait militant, et son engagement est inconditionnel. Son sens critique d'intellectuel lucide, qui s'était affirmé dans les années antérieures, semble s'évanouir dès que son propre parti est en cause. On ne devine à travers ses écrits ni doutes, ni hésitations, ni la moindre perplexité quant au bien-fondé de son engagement. S'il en eut, il n'en laissa rien paraître. Ce n'est que dans *La Cocarde,* dans *L'Appel au soldat* ou dans ces feuilles secrètes que sont les *Cahiers,* que Barrès fait état de ses réticences ou de son désarroi. En 1889 l'heure n'est pas aux demi-mesures. S'il pensait, comme il l'affirma plus tard, que le général Boulanger ne possédait aucune des qualités indispensables à un homme d'Etat, il s'appliquait à n'en rien montrer. Il jouait le rôle du disciple admiratif, suivant à la lettre les consignes, ou celui du militant venu de sa lointaine province chercher auprès du chef l'inspiration et prendre ses mots d'ordre. Cette attitude s'explique moins par le fait que Barrès n'approcha le général que relativement tard que par les nécessités de la lutte : il ne pouvait présenter au public que les côtés les plus brillants du chef du « Parti national ». Conscient de la pauvreté doctrinale du mouvement, Barrès savait parfaitement qu'une fois ternie la mythologie du général, il ne resterait que peu de choses du boulangisme. Il s'applique donc à glorifier les vertus du chef, à mâcher et à remâcher les mots d'ordres du boulangisme.

Sur le plan institutionnel, Barrès n'avait rien à ajouter aux formules de Boulanger et des têtes politiques de son état-major. *Le Courrier de l'Est* ne trahit à cet égard nulle originalité, on n'y décèle point l'empreinte personnelle qu'on était en droit d'attendre de l'influence de Barrès. Mais Barrès possédait un sens aigu de la propagande, du pamphlet, des thèmes et des idées susceptibles de convaincre, et il cherche à imiter Rochefort. Il avait très vite compris que les longs débats sur les vertus des institutions ne pouvaient pas enflammer le public, alors qu'un petit nombre d'idées, claires et simples, répétées à satiété, était capable de provoquer une lame de fond populaire.

Le point de départ du boulangisme politique chez Barrès est l'antiparlementarisme. C'est sans doute l'aspect le moins original et le moins approfondi de sa pensée : à Nancy, le candidat boulangiste n'avait pratiquement rien à ajouter aux formules classiques du mouvement, mais ce n'en est pas moins une composante essentielle de sa pensée politique.

Dès les premiers articles où il marque son engagement politique, il clame « avec joie et avec haine » son « dégoût des institutions parlementaires »[5] ; dans son esprit le boulangisme est une réaction contre l'ordre établi[6], et cette réaction passe par une levée de boucliers contre l'institution qui, plus que toute autre, en est l'expression fondamentale, le Parlement.

Le Parlement est le symbole de l'ordre bourgeois et de la démocratie libérale ; c'est le Parlement, et non point d'éphémères ministres, qui incarne le pouvoir. Façade de la République, le Parlement est aussi le centre de gravitation du pouvoir ; c'est là que se nouent tous les fils de la vie politique et économique du pays. Il est donc naturel que la masse de sentiments que charrie le boulangisme explose en un extraordinaire mouvement d'antiparlementarisme.

Pour Barrès, en effet, la vie politique dans la République parlementaire n'est qu'un ensemble de « mille querelles de détail », d' « intrigues », de « futilités » ; qu'une immense « infamie » qui dégoûte et exaspère[7]. Le personnel politique en place, lui, est d'une « brutale ignorance » qui n'a d'égale que sa volonté de domination et « l'insolence de ces pauvres illettrés » n'a d'égale que leur « haine » de la jeunesse intellectuelle. La République parlementaire quant à elle, c'est le triomphe de vétérinaires et de domestiques, du tumulte et de l'intrigue, de l'injustice et de la discorde[8]. C'est pourquoi, en cette « heure d'épanouissement », Barrès clame la « joie » et l' « émotion » de la jeune génération qui se rallie « d'enthousiasme au général chéri du peuple : Boulanger représente l'opposition au régime parlementaire. Par Boulanger — qui seul est aujourd'hui capable de cette audace — disparaîtront ces barbares décidément décriés parmi les honnêtes Français de toute caste »[9].

Depuis son premier article engagé et jusqu'à la fin de sa vie, l'antiparlementarisme restera, au-delà de toutes ses fluctuations, la grande constante de la pensée politique de Barrès. Du départ de Boulanger du ministère de la Guerre à l'échec de la candidature Clemenceau à la présidence de la République, ce « triomphe de l'intrigue parle-

5. Barrès, « M. le général Boulanger et la nouvelle génération », art. cité, p. 63.
6. Barrès, « Aux parlementaires du Quartier Latin », *Le Courrier de l'Est*, 22 janvier 1889.
7. Barrès, « M. le général Boulanger et la nouvelle génération », art. cité, p. 61. Dans son célèbre discours du 4 juin 1888, Boulanger s'était exprimé en des termes presque identiques. Il parlait de cette « universalité dans le mécontentement et dans la plainte » qui appelle des réformes profondes, fondamentales, que le parlementarisme, par sa nature même, est incapable d'effectuer ; en insistant sur les raisons qui assuraient l'énorme succès du boulangisme, il estimait que « la France est lasse jusqu'au dégoût de ce régime qui n'est qu'agitation dans le vide, désordre, corruption, mensonge et stérilité » (*Le Figaro*, 5 juin 1888).
8. Art. cité, p. 58, p. 60, p. 59, p. 62.
9. Art. cité, p. 56, p. 59, p. 60.

mentaire sur la volonté populaire »[10], Barrès ne cessera de dénoncer le complot des politiciens. C'est un feu qui couve, toujours sur le point de s'embraser ; et Barrès sera toujours prêt à opposer au Parlement « la réalité » de la volonté populaire, ou à défaut, celle des « vrais » intérêts de la France. Tout au long de sa carrière, le réflexe antiparlementaire, dirigé contre l'institution elle-même aussi bien que contre les notables du régime, sera toujours prêt à se déclencher et ne s'atténuera même pas, d'une façon appréciable, ni au moment de l'Union sacrée, ni au sein de la Chambre d'union nationale, élue dans la foulée de la victoire.

Il faut souligner qu'à cet égard la pensée politique de Barrès doit tout au boulangisme ; on chercherait en vain, à travers tous les articles de sa campagne électorale, un thème nouveau ou même une présentation originale des thèmes développés naguère par Naquet, Laisant, Rochefort et quelques autres, et repris par Boulanger dans le grand discours-programme qu'il prononça à la tribune de la Chambre le 4 juin 1888. Reproduit dans *Le Courrier de l'Est* des 28 février, 1er, 2 et 6 mars 1889 sous le titre « Programme du Parti national boulangiste », puis repris dans le numéro du 15 septembre, à la veille des élections législatives, ce discours devint le véritable credo politique du mouvement, le texte fondamental auquel le journal renvoie constamment le lecteur[11].

A l'origine du mal est la Constitution : « Les constituants de 1875, sous des apparences démocratiques, n'ont entendu créer qu'une oligarchie. Ils ont voulu confier la France non pas à la France elle-même, mais à une classe dirigeante, à une aristocratie de hasard »[12].

10. *Mes Cahiers,* t. XII, p. 249. Le lendemain de la défaite de Clemenceau, le 17 janvier 1920, Barrès écrit un article sur ce thème : « C'est le triomphe de l'intrigue parlementaire sur la volonté populaire. Je dénonçais », dit-il, « l'ingratitude de cette Chambre qui rejette celui sous le nom et dans l'atmosphère de qui elle fut élue ». Il retira l'article, Henry Simond lui ayant fait observer qu'il jetait le pays contre le Parlement, « une assemblée en qui on vient de mettre tant de confiance ».

11. Le texte intégral du discours fut publié dans *Le Figaro* du 5 juin 1888. Barrès eut la sagesse d'en extraire les principaux passages, ce qui fait que le texte qui accompagne, dans *Le Courrier de l'Est,* le programme du comité républicain révisionniste de Meurthe-et-Moselle y gagne nettement en concision et en densité.

12. Barrès, « Nos grotesques », *Le Courrier de l'Est,* 25 janvier 1889. Boulanger s'était exprimé dans les termes suivants : « la Constitution de 1875 n'est ni républicaine ni démocratique ; elle est oligarchique et parlementaire, c'est-à-dire en contradiction constante avec l'esprit, les mœurs, les intérêts et les besoins de la France contemporaine » (*Le Figaro,* 5 juin 1888). Cf. aussi le discours prononcé par Déroulède à la Chambre en décembre 1892 : le député d'Angoulême rappelle les origines antidémocratiques et réactionnaires de la Constitution de 1875 et les motivations antirépublicaines de l'assemblée de Versailles. Il souligne que le système qui régit cette République « si peu républicaine » crée « un déséquilibre absolu entre les pouvoirs publics, jetés ensemble pêle-mêle dans une organisation sans contrepoids ; une incohérence perpétuelle dans la direction des affaires ; une

C'est là une des formules-clé, une des idées maîtresses de l'analyse politique de Barrès : il y revient longuement dans *La Cocarde* et dans *L'Appel au soldat*[13]. « Les grotesques de sous-préfecture devraient... cesser de nous donner de l'orléanisme pour de la démocratie », écrit-il dans *La Cocarde*, car « la grande doctrine démocratique admet qu'un parlement, un corps représentatif toujours est suspect et doit être contrôlé par la nation »[14]. Quant à « l'aristocratie de hasard », ce sont bien sûr les notables dont les cinq cent quatre-vingts « petites bêtes de proie »[15] constituent un échantillon fort représentatif, c'est l'aristocratie d'argent[16], ce sont tous les profiteurs du régime qui en détiennent les leviers de commande. C'est cette aristocratie qui a forgé les rouages politiques de la France républicaine de manière à s'assurer le contrôle du pays.

La toute-puissance du Parlement est la clé de voûte du système. En effet, par le biais d'une Chambre souveraine, la nouvelle oligarchie, qui incarne toutes les faiblesses d'un régime aristocratique sans en posséder les vertus — le sens des responsabilités, l'efficacité, la permanence — exerce librement sa domination. C'est donc à une tyrannie d'un genre nouveau qu'est soumis le pays : « les parlementaires », affirme Barrès, « sont les pires des despotes »[17]. Mais la dictature des « petits césariens du Palais-Bourbon »[18] est d'autant plus insupportable qu'elle ne comporte même pas les avantages d'un régime autoritaire : elle dégénère en fait en impuissance, car dans le système parlementaire tous les rouages de l'Etat se trouvent faussés[19].

quasi-impossibilité de tout fonctionnement régulier de la machine gouvernementale ». Il n'est pas question de remettre en cause la République : précisément, il s'agit de substituer « à la souveraineté parlementaire qui nous a conduits où nous en sommes, la souveraineté nationale, qui peut seule nous en retirer et qui seule nous donnera la République en dehors de toute hérédité, de toute dynastie, de tout prétendant. C'eût été, ce serait alors, si vous le voulez bien, l'avènement réel de la démocratie » (*Journal officiel, débats parlementaires, Chambre des députés*, 23 décembre 1892, p. 1 951).

13. Cf. notamment la page 129 où le Boulanger du roman expose ses idées à Sturel. Cf. aussi, BARRÈS, « Un entretien avec le général Boulanger », *Le Courrier de l'Est*, 27 janvier 1889. Le grand roman politique de Barrès et le pamphlet qui le complète, *L'Appel au soldat* et *Leurs Figures*, constituent, au niveau des thèmes de l'antiparlementarisme, une reconstruction exacte de l'argumentation de Barrès dans *Le Courrier de l'Est* et dans *La Cocarde*. Dans ce cadre restreint, abstraction faite de l'interprétation d'ensemble que donne Barrès du boulangisme à la lumière de l'Affaire, son œuvre littéraire recoupe fidèlement les écrits de l'époque.

14. BARRÈS, « Contre le système représentatif », *La Cocarde*, 2 mars 1895.

15. *Leurs Figures*, p. 5.

16. Cf. *infra*, chap. IV.

17. BARRÈS, « Bonne nouvelle », *Le Courrier de l'Est*, 14 février 1889.

18. BARRÈS, « Les Folies-Bourbon », *Le Courrier de l'Est*, 5 février 1889. Cf. aussi « Le ministère Troppmann », *Le Courrier de l'Est*, 30 janvier 1889.

19. BARRÈS, « Aux parlementaires du Quartier Latin », *Le Courrier de l'Est*, 22 janvier 1889. Cf. aussi « Nos grotesques », *Le Courrier de l'Est*, 25 janvier 1889 ; « Les Bélisaires », *Le Courrier de l'Est*, 31 janvier 1889.

Et cela pour plusieurs raisons. La première est qu'au Parlement s'affrontent de multiples intérêts particuliers, au détriment de l'intérêt national. Chaque député « jusque dans Paris... bouillonne des haines, des intérêts, de toutes les passions de son arrondissement »[20], il « demeure toujours candidat »[21]. Obscur député ou politicien de grande envergure, il craindra toujours de s'aliéner tel ou tel autre de ses collègues ; il vivra dans la terreur de ses électeurs, de son comité ou de la presse. Il est virtuellement paralysé[22]. Eternel candidat, sa raison d'être est la défense des intérêts qu'il représente ; voilà pourquoi chaque député « pense à ses intérêts, jamais à ceux de la patrie »[23] ; voilà pourquoi « les intérêts privés priment l'intérêt public et l'administration se désorganise »[24]. Barrès stigmatise la toute-puissance d'un pouvoir anonyme, à mille têtes interchangeables, divisé en groupes représentant des intérêts contradictoires qui se débattent, s'entredéchirent et méconnaissent finalement l'intérêt national[25].

Cet état de fait découle nécessairement de la nature du système : les mécanismes du régime sont tels qu'ils empêchent toute action coordonnée. En effet, le député le mieux intentionné, fait dire Barrès à Naquet dans *L'Appel au soldat*, en reprenant les arguments du sénateur radical, passe son existence à ourdir des intrigues. Il y est amené par la force des choses, par la logique du régime parlementaire : il lui faut gagner des sympathies, louvoyer entre les intérêts contradictoires, s'employer à neutraliser ses ennemis aussi bien que ceux de ses amis dont les intérêts diffèrent des siens. Des années se seront passées sans qu'il parvienne à faire triompher une idée : les ministères tomberont car il s'y sera employé pour des raisons qui n'auront rien à voir ni avec l'idée qu'il veut faire triompher, ni avec l'intérêt national. Ayant finalement contribué à mettre sur pied un ministère favorable, il s'apercevra que d'autres intérêts sont en jeu : des circonstances nouvelles ruineront ses projets. Finalement « la mort ou un échec l'entraînent hors de la scène politique sans qu'il ait rien donné que le spectacle d'une agitation destructive et d'une volonté impuissante »[26].

C'est donc un régime qui pratique à la fois l'immobilisme et l'instabilité. Les crises du pouvoir succèdent aux crises du pouvoir, l'autorité s'est effritée, nulle action coordonnée n'est plus possible. L'instabilité ministérielle qui provient de l'absence d'une majorité ferme

20. *Leurs Figures*, p. 5.
21. *Ibid.*
22. *Op. cit.*, p. 5 ; pp. 12-13.
23. *L'Appel au soldat*, p. 129.
24. *Op. cit.*, p. 137. Cf. même thème dans « Simulacre d'énergie », *La Cocarde*, 9 octobre 1894.
25. *Op. cit.*, pp. 128-129.
26. *Op. cit.*, p. 137.

empêche la réalisation d'un programme quel qu'il soit [27], les humeurs des gouvernants de fortune privent la France de ce dont elle a le plus besoin : la « continuité dans l'action militaire et diplomatique que le parlementarisme ne comporte pas » [28]. Ce régime où « aucune responsabilité n'existe » [29] est aussi celui de la médiocrité qui seule permet « de ne point offusquer l'électeur » [30].

S'ils sont incapables d'assurer à la nation un gouvernement et de mener une politique, les « bourgeois incompétents » [31] qui forment « l'aristocratie parlementaire » [32] n'en sont pas moins capables de s'entendre pour asseoir leur pouvoir sur leurs électeurs, réduits à une condition de vassaux. Les pressions qu'ils sont en état d'exercer, la puissance dont ils disposent vident de toute signification réelle la notion de suffrage universel et de souveraineté populaire [33]. De plus, la démocratie parlementaire a pour effet de corrompre les mœurs publiques. « Le parlementarisme français », écrit Barrès dans *Leurs Figures,* « n'est qu'un système de chantage » [34]. Ici, ce qui est en cause, c'est beaucoup moins le personnel politique que le régime lui-même. En effet, la Chambre est aussi, et peut-être surtout, un centre d'affaires : « Depuis douze ans », souligne-t-il, « pas une grande entreprise où les pouvoirs publics eussent à intervenir n'avait pu se dispenser de faire la part de la corruption » [35].

Dans *Leurs Figures,* un de ses ouvrages les plus célèbres, Barrès, on le sait, a immortalisé, sur le fond du scandale de Panama, la corruption des milieux politiques et leur collusion avec le monde des affaires. Mais les thèmes du troisième volume du *Roman de l'énergie nationale* n'avaient rien de nouveau pour les lecteurs du *Courrier de l'Est :* Barrès n'avait pas attendu qu'éclatât au grand jour cet énorme scandale financier pour dénoncer ces mœurs.

La poussée boulangiste devait, en effet, beaucoup à l'atmosphère de scandale, de suspicion et de délation qu'avait créée l'affaire Wilson : la preuve était faite que la République n'était point à l'abri des tares dont souffrait l'Empire. C'est ainsi que l'affaire du gendre du président Grévy prit les dimensions d'une crise de régime et pré-

27. Barrès, « Histoire de douze ans », *Le Courrier de l'Est,* 24 janvier 1889. Cf. *L'Appel au soldat,* p. 128. Boulanger parle : « Ce Parlement c'est d'un chinois ! Un jour il faut s'appuyer sur les opportunistes, le lendemain sur les monarchistes, et toujours des soucis purement politiques ! ».

28. Barrès, « Quels sont nos alliés », *Le Courrier de l'Est,* 10 et 11 mars 1889.

29. *L'Appel au soldat,* p. 129.

30. *Leurs Figures,* p. 5.

31. Barrès, « Le merveilleux Tonkin », *Le Courrier de l'Est,* 1er février 1889.

32. Barrès, « Un entretien avec le général Boulanger », *Le Courrier de l'Est,* 27 et 28 janvier 1889.

33. Barrès, « Pour les filles du peuple », *Le Courrier de l'Est,* 16 février 1889. Barrès, « Les petits incidents », *Le Courrier de l'Est,* 6 février 1889.

34. *Leurs Figures,* p. 52.

35. *Op. cit.,* p. 8. Cf. aussi pp. 10-11.

para le terrain à la campagne révisionniste. Il était donc naturel que la campagne du *Courrier de l'Est* s'adressant à la « masse » s'ouvrît sur le slogan : « à bas les voleurs » [36], et que *L'Appel au soldat* s'achevât par le même cri lancé sur la tombe du général par ce représentant de la plèbe boulangiste qu'est le jeune Fanfournot [37].

Le parti révisionniste qui est « le parti des honnêtes gens », annonce Barrès, a pour objectif non seulement une refonte des institutions, mais une épuration des mœurs publiques [38]. C'est là, on le sait, un des grands thèmes du boulangisme et c'est à juste titre que Barrès pouvait encore affirmer, plusieurs années après l'échec du mouvement, que pour « les électeurs, les fidèles, le fond du boulangisme était un appel à l'honnêteté » [39].

Barrès eut toujours soin, dès les premiers jours de sa campagne nancéienne, de mettre en valeur cet aspect du boulangisme. C'est « l'évidente immoralité du monde parlementaire » qui fait le succès du boulangisme, écrit-il en février 1889 [40] ; ce sont « les bavards malhonnêtes du Palais-Bourbon » [41], les « pique-assiettes parlementaires » [42] qui assurent, par le dégoût dont ils sont l'objet, le triomphe du « Parti national ». C'est dans une même réprobation qu'est enveloppé le personnel parlementaire tout entier, sans qu'intervienne une quelconque distinction entre les élus des différents partis. Dans *L'Appel au soldat* et dans *Leurs Figures*, Barrès a tracé, en la personne du baron de Nelles, le portrait du député conservateur, corrompu par le système non moins profondément que n'importe quel républicain. *Le Courrier de l'Est* est aussi net là-dessus que les ouvrages ultérieurs : la corruption sous toutes ses formes est dans la nature même d'un système qui transforme quelques centaines de personnages en maîtres tout puissants de la France, et qui fait d'un organe du gouvernement un centre d'affaires.

Cet antiparlementarisme se retrouve semblable à lui-même au temps de l'antidreyfusisme, au fil des réflexions consignées par Barrès dans ses *Cahiers*, et finalement dans la plupart de ses professions de foi électorales. Cette fureur contre les députés et les sénateurs est impartiale : personne n'est épargné, tout ce qui joue le jeu du

36. Barrès, « Aux parlementaires du Quartier Latin », *Le Courrier de l'Est*, 22 janvier 1889 : « La masse a raison de crier : à bas les voleurs ».

37. *L'Appel au soldat*, p. 549. A la lumière de l'Affaire, Fanfournot ajoute « les traîtres » au traditionnel cri de guerre boulangiste.

38. Barrès, « Les Bélisaires », *Le Courrier de l'Est*, 31 janvier 1889. Cf. le discours de Boulanger du 4 juin 1888 dans *Le Figaro* du 5 juin : « Le remède est évidemment dans une réformation de nos mœurs politiques ; mais cette réformation est elle-même subordonnée à la révision intégrale de nos institutions ».

39. *Mes Cahiers*, t. I, p. 242.

40. « Les Folies-Bourbon », *Le Courrier de l'Est*, 5 février 1889.

41. Barrès, « Le parti révisionniste a triomphé », *Le Courrier de l'Est*, 29 janvier 1889.

42. Barrès, « Le ministère Troppmann », *Le Courrier de l'Est*, 30 janvier 1889.

régime représentatif ou en vit est corrompu et condamné à la vindicte populaire [43]. Quand il écrit dans le neuvième volume des *Cahiers* que « le parlementarisme est un système condamné » [44], Barrès ne fait que reprendre, à vingt-cinq ans de distance, le thème du premier numéro du *Courrier de l'Est* où il traitait le régime de « machinisme mort » dont il était urgent de « débarrasser la France » [45].

Pendant de longues années Barrès resta fermement persuadé que le parlementarisme était moribond. Le régime avait beau faire preuve d'une vitalité qu'on ne lui soupçonnait pas, se maintenant plus longtemps que tout autre système depuis la Révolution, Barrès lui prédisait une fin prochaine et peu glorieuse : dans l'instruction de l'affaire Rochette, en 1914, il entrevoyait « les aveux d'un système qui meurt » [46], « qu'un souffle peut jeter par terre » [47].

Le ton, lui aussi, n'a été qu'à peine atténué. Sous une forme à peine policée par le temps, on distingue cette même virulence, cette même véhémence qui caractérisait le militant du *Courrier de l'Est* et de *La Cocarde*. Dans la feuille boulangiste de Nancy, Barrès se propose d'établir un « indicateur de députés » sur le modèle de l' « indicateur des grues de Paris » [48], ou compare le Parlement à un chien que l'on jette dehors [49]. Plusieurs années plus tard, alors qu'il était déjà lui-même un vieux parlementaire, il se déchaînera contre les politiciens [50] et comparera, à l'occasion de l'affaire Rochette, Caillaux, Briand et Barthou à des « jeunes chiens qui ont formé leurs forces en jouant ensemble dans le chenil parlementaire » [51]. Finalement, il notera dans les *Cahiers* une phrase où il résume son opinion : « J'ai eu à plusieurs reprises, auprès d'hommes qui jouent un rôle dans la vie publique, l'impression que je me trouvais avec du gibier de bagne » [52].

43. Dans *Scènes et doctrines du nationalisme*, t. I, p. 54, Barrès flétrit « la bêtise honteuse et la goujaterie des sous-vétérinaires et des concussionnaires » qui sont l'âme de « ce parlementarisme dont notre patrie se meurt ». En 1903 il définit la République comme « une anarchie parlementaire » où l'argent exerce « sa dictature occulte » (« Honte et misère », *La Patrie*, 9 janvier 1903), ou encore comme « une dictature policière » qui s'abrite derrière « la façade parlementaire » (« Les Fraudes électorales », *La Patrie*, 30 janvier 1903).
44. *Mes Cahiers*, t. IX, p. 57. Cf. aussi p. 212.
45. Barrès, « Aux parlementaires du Quartier Latin », *Le Courrier de l'Est*, 22 janvier 1889. Cf. aussi, « Les petits incidents », *Le Courrier de l'Est*, 6 février 1889 : le boulangisme « balayera tous ces parlementaires ».
46. Barrès, *Dans le cloaque, Notes d'un membre de la commission d'enquête sur l'affaire Rochette*, Paris, L'Echo de Paris, 1914, p. 90.
47. *Op. cit.*, p. 115.
48. Barrès, *Le Courrier de l'Est*, 2 juin 1889.
49. Barrès, « Aux parlementaires du Quartier Latin », *Le Courrier de l'Est*, 22 janvier 1889.
50. Cf. Barrès, *Dans le cloaque*, p. 33 ; p. 45.
51. *Op. cit.*, p. 55.
52. *Mes Cahiers*, t. X, p. 78.

Dans *La Cocarde*, dix-huit ans plus tôt, Barrès avait déjà exprimé la même idée : il proposait alors de faire sauter du fronton du Palais-Bourbon « Chambre des députés » et d'y substituer « Mazas National » [53]. Sur un ton plus violent encore qu'au temps du boulangisme, Barrès menace « cette tourbe de niais et de gredins » [54] de tribunaux révolutionnaires ou d'une nouvelle Saint-Barthélémy [55]. On sent que le boulangisme est passé par là : toute la haine des vaincus de 1889 explose dans *La Cocarde*. Ils ont la partie belle car les événements semblent avoir amplement confirmé leur analyse. Ils ont aussi toutes les raisons d'espérer une revanche prochaine, car non seulement le régime sombre dans le panamisme, mais cette concentration de l'opposition de gauche, que Barrès s'emploie à présent à réaliser et que le boulangisme avait dispersée, est sur le point d'aboutir. C'est un nouveau boulangisme, purifié de ses éléments de droite que Barrès prépare [56]. Ainsi au cours d'une conférence prononcée en octobre 1894, l'ancien député de Nancy lance un appel à l'union de tous les socialistes pour extirper « le mal parlementaire dont le panamisme a été la plus haute manifestation » [57]. Il s'emploie, au nom de « la doctrine révolutionnaire » [58], à forger les armes d'un antiparlementarisme de gauche nourri d'une même haine de la République bourgeoise et affairiste et porté par le dégoût populaire. Les anciens boulangistes, de retour au bercail après la courte équipée dans le sillage du général, sont les grands triomphateurs du scandale de Panama : la série de scandales semble présager la fin du régime. Le 15 décembre, *La Cocarde* titre sur six colonnes : « Boulanger vengé par Mazas », et Barrès s'écrie : « Ce sont ces gens-là qui ont essayé de déshonorer Boulanger et Rochefort, qui ont insulté le mort d'Ixelles, qui l'insultent tous les jours... » [59].

La véhémence du ton, les invectives de Barrès, prennent en cette fin d'année une ampleur jamais atteinte encore car un élément nouveau vient de s'y ajouter : non seulement le régime étale ses scandales, non seulement il accule à la misère les milliers de petits porteurs de titres de Panama, mais encore et surtout, il sombre dans la trahison : « La coalition opportuno-radicale qui a assassiné Boulanger, exilé

53. Barrès, « L'ami des ministres à Mazas », *La Cocarde*, 12 décembre 1894. Cf. aussi les articles suivants de Barrès et de ses collaborateurs de *La Cocarde* : Barrès, « Périer joué par Dupuy », 26 septembre 1894 ; Barrès, « Les assagis et les apprivoisés », 16 octobre 1894 ; Barrès, « Un Parlement qui s'abandonne », 1er novembre 1894 ; Camille Mauclair, « La Chambre oubliée », 10 octobre 1894 ; Alfred Gabriel, « Moyens divers, même but », 26 septembre 1894.

54. Barrès, « La concentration par les chèquards », *La Cocarde*, 26 janvier 1895.

55. Barrès, « Ils chancellent », *La Cocarde*, 12 février 1895.

56. Cf. chap. IV.

57. Le compte rendu fut publié dans *La Cocarde* du 3 octobre 1894.

58. Barrès, « Contre le système représentatif », *La Cocarde*, 2 mars 1895.

59. Barrès, « Un fleuve plus large que le Rhin », *La Cocarde*, 15 décembre 1894.

Rochefort et Drumont apparaît maintenant à tous ce qu'elle est en réalité : un syndicat de panamistes, de maîtres-chanteurs et de traîtres » [60].

Ce texte date du 1er janvier 1895 : Drumont occupe déjà une place de choix dans la pensée de Barrès puisqu'il l'associe, dans une même ferveur et un même cri de haine à Boulanger et à Rochefort. A cet égard encore, Barrès ne fait que développer les thèmes du *Courrier de l'Est*, car son boulangisme, qui avait été antisémite aussi, devait beaucoup à l'auteur de *La France juive*.

Le capitaine Dreyfus est condamné le 22 décembre 1894 [61], mais Barrès n'avait guère besoin d'attendre le verdict pour clamer la trahison de l'accusé et pour la présenter comme un symptôme de la déchéance du régime : « Le Palais-Bourbon n'est pas comme on croit, simplement composé de voleurs, mais de traîtres (...) Dreyfus agissait d'accord avec une bande de politiciens qui ne le laisseront pas condamner. (...) Burdeau, Jules Roche, Thévenet, Rouvier et les autres cambrioleurs (...) pourront bien être pendus tout de même, si la lumière se fait quelque jour (...) sur le syndicat où Dreyfus faisait figure » [62].

La faillite du régime est ainsi consommée : après la corruption, la trahison ; le phénomène Dreyfus est le résultat de la décomposition d'un système qui en est arrivé jusqu'à transformer le ministère de la Guerre en « Eden des tripoteurs » [63].

La notion de syndicat qui existe déjà dans *Le Courrier de l'Est*, s'affirme de nouveau dans *La Cocarde*. Elle a déjà une signification très proche de celle qui sera sienne au temps de l'Affaire : c'est ainsi qu'on voit se former peu à peu l'arsenal de l'antidreyfusisme. Pour Barrès, « la bande qui gouverne le pays » [64], « cette étrange coalition de juifs, de panamistes », combat « à la fois contre la justice et contre le patriotisme » : le directeur de *La Cocarde* s'élève contre les intrigues qui visent à étouffer l'Affaire Dreyfus en sacrifiant « un général français [Mercier] à la coalition de vendus de la finance et de l'espionnage » [65]. Quelques jours plus tôt, le 8 décembre, toute la première page du journal est consacrée à de violentes diatribes antisémites doublées d'un nouveau procès de la corruption parlementaire. On y trouve aussi une information faisant état des attaques dont serait

60. BARRÈS, « Le premier mot de l'année », *La Cocarde*, 1er janvier 1895.
61. La presse parisienne mentionne Dreyfus à partir du 31 octobre.
62. BARRÈS, « Dreyfus sera décoré », *La Cocarde*, 1er octobre 1894. Cf. aussi le même jour l'article de Max BUHR : « Traîtres ».
63. *Ibid.*
64. BARRÈS, « Les limites de Wilson », *La Cocarde*, 21 septembre 1894.
65. BARRÈS, « L'équivoque de Saint-Genest », *La Cocarde*, 13 décembre 1894. Pour un de ses collaborateurs, Paul Pascal, ce sont les juifs, les parlementaires et, ceci s'inscrivant dans la ligne anticléricale du journal, le pape qui « protègent l'ordre politique et social » (« Beau langage », *La Cocarde*, 13 février 1895).

l'objet, outre-Rhin, le général Mercier : « les reptiles allemands » manœuvreraient pour obtenir le renvoi du ministre de la Guerre[66]. Si l'ensemble de ces informations et articles de fond n'est pas encore lié de manière à former un tout, on y distingue déjà les principaux thèmes de l'antidreyfusisme. Cependant, ces derniers sont encore essentiellement axés sur l'antiparlementarisme : il s'agit de montrer qu'un régime dont tous les rouages ont été faussés engendre la trahison, tout comme la corruption, d'une manière quasi naturelle. Quant à la forme des campagnes politiques de Barrès, il nous faut encore noter combien les procédés de *La Cocarde* sont proches de ceux qui avaient fait leurs preuves au temps du boulangisme et qui serviront avec une incroyable efficacité l'antidreyfusisme : les insinuations tendant à mettre en cause l'honneur de l'adversaire prolifèrent, souvent il s'agit de diffamation pure et simple. L'adversaire politique est accusé d'obéir à des influences étrangères, à des groupes de pressions divers, à des motifs sectaires ou intéressés, au point de méconnaître complètement ou de trahir l'intérêt national. De tels procédés, visant à déshonorer, à déconsidérer l'adversaire, en pratiquant une escalade verbale profondément passionnelle et intolérante, doivent être comptés parmi les premiers grondements de cette extraordinaire explosion que fut l'Affaire. Ayant fait, dix ans auparavant, de brillantes premières armes, Barrès est devenu un grand spécialiste en la matière.

Il convient encore de souligner que son antiparlementarisme, au temps du boulangisme, dans *La Cocarde*, ainsi qu'au cours des années qui suivirent, ne fut jamais fondé sur une analyse approfondie du régime et ne déboucha jamais sur une véritable réflexion doctrinale. Pendant les trente-quatre années de son activité politique, au cours desquelles il combattit sans trêve le régime parlementaire, Barrès ne parvint jamais à élaborer un autre projet de réforme constitutionnelle que celui qui lui servit de plateforme électorale en septembre 1889, et dont il puisa les éléments dans la longue campagne antiparlementaire de l'extrême-gauche radicale.

66. *La Cocarde* du 8 décembre 1894, p. 1. Cf. aussi l'éditorial de Barrès, « Ecoutons l'accusé ».

LE PROGRAMME POLITIQUE

Les principes qui président à l'élaboration du programme du comité boulangiste de Nancy sont ceux-là même qui furent formulés par Naquet et Laisant dans les années 1880 et puis repris par Boulanger dans son grand discours du 4 juin 1888.

L'idée fondamentale en est que « dans une démocratie, les institutions doivent se rapprocher autant que possible du gouvernement direct » ; c'est le postulat sur lequel Boulanger fonde sa proposition de révision. Afin de démontrer à quel point le principe de « la sanction populaire » directe est un principe républicain, il en appelle à Gambetta et à la Convention[1]. C'est donc d'une authentique réforme républicaine qu'il s'agit selon lui, fondée sur la consultation du peuple par voie de référendum : la ratification de la nouvelle constitution, ainsi que tous les grands problèmes politiques dont le Parlement ne peut venir à bout — notamment celui des rapports de l'Eglise et de l'Etat — seraient soumis à l'ensemble de la nation. Ces idées seront textuellement reprises par Barrès dans les articles 5 et 6 de son programme[2].

Le second grand principe politique de Boulanger, qui procède logiquement du premier, est la suppression du régime d'assemblée et la séparation des pouvoirs. Pour Boulanger, le régime parlementaire est incompatible avec la démocratie, c'est-à-dire avec le suffrage universel et la « large base démocratique de la société française ». Il suppose en effet l'existence « d'une classe restreinte de privilégiés assez uniforme dans ses vues, ses sentiments, ses tendances, pour que la représentation de ce pays légal puisse facilement ne se diviser qu'en deux partis se disputant le pouvoir ; au lieu de se diversifier à l'infini, comme cela a fatalement lieu avec le suffrage universel ».

Dans la réalité politique française, le système parlementaire est à l'origine de l'hétérogénéité de l'Assemblée où se créent à volonté des groupes qui « au lieu de suivre une politique purement nationale... ne servent que des intérêts de parti et des ambitions de coterie ». Il s'ensuit un régime d'« anarchie constitutionnelle », d'instabilité permanente et d'irresponsabilité. C'est aussi pour Boulanger, le régime de l'anonymat, car : « le suffrage universel élit des représentants qu'il ne connaît pas toujours, sur la foi de programmes que les élus s'em-

1. *Le Figaro*, 5 juin 1888. Il cite Gambetta qui a dit : « Je crois que le plébiscite est une sanction désormais nécessaire dans les sociétés qui reposent sur le droit démocratique, pour donner au pouvoir la sanction que les monarchies trouvaient dans le droit divin ». Toutes les citations du discours-programme du 4 juin proviennent du texte publié par *Le Figaro* du 5 juin 1888. Selon MERMEIX, *op. cit.*, p. 243, le texte du projet fut l'œuvre de Dugué de la Fauconnerie, revu par Naquet, Laguerre et Le Hérissé.

2. Programme du comité révisionniste de Meurthe-et-Moselle, *Le Courrier de l'Est*, 15 septembre 1889. Le même texte est reproduit dans le *Barodet*, 5e législature, 1890, p. 553.

pressent d'oublier (...) qu'ils sont forcés d'oublier sous peine de rendre les ministères encore plus instables qu'ils ne sont ».

On reconnaît dans ce texte les formules mêmes de Naquet et de Laisant. Il en est de même pour la solution que préconise Boulanger et qui réside dans une stricte séparation des pouvoirs : « la Chambre doit légiférer, elle ne doit pas gouverner », dit-il. C'est un président de la République ou un « conseil suprême » — dont il ne précise pas le mode de nomination — qui seraient investis du pouvoir exécutif. Les ministres dont la fonction serait incompatible avec un mandat parlementaire seraient individuellement responsables devant le chef de l'exécutif, car : « la responsabilité des ministres devant la Chambre équivaut à l'absorption du pouvoir exécutif par le pouvoir législatif et l'avilissement du premier ».

Le pouvoir exécutif doit en outre « avoir le droit de s'opposer à la promulgation des lois dues à l'initiative parlementaire ». Mais, d'autre part, il appartiendra à l'Assemblée constituante de prendre les dispositions nécessaires pour faire lever, le cas échéant, une telle opposition. A elle aussi de fixer les modalités d'une déposition éventuelle du chef de l'exécutif « si tel était le vœu du pays ». Il appartiendra enfin à l'Assemblée constituante de fixer le sort du Sénat : Boulanger le verrait disparaître « sans regret » ; il est disposé à envisager son maintien à condition qu'il procède du suffrage universel. Boulanger affirme être conscient de la « menace pour les institutions libres » que pourrait constituer le tout puissant chef de l'exécutif — il rappelle le 16 mai — mais il reste muet sur les dispositions constitutionnelles qui définiraient les relations entre le législatif et l'exécutif. Face à une Chambre sur laquelle plane l'ombre du 16 mai et au sein de laquelle siègent des rescapés de 48, Boulanger évite de s'attarder sur les incidences d'un éventuel conflit entre les pouvoirs pour s'en remettre à la Constituante.

Le programme boulangiste de Nancy reprend les formules de Boulanger dans ses articles 2, 3 et 4. Barrès les avait déjà portées à la connaissance de ses électeurs dans les deux premiers numéros de son journal[3]. Il les reprend pratiquement dans les mêmes termes dans *L'Appel au soldat* : à cet égard sa reconstruction du boulangisme est exacte[4]. S'il n'avait rien à ajouter aux idées exprimées par

3. Barrès, « Combien sommes-nous », *Le Courrier de l'Est*, 22 janvier 1889. Barrès, « Discutons Messieurs », *Le Courrier de l'Est*, 23 janvier 1889.

4. « Un régime qui place les ministres dans les chambres stérilise celles-ci. (...) Il faut séparer les pouvoirs » (*L'Appel au soldat*, p. 137). Quant au Boulanger de *L'Appel au soldat*, la séparation des pouvoirs est, selon lui, le seul remède au mal qui mine un régime où « aucune responsabilité n'existe (...) où le peuple n'est jamais consulté », où se forme « une façon d'aristocratie » (*op. cit.*, p. 129). Le changement que le boulangisme cherche à introduire consiste à créer un système où le pays serait « le plus souvent possible consulté sur les réformes » (*ibid.*).

Boulanger à la Chambre, sur un point essentiel — la procédure de nomination du chef de l'exécutif — le comité boulangiste de Nancy défendait une idée relativement neuve : il proposait que, tout comme le législatif, l'exécutif émanât du suffrage universel[5].

Cependant, Barrès ne se prononçait pas sur la question de savoir si le chef de l'exécutif serait un président de la République ou un « conseil suprême ». Boulanger avait à cet égard fait une déclaration dont le comique involontaire n'avait pas échappé à la Chambre :

> « Je crois que la France s'habituerait aisément à se passer d'un président de la République ; mais il est certain qu'elle ne s'est pas encore faite à cette idée vers laquelle, personnellement, je me sens porté (...) et si elle était consultée comme elle doit l'être (...) il est à craindre, pour ceux qui, comme moi, préféreraient, sans cependant en faire un dogme, la solution contraire, qu'elle ne voulût au moins pour le moment maintenir l'institution de la présidence »[6].

Ce passage donne à peu près le ton de l'ensemble : Boulanger n'avait que peu d'idées claires ; le comité national, la preuve en était faite, n'en avait guère plus.

On ne peut s'empêcher de s'étonner que des hommes politiques expérimentés comme Naquet et Laisant, qui avaient fait leurs preuves et possédaient un programme cohérent, ne soient pas parvenus à rédiger un texte clair, concis et équilibré. Les balbutiements du chef du parti firent un grand tort au boulangisme : les radicaux prêts à basculer dans son camp restèrent sur leurs positions, médusés par cette révélation des faiblesses du général et de ses amis. Tous ceux qui avaient encore des doutes furent dès lors fixés sur la valeur réelle de l'ancien ministre de la Guerre. Quant à Barrès, s'il n'a rien fait pour pallier les lacunes du programme du parti sur le plan institutionnel, il avait cependant, dans d'autres domaines, enrichi le boulangisme nancéien jusqu'à en faire un phénomène original. Barrès suppléait aux carences du comité national par un populisme qui alliait un certain socialisme à l'antisémitisme. Avec l'antiparlementarisme, cet amalgame nouveau devait, pour Barrès, constituer l'idéologie du boulangisme. En ce sens, Barrès allait plus loin que Boulanger qui, lui, était fermement opposé à l'antisémitisme et négligeait totalement la question sociale. Dans son discours-programme du 4 juin, en deux courtes allusions, il en renvoyait l'examen à un avenir indéterminé, postérieur en tout cas à la refonte des institutions. Quant à l'antisémitisme et la xénophobie, aucune allusion : homme de la vieille génération, Boulanger se refusait à s'avancer sur un terrain qu'il sentait étranger à la tradition républicaine.

5. Article 3 du programme du comité révisionniste de Meurthe-et-Moselle, *Le Courrier de l'Est*, 15 septembre 1889.

6. Discours de Boulanger paru dans *Le Figaro* du 5 juin 1888.

Pour Barrès, Boulanger est un porte-drapeau, un catalyseur d'énergies, un facteur de fermentation : apportant « à notre cause le don si rare de deviner le sentiment des masses »[7], le général permet leur mobilisation. S'il est incapable de présenter un programme cohérent, s'il bafouille sur un problème aussi crucial que l'élection du chef de l'exécutif, cette pièce maîtresse de l'œuvre, il n'en assure pas moins le rôle qui lui est dévolu, et qui consiste, selon Barrès, à polariser les espoirs et les énergies et à entretenir une constante agitation à la faveur de laquelle le régime s'écroulera de lui-même le jour du scrutin.

LE COUP DE FORCE

« J'ai été élu parce que je représente l'ordre. Je tiens pour mon premier devoir d'éviter un conflit », déclare le Boulanger de *L'Appel au soldat* au lendemain de sa triomphale élection parisienne du 27 janvier[1]. Dans la bouche d'un homme qui était supposé être un révolté, c'est là une singulière déclaration.

Mais précisément, et contrairement à ce qu'espéraient de lui certains de ses proches collaborateurs, Boulanger n'en était pas un. A cet égard, Barrès partageait pleinement le point de vue du général. Comme lui, il était persuadé que le régime était sur le point de s'effondrer à la faveur des élections générales[2] ; pas plus que lui il n'avait songé à un coup de force. Il le reconnaîtra d'ailleurs, en faisant tenir ce raisonnement à Boulanger dans *L'Appel au soldat*[3]. En tout cas, il n'a jamais été question dans *Le Courrier de l'Est* de sortir de la légalité ; au contraire, aussi bien avant qu'après le « point culminant » du 27 janvier, Barrès voyait dans le boulangisme le seul mouvement à avoir « le mérite incomparable de pouvoir nous donner un changement de régime sans révolution »[4]. Ce thème, qui lui servira à lancer sa campagne, il y revient pendant l'été 1889[5]. Le boulan-

7. Barrès, « Aux parlementaires du Quartier Latin », *Le Courrier de l'Est*, 22 janvier 1889.

1. *L'Appel au soldat*, p. 215. Boulanger fut élu au premier tour par 244 070 voix contre 126 520 à Jacques, candidat gouvernemental, et 16 766 au socialiste Boulé.
2. Barrès, « Eloge de la mélancolie », *Le Courrier de l'Est*, 8 février 1889. Cf. aussi les numéros des 27 et 29 janvier 1889.
3. *L'Appel au soldat*, p. 132 : Boulanger affirme faire son devoir de chef en se « saisissant, pour atteindre un but national, de tous les moyens légaux ».
4. Barrès, « Aux parlementaires du Quartier Latin », *Le Courrier de l'Est*, 22 janvier 1889.
5. Compte rendu d'une réunion électorale tenue le 6 juillet 1889, *Le Courrier de l'Est*, 7 juillet 1889 : « Le boulangisme permettra d'effectuer les changements désirables sans recourir à la Révolution ».

gisme est dans son esprit une sorte de troisième voie entre l'immobilisme centriste de la majorité opportuno-radicale et une révolution sanglante ; mais cette marche en avant ne doit se faire que dans l'ordre. « Le général Boulanger », affirme Barrès à la veille du premier anniversaire de la défaite du boulangisme, « n'a jamais voulu faire de coup d'Etat ; il le pouvait, et il s'y était obstinément refusé » [6].

Sur le Barrès du boulangisme, comme sur Boulanger lui-même, plane l'ombre de toutes les violences accomplies au nom des grandes causes : « les procédés violents mis au service d'une idée la discréditent toujours. Par procédé violent, j'entends naturellement le sang versé », écrit-il trois ans après la nuit du 27 janvier. Et il ajoute : « Du sang versé au nom de la doctrine de Jésus... c'est le pire malheur qui pouvait arriver à l'Eglise »... Un autre exemple : « Je ne pourrai jamais, non pas innocenter, mais même excuser les guillotines de 93 » [7]. Au nom de cette même idée, il s'oppose au socialisme révolutionnaire : « Quelquefois des agitateurs ont cru pouvoir conseiller aux socialistes les violences. Ils n'ont pas été écoutés, et les ouvriers ont eu raison » [8].

Si Barrès est alors fermement opposé aux procédés que l'on prêche dans son propre camp en 1892, il n'en affirme pas moins que « s'il s'agissait d'entrer au Palais-Bourbon et d'en chasser les députés », il n'aurait « rien à dire contre » [9]. Ce qui importe donc c'est d'éviter des effusions de sang : les boulangistes capables de rêver un coup d'Etat appuyé par la rue contre le régime, sont impuissants à lui donner un commencement d'exécution. Au temps de l'Affaire, les mêmes hommes se seront libérés des barrières morales qui formaient l'obstacle sur lequel buta le boulangisme : la tentative avortée de Déroulède le jour des obsèques de Félix Faure sombra dans le ridicule, mais elle n'en fit pas moins la preuve que les esprits avaient sensiblement évolué depuis le jour où, retenu par le souvenir des *Châtiments*, le général Boulanger refusa de porter la main sur la République. A l'heure du choix il s'avéra que le boulangisme, encore sous la tutelle de la vieille tradition républicaine, manquait d'une armature idéologique qui lui fût propre et qui lui inspirât l'audace de donner à sa cause le baptême du sang.

Dans *L'Appel au soldat*, Barrès regrette amèrement l'occasion manquée du 27 janvier, mais là encore il s'agit d'une vision rétrospective des événements. Au printemps 1889, non seulement Barrès n'a pas le sentiment qu'une grande occasion vient d'être manquée, mais il ne préconise aucune autre voie que celle qui a été suivie.

6. Barrès, « La Voie du peuple et le proscrit », *Le Courrier de l'Est*, 31 août 1890.
7. Barrès, « Anarchistes », *Le Courrier de l'Est*, 2 avril 1892.
8. *Ibid.*
9. *Ibid.*

Dans son roman politique, l'optique a changé : c'est une analyse de la débâcle que présente Barrès pour en tirer la leçon qui s'impose au moment de l'Affaire, alors que l'échec de la place de la Nation lui ouvre définitivement les yeux : il récrit l'histoire d'une occasion manquée, en des circonstances uniques, où la poussée populaire garantissait la victoire et où seuls les scrupules d'un Boulanger ou d'un Rochefort détournèrent le cours du destin.

L'examen des événements et des réactions immédiates des hommes qui y furent mêlés présente par conséquent un intérêt considérable, car il révèle, à un moment capital de l'évolution du mouvement, sa nature réelle.

Pendant l'été 1890, Barrès informe le grand public que certains membres de son état-major avaient incité Boulanger à tenter un coup d'Etat, mais que ce dernier s'y était formellement refusé [10]. Dans *L'Appel au soldat,* il en fournit les raisons : c'est le souvenir du Deux Décembre qui paralysa le général. « Le Deux Décembre a pesé continuellement sur l'Empire. Je ne veux pas faire couler le sang », fait-il dire à Boulanger [11]. Il lui fait tenir le même langage devant Déroulède et Thiébaud qui l'exhortent, à l'heure du triomphe, de porter le coup de grâce à la République parlementaire : « Si le prince Louis-Napoléon avait eu la patience d'attendre un nouveau verdict populaire, il eût épargné à sa mémoire les massacres de Décembre. L'Empire est mort du Deux Décembre » [12].

Le témoignage de Barrès est en tous points conforme aux témoignages de Mermeix et d'Arthur Meyer. Pour le rédacteur en chef de *La Cocarde,* Boulanger se serait exprimé dans les termes mêmes que lui prête Barrès : « J'ai toujours été contre la force. Napoléon III est mort de son coup d'Etat », aurait-il dit [13]. Quant au directeur du *Gaulois,* il souligne que Boulanger montra toujours pour la loi écrite un respect difficilement conciliable avec les ambitions qu'on devait lui prêter [14].

Barrès a parfaitement analysé les origines de la défaillance de Boulanger : il y voit « des préjugés d'éducation ». Boulanger « se rappelle que son père récitait les invectives de Victor Hugo contre

10. BARRÈS, « La voie du peuple et le proscrit », *Le Courrier de l'Est,* 31 août 1890 : « Jamais le général Boulanger n'a permis qu'on lui parlât d'un coup de force. Il s'est toujours retrouvé tout entier contre ceux qui auraient voulu l'y pousser ».

11. *L'Appel au soldat,* p. 200.

12. *Op. cit.,* p. 208. Cf. MERMEIX, *op. cit.,* p. 10.

13. MERMEIX, *op. cit.,* p. 2. Page 3, Boulanger s'exprime de la façon suivante : « Quand j'ai pu faire un coup de force, j'ai reculé, persuadé qu'avec la violence je n'aurais rien fondé de durable ». Cf. aussi pp. 10-11 et pp. 12-14 : Boulanger revient à plusieurs reprises sur les raisons qui le détournèrent au moment crucial du coup de force : la guerre civile était pour lui « une chose affreuse » (p. 11).

14. Arthur MEYER, *Ce que mes yeux ont vu,* p. 89.

l'homme du Deux Décembre »[15]. Et Barrès résume sa pensée en disant avec regret que Boulanger fut « toujours soumis à la légende hugolâtre »[16]. Il veut dire par là qu'un Boulanger, comme un Rochefort qui ne veut connaître, au moment décisif que « des bulletins de vote, des balles de papier, non de plomb »[17], évoluent encore dans le cadre de la pensée républicaine traditionnelle. Bien sûr, des questions de conjoncture jouent aussi un rôle important : Boulanger est persuadé, comme bon nombre de ses collaborateurs, qu'il sera porté au pouvoir en septembre et qu'il serait par conséquent stupide de sortir de la légalité.

Cependant, Déroulède, Laguerre et Thiébaud ne partagent point cette opinion : ce dernier surtout est parfaitement conscient du caractère éphémère des succès boulangistes. Tous trois cherchent à convaincre Boulanger de la nécessité de tirer les conclusions du désastre qui s'abat sur le régime, sous peine de voir le boulangisme se désagréger. Ils savent aussi que si l'Empire est mort du Deux Décembre, il « en a d'abord vécu pendant dix-huit ans »[18] et que précisément il s'agit pour le boulangisme de vivre et de durer. Georges Thiébaud fait preuve de beaucoup de perspicacité lorsqu'il considère le refus de Boulanger de marcher sur l'Elysée comme la fin du boulangisme[19], et, sur ce point, son jugement rencontre celui d'un autre politique d'envergure, Constans[20]. Barrès sait que la tragédie du boulangisme réside dans sa parfaite platitude doctrinale : il « défaille faute d'une doctrine qui le soutienne, et qui l'autorise à commander ces mouvements de délivrance que les humbles tendent à exécuter »[21]. Il ne s'agit donc pas de la défaillance d'un homme, mais d'une carence idéologique. Aucune action révolutionnaire n'est possible si elle n'est soutenue par quelques idées simples et fortes, composant une doctrine.

15. *L'Appel au soldat*, p. 210.
16. *Op. cit.*, p. 443. Cf. MERMEIX, *op. cit.*, p. 2.
17. *Op. cit.*, p. 212.
18. *Op. cit.*, p. 208. Barrès rapporte également, dans *Mes Cahiers*, t. I, p. 203, l'instructif dialogue entre Boulanger, Déroulède et Thiébaud. Dans *Mes Cahiers* ce dialogue se situe à Bruxelles, mais dans *L'Appel au soldat* Barrès le place dans la nuit du 27 janvier afin de reconstituer l'état d'esprit du général et de ses collaborateurs. Il s'agit ici de l'un de ces nombreux témoignages que Barrès avait recueillis pour la préparation de son ouvrage sans toujours en préciser l'origine. Dans ce cas, il semble cependant qu'il s'agisse d'un témoignage de Déroulède. Cf. MERMEIX, *op. cit.*, pp. 12-14. A cet égard encore, le témoignage de Mermeix recoupe celui de Barrès. Boulanger s'oppose à Déroulède, aux blanquistes, aux comités bonapartistes qui veulent marcher dans la nuit du 27 janvier (MERMEIX, *op. cit.*, p. 15 ; p. 140, p. 318).
19. C'est alors qu'il lançait son célèbre « Minuit cinq, Messieurs ! Depuis cinq minutes le boulangisme est en baisse ! » (*L'Appel au soldat*, p. 213). Cf. MERMEIX, *op. cit.*, p. 14.
20. Quelques heures plus tard, la future bête noire du boulangisme résumait la situation en une formule plus simple encore que celle de Thiébaud : « E finita la comedia » (*L'Appel au soldat*, p. 214).
21. *L'Appel au soldat*, p. 210.

Les vagues idées de réforme constitutionnelle avancées par Boulanger le 4 juin précédent ne constituaient en aucun cas, même à ses propres yeux, une armature idéologique au nom de laquelle on pouvait engager une guerre civile. Démuni de quelques grands principes, prisonnier de la vieille tradition républicaine, le boulangisme ne sut pas exploiter à son profit ce que le Barrès de *L'Appel au soldat* considère comme une situation révolutionnaire. Selon lui, le « vive Boulanger » constituait pour les « blanquistes, patriotes de Déroulède, bonapartistes des ligues plébiscitaires » qui formaient les troupes boulangistes, un « moyen révolutionnaire » [22]. C'est ainsi que le comprennent aussi les hommes en place, tels un Floquet ou un Clemenceau qui s'informaient déjà des conditions de vie à Nouméa [23]. Mais le fait est que le boulangisme ne sut pas créer cette convergence entre une poussée populaire et une idéologie révolutionnaire, qui seule était capable de venir à bout de la démocratie parlementaire.

Ici s'impose une remarque supplémentaire. Barrès déplore dans *L'Appel au soldat* que le boulangisme ait été incapable d'encadrer « cette foule immense de curieux, d'imaginatifs et de mécontents qui, dès leur dîner, se dirigèrent vers les boulevards, les obstruant, les enfiévrant d'un même désir d'acclamer le vainqueur et de prendre son mot d'ordre » [24]. Or, en accusant Boulanger de n'avoir pas su tirer profit d'un climat révolutionnaire, Barrès brosse lui-même un tableau qui est bien davantage celui d'une foule de badauds à l'affût d'un divertissement que d'une population engagée dans l'action révolutionnaire. Paris, écrit-il, passa la journée du 27 janvier « dans l'état des professionnels qui attendent sur un vélodrome les coureurs partis de Bordeaux » [25]. Barrès ne semble pas comprendre qu'un tel rassemblement ne constitue guère une matière révolutionnaire. Et ce n'est pas en spectateurs d'un Bordeaux-Paris que les Parisiens avaient attendu le premier ou le second Bonaparte. Barrès ou Déroulède possédaient-ils, mieux que Boulanger, la science d'un coup d'Etat ? Il est permis d'en douter. La manière dont Barrès décrit ce qui aurait dû se passer est pour le moins étrange : dix ans plus tard, il conçoit encore la « journée » boulangiste idéale comme une grande fête populaire : « La foule immense sur les quais, sur la place ; derrière les grilles fermées du Palais-Bourbon, les rares députés du parti saluant le peuple avec leurs mouchoirs, l'appelant à oser ; de maigres troupes un instant hésitantes et puis gagnées enfin par cet enthousiasme, comme des îlots par l'océan, et les fiers cavaliers penchés,

22. *Op. cit.*, p. 201.
23. *Op. cit.*, pp. 205-206. Cf. aussi « Eloge d'une mélancolie », *Le Courrier de l'Est*, 8 février 1889.
24. *Op. cit.*, p. 206.
25. *Op. cit.*, p. 205.

fraternisant avec les patriotes, au milieu du délire de la délivrance » [26]. Cette joyeuse kermesse à l'issue de laquelle le pouvoir devait tomber comme un fruit mûr aux mains du « chef (...) qui vient se confier à l'ouragan », était censée se terminer « avec un minimum de brutalité ». On devait se contenter « de tremper à la Seine les parlementaires, comme des chiens qu'on veut épucer sans les noyer » [27].

L'idée que se faisait Déroulède de ces « ivresses populaires » n'était guère différente de celle qu'en avait Barrès : il avait tout au moins pensé à mobiliser les cadres électoraux et sa Ligue, mais, d'après lui comme d'après Barrès, tout devait se passer spontanément et sans effusion de sang [28]. De toute manière, les plus chauds partisans de l'action directe, Déroulède dans le feu de l'action, Barrès a posteriori, n'envisagent guère autre chose que forcer la main au pouvoir et l'obliger à accepter la dissolution et la révision, les deux frêles piliers du maigre programme boulangiste. Il s'agit en somme d'obtenir de nouvelles élections générales à une Assemblée constituante qui doterait la France d'une nouvelle Constitution. S'il entre dans les intentions de l'aile marchante du boulangisme d'effectuer un coup d'Etat, il n'est question ni d'une révolution, ni d'un nouveau Deux Décembre.

A cheval sur le XIXe et le XXe siècle, le boulangisme doit affronter des problèmes d'une nature nouvelle et ne peut leur apporter une réponse adéquate. Barrès avait pourtant esquissé un début de réponse, mais, dans cette réponse les éléments décisifs faisaient défaut ; en particulier sur le plan de la stratégie révolutionnaire. Ainsi, Barrès savait qu'une action directe devait s'appuyer sur les masses, seulement il la voyait encore comme une répétition des « journées » de la grande Révolution. On voit combien lui aussi était mal sevré de la vieille mythologie révolutionnaire. Pas plus que Boulanger, Déroulède ou Thiébaud, il n'était capable de concevoir un plan de bataille contre la démocratie. Il fallait, en effet, faire face à une situation jusqu'alors inconnue : pour la première fois ce qui devait être un soulèvement populaire serait dirigé contre un régime issu du suffrage universel, qui, bien que fort décrié et à beaucoup d'égards déjà discrédité, avait encore une très forte présence dans la conscience populaire. Certes, les raisons de malaise et de colère étaient nombreuses, mais il eût fallu qu'elles fussent rassemblées en un système idéologique cohérent, entraînées et canalisées par un puissant appareil. Rien de tout cela n'étant réalisé, le boulangisme, qui opérait dans le cadre du régime et en acceptait les postulats, fut fatalement réduit à l'impuissance. Au nom de cette même logique, le mouvement s'en-

26. *Op. cit.*, p. 209.
27. *Ibid.*
28. *Op. cit.*, pp. 208-209.

gagea, au lendemain du 27 janvier, sur le terrain de la lutte politique classique. Barrès considéra cette évolution comme une immense erreur.

Le 2 mars 1889 il écrivait, sur la voie à suivre, un article éloquent : « Ce n'est pas avec les dissertations sur le plus ou moins de perfection de tel rouage politique qu'on fera naître dans le pays un de ces courants d'opinion devant lesquels les Parlements sont forcés de s'incliner » [29]. A cet égard *L'Appel au soldat* recoupe avec exactitude les écrits « sur le vif » de Barrès. Car si, contrairement à l'auteur du *Roman de l'énergie nationale*, le candidat boulangiste à Nancy ne préconisait point un coup de force, il n'en était pas moins opposé à l'action politique classique. C'était, selon lui, et il avait vu juste, l'erreur capitale qui était à l'origine de la métamorphose du « Parti national ». Mouvement de ferveur, conduit par un homme-drapeau, le boulangisme, en se lançant dans la bataille politique classique, perdait son originalité, son non-conformisme et ce qui faisait son attrait principal, sa nouveauté. C'était aussi engager la lutte dans les pires conditions possibles, cela voulait dire entrer dans la politique des partis, et implicitement s'intégrer à l'ordre établi : « A suivre le parlementarisme sur son terrain », écrit Barrès, « à s'accommoder avec ses moyens pour les déjouer, le boulangisme change d'âme. Et dans ce moment où il est amené à une guerre de duplicité, d'alliances, de procédures secrètes, il s'alourdit encore par l'accession de tous les intrigants qu'attire le succès » [30].

C'est ainsi que le boulangisme s'était précipité dans le piège que lui tendaient les vieux routiers de la politique. « On est héros », écrit Barrès, « tout en cherchant la popularité ; on ne le demeure pas dans la diplomatie. Admirable par son instinct à créer la légende, il ne sait pas analyser. Magnifique image d'Epinal, il fait au Palais-Bourbon une médiocre figure » [31]. C'est ainsi que, renonçant « au terrain révolutionnaire où il prenait ses avantages », le boulangisme courait à sa perte [32]. Le seul moyen d'éviter le désastre était, par conséquent, selon Barrès, d'entretenir une atmosphère de permanente agitation, de nourrir la mystique boulangiste par le culte du chef afin d'atteindre les élections législatives dans un climat de violente contestation.

Instruit par l'expérience, Barrès regrettera amèrement cette occasion unique manquée le 27 janvier, et il le dira bien avant *L'Appel au soldat*. Déjà dans *La Cocarde*, dans un article au titre évocateur — « 27 janvier » — ainsi que dans son éditorial du jour de l'an 1895, Barrès annonce que toutes les forces de ce grand amalgame qu'il s'emploie à forger entre la fin du boulangisme et les débuts de

29. Barrès, « Leurs efforts inutiles », *Le Courrier de l'Est*, 2 mars 1889.
30. *L'Appel au soldat*, p. 224.
31. *Ibid.*
32. *Op. cit.*, p. 250.

l'Affaire, se soulèveraient si l'occasion s'en présentait à nouveau : « Je vous jure bien que si un Boulanger réapparaissait (...) cette fois-ci enfin nous tous socialistes, antisémites, nationalistes, nous serions d'accord sur la seule tactique utile : employer l'homme populaire... » [33].

Au temps du scandale de Panama, pendant cette veillée d'armes qui précède l'Affaire, Barrès essaie de transformer en un boulangisme authentique, débarrassé de ses apports de droite, ce grand amalgame qu'il prépare depuis longtemps. Il sait que, s'il y parvient, il ne recommencera pas la série d'erreurs commises par le général et son état-major. La situation, d'après lui, mûrit d'ailleurs rapidement : l'alliance des socialistes, antisémites et nationalistes à laquelle il attache une importance capitale, est sur le point de devenir une réalité, elle recevra le concours de : « toute la jeune France, qui se soulève à cette heure, pleine d'espoir devant cette horrible curée et réclamant toujours qu'on la délivre de la bande immonde de ses gouvernants » [34], c'est le pays tout entier qui, contemplant la décomposition du régime, se rend à l'évidence : la nécessité d'une révolution [35]. Au temps de *La Cocarde,* Barrès adopte sur ce point ses positions les plus extrêmes : il est alors plus disposé à la violence que lors de la tentative de Déroulède, place de la Nation.

Ce dernier épisode se situe à un moment où Barrès bascule du côté de l'ordre : la révolte gronde alors dans le camp adverse et l'affaire du 23 février 1899 clôt définitivement les velléités de violence de Barrès.

Le théoricien du nationalisme était alors, avec Déroulède, à l'affût de cette grande occasion « que les tumultes boulangistes et panamistes » n'étaient finalement pas parvenus à créer [36]. A en croire Barrès, Déroulède avait fait des préparatifs en vue d'un coup d'Etat que l'armée devait effectuer — c'est la raison pour laquelle il avait entretenu autour d'elle une constante agitation, mais la mort subite de Félix Faure le mit en demeure d'agir. C'est alors que le président de la Ligue des patriotes élabora cet extraordinaire enfantillage qu'était la tentative d'emmener à l'Elysée les troupes du général Roget, alors sur le point de regagner leurs casernes. Tenter un coup d'Etat, après l'avoir annoncé quelques jours plus tôt, et sans que des préparatifs sérieux aient été entrepris était parfaitement dans la ligne de la conception déroulédienne et barrésienne d'un coup de force.

33. BARRÈS, « Le premier mot de l'année », *La Cocarde,* 1er janvier 1895. Cf. aussi « 27 janvier », *La Cocarde,* 27 janvier 1895.

34. BARRÈS, « Boulanger vengé par Mazas », *La Cocarde,* 15 décembre 1894.

35. BARRÈS, « Le point de vue historique », *La Cocarde,* 16 février 1895. Cf. aussi : « 27 janvier » ; « Peut-être trop tard », 15 janvier 1895 ; « Les violences nécessaires », 22 septembre 1894.

36. *Scènes et doctrines du nationalisme,* t. I, p. 245.

Barrès était, place de la Nation, aux côtés de Déroulède : il l'y avait accompagné et, tout au long de l'affaire s'était trouvé dans son entourage immédiat. Il en fait longuement le récit dans *Scènes et doctrines du nationalisme* [37]. Il avait, dans une certaine mesure, senti le ridicule de cette expédition, d'où ses efforts par la suite d'accréditer l'idée que, soigneusement préparé par Déroulède, le coup avait échoué à cause de la dérobade « d'auxiliaires qui devaient venir, qui ne sont pas venus » [38], de la trahison du général de Pellieux [39], et de diverses indiscrétions. En réalité, il n'a jamais apporté, pas plus que Déroulède, la moindre preuve que quoi que ce soit fût préparé : nulle disposition sérieuse n'avait été prise, ni pour assurer la réussite du coup de force, ni pour mettre en place des structures de rechange en cas de succès. On avait compté que l'exaltation et la force de la spontanéité populaire réussiraient ce que dix ans plus tôt elles auraient déjà pu : faire crouler le régime dans une atmosphère de fête. Pour les vieux boulangistes, la science du coup d'Etat fondé sur un soulèvement populaire fut toujours une science fermée : ils ne furent jamais, ni moralement préparés ni techniquement organisés, pour prendre d'assaut la République [40].

Comme Boulanger en 1889, Déroulède en 1899 se refuse à verser le sang [41]. Traduit devant les Assises de la Seine, puis en Haute-Cour, Déroulède s'applique au cours de ses procès, comme dans les années qui suiveront, à justifier sa tentative en citant les Déclarations des droits de l'homme de 1791 et de 1793, les principes de 89 et de 48, en évoquant Montesquieu, Rousseau, Danton, Saint-Just, Mirabeau, La Fayette, Gambetta et les hommes du 4 septembre [42]. Et, finalement, en rappelant l'illégalité de la Constitution [43]. Il rêve encore d'une « révolution populaire soutenue par l'armée... » [44].

37. *Op. cit.*, pp. 242-262.
38. *Op. cit.*, p. 249. Cf. aussi pp. 244-245. Telle était aussi, bien sûr, la thèse de Déroulède. Cf. sa déposition devant le Jury de la Seine : *Cours d'assises de la Seine, 29 juin 1889. Affaire de la place de la Nation, Procès Paul Déroulède-Marcel Habert, Discours de Paul Déroulède et de Marcel Habert aux Jurés de la Seine, Paris, aux bureaux du Drapeau*, 1899, p. 2, p. 18. Cité : *Affaire de la place de la Nation.*
39. *Op. cit.*, pp. 251-252 et note 1. Cf. *Mes Cahiers*, t. II, p. 200, l'allusion de Déroulède dans le discours sur le « traître » prononcé à Saint-Sébastien le 23 février 1901.
40. Cf. *op. cit.*, p. 252 ; p. 260.
41. *Discours prononcé le 23 mai 1901 à Paris au Manège Saint-Paul*, Paris, Imprimerie Marquet, 1902, p. 12, p. 14.
42. *Op. cit.*, p. 16 ; *Affaire de la place de la Nation*, pp. 5-7, p. 16, pp. 25-26 et p. 28 (discours de Marcel Habert, le fidèle lieutenant de Déroulède); *L'Alsace-Lorraine et la fête nationale*, pp. 30-31. Cf. aussi *Les parlementaires, Discours prononcé à Bordeaux le 1er juillet 1909*, Paris, Bloud, 1909, p. 11, et *Qui vive ? France ! « Quand même »*, p. 33. Acquitté par le jury de la Seine, Déroulède fut déféré en Haute-Cour et condamné le 5 janvier 1900, à dix années de bannissement. Il rentre en France en 1905 après avoir été grâcié, puis amnistié.
43. *La Patrie, la Nation, l'Etat*, p. 16.
44. *Affaire de la place de la Nation*, p. 1 et p. 18.

Mais entre temps, des hommes nouveaux avaient fait leur apparition. Un Jules Guérin qui se trouvait lui aussi aux côtés de Déroulède et de Barrès avait parfaitement saisi le ridicule de ce qui n'avait même pas été un coup avorté : son compte rendu de l'affaire est révélateur des nouvelles conceptions qui se font alors jour [45]. La Ligue antisémite et surtout le groupe de Morès connu sous le nom de « Morès et ses amis », furent déjà des organisations plus complexes, mieux organisées et surtout, autrement dépourvues de scrupules. Les amis de Morès étaient une organisation de tueurs recrutés dans les bas-fonds parisiens et qui rappellent étrangement les troupes de choc fascistes et nazies [46]. L'affaire du Fort Chabrol, plus tard dans l'année, montrera que des techniques nouvelles se répandent et surtout, qu'un nouvel état d'esprit est né.

Barrès professait une intense admiration pour Morès ; ce « magnifique exemplaire de l'humanité » le fascinait par l'énergie et la vitalité qui se dégageaient de cette personnalité de chef [47]. Il était fasciné par ce représentant de la vieille France, socialiste, nationaliste et antisémite, qui organisa quelques bouchers de la Villette en un véritable commando nationaliste, et qui alla finalement trouver la mort en Afrique. C'est ce côté homme d'action qui l'avait séduit au début chez Boulanger, puis chez Déroulède et qui l'amenait à entretenir le mythe du 27 janvier et du 23 février [48], c'est cela également qu'il admirait chez les grands explorateurs et colonisateurs comme Marchand et Galliéni [49]. Mais il n'était pas lui-même un homme d'action, et il avait été trop profondément marqué par le boulangisme pour s'adapter à des méthodes qui, somme toute, lui étaient étrangères.

45. Jules GUÉRIN, *Les Trafiquants de l'antisémitisme : la Maison Drumont et Cie*, Paris, F. Juven, 1905, pp. 208-209. Cf. aussi Georges BERNANOS, *La Grande peur des bien-pensants : Edouard Drumont*, Paris, Grasset, 1939, pp. 348-349. Bernanos souligne que Déroulède essaie alors de recommencer un boulangisme sans Boulanger dont Drumont s'écarte avec dégoût, suivi par Guérin et la Ligue antisémite.

46. Cf. Robert F. BYRNES, « Morès, the first national socialist », *The Review of Politics*, vol. 12, July 1950, pp. 341-362.

47. BARRÈS, *Scènes et doctrines du nationalisme*, t. II, p. 55, p. 61. Il consacre à Morès les pages 50-91 du second volume de *Scènes et doctrines du nationalisme*. Cf. aussi *Mes Cahiers*, t. I, pp. 90-92 et *Mes Cahiers*, t. V, p. 263 où il compare Morès à Byron. Il est curieux de constater que J.-M. Domenach considère encore le tueur qu'était Morès comme un représentant de l'élite du pays, un de ceux qui émigrent, légitimement dégoûtés par l'avilissement de l'esprit et des mœurs : Morès au Sahara comme Lyautey à Madagascar (« Barrès et les contradictions du nationalisme », *Esprit*, avril 1954, p. 482).

48. Cf. *Mes Cahiers*, t. II, pp. 249-250. Barrès se promet de participer à toute autre tentative de Déroulède. Cf. aussi *Mes Cahiers*, t. III, p. 363.

49. Sur Marchand, *Scènes et doctrines du nationalisme*, t. II, pp. 91-105 ; sur Galliéni, pp. 105-111.

LES RAISONS D'UN ÉCHEC

La défaite du boulangisme fut consommée dans la nuit du 27 janvier. S'étant décidé à livrer bataille dans la légalité, le boulangisme s'y montre, à tous égards, nettement inférieur à la concentration républicaine. Car cette République parlementaire, prétendue impuissante et vide de substance, réagit avec vigueur. Faute impardonnable de la part d'un mouvement d'agitation, le boulangisme, en sous-estimant la solidité des structures en place, perd l'initiative. Dès lors les choses se précipitent. Le 22 février est constitué le nouveau cabinet Tirard qui comprend trois anciens présidents du Conseil et dont le ministre de l'Intérieur, Ernest Constans, est connu pour être un spécialiste en matière électorale. C'est donc un ministère de choc dont la principale raison d'être est de briser le boulangisme et « faire » les élections. Pourtant, homme sans scrupules, Constans aurait pu en certaines circonstances être un allié. Boulanger gâche tout en lançant Laguerre contre le ministre : ce dernier l'accusera à la tribune de la Chambre de concussion [1]. Dès lors s'engage une lutte implacable.

Au mois de mars, Constans engage des poursuites contre la Ligue des patriotes, son président, les députés ligueurs et le sénateur Naquet en sa qualité de vice-président de la Ligue. Il fait, en outre, planer l'ombre d'une arrestation imminente sur Dillon, Rochefort, et enfin sur le général lui-même. Le 14 mars, Dillon lance l'idée d'un départ de Boulanger : les membres du comité s'y opposent en soutenant que la fuite du chef serait une trahison. Boulanger n'en réussit pas moins à obtenir de Naquet, vice-président du comité national, une lettre le couvrant en cas de fuite ; plus tard, il exige et obtient de Laguerre et de Laisant deux lettres analogues [2]. Le 1er avril, il passe la frontière belge : le boulangisme entre alors dans sa dernière phase, celle de la décomposition.

Barrès n'attribue pas la fuite du général à une simple lâcheté, bien qu'il laisse entendre qu'il y eut aussi un peu de cela dans ce comportement. Selon lui, Boulanger était conscient de l'hétérogénéité de son mouvement, il savait que l'unité ne se faisait qu'autour de sa personne ; son emprisonnement pouvait faire éclater la coalition boulangiste. « Comment », écrit Barrès, « depuis sa prison maintiendrait-il la marche parallèle des états-majors républicains et con-

1. MERMEIX, *op. cit.*, pp. 308-309. Cf. *L'Appel au soldat*, pp. 233-234. Cf. aussi Henri ROCHEFORT, *Le Livre d'or de Constans*, Neuilly-sur-Seine, Bureau de la « Guerre aux abus », s.d.

2. MERMEIX, *op. cit.*, pp. 163-166.

servateurs ? »[3]. Le général en effet craignait que l'un des éléments de sa coalition ne se livre à des manœuvres d'intimidation envers les autres pour s'emparer du mouvement ; le chantage des bailleurs de fonds monarchistes était aussi dangereux que l'assaut d'un Rochefort contre les fractions modérées du parti. Finalement Boulanger, comme en témoigne Barrès, avait « toujours veillé à limiter l'influence de Déroulède »[4] dont « l'activité et l'importance » l'inquiétaient et se souciait fort peu de créer des conditions par trop favorables à la Ligue des patriotes et à son chef, peut-être désireux de « se hausser à la première place »[5].

On le voit, le problème était double au sein du boulangisme : il fallait d'une part synchroniser la marche parallèle de deux boulangismes, l'un républicain et l'autre royaliste, et d'autre part, concilier à l'intérieur même du boulangisme républicain des tendances et des hommes opposés[6].

On y trouvait Rochefort, vieux communard, révolutionnaire ou plutôt frondeur de tempérament, leader spirituel des blanquistes du boulangisme et pamphlétaire d'un rare talent ; l'intraitable Déroulède, théâtral sans doute mais homme de caractère dont Boulanger se méfiait car il le sentait plus attaché au boulangisme qu'à sa propre personne ; Georges Thiébaud enfin, qui avait voulu marcher sur l'Elysée et qui depuis la nuit du 27 janvier méprisait, en son for intérieur, le chef du « Parti national ». Entre les deux hommes le contentieux était lourd ; Boulanger en voulait à Thiébaud d'avoir brisé sa carrière militaire, alors que le bonapartiste considérait ces regrets comme indignes de la mission dont Boulanger avait été investi[7].

3. *L'Appel au soldat*, p. 251. C'est également l'explication de Mermeix, *op. cit.*, p. 181. Selon le député boulangiste, Dillon engageait Boulanger à partir, sachant que le chef du Parti était le seul à pouvoir endormir le comité républicain.

4. *L'Appel au soldat*, p. 498.

5. *Op. cit.*, p. 251. Cf. aussi Mermeix, *op. cit.*, p. 205.

6. Les problèmes de coordination entre les tendances et les sous-tendances furent singulièrement compliqués par la nécessité où s'est trouvé Boulanger de prendre position sur la politique religieuse. A cet égard le discours de Tours, le 17 mars 1889, marque une étape décisive dans l'évolution du boulangisme. Ce jour-là en effet, à l'instigation de Jules Delahaye, boulangiste de droite et futur exécuteur des panamistes, Boulanger répudiait l'héritage jacobin de la République (cf. Mermeix, *op. cit.*, pp. 145-152). Les catholiques sont venus à Boulanger car la République les combattait : le comité national n'avait pourtant rien pour les rassurer. Mermeix (p. 146) note que c'était « un ramassis d'impies ». Naquet, « le père du divorce », avait introduit dans la loi civile une disposition qui est un outrage direct et permanent à la religion catholique ; Rochefort était un blasphémateur notoire, Laguerre et Laisant ouvertement athées. Cf. aussi *L'Appel au soldat*, pp. 229-230. Barrès présente les choses telles qu'elles se passèrent, même s'il leur donne une interprétation quelque peu différente en mettant la critique de l'ouverture vers les catholiques dans la bouche de l'opportuniste du boulangisme, l'avocat Suret-Lefort.

7. *L'Appel au soldat*, p. 132 ; pp. 254-255.

En avril, Thiébaud fut le seul à rompre avec le mouvement [8] ; mais d'autres que lui étaient candidats à la rupture et Barrès brosse un tableau saisissant des menées des chefs boulangistes au moment où tout s'écroule autour d'eux. Si le boulangisme n'a pas éclaté en ce mois d'avril, c'est essentiellement parce que le chemin d'une éventuelle retraite était coupé.

A cet égard, le compte rendu de Barrès dans *L'Appel au soldat* coïncide avec ses écrits de l'époque. En effet, son opinion sur le proche entourage de Boulanger était faite dès avril 1889. Deux articles du *Courrier de l'Est*, publiés précisément au mois d'avril 1889, au moment où le boulangisme craque, en font foi : « Cet état-major est désolé souvent d'ambitions et de chicanes », écrit-il [9]. Il revient sur ce thème une fois encore huit jours plus tard, mais il prend la précaution d'ajouter qu' « aucun parti n'y échappe » [10]. Cette formule, dans la bouche d'un militant, est d'une grande signification : il ne peut guère dire plus sans désavouer l'action qu'il mène lui-même. Son ton tranche singulièrement sur les nombreux articles qui glorifient, en passant, les chefs du parti. Il fallait que Barrès fût poussé à bout par leur comportement depuis la fuite du général pour que l'opinion réelle qu'il avait d'eux perçât dans son journal. Un an plus tard, député de Nancy, assistant à la liquidation progressive du mouvement, il n'éprouve plus le besoin de dissimuler ses sentiments : aucun souci électoral ne l'incite à atténuer la rigueur de ses jugements. C'est alors qu'il exprime toute sa pensée : Boulanger est un soldat auquel se sont imposés « un tas d'hommes politiques » ; il s'est laissé « pousser à des intrigues » par un état-major où foisonnaient de « véritables politiciens, des parlementaires, des esprits tels que nous les haïssons. De là mille démarches impudentes, absurdes du boulangisme (...) Trop de politiqueurs, de concours équivoques, de réactionnaires » [11]. Mais il ne peut pas, en militant du parti, laisser ses électeurs sur l'impression qui se dégage de ces articles des mois de mars et avril où percent de vives critiques, des avertissements à peine voilés, et qui pourraient confirmer le lecteur dans son sentiment que le boulangisme n'était en fin de compte qu'un parti comme les autres, avec en outre des problèmes qui lui étaient propres du fait de la

8. *Op. cit.*, pp. 254-255 : il s'en explique d'ailleurs dans une fort belle phrase : « Quand on embrasse la cause du peuple contre les oligarchies qui l'exploitent, ce n'est pas pour faire la fête, c'est pour partager avec l'éternelle victime qu'on défend le pain amer des exactions et des injustices ». Mais Barrès, qui implicitement approuve Thiébaud, n'en fait pas moins justice à Boulanger en rappelant que le général est entré dans les salons orléanistes après que le même Thiébaud a lancé la campagne plébiscitaire sans y mettre les moyens financiers indispensables.

9. Barrès, « Leur bêtise fait notre malice », *Le Courrier de l'Est*, 7 avril 1889.

10. Barrès, « Les candidats en octobre », *Le Courrier de l'Est*, 21 avril 1889.

11. Barrès, « La voie du peuple et le proscrit », *Le Courrier de l'Est*, 31 août 1890.

diversité de ses appuis et de ses clientèles. Pour faire front à la désagrégation du mouvement, pour endiguer le défaitisme, Barrès s'emploie à ressusciter le boulangisme originel, le boulangisme épique, à développer encore la mystique de la personnalité du général Boulanger. Paradoxalement, mais conformément aux prévisions de Boulanger lui-même, la personne du chef restait la ressource suprême.

Huit jours après la fuite du général, Barrès entreprend une campagne de glorification de celui-ci. De l'homme providentiel rayonne la grâce : « Soyez à côté de lui, vous êtes populaire ; soyez contre lui, vous êtes tué. Les plus beaux visages du monde n'échappent pas à cette loi mystérieuse » [12]. Le boulangisme n'a de sens que s'il est incarné en Boulanger ; il n'existe que par lui. Barrès s'attache, pour grandir le chef, à minimiser le rôle de ses collaborateurs : « Les journaux que nous rédigeons, les efforts de toute espèce que nous sommes un millier à fournir autour de lui depuis quelques années, sont choses superflues, je le vois bien. C'est lui qui nous traîne, nous ne l'aidons en rien » [13]. A ses électeurs Barrès présente Boulanger, cette « énergie morale de premier ordre » [14] comme un instrument aux mains de l'histoire [15].

En fait, l'exaltation de Boulanger avait toujours été, pour le mouvement, une nécessité vitale. Comme tous les leaders boulangistes, Barrès savait que le mouvement ne tirait sa force que de la mystique boulangiste, de l'image démesurément grandie par l'imagination populaire d'un Boulanger glorieux. Mais pour certains dirigeants du mouvement, la fidélité au général reposait aussi sur des motifs moins avouables : trop compromis pour pouvoir battre en retraite, ils n'avaient plus d'autre issue que la fuite en avant. On se demande si Boulanger n'avait pas délibérément poussé à cette lutte à outrance afin de couper à certains de ses hommes la voie de la retraite.

Dans *L'Appel au soldat*, Barrès a bien restitué cette atmosphère de culte du chef, d'autant plus capitale pour le mouvement qu'elle en était le seul ciment. Il insiste sur le « caractère personnel » [16] du boulangisme de 1889. « Les principes ne valent qu'animés par l'homme qui les adopte », écrit-il [17], prenant ainsi le contre-pied de la doctrine républicaine. Mais cette phrase doit être correctement interprétée : Barrès ne veut pas dire que les principes sont superflus, au contraire. Il sait que le boulangisme a échoué faute de doctrine, mais pour lui la doctrine n'a de sens que dans la mesure où un homme, une per-

12. Barrès, « Leur bêtise fait notre malice », *Le Courrier de l'Est*, 7 avril 1889.
13. *Ibid.*
14. Barrès, « Un entretien avec le général Boulanger », *Le Courrier de l'Est*, 27 et 28 janvier 1889.
15. Barrès, « Quels sont nos alliés », *Le Courrier de l'Est*, 10 et 11 mars 1889.
16. *L'Appel au soldat*, p. 181.
17. *Op. cit.*, p. 186.

sonnalité hors pair, un chef charismatique l'incarne et la met en œuvre. Poussant fort loin la personnalisation de la politique et du pouvoir, il pense que des principes, fussent-ils les meilleurs, ne peuvent être appliqués que par la volonté d'un seul homme. Il n'attendait rien d'aucune assemblée quelle qu'elle soit : Parlements et Congrès ne peuvent jamais refléter l'instinct du peuple qui est la seule source des forces vivantes [18]. Il revient sur ce thème dans *Les Déracinés* : « Au-dessus des partis », écrit-il, « il faut un homme qui soit l'expression du pays » [19].

La liquidation du boulangisme n'avait pas modifié ses convictions : il faut qu'un seul homme personnalise les aspirations populaires, comprenne l'instinct du peuple et l'incarne. Boulanger, grandi par la conjonction d'une série de faits, avait un moment personnifié la volonté populaire, il avait donné à la politique un visage, par son truchement les esprits et les cœurs communiaient. Pour Sturel, Boulanger représentait le « Messie » [20] ; à travers le boulangisme, « ce véritable mahdisme » [21], s'exprimait « la poussée des foules qui veulent un Messie » [22]. Vers Boulanger montaient des aspirations que le brave général n'avait pas su assouvir : malgré les circonstances qui en avaient fait un sauveur, il n'avait pas été autre chose, selon le mot de Ferry, qu'un Saint-Arnaud de café-concert, et Barrès ne pouvait que se rendre à l'évidence. Mais s'il est bien fixé sur la valeur réelle de la personnalité du général, s'il est parfaitement conscient de ses faiblesses, de son manque d'envergure comme homme d'Etat, de sa nullité politique, il n'en a pas moins conscience que le boulangisme a fort bien mis à nu les mécanismes du comportement politique : il sait dès lors que pour lancer un grand mouvement politique, il suffit de quelques idées maîtresses capables de frapper l'imagination par leur simplicité, et d'un homme capable de mobiliser les courages et les énergies. Boulanger fut cet homme, mais, faute d'idées, sa campagne était vouée à l'échec. « Boulanger n'a aucune doctrine », écrit Barrès, « il ignore la science politique ; ses amis ne se préoccupent pas de l'installer sur cinq ou six idées maîtresses. Il est le produit des circonstances... tout flotte autour de lui... » [23]. En émettant ce verdict sévère, l'auteur de *L'Appel au soldat* ne fait que répéter le jugement de l'ancien directeur de *La Cocarde* : « J'ai souvent pensé », disait-il en 1894, lors du troisième anniversaire de la mort du général, « qu'aux pires moments de sa campagne antiparlementaire, il eût

18. Barrès, « Après le congrès, situation des socialistes », *Le Courrier de l'Est*, 29 août 1891.
19. *Les Déracinés*, p. 86.
20. *L'Appel au soldat*, p. 167 ; p. 177.
21. *Op. cit.*, p. 187.
22. *Op. cit.*, p. 189.
23. *Op. cit.*, p. 219.

accédé à une combinaison de couloirs lui garantissant le ministère de la Guerre inamovible. Celui qu'on traitait de révolté, en qui nous espérions un révolutionnaire, se fût contenté de la chaise d'un Saussier ou d'un Freycinet » [24].

Son programme, Barrès insiste là-dessus, était nul. Il s'agissait pour lui de créer un état d'esprit [25]. C'est dans ce sens qu'il répétait « révision ! référendum ! référendum ! ». Cela n'avait pas plus de sens que cette phrase de Murat qui « chargeait courbé sur sa selle (et qui) répétait : J'ai le c... rond comme une pomme, rond comme une pomme. Et ces mots, dépourvus de sens, par leur rythme enlevaient ses hussards » [26].

Tel fut Boulanger, simple officier de troupe soudainement jeté dans un jeu dont il connaissait mal les règles : il ne lui restait qu'à charger. Sans idées claires, sans cadres, sans argent, Boulanger disposait pourtant des ressources immenses de sa popularité et d'un capital inestimable de dévouement populaire. Tout cela fut emporté dans les mois qui suivirent la nuit du 27 janvier. Sa fuite devant une menace d'arrestation brisa le ressort du boulangisme. Exilé à Bruxelles, plus tard à Londres, Boulanger ne se rendait pas compte du brutal revirement d'opinion qui s'était produit entre temps. Il fut aussi la grande victime de l'Exposition universelle et du centenaire de la Révolution.

Le 23 juillet 1889 ont lieu les élections aux conseils généraux : Boulanger se présente dans 80 cantons et est largement battu, n'obte-

24. BARRÈS, « La figure du général Boulanger », *La Cocarde*, 30 septembre 1894. Dans *L'Appel au soldat*, Barrès montre un Boulanger nostalgique de l'armée dont les ambitions eussent été comblées par le fauteuil de ministre de la Guerre (p. 130, p. 132, p. 495, p. 545), et totalement dépourvu de vocation et de sens politique (p. 130). Manipulé par Dillon, par Naquet, « cet étrange homme, lucide et aventureux » (p. 134), Boulanger n'était plus, au moment crucial des préparatifs pour les élections législatives, qu'un simple figurant (p. 410, p. 416). Dans *Du Sang, de la volupté et de la mort*, p. 190, Barrès exprime encore son mépris pour le « général Boulanger faisant le portrait de sa maîtresse dans les suspensions des séances du comité national ».

25. BARRÈS, « La figure du général Boulanger », *La Cocarde*, 30 septembre 1894. « Son vrai fond », écrit Barrès, « était d'être un soldat. ». [Comme Bonaparte, Boulanger] « s'adresse aux appétits. Chaque politicien espère de lui chaussure à son pied (...) S'il promit la monarchie à MM. de Mun et de Breteuil, ce fut pour en obtenir des munitions ; il donna la main aux révolutionnaires de Saint-Ouen, pour en avoir des troupes. Ne cherchez pas plus de complication chez ce sincère antiparlementaire ! »

26. Barrès n'était évidemment pas le seul à reconnaître les faiblesses du général. Cf. Jacques NÉRÉ, *Les Elections Boulanger dans le département du Nord*, p. 168, pour l'analyse des réactions des républicains et des conservateurs, après les élections du Nord ; ou bien *Le Figaro* du 17 mars 1888, article non signé : « Le général Boulanger et les règlements militaires », où l'on refuse au commandant du 13e corps la qualité de conspirateur pour ne le traiter que de simple agitateur. Cf. aussi les réflexions de Bouteiller qui personnifie le personnel politique au pouvoir : *L'Appel au soldat*, pp. 223-224 ; p. 228. Les hommes d'Etat et les grands soldats de sa génération, on le sait, ne s'étaient guère mépris sur la valeur réelle de Boulanger.

nant qu'une douzaine de sièges. Dix jours plus tôt était adoptée une loi interdisant les candidatures multiples [27]. Le vieux réflexe jacobin jouait de nouveau : les républicains, quelques personnalités mises à part, Jaurès et Goblet notamment, auxquels Brisson rappelait opportunément 1848, faisaient bloc, comme ils devaient le faire en septembre.

Au mois d'août a lieu le procès en Haute-Cour : le dossier de l'accusation est mince, mais le verdict connu d'avance : Boulanger, Dillon et Rochefort sont condamnés. Paris ne bouge pas, ce qui n'inquiète pas outre mesure l'état-major du général installé à Londres. Quant à la campagne électorale elle-même, son organisation est lamentable. Le désordre le plus complet règne dans les préparatifs du comité national ; on n'est même pas capable de préparer une liste de candidats boulangistes de souche, on accorde l'investiture à des candidats dont le boulangisme s'est singulièrement refroidi depuis le mois d'avril et surtout on se laisse manœuvrer par Dillon et les chefs royalistes. Les monarchistes, bien organisés, s'approprient les circonscriptions sûres et considèrent les boulangistes républicains comme une simple force d'appoint. Le général lui-même semble dépassé par une situation à laquelle il n'est absolument pas préparé : le boulangisme court au désastre [28]. « Vide de tous principes » [29], fondé « simplement sur la popularité d'un homme » [30] et sur les « accès messianiques » [31] de ses supporters, le boulangisme s'était finalement réduit en « intrigue parlementaire » [32].

Faite a posteriori, cette analyse correspond cependant bien à l'idée que se faisait Barrès du boulangisme alors qu'il militait à Nancy. En insistant dans *L'Appel au soldat* sur la nécessité de « doubler d'une thèse économique le nationalisme généreux de la Ligue des patriotes » [33], Barrès reprend les préoccupations qui sont réellement siennes en 1889, alors qu'il élabore un boulangisme populiste, socialisant et antisémite afin de rallier au révisionnisme la petite bourgeoisie et le prolétariat lorrains. Il avait à cet égard comblé les lacunes qu'il dénonce dans *L'Appel au soldat*. Alors que le boulangisme du général et des hommes politiques ralliés à lui est encore un phéno-

27. Elle ne s'appliquait pas aux élections du 23 juillet.

28. Barrès a consacré trois chapitres de *L'Appel au soldat* — pp. 409-442 — à montrer ce qu'il y avait d'irréel dans cette campagne électorale. Cf. plus particulièrement pp. 411-416 et pp. 426-427. Aux élections législatives générales des 22 septembre-6 octobre 1889, les boulangistes n'eurent que 44 députés dont la moitié environ étaient de droite, contre 366 républicains et 140 royalistes, bonapartistes et conservateurs.

29. *Op. cit.*, p. 477.

30. *Ibid.*

31. *Op. cit.*, p. 140.

32. *Op. cit.*, p. 459.

33. *Op. cit.*, p. 454.

mène du XIXe siècle, confiné essentiellement dans les questions politiques, celui de Barrès, nettement plus moderne, tourné vers le XXe siècle, s'attaque à la question sociale, préconise un dépassement des clivages sociaux. Barrès avait compris qu'un mouvement « national » ne peut être tel que s'il assure l'intégration des couches sociales les plus déshéritées dans la collectivité nationale, que s'il leur offre un terrain de ralliement sur des thèmes neutres et acceptables pour l'ensemble de la société. Son boulangisme socialisant et antisémite complète l'antiparlementarisme, et un certain autoritarisme issu de la démocratie plébiscitaire pour former un ensemble relativement cohérent. Elaboré au cours de la dernière décennie du XIXe siècle, portant encore la marque de la société pré-industrielle, la pensée barrésienne n'en débouche pas moins sur une doctrine politique qui annonce déjà les affrontements idéologiques de la première moitié du XXe siècle.

CHAPITRE IV

A l'assaut de l'ordre bourgeois

LE POPULISME BOULANGISTE

C'est à Nancy que Barrès découvre la question sociale : celle-ci restera dès lors et jusqu'à l'Affaire au premier plan de ses préoccupations. Elle occupe dans sa pensée une place sensiblement plus importante que les provinces perdues ou l'Allemagne : il faudra attendre quatre semaines après sa parution pour que *Le Courrier de l'Est* — encore quotidien — mentionne pour la première fois l'Alsace-Lorraine [1].

Par le biais de la question sociale, le boulangisme barrésien débouche sur un populisme qui puise dans une certaine doctrine des radicaux exaspérés. Barrès oppose aux vices du régime représentatif, régime de corruption, les mérites de la démocratie directe, d'un retour aux sources. Il assimile le boulangisme aux élans libérateurs de la Révolution, de 48, de la Commune ; il fait appel à la vieille tradition jacobine et révolutionnaire qui abattit d'autres systèmes d'oppression. « Nous sommes encore la sainte canaille de 1789, de 1830, de 1848... », s'écrie Barrès en juillet 1889 [2]. Pour Alfred Gabriel, son coéquipier, les boulangistes qui se battent pour la liberté et contre les privilèges sont le Tiers Etat. A l'instar de leurs pères qui, en 1789, mirent fin à la domination de l'aristocratie, les boulangistes se lèvent contre « la bourgeoisie contemporaine », cette « caste privilégiée née de la Révolution » [3].

Au cours d'une manifestation organisée à l'occasion du centenaire du serment du Jeu de Paume, Barrès prend la parole au nom des « défenseurs du peuple », au nom de tous ceux « qui gagnent par l'effort de leurs bras et de leurs cerveaux l'argent qui va engraisser

1. Barrès, « La prochaine Constitution », *Le Courrier de l'Est*, 21 février 1889.
2. Barrès, « Les violences opportunistes », *Le Courrier de l'Est*, 28 juillet 1889.
3. « Le punch du 20 juin », *Le Courrier de l'Est*, 23 juin 1889 — Toast de Gabriel.

les voleurs... » [4]. Les critiques que Barrès adresse au régime portent, non pas sur son étiquette démocratique, mais sur le fait qu'il ne l'est pas vraiment. Le boulangisme se présente par conséquent comme un mouvement de reconquête de la République, un « nettoyage » bienfaisant qui rendra la République vivable. Ce caractère populaire et républicain est constamment réaffirmé avec une grande vigueur, car le mouvement doit se défendre contre l'accusation de n'être qu'un simple paravent de la réaction. « La République ne peut être un seul instant en question », écrit Barrès. « Il s'agit simplement de substituer une vraie République au despotisme odieux des opportunistes. Il s'agit d'avoir une République soucieuse des intérêts démocratiques des travailleurs, des malheureux, en place de cette oligarchie de bourgeois » [5].

En cette année du centenaire de la grande Révolution, l'imagerie révolutionnaire est amplement exploitée. Barrès célèbre toutes les gloires de la France jacobine, toutes les « journées » populaires, depuis la convocation des états généraux jusqu'à la Commune. Tout cela tend non seulement à exploiter les sentiments de la traditionnelle clientèle radicale, mais aussi à faire témoigner l'histoire de France en faveur du « Parti national ». Le boulangisme qui entretient le culte des « grands démocrates de 48 » [6] et pour qui la Commune « reste l'immortel défi du peuple à ses oppresseurs », n'est qu'un maillon de la longue chaîne des luttes populaires [7]. Fils légitime des hommes du Tiers Etat, les boulangistes portent, cent ans après leurs pères spirituels, les espérances de tous les opprimés, dont ils sont les porte-parole et les représentants.

Depuis 89, la nature de l'oppression n'a point changé : ce qui a changé c'est l'identité des oppresseurs. A cet égard, l'analyse de Barrès ne diffère guère de celle du socialisme marxiste : il fait lui aussi le procès de l'ascension de la bourgeoisie comme des moyens qu'elle emploie pour se maintenir au pouvoir.

Dans un article quasi marxiste, « La lutte entre capitalistes et travailleurs », Barrès accuse la bourgeoisie de n'avoir jamais, depuis 1789, considéré le peuple que comme un simple moyen, un moyen commode, pour abattre l'Ancien Régime et établir sa propre suprématie. Pour accaparer l'héritage de la monarchie, la bourgeoisie, écrit-il, « a fait constamment appel à l'énergie révolutionnaire des classes populaires, avec le dessein secret de les asservir. Hypocritement, elle a consenti à jeter en pâture aux masses l'appât du pouvoir, et les berçant de vains espoirs, n'a jamais songé en fait qu'à imposer

4. *Ibid.*, Toast de Barrès.

5. Barrès, « Le flot qui monte », *Le Courrier de l'Est*, 26 mai 1889, cf. aussi dans le même numéro un article non signé : « Chacun chez soi ».

6. Barrès, « Commémoration socialiste », *Le Courrier de l'Est*, 2 février 1890.

7. « Echos de Paris », *Le Courrier de l'Est*, 16 février 1889.

sa domination économique »[8]. Ainsi s'est créée une nouvelle aristocratie « faite de quelques familles parlementaires »[9], qui détient à la fois le pouvoir économique et le pouvoir politique et dont « la médiocrité et l'avidité dépassent infiniment ce qu'on peut reprocher à l'ancien régime »[10]. Ces « bourgeois parvenus »[11], ces « brigands de l'industrialisme »[12] qui communient dans l'opportunisme, sont les vrais « ennemis de l'ouvrier »[13]. C'est contre eux que se dresse le boulangisme. « Sorti des ouvriers »[14], fidèle à une « République... ouverte toujours aux petits électeurs »[15], le « Parti national » leur offre l'occasion d'abattre « la coalition bourgeoise »[16].

A l'origine le boulangisme barrésien se présente donc sous la forme d'un mouvement ouvrier profondément attaché à la vieille tradition révolutionnaire. La République est la chose des ouvriers — ce sont eux « qui ont fait la force de l'idée républicaine »[17] — et le boulangisme est le dernier rempart qui puisse encore assurer sa protection face à la nouvelle aristocratie bourgeoise. Barrès insiste sur ce point avec force : il lance un pressant appel à la « partie saine du pays, cette classe ouvrière qui a su fonder la République », afin qu'elle sache aussi « la maintenir en se serrant autour du général Boulanger »[18].

C'est donc un retour au peuple que prêche Barrès ; il fait d'ailleurs amplement usage du thème de la grandeur populaire. Reconquérir, pour le peuple et par le peuple, cette « liberté chérie » dont la bourgeoisie triomphante n'avait fait qu'une bouchée, éliminer les corrompus et les politicards, et enfin, abattre la bourgeoisie : tels sont les buts du boulangisme barrésien. Le candidat révisionniste s'emploie à faire prendre conscience aux prolétaires de l'immense injustice dont ils sont victimes. Instruments dociles aux mains de la bourgeoisie dans sa conquête du pouvoir, ils ne furent jamais que ses mercenaires ou plutôt ses esclaves ; car ayant mené un combat qui n'était pas le leur, ils ne reçurent jamais aucune compensation sociale ou économique. Egalité politique et suffrage universel ne sont que les paravents derrière lesquels se cache la réalité de l'exploitation du monde ouvrier par une aristocratie nouvelle. Barrès s'adresse à l'instinct

8. Barrès, « La lutte entre capitalistes et travailleurs », *Le Courrier de l'Est*, 28 septembre 1890.
9. Barrès, « Combien sommes-nous ? », *Le Courrier de l'Est*, 22 janvier 1889.
10. *Ibid.*
11. Barrès, « Les vraies coulisses », *Le Courrier de l'Est*, 5 octobre 1890.
12. A. Gabriel, « Le pacte de famine », *Le Courrier de l'Est*, 27 octobre 1889.
13. Anonyme, « En allant au scrutin », *Le Courrier de l'Est*, 28 juillet 1889.
14. Barrès, « Soyons confiants », *Le Courrier de l'Est*, 7 juillet 1889.
15. Barrès, « Notre caractère », *Le Courrier de l'Est*, 20 février 1889.
16. A. Gabriel, « Le pacte de famine », *Le Courrier de l'Est*, 27 octobre 1889.
17. Barrès, « Dernier mot », *Le Courrier de l'Est*, 30 avril 1892.
18. « Misérables occupations », compte rendu d'une réunion électorale, *Le Courrier de l'Est*, 13 février 1889.

antiprivilèges du prolétariat, au sentiment le plus ancré dans la conscience populaire, celui de l'égalité.

Cependant, s'il semble à certains moments que le prolétariat occupe une position de premier plan dans la pensée barrésienne, il apparaît très rapidement que Barrès ne ménage pas ses efforts pour gagner le soutien d'autres couches sociales défavorisées. Pour y parvenir, il insiste sur l'harmonie des intérêts de toutes les classes laborieuses. Le boulangisme est la révolte de tous ceux qui « se plaignent qu'on n'a rien fait pour eux, que la vie leur est difficile » [19], contre ce « dur gouvernement d'argent » [20] qu'est le régime de la bourgeoisie opportuniste ; c'est la révolte des « petits », « les petits commerçants, les ouvriers, les paysans » [21], « les petits retraités » [22], contre « la société financière organisée pour l'exploitation de la France » [23]. A tous ceux pour qui rien n'a été fait depuis douze ans, le boulangisme apporte « le moyen de chasser les parlementaires qui bavardent stérilement... et de prendre eux-mêmes en main, directement le pouvoir » [24]. C'est ainsi que le boulangisme nancéien cherche à encadrer l'ensemble des « petits », des déshérités, de tous les laissés pour compte de cette société industrielle à laquelle, comme Laisant, Gabriel et la plupart des autres boulangistes, Barrès ne s'est jamais adapté. Il la craint et la comprend mal : c'est une des constantes de sa pensée que l'on retrouve du *Courrier de l'Est* au dernier volume des *Cahiers* où il fait cet aveu : « Je comprends Chamisso, Villers, ceux qui ne pouvaient pas s'accommoder de cette Encyclopédie et moi de cet industrialisme » [25]. Il ne sait « comment résoudre le problème que pose le développement de l'industrie qui enferme les populations dans les villes et crée un immense troupeau de travailleurs... » [26].

Comme ses collaborateurs de *La Cocarde,* comme un grand nombre d'hommes de l'ancien « Parti national », Barrès est mal préparé pour affronter l'ère industrielle ; il éprouve un malaise certain face à l'évolution industrielle et au progrès technique. Dans un article qui exprime assez bien son attitude comme celle de ses disciples de *La Cocarde* à cet égard, l'un de ces derniers soutient que la société ne saurait jamais être autre chose aussi longtemps qu'elle restera soumise « au légalisme administratif, à l'industrialisme et à l'économisme qui a

19. BARRÈS, « Les travailleurs décideront », *Le Courrier de l'Est,* 26 janvier 1889.
20. BARRÈS, « Les Bélisaires », *Le Courrier de l'Est,* 31 janvier 1889.
21. BARRÈS, « Les travailleurs décideront », *Le Courrier de l'Est,* 26 janvier 1889.
22. BARRÈS, « Les petits retraités », *Le Courrier de l'Est,* 15 février 1889.
23. BARRÈS, « Le merveilleux Tonkin », *Le Courrier de l'Est,* 1er février 1889.
24. BARRÈS, « Les travailleurs décideront », *Le Courrier de l'Est,* 26 janvier 1889.
25. *Mes Cahiers,* t. XIV, p. 199 (en italiques dans le texte).
26. *Op. cit.,* p. 74.

créé le capital et qui peut créer pire », aussi longtemps qu'elle ne se sera pas libérée de cet « enfer industrialiste, scientifique, extraordinairement outillé, presque aussi terrible en son genre et dans la réalité que celui rêvé par Dante Allighieri » [27].

La société industrielle, la société bourgeoise, est une société malade. Il semble que Barrès rêve à l'âge d'or de la France du « petit peuple », à une France des intérêts en harmonie et de l'entente des classes laborieuses. C'est pourquoi son socialisme est libre de tout concept de lutte de classe, c'est pourquoi il en appelle à tous les déshérités, à toutes les victimes de la société industrielle. Le socialisme de Barrès est surtout une forme de populisme antibourgeois et anti-industriel, il prône la fraternité des malheureux et une certaine forme de xénophobie — par désir de renforcer les liens de solidarité en masquant les conflits d'intérêts qui pourraient éventuellement opposer les divers éléments de sa clientèle [28].

Un autre élément du populisme barrésien est un certain anti-intellectualisme dont il faut chercher l'origine dans l'hostilité des milieux universitaires au boulangisme. S'engageant dans le boulangisme, Barrès avait cru exprimer les sentiments de la jeunesse universitaire : peut-être croyait-il l'entraîner dans la révolte. Il n'en fut rien et dans *Le Courrier de l'Est* Barrès donne libre cours à son dépit. Son aversion pour « les étudiants en bérets » [29] éclate chaque fois que l'occasion se présente. Flatteur pour ses auditoires populaires, il manifeste son mépris pour les associations d'étudiants [30], pour les universitaires — cette « dernière cartouche de l'opportunisme » [31] — qu'il s'emploie à humilier au cours de ses réunions électorales. Il en est de même pour le langage imagé et vulgaire qu'il adopte [32] : Barrès montre à Nancy qu'il n'éprouve nulle peine à s'adapter à sa clientèle.

27. « Combattre le socialisme », *La Cocarde*, 20 septembre 1894. (Article signé Paul l'Ermite.)

28. Barrès s'en fait l'écho dans *L'Appel au soldat*, plus particulièrement pp. 462-467.

29. « Misérables occupations », compte rendu d'une réunion électorale, *Le Courrier de l'Est*, 13 février 1889.

30. Barrès, « Aux parlementaires du Quartier Latin », *Le Courrier de l'Est*, 22 janvier 1889 ; « La réunion de Nancy », compte rendu d'une réunion électorale, *Le Courrier de l'Est*, 12 février 1889. Cf. aussi « Maurice Barrès et les étudiants de Paris », *Le Courrier de l'Est*, 27 avril 1890 (article non signé).

31. Barrès, « Eloge de nos adversaires », *Le Courrier de l'Est*, 9 mars 1889. Dans *L'Appel au soldat*, la jeunesse du Quartier latin et ses maîtres qui refusent de s'engager dans le boulangisme sont traités de « traîtres à la race » (p. 119).

32. Les exemples foisonnent. Retenons-en quelques-uns pour le mois de février 1889 : l'Etat « se trouve à sec » (« Les petits retraités » — 15 février 1889); « nous nous fichons d'eux » (« Les muselés » — 19 février 1889); « leur agglomération (le Palais-Bourbon) répand une odeur infecte. Mal soignés, mal peignés, se fourrant généralement une main dans le nez... ils rappellent les plus lamentables salles d'asile de petits villages d'où ils sont originaires » (« Quand les fruits sont pourris » — 3 février 1889). « A justice boiteuse, ministre boiteux »,

Sur le fond de ses professions de foi sociales, de son paroxysme verbal antibourgeois, la minceur de son programme est d'autant plus frappante. S'il attaque le riche bourgeois, s'il livre à la vindicte populaire l'industriel et le gros commerçant, le programme social du comité révisionniste de Meurthe-et-Moselle se réduit à quelques mesures d'une portée relativement limitée. Le décalage entre la puissance de la campagne et la timidité des solutions préconisées, provient de l'hétérogénéité du mouvement. La nécessité de préserver l'équilibre entre les multiples tendances, la volonté déterminée de rassembler par les arguments les plus payants les mécontents les plus divers, sont à l'origine d'un programme extrêmement décevant. Il se réduit, pour l'essentiel, à quatre points : organisation d'une caisse de retraite pour les travailleurs, réforme de l'impôt, protection des travailleurs français contre la concurrence de la main-d'œuvre étrangère, et reconnaissance de la personnalité civile des syndicats [33].

La première mesure préconisée implique la création de ressources spéciales sous forme d'un fond géré par l'Etat, totalement indépendant de l'employeur et qui subviendrait aux besoins du travailleur dans sa vieillesse, quelle que soit sa résidence ou son ancien métier [34]. Si cette mesure répond aux aspirations des travailleurs et s'inscrit bien dans la ligne d'un programme socialiste, il n'en est pas de même des modalités de financement. Le programme barrésien ne prévoit, en effet, rien moins que le prélèvement d'un droit sur le travail de l'ouvrier étranger et le produit de taxes perçues sur l'importation de céréales étrangères. De cette manière, Barrès parvient à répondre aux vœux du prolétariat sans mécontenter le patronat : l'ouvrier étranger fait les frais d'une opération qui prévoit en même temps l'adoption de mesures protectionnistes réclamées par l'ensemble du patronat local. Cette méthode est typique des ambiguïtés du boulangisme en

28 février 1889 : *Le Courrier de l'Est* se moque du nouveau Garde des Sceaux « atteint d'une légère claudication ». On est frappé par les ressemblances entre le boulangisme populiste de Barrès et le poujadisme. Stanley HOFFMANN, dans *Le Mouvement Poujade*, Paris, Armand Colin, Cahiers de la Fondation nationale des sciences politiques, 1956, p. 387 et p. 392, y est sensible ; il note aussi ce qui distingue le poujadisme du boulangisme. Jean Touchard fait à cet égard justement remarquer que les comparaisons n'ont que peu de portée (« Bibliographie et chronologie du Poujadisme », *Revue française de science politique*, (6) 1, janvier-mars 1956, p. 42). Si le parallèle entre les deux mouvements a peu de sens, si cet exercice périlleux ne débouche que sur un anachronisme, il semble toutefois qu'une certaine continuité persiste sous forme d'une permanence de thèmes qui reviennent et de tempéraments qui se réveillent en période de crise. René Rémond remarque qu'en raison de sa soudaineté et de sa violence, le poujadisme se range dans une série qui est celle du boulangisme, qu'il s'y apparente aussi en ce qu'il exprime une réaction d'amour-propre national humilié (*La Droite en France*, pp. 276-277).

33. « Programme du comité révisionniste de Meurthe-et-Moselle », *Le Courrier de l'Est*, 15 septembre 1889.

34. *Ibid.*

général et Barrès n'y échappe pas. Il s'agit, pour l'essentiel, d'utiliser des thèmes polyvalents, susceptibles de séduire des hommes venus d'horizons politiques les plus divers et des couches sociales normalement antagonistes. Que les solutions préconisées soient pratiquement inapplicables ne fait rien à l'affaire : l'essentiel est de séduire le plus grand nombre en canalisant le mécontentement vers l'étranger, et en présentant ce dernier comme l'origine de tous les maux.

Pour compléter l'établissement des caisses de retraite financées par les ouvriers étrangers, Barrès réclame des mesures législatives d'urgence destinées à garantir les travailleurs français contre la concurrence de la main-d'œuvre étrangère. En portant la lutte sur ce terrain, Barrès fait usage d'un thème payant, car le ressentiment contre les ouvriers étrangers s'étend sensiblement dans les années 1880. Le problème de la concurrence devient plus aigu à mesure que s'amplifie la crise économique, et les récriminations des ouvriers contre les étrangers sont mieux accueillies que les revendications socialistes. Le problème est alors porté devant la Chambre et la proposition de limiter le nombre d'ouvriers étrangers sur les chantiers des villes et de l'Etat est appuyée par Vaillant et Guesde [35]. Barrès se trouve ainsi sur un terrain sûr, d'autant plus que, dans les départements frontaliers, le problème se posait en des termes plus aigus encore que partout ailleurs. Mais le candidat boulangiste ne s'en tient pas là. Il réalise une synthèse de ces données socio-économiques et du sentiment nationaliste ; cette synthèse est à l'origine du socialisme national de Barrès et constitue l'un des axes majeurs de sa pensée jusqu'aux lendemains de l'Affaire. Elle est le remède magique à la plupart des maux dont souffre la société française, car le régime de l'oppression est aussi celui de l'étranger. Si Barrès dénonce avec vigueur l'exploitation dont est l'objet le monde ouvrier, il ne parvient à imaginer, en guise de solution, qu'un protectionnisme sommaire et surtout l'épuration des milieux dirigeants de la politique et de l'économie. « Le parti opportuniste », écrit-il, « est composé de ces gens de nationalité vague qui accaparent le travail du pays et la politique du pays. A Paris, il y a les Spuller et les Reinach ; à Nancy, il y a les Maringer, les Larcher qui préconisent l'introduction des ouvriers italiens sur le sol de la patrie au détriment des travailleurs indigènes » [36].

35. Jacques Néré, *La Crise économique de 1882 et le mouvement boulangiste*, pp. 71-72, pp. 74-76. Néré signale des rixes sanglantes qui opposent ouvriers français et étrangers dans la Côte-d'Or et à Lyon, des manifestations à Paris et à Marseille. Les plaintes se multiplient à partir de 1886 contre des ouvriers étrangers travaillant pour des salaires réduits.

36. Programme du comité révisionniste de Meurthe-et-Moselle, paragraphe 5. Pour sommaire qu'il soit, le protectionnisme barrésien n'en diffère pas moins du protectionnisme conservateur d'un Méline. Comparé à ce dernier, il peut faire figure de programme de gauche. Cf. Pierre Barral, *Les Agrariens français de Méline à Pisani*, Paris, Armand Colin, Cahiers de la Fondation nationale des sciences politiques, 1968, pp. 83-92.

Les autres mesures qui figurent dans le programme de Barrès sont plus sérieuses : il s'agit de la réforme de l'impôt et de la reconnaissance de la personnalité civile des syndicats [37]. Mais là encore la nécessité de rallier le prolétariat sans s'aliéner la petite bourgeoisie, ainsi que la tentation de la surenchère verbale, faussent l'ensemble.

L'article 6, le plus long et le plus développé du programme, préconise l'instauration d'un impôt direct — qui remplacerait le système d'impôt en vigueur : « Par sa mauvaise répartition, par sa perception indirecte, l'impôt pèse plus sur le pauvre que sur le riche (...) L'impôt basé sur les besoins de l'homme, comme la nourriture, la boisson, le vêtement, l'éclairage, est donc inique » [38].

Barrès revient à la charge pour dire que « la soupe de Rothschild ne demande pas plus de sel que la soupe du bûcheron », que l'impôt nouveau devrait « être payé proportionnellement selon les services rendus par l'Etat au contribuable », car « ce sont évidemment les plus riches qui sont le plus protégés » [39]. Sur ces affirmations, le directeur du *Courrier de l'Est* met un point final à son analyse de la refonte de l'impôt : la proposition que l'on attendait, celle qui figure sur le programme minimum socialiste établi le lendemain de la grève de Decazeville et qui préconise un « impôt progressif sur les richesses » [40], n'y apparaît point, pas plus que toute autre solution concrète. C'est que Barrès craint de s'aventurer sur un terrain qu'il sait dangereux pour l'équilibre qu'il essaie de maintenir.

Il est en revanche beaucoup plus à l'aise lorsqu'il s'agit de prendre la défense du petit commerce : il exige l'allégement de la patente payée par le petit commerçant par rapport aux « grands magasins anonymes, ces immenses bazars qui absorbent peu à peu tout le commerce grâce à la disproportion dans l'impôt » [41]. Dans ce même ordre d'idées, Barrès proteste contre l'injustice qui consiste à frapper d'un même droit de timbre une facture de onze francs ou de cent mille francs [42]. Là encore il s'agit de la protection du petit commerce et les mesures prévues pour l'aider sont facilement réalisables.

Sur le plan des réformes économiques et financières, Barrès se montre donc extrêmement prudent. C'est le point névralgique de sa coalition et il ne peut se permettre de faux-pas. Ses attaques contre les groses fortunes, susceptibles de trouver un profond écho au sein du prolétariat et de la petite bourgeoisie, ne vont pas jusqu'à mettre

37. Art. cité, paragraphes 6 et 7.
38. Art. cité, paragraphe 6.
39. *Ibid.*
40. Cf. le programme du groupe ouvrier socialiste cité in Alexandre ZÉVAÈS, *Histoire du socialisme et du communisme en France de 1871 à 1947*, Paris, Editions France-Empire, 1947, pp. 163-164.
41. Programme du comité révisionniste de Meurthe-et-Moselle, paragraphe 6.
42. *Ibid.*

en cause les principes du libéralisme économique auxquels sa clientèle petite-bourgeoise reste profondément attachée. C'est pourquoi le candidat boulangiste pratique à Nancy, en guise de socialisme, une certaine démagogie sociale doublée de xénophobie, d'anti-intellectualisme et d'antisémitisme.

Les autres éléments de son programme ne prêtent guère à discussion. Barrès réclame la réduction du service militaire à trois ans et l'abolition du volontariat ; la création et le développement de l'enseignement professionnel ; l'abolition de toutes les lois restrictives de la liberté individuelle et de conscience, du droit de réunion, de presse et d'association et enfin, l'affranchissement administratif de la commune [43]. Il s'attaque également aux expéditions coloniales, ces entreprises meurtrières « où les fils du peuple ont seuls sacrifié leur vie » [44] : il s'agit encore d'un thème populaire et électoralement payant, mais qui ne résistera pas à l'épreuve du temps, car très rapidement Barrès subira l'attrait des grands coloniaux et de leur œuvre au service de la grandeur française [45].

Dans l'ensemble, Barrès reprend donc les clauses classiques des programmes radicaux qu'un Naquet ou un Laisant avaient défendus bien des années avant le boulangisme. Il se situe pourtant en retrait, même par rapport aux professions de foi radicales, sur deux points essentiels : il ne mentionne ni la nationalisation des grands services publics et des mines, ni la question de la laïcité et de la séparation des Eglises et de l'Etat, autres thèmes épineux, sources de divisions et par conséquent tabous. Comme tous les autres boulangistes d'origine républicaine, Barrès est amené à faire des concessions, mais ces considérations d'ordre tactique ne sont pas seules en cause : le caractère « national » du mouvement boulangiste oblige ses leaders à édulcorer sensiblement leurs prises de position. Un Naquet par exemple, soutient que selon la pure doctrine de Blanqui, il faut s'abstenir d'avoir un programme cohérent pour n'effaroucher personne ; des affrontements violents eurent lieu à ce sujet au sein du comité national et se terminèrent par la victoire des pragmatistes [46]. D'autre part, tous les chefs boulangistes comprennent, au printemps 1889, qu'après les erreurs accumulées et dans la lutte à outrance qui les oppose aux

43. Art. cité, paragraphes 2 à 9.
44. Art. cité, paragraphe 2.
45. Cf. *Scènes et doctrines du nationalisme*, t. II, pp. 91-105 sur Marchand ; pp. 105-111 sur Galliéni et aussi pp. 50-91 sur l'expédition Morès en Afrique du Nord. Bien qu'il souligne que le seul problème digne de préoccuper un patriote est le problème du Rhin, Barrès salue le « bénéfice moral » qui s'ajoute « aux résultats économiques acquis par Galliéni » (p. 110).
46. Cf. MERMEIX, *op. cit.*, p. 238. C'est Michelin, une des intelligences les plus indépendantes du boulangisme, qui exige l'adoption d'un programme clair et bien défini : le refus que lui oppose le comité national l'amène à n'y jouer qu'un rôle de second plan.

hommes en place, l'idéologie pèse peu. A la machine électorale du ministère de l'Intérieur, au savoir-faire des vieux républicains, ils opposent ce qui leur semble le seul contre-poids valable : la popularité de Boulanger. L'appel au peuple au nom du général en exil, est le commun dénominateur des élus boulangistes de Paris. Tous publient une lettre identique de Boulanger, que suit une liste de ses investitures ; tous réclament la révision et la Constituante ; sur tout le reste, chacun est libre d'adopter le programme qui lui convient [47]. Les boulangistes parisiens sont des hommes de gauche qui se débattent dans les mêmes difficultés que connaît Barrès à Nancy : certains d'entre eux, Mermeix dans le VIIe arrondissement, Marius Martin dans le VIIIe, Eugène Farcy et Georges Laguerre dans le XVe, Pierre Richard dans la 3e circonscription de Sceaux, ainsi que Déroulède à Angoulême, se présentent sans aucun programme social [48]. D'autres, comme Le Senne (XVIIe), Ernest Roche, Laisant, Saint-Martin (XVIIIe), Martineau et Granger, élus dans le XIXe arrondissement, présentent des programmes de réformes sociales qui, dans leurs grandes lignes, recoupent le programme barrésien [49]. Aucune profession de foi boulangiste, y compris celles des blanquistes Ernest Roche et Granger, ne se situe à gauche de celle de Barrès.

Dans l'ensemble, les candidatures boulangistes de gauche se situent en deçà des programmes de l'extrême-gauche dont elles sont issues : la nécessité de rallier un électorat extrêmement hétérogène a sa logique, les alliances avec la droite leurs impératifs. Pour des raisons de stratégie électorale et parce qu'ils furent pris dans un engrenage auquel ils ne pouvaient échapper, les blanquistes du boulangisme, aussi bien que Naquet, Laguerre et Laisant, sont entraînés très loin de leurs origines. Pour se rendre compte de l'ampleur de ce mouvement vers la droite, il suffit de comparer le programme du comité boulangiste de Nancy avec celui du groupe ouvrier de la Chambre auquel appartenaient les leaders du boulangisme de gauche. Le programme minimum socialiste comporte six clauses essentielles [50] : nationalisation des services publics ; nationalisation de la propriété ; séparation des Eglises d'avec les administrations publiques, les écoles, établissements de bienfaisance, etc. ; émancipation progressive de la femme ; égalité de droits pour l'enfant naturel et l'enfant légitime ; abolition de la peine de mort ; fédération internationale des peuples. Cinq de ces

47. Cf. le texte identique dans la profession de foi de Mermeix in *Programmes, professions de foi et engagements électoraux, Elections du 22 septembre et 6 octobre 1889*, Paris, Imprimerie de la Chambre des députés, 1890, pp. 774-775.

48. Cf. in *Programmes, professions de foi et engagements électoraux, op. cit.*, Marius Martin, pp. 778-779 ; Eugène Farcy, pp. 817-820 ; Georges Laguerre, pp. 821-822 ; Pierre Richard, pp. 847-851 ; Paul Déroulède, pp. 160-162.

49. *Ibid.*, Le Senne, pp. 824-826 ; Ernest Roche, pp. 826-827 ; Laisant, pp. 827-828 ; Saint-Martin, pp. 831-832 ; Martineau, p. 834 ; Granger, pp. 835-836.

50. Cité in Alexandre Zévaès, *op. cit.*, pp. 163-164.

clauses sont inexistantes dans le programme du comité républicain révisionniste de Nancy, quant à la sixième, le programme barrésien lui aurait été sans aucun doute farouchement hostile, car il prévoit au contraire, des mesures à prendre contre les étrangers, et plus particulièrement contre les travailleurs étrangers.

Les deux programmes se rejoignent en revanche quand ils réclament la garantie des libertés individuelles, la garantie des libertés communales, la liberté d'expression et le droit de réunion, l'établissement de caisses de retraite et la réforme de l'impôt. Encore faut-il préciser que si le programme du groupe ouvrier stipule que les retraites ouvrières seraient à la charge de la société, le programme barrésien prévoit au contraire la création de taxes spéciales frappant l'ouvrier étranger et les produits importés. Quant à la réforme du système fiscal, les propositions de Barrès sont nettement en retrait par rapport à celles du groupe ouvrier, car elles ne prévoient pas l'instauration de l'impôt direct et progressif exigé par ce dernier.

ÉLÉMENTS D'UN SOCIALISME

Issu de l'extrême-gauche, le boulangisme glisse vers la droite : c'est la raison de son échec et Barrès en est parfaitement conscient. C'est pourquoi les mois qui suivent la débâcle témoignent d'un vigoureux coup de barre à gauche. Amorcée dès le lendemain des élections législatives, l'évolution de Barrès vers la gauche se poursuit en courbe ascendante jusqu'à la publication des *Déracinés*, jusqu'aux premiers moments de l'Affaire.

Le boulangisme battu, Barrès se rend compte de l'impossibilité de continuer à entretenir ses ambiguïtés ; il est alors convaincu que des choix clairs et nets doivent être immédiatement effectués. Les siens, non dépourvus d'un certain pragmatisme, sont clairement indiqués : « Socialisme ! c'est le mot où la France a mis son espoir (...) Soyons donc socialistes ! », écrit-il dès le 24 novembre 1889[1].

A peine trois semaines après le second tour du scrutin, Barrès préside à Nancy à la fusion des comités révisionniste et radical en un seul comité socialiste-révisionniste. Il amorce ainsi la campagne de fusion des forces de gauche à laquelle seront consacrées les années de son premier mandat législatif et la période de *La Cocarde*. Au cours de cette période, le député de Nancy se considère comme « l'élu

1. Barrès, « Les socialistes révisionnistes », *Le Courrier de l'Est*, 24 novembre 1889.

des ouvriers »[2] et ne perd jamais une occasion de mettre l'accent sur le caractère socaliste de son mandat.

La débâcle générale ajoute un relief spécial à son propre triomphe ainsi qu'au succès de la vingtaine de boulangistes d'extrême-gauche[3]. Il ne reste qu'à en tirer les conclusions et à se lancer résolument dans une politique d'extrême-gauche. Ce réflexe naturel, on serait tenté de dire ce réflexe de conservation, est aussi celui de ses collègues qui ne tardent guère à le suivre dans cette même voie. C'est aussi le réflexe de Boulanger lui-même : « il nous faut nous redresser vers la gauche », écrit-il de Jersey à Naquet[4]. Les boulangistes de toutes tendances se rendent alors à l'évidence : c'est en terrain républicain et radical qu'ils obtiennent, ou avaient obtenu, leurs succès ; à Paris, où sont élus Laguerre, Laisant, Ernest Roche, Granger, Mermeix, Naquet et Boulanger lui-même[5] ; dans le Nord qui avait apporté ses suffrages au général en avril et en août 1888 ; dans l'Ouest, finalement, où le boulangisme avait échoué partout où la droite était majoritaire[6]. André Siegfried a montré que le boulangisme n'a pu s'implanter ni dans les milieux de grande propriété noble, ni dans les milieux spécifiquement cléricaux. De même, a-t-il échoué dans les fiefs bonapartistes. Surtout parce que, partout où les royalistes et les bonapartistes se sont sentis assez forts pour réussir par leurs propres moyens, ils se sont bien gardés de se mettre à la remorque du « Parti national ». En revanche, le mouvement se développe dans certains milieux républicains, les grandes villes et les centres ouvriers.

2. Barrès, « Petit questionnaire sur la situation des ouvriers », *Le Courrier de l'Est*, 27 avril 1890. Pierre Barral fait une erreur en affirmant que Barrès et Gabriel furent élus à Nancy comme « socialistes révisionnistes » (« Barrès parlementaire », in Maurice Barrès, *Actes du colloque de Nancy*, p. 150). Ils furent élus comme « révisionnistes » : le sigle « socialiste » n'apparaît dans la nomenclature du comité boulangiste que le 24 octobre 1889. Jusqu'alors, c'est un « comité révisionniste ». Cf. son programme dans *Le Courrier de l'Est* du 15 septembre 1889 et aussi dans le *Barodet* de 1890, p. 553.

3. La première étape de la carrière parlementaire de Barrès aura été de courte durée. Il est d'abord battu aux législatives du 20 avril 1893, puis de nouveau à Nancy le 22 mai 1898. Jamais Barrès ne parviendra à véritablement s'implanter en Lorraine. Le pays des « déracinés » par contre lui aura réussi davantage ; mais là encore il aura essuyé auparavant un échec à Neuilly-Boulogne lors de l'élection partielle de février 1896 et un autre à Paris, dans le IVe arrondissement, en avril 1903, devant le candidat du Bloc. Mais sa ténacité sera récompensée le 6 mai 1906 ; il sera élu dans le 1er arrondissement de Paris, siège qu'il gardera jusqu'à la fin de sa vie. Quelques mois plus tôt, le 18 janvier, il avait été élu à l'Académie française au fauteuil de J.-M. de Hérédia. Cette consécration a joué un rôle important dans le succès politique de Barrès : les « forts des Halles », les petits bourgeois du cœur de Paris ne sont pas peu fiers d'avoir pour député un membre de l'Académie.

4. Cité in Adrien Dansette, *Le Boulangisme*, p. 340.

5. Boulanger et Naquet furent invalidés, mais ce dernier fut réélu le 2 mars 1890 dans le Ve arrondissement de Paris.

6. André Siegfried, *Tableau politique de la France de l'Ouest*, pp. 490-491.

Le « Parti national » puise ses forces parmi les républicains d'esprit plébiscitaire. Rennes, Lorient, Niort, Caen envoient des députés de tempérament boulangiste. Angers, Le Mans, élisent Boulanger au Conseil général. A Nantes, Rouen et Elbeuf, on trouve d'importantes minorités boulangistes : ce sont des terrains d'origine républicaine. A Rennes, Le Hérissé réunit 57 % des inscrits, alors qu'en 1885 les républicains avaient 49 % et les conservateurs 22 % [7]. Dans le milieu ouvrier, sur lequel le socialisme n'avait pas encore mordu, parmi les couches sociales les plus défavorisées, le boulangisme joua, un moment, le rôle qui sera plus tard celui du socialisme.

Dans *L'Appel au soldat,* Barrès reconstitue admirablement cette atmosphère de ferveur populaire dont se nourrissait le boulangisme, il met en valeur cette plèbe des faubourgs qui porte en triomphe Boulanger à la gare de Lyon [8], et que le boulangisme trahira finalement, enlisé dans les salons de l'aristocratie parisienne. Les « masses ardentes et souffrantes » [9] qui firent les triomphes du boulangisme, furent abandonnées au fur et à mesure que le boulangisme devenait prisonnier de l'argent monarchiste [10]. Barrès décrit le processus de l'enlisement du boulangisme dans cette « besogne dangereuse, équivoque » à laquelle son chef est contraint pour « entretenir des journaux, un personnel électoral, et (...) faire de la corruption politique » [11]. Manquant de ressources, Boulanger tombait sous la coupe des « argentiers » royalistes, qui « se flattaient d'avoir trouvé un Monk » [12]. Alors que « les masses ouvrières le sacraient ami des petites gens » [13], alors que les lieutenants de la première heure le voulaient « austère et logé dans quelque quartier populaire » [14], le général évoluait dans les salons de « l'aristocratie française, cette morte » [15], entouré « des chefs de la Bourse » [16].

7. *Op. cit.,* pp. 488-490.
8. *L'Appel au soldat,* pp. 164-167 et p. 204. La plèbe boulangiste est représentée dans le second volume du *Roman de l'énergie nationale,* par Fanfournot, le fils du concierge du lycée de Nancy et par la Léontine, l'ancienne maîtresse de Racadot, vivant dans la misère la plus complète et que « la passion boulangiste enflammait » car le général « tient pour les petites gens ». Le succès du général est souhaité en outre par un mécanicien socialiste et un anarchiste. Avec les cochers, garçons de café et saute-ruisseaux qui fourmillent autour de la gare de Lyon, lors du départ du commandant du 13e Corps, apparaît la clientèle populaire du boulangisme parisien. *Le Journal des Débats* remarque le 9 juillet 1887, p. 1, 2e colonne, que la clientèle qui acclame Boulanger est celle même qui avait fêté le retour de Louise Michel ou qui vociférait contre Thiers. La filiation du boulangisme populaire est clairement établie dans le monde conservateur.
9. *L'Appel au soldat,* p. 466.
10. *Op. cit.,* pp. 161-162.
11. *Op. cit.,* p. 156.
12. *Op. cit.,* p. 162, p. 155.
13. *Op. cit.,* p. 156.
14. *Op. cit.,* p. 147.
15. *Op. cit.,* p. 144.
16. *Op. cit.,* p. 150.

Dans *La Cocarde*, Barrès fait porter à Clemenceau la responsabilité de cette évolution du boulangisme qu'il considère comme fatale pour l'ensemble de la gauche. Il souligne qu'à l'origine du boulangisme se trouve le radicalisme et que c'est l'abandon de Clemenceau qui obligea le général à rechercher l'appui « des états-majors de droite »[17]. Ce fut, selon Barrès, l'erreur capitale des radicaux, car elle eut pour effet de diviser la gauche et de lui faire perdre une occasion unique d'effectuer des réformes en se servant de l'emprise qu'exerçait sur les masses l'homme populaire[18].

Après le naufrage du boulangisme des alliances contre-nature, la voie à suivre se dessine dans l'esprit du député de Nancy avec une grande clarté : rompre avec la droite, avec « les réactionnaires »[19], lever l'hypothèque qui pèse sur les relations entre le dernier carré des boulangistes et le monde ouvrier, se placer carrément à l'extrême-gauche, poursuivre le combat en restituant au mouvement sa pureté et son mordant des temps héroïques[20].

Au lendemain de la défaite, le boulangisme nancéien se place officiellement, pour la première fois, depuis son implantation en Lorraine, sous l'étendard du socialisme. Ainsi, sous l'influence de Barrès, le comité socialiste-révisionniste adopte, pour option fondamentale, « la grande tâche de la réforme socialiste »[21], dont « les républicains nommés sur le programme révisionniste et avec l'appui du général

17. Barrès, « Le point de vue historique », *La Cocarde*, 16 février 1895 : « Ce point d'appui, il ne le chercha que du jour où les radicaux, M. Clemenceau et ses amis le lâchèrent brusquement ». En 1901, Déroulède flétrit lui aussi les « réactionnaires de toutes les réactions, misérablement blottis dans les états-majors du premier parti national ». Cf. son *Discours du 23 mai 1901*, Paris, Imprimerie Marquet, 1902, p. 10. Le discours de Déroulède, en exil à Saint-Sébastien, fut lu par Henri Galli. Cf. aussi l'apologie du boulangisme républicain et populaire, faite par Mermeix, deux ans après le scandale des *Coulisses du boulangisme*, dans une brochure intitulée *Les Antisémites en France, Notice sur un fait contemporain*, Paris, E. Dentu, 1892.

18. Barrès, « Le point de vue historique », *La Cocarde*, 16 février 1895. Cf. aussi « Conférence de Maurice Barrès », compte rendu d'une conférence faite le 2 octobre 1894, Salle Anglade, rue Saint-Denis, *La Cocarde*, 3 octobre 1894.

19. Barrès, « Chronique », *Le Courrier de l'Est*, 20 avril 1889.

20. Barrès, « Commémoration socialiste », *Le Courrier de l'Est*, 2 février 1890. Dans *L'Appel au soldat*, Barrès retrace l'itinéraire qui conduisit « le boulangisme primitif, pauvre, républicain, rêveur » jusqu'aux « salons réactionnaires » que les chefs boulangistes pensent prendre d'assaut « pour y lever des troupes et de l'argent ». Mais dans ce qui doit être une conquête, leur « armée se diminue par ses bagages trop enflés », « le boulangisme se charge » et « les muscles du premier temps sont encombrés de graisse » (p. 241). C'est ainsi qu'en moins d'une année, un « nouvel état d'esprit vient d'apparaître ; on dirait une autre génération... Ces recrues font un parti à la fois riche et besogneux. Nulle d'entre elles ne sera jamais autre chose que son propre soldat. C'est au succès, non au principe, qu'elles se rallient » (*ibid.*). Ce boulangisme d'une autre génération, « ce boulangisme impur, solliciteur plutôt que soldat, de formation récente, son vrai centre n'est point Boulanger, mais Dillon » (p. 243).

21. « Le comité socialiste-révisionniste », *Le Courrier de l'Est*, 27 octobre 1889, compte rendu de la réunion du nouveau comité fruit de la fusion des comités révisionniste et radical.

Boulanger, sentent la nécessité... de plus en plus »[22] et, comme moyen d'y parvenir, le système de « la confédération socialiste des groupes »[23] qui coordonnerait « la marche des socialistes de tous partis »[24]. Cette formule peu claire recouvre la volonté de Barrès d'œuvrer pour un front commun de tous les groupes d'opposition se réclamant du socialisme.

A la Chambre, les élus boulangistes prennent l'initiative d'une série de propositions de lois sociales. Barrès lui-même appuie toute revendication ouvrière et vote en faveur de tout projet ou amendement progressiste. Dès le mois de janvier 1890, reprenant un des éléments principaux du programme barrésien, le groupe boulangiste dépose une proposition de loi portant création d'une caisse de retraite pour les vieux travailleurs[25]. Ce nouveau texte porte les traces des changements intervenus entre temps : il est nettement plus à gauche que celui de Barrès. En effet, aux moyens de financement énumérés par Barrès, le projet de loi de janvier ajoute une contribution obligatoire des employeurs. D'autre part, le conseil d'administration doit comprendre trois représentants d'ouvriers sur six membres au total[26]. Dans son exposé des motifs, le texte stipule que : « la République a le devoir d'organiser la solidarité. Sa mission est d'améliorer constamment le sort de la classe la plus nombreuse et la plus pauvre jusqu'au jour, encore trop éloigné, où la garantie de l'existence sera assurée à tous par le travail, et ne pourra l'être que par le travail »[27]. En publiant ce texte, *Le Courrier de l'Est* a un ton autrement plus net que celui qu'il avait adopté au cours de la campagne électorale : il s'attaque aussi, pour la première fois, au patronat.

Le projet de loi sur les retraites ouvrières est un des projets les plus élaborés jamais déposés par le groupe boulangiste. Il y eut deux autres textes à la rédaction desquels Barrès prit une part personnelle. Il s'agit d'un amendement tendant à supprimer le travail de nuit des enfants[28], et d'un amendement Déroulède ayant pour objet le relèvement des crédits destinés aux bourses d'étude[29]. Déroulède préconise, dans ce même amendement, l'unification des programmes des premières années du secondaire et du primaire pour permettre qu'un tiers des bourses soit accordé aux élèves méritants du primaire.

22. BARRÈS, « Les socialistes révisionnistes », *Le Courrier de l'Est*, 24 novembre 1889.
23. « Le comité socialiste révisionniste », *Le Courrier de l'Est*, 27 octobre 1889.
24. *Ibid.*
25. *Journal officiel, débats parlementaires, Chambre des députés*, 19 janvier 1890, p. 11.
26. « Les retraites du travail », *Le Courrier de l'Est*, 19 janvier 1890.
27. « La caisse des retraites du travail », *Le Courrier de l'Est*, 26 janvier 1890.
28. « La loi sur le travail des enfants et des femmes et nos députés », *Le Courrier de l'Est*, 13 juillet 1890.
29. « Réunion de la Salle Poirel », *Le Courrier de l'Est*, 18 avril 1891.

Tout au long de cette législature, boulangistes et socialistes travaillent en étroite collaboration. Ils constituent une opposition intransigeante, décidée à harceler la majorité opportuniste et à promouvoir des réformes. Il est pratiquement impossible de distinguer alors les leaders boulangistes des membres du groupe ouvrier : avec la seule exception des toutes premières séances consacrées à la vérification des pouvoirs et où Boulanger, élu à Clignancourt, fut invalidé, les chefs du « Parti national » et les élus ouvriers firent front commun. C'est ainsi qu'au cours des longs débats sur le projet de loi relatif au travail des femmes et des enfants en juillet 1890, boulangistes et socialistes prennent les mêmes initiatives et défendent les mêmes amendements [30]. Grâce à cette collaboration, l'ordre du jour Déroulède sur les bourses d'étude recueille 102 voix : aux voix socialistes et boulangistes viennent, cette fois-ci, s'ajouter nombre de voix radicales [31]. C'est ainsi encore qu'une interpellation du député socialiste Lachize, sur l'annulation des crédits votés par le conseil municipal de Paris en faveur des grévistes du Nord et de Cours (Rhône), dégénère en un violent affrontement avec Constans où les seuls alliés de Ferroul, Baudin et Antide Boyer sont Déroulède, Ernest Roche, Millevoye et Le Senne [32]. A la fin de 1890, les deux groupes d'opposition s'accordent pour voter contre la loi du budget 1891 [33], et un an plus tard soutiennent le projet d'amnistie présenté par Lafargue en faveur des militants socialistes condamnés pour participation aux manifestations du 1er mai [34]. En juillet 1891, Déroulède, qui à la Chambre fait figure de chef des boulangistes, exige l'amnistie des militants condamnés au printemps pour faits de grève. Il lance alors cet avertissement :

> « ... La solidarité des travailleurs augmente et se fortifie de jour en jour : ils se comptent et ils vous comptent, et, faute par vous de vous montrer pitoyables et bons, faute d'avoir été équitables et prévoyants, vous serez réveillés quelque beau matin par un déchaînement cent fois plus terrible que celui-même de 93, plus terrible et plus juste aussi ; car nés de la Révolution et de la République vous aurez

30. *Journal officiel, débats parlementaires, Chambre des députés,* juillet 1890, p. 1 321, p. 1 323, p. 1 324, pp. 1 327-1 328, pp. 1 342-1 358 et pp. 1 374-1 389. Un amendement Ernest Roche tendant à assurer l'élection des inspecteurs des mines par les ouvriers, recueille 60 voix boulangistes et socialistes, avec l'appoint d'une fraction des radicaux (p. 1 388 et p. 1 397).

31. Séance du 22 novembre 1890, pp. 2 203-2 204. Parmi les radicaux favorables à l'amendement Déroulède, figurent Clemenceau, Moreau, Lacroix, Camille Pelletan et Millerand qui, bientôt, va adhérer au socialisme.

32. Séance du 20 janvier 1890, pp. 35-37.

33. Séance du 10 décembre 1890, p. 2 560.

34. Séance du 8 décembre 1891, pp. 2 487-2 488 et p. 2 504. A la suite du 1er mai sanglant de Fourmies, Lafargue avait été traduit, avec Culine, secrétaire du groupe socialiste local, devant la cour d'assises de Douai, sous l'inculpation de provocation au meurtre. Détenu à Sainte-Pélagie, il fut élu député de Lille le 8 novembre 1891.

méconnu et la République et la Révolution (...) Prenez-y garde ! Il en sera du Quatrième Etat comme il en fut du Tiers il y a cent ans. Il vous demande quelque chose, vous ne lui donnez rien, il vous arrachera tout »[35].

Le jeune député de Meurthe-et-Moselle n'intervient guère dans ces débats, mais il vote toujours avec son groupe et accorde volontiers son soutien aux élus socialistes.

Dans le cadre des campagnes que mène le groupe boulangiste, Barrès annonce son intention de déposer une proposition de loi abaissant à deux sous le prix du timbre[36], et appuie une demande de crédit de cent mille francs déposée par son groupe en faveur des mineurs du Nord[37]. En même temps, Gabriel poursuit la campagne des élus de Nancy contre « l'impôt sans justice », l'impôt indirect qui n'a d'autre but que « l'entretien perpétuel autant que florissant de la dette publique et du rentier »[38]. Mais les deux députés boulangistes n'en restent pas là ; ils affirment hautement avec Gabriel « la nécessité... de l'intervention de l'Etat dans les rapports économiques »[39]. Un an plus tôt, Barrès s'était déjà exprimé d'une manière non moins nette : « Le socialisme d'Etat, c'est tout notre espoir. Un homme installé dans la place, un pouvoir fort pourrait imposer ses volontés, ouvrir les murs aux déshérités... »[40]. Telle est alors la conception que se fait Barrès du rôle assigné à l'Etat dans la société moderne, et il se réfère à la législation sociale en Allemagne comme à un exemple à suivre[41]. La loi allemande sur l'assurance des ouvriers contre les accidents et l'incapacité de travail, fut le modèle qui servit au groupe boulangiste pour l'élaboration de ce projet de loi dont le député de Nancy souhaite si ardemment l'adoption par la Chambre. Ce n'est pas par hasard que Barrès se réfère à l'exemple allemand. Il est extrêmement impressionné, à l'instar de nombreux observateurs européens, par l'extraordinaire poussée du socialisme allemand, ainsi que par la politique de réformisme social des gouvernements de Berlin : politique très favorablement accueillie par une large majorité de la société allemande. Il nous est impossible d'apprécier la connaissance qu'avait alors Barrès du courant lassallien,

35. Paul Déroulède, *Journal officiel, débats parlementaires, Chambre des députés*, 11 juillet 1891, pp. 1 728-1 729.
36. Barrès, « La poste à 2 sous. Les Français en retard de cinquante ans », *Le Courrier de l'Est*, 10 août 1890.
37. « La réunion de la Salle André », *Le Courrier de l'Est*, 19 janvier 1890, Compte rendu fait par Gabriel de l'activité de son groupe à la Chambre.
38. A. Gabriel, « L'impôt sans justice », *Le Courrier de l'Est*, 16 mars 1890.
39. A. Gabriel, « Les hypocrisies opportunistes », *Le Courrier de l'Est*, 14 mars 1891. Cf. aussi son discours publié dans *Le Courrier de l'Est*, le 18 avril 1891 (Réunion de la Salle Poirel) : « Il faut (...) que l'Etat intervienne, qu'il protège les classes laborieuses (...) Il faut que l'Etat veille sur les conditions de travail ».
40. Barrès, « La formule antijuive », *Le Figaro*, 22 février 1890.
41. Barrès, « Commémoration socialiste », *Le Courrier de l'Est*, 2 février 1890.

toujours très fort au sein du socialisme d'outre-Rhin, qui défendait l'idée d'un socialisme d'Etat. Il est plus que probable cependant qu'il en avait plus ou moins directement subi l'influence. En effet, *L'Ennemi des lois*, publié en 1893, apporte la preuve des premiers contacts de Barrès avec le socialisme allemand. En 1894-1895, au temps de *La Cocarde*, Barrès consacre à Hegel et à Marx plusieurs articles dont les plus importants seront recueillis quelques années plus tard en volume, sous la forme d'un petit livre intitulé *De Hegel aux cantines du Nord*. D'autre part, les *Cahiers* renferment de nombreuses notes de lecture ainsi que les réflexions qu'elles suscitèrent. C'est ainsi que, dans le premier volume des *Cahiers*, Barrès écrit, par exemple : « L'Etat pour Hegel est un produit de la raison ; c'est le monde moral réalisé et organisé. Qu'il prenne conscience de ses droits, qu'il étudie ses attributions... Pensée puissante et qui justifie pour moi le socialisme » [42]. Ce texte date de 1897. Il appartient donc à la dernière période du socialisme barrésien, celle où, parvenu au terme de son évolution dans cette voie, Barrès exprime une pensée enrichie par plusieurs années de lecture et de réflexion.

La pensée des premières années de cette décennie est indiscutablement moins nourrie qu'à son terme. On est cependant en droit de penser, en juxtaposant les textes publiés dans la presse à certains extraits de *L'Ennemi des lois*, que Barrès concevait souvent le socialisme en termes de socialisme d'Etat. On trouvera ailleurs des textes qui combattront cette vision du socialisme, mais ce ne sera ni la seule ni la moindre des contradictions qui émaillent alors son œuvre.

Cependant, la conception d'un socialisme d'Etat n'apparaît pas, dans l'ensemble du système barrésien, comme un corps étranger : elle s'intègre alors, d'une manière tout à fait naturelle, dans la conception de l'Etat du député boulangiste. En préconisant un exécutif fort, jouissant d'une grande stabilité et de pouvoirs étendus, Barrès entend lui confier des fonctions dépassant largement le cadre de l'action purement politique. L'Etat barrésien n'est point un veilleur de nuit : à cet égard, Barrès prend le contre-pied des conceptions économiques et sociales de la bourgeoisie libérale, objet de sa vindicte. Rétabli dans ses attributions naturelles, débarrassé du parlementarisme, séparé du législatif et émanant directement du suffrage universel, l'exécutif peut, dans l'esprit de Barrès, non seulement entreprendre son œuvre de restauration de l'Etat, mais encore se consacrer à l'œuvre de justice sociale. Le socialisme boulangiste de Barrès n'entend pas se placer sur le terrain révolutionnaire, ni au niveau de l'Etat, ni au niveau de la société. *Le Courrier de l'Est* s'en explique longuement en réponse aux attaques du *Progrès de l'Est*, organe de l'opportunisme local.

42. *Mes Cahiers*, t. I, p. 222.

La bourgeoisie nancéienne avait si violemment réagi aux initiatives sociales des deux députés boulangistes de Meurthe-et-Moselle, que ceux-ci se trouvèrent dans l'obligation de lui apporter quelques apaisements, sous forme d'éclaircissements, sur la nature de leur socialisme. Gabriel précise que même si le socialisme recommande la création d'un capital nouveau « qui appartiendra aux travailleurs syndiqués et qui fera concurrence à l'autre dans l'offre et dans la demande », il ne s'agit dans l'esprit des promoteurs de cette mesure que d'une simple « œuvre de justice et de solidarité » et non point d'une révolution [43]. Il précise aussi que, pour y parvenir, « s'il faut un siècle, la société mettra un siècle » [44]. Les boulangistes restent ainsi fidèles à leurs conceptions progressistes en matière sociale, sans passer pour autant pour de redoutables agitateurs. Gabriel reprend les thèmes de l'ouvrage que Naquet consacre, en 1890, à la question sociale : il s'agit de transformer le travailleur en actionnaire, co-propriétaire de l'entreprise qui l'emploie et, finalement, en petit capitaliste. Laur et Laisant n'envisagent pas autrement la solution de la question sociale [45]. En 1891, Gabriel relance le projet de la participation des ouvriers aux bénéfices de l'entreprise comme une alternative à l'intervention de l'Etat dans les rapports économiques : il déclare que cette « alliance étroite entre le travail et le capital », cette œuvre de « solidarité sociale », est exactement le but recherché par les boulangistes [46]. Barrès aussi se range résolument sous la bannière de la participation et de la solidarité ; il déclare que ce dont il s'agit, c'est de préserver « le lien de l'ensemble, la prospérité et la conservation du corps social... » [47].

De Naquet, à la fin des années 1870, au Barrès des années 1890, en passant par Laisant, Laur et Laguerre, se forge un socialisme non marxiste, opposé à la lutte des classes, à la coupure de la société en deux camps antagonistes et à la révolution, mais favorable à des réformes partielles limitées dans leurs applications et visant à l'intégration du prolétariat dans le corps social. Dans les années 1890

43. A. Gabriel, « Evolution ou révolution », *Le Courrier de l'Est*, 9 février 1890.

44. *Ibid.*

45. Cf. chap. II.

46. A. Gabriel, « La participation aux bénéfices », *Le Courrier de l'Est*, 21 mars 1891.

47. Barrès, « La classe capitaliste », *Le Courrier de l'Est*, 21 septembre 1890. Tout rapprochement historique implique un danger évident : trop souvent il en résulte une simplification des réalités. Néanmoins, on ne peut s'empêcher de remarquer les ressemblances entre la nature des préoccupations sociales des boulangistes de gauche et celles des gaullistes de gauche, ainsi que le parallèle entre les solutions préconisées. L'alliance capital-travail, le principe de la participation aux bénéfices et le souci de dépasser les antagonismes sociaux, rejoignent étrangement la « troisième voie » du gaullisme de gauche.

d'ailleurs, ce socialisme national aurait pu, peut-être, emporter l'adhésion de la classe ouvrière ; car celle-ci était plus proudhonienne que marxiste. Le boulangisme de gauche, qui s'était associé à la revendication prolétarienne sans brandir le spectre de la révolution sociale, qui tâtonnait à la recherche d'une voie susceptible de permettre une harmonisation des rapports sociaux, avait un rôle à jouer. Barrès l'avait bien compris qui a essayé, dans les années 1889-1895, de rallier à ses conceptions les fractions non marxistes du socialisme.

L'entreprise ne présentait pas de difficultés majeures : en cette période qui précède l'Affaire, l'éclectisme du socialisme français est en effet considérable. Dans le boulangisme, Barrès collabore avec des blanquistes et des radicaux ; dans les années 1890, il n'est pas très éloigné de Jaurès pour qui il professe alors une profonde admiration [48]. Le boulangisme de gauche ne pouvait-il pas, sur la base du programme social de 1889-1891, établir avec le socialisme un accord qui, sans être un accord sur les principes, aurait pu servir de base à une action politique commune ? Après tout, les deux mouvements n'étaient-ils pas unis par une même volonté de lutter contre les injustices sociales les plus flagrantes, un même culte de la Révolution française et de celle de 48, un même respect de la Commune ? Et surtout, au niveau des moyens, n'aspiraient-ils pas tous deux à des réformes et non point à une « révolution », encore moins à une révolution violente ? L'extraordinaire diversité du socialisme français et la cohabitation permanente d'une tendance réformiste avec le guesdisme et le blanquisme permettaient à un Barrès, porté à la députation par une clientèle essentiellement populaire, de se considérer comme socialiste. Dans un article non signé du *Courrier de l'Est*, publié parallèlement à « Commémoration socialiste » qui demeure la profession de foi la plus « à gauche » de Barrès, le socialiste est défini de la façon suivante :

> « C'est tout simplement un homme qui veut défendre son pain et le pain des autres et assurer à tout un chacun une part dans la production générale et une équitable rétribution de sa part de production. C'est encore un homme qui n'admet pas que, seul, le capital " fasse des petits ", que la force du capitaliste s'accroisse par l'effort continu du travailleur et que lorsque le travailleur qui a créé ou augmenté la richesse ne peut plus produire, on le rejette comme une vieille machine usée. Vouloir que l'homme vive en travaillant et vive quand il ne peut plus travailler, assurer l'homme contre la misère quand il n'a plus la force de se défendre, c'est être socialiste » [49].

48. Dans *Le Journal* du 20 janvier 1893, Barrès publie, à l'occasion de la soutenance de la thèse de Jaurès, un article plein d'éloges pour le leader socialiste. Il se félicite de la rentrée prochaine de celui-ci à la Chambre et appelle la jeunesse à se grouper autour du philosophe (« M. Jean Jaurès »).

49. « Le socialiste », *Le Courrier de l'Est*, 2 février 1890.

Dans un cadre ainsi défini, on comprend que Barrès et les autres boulangistes de gauche aient voulu leur place au sein de la pluralité socialiste, dans ce foisonnement de groupes et de chapelles des années 1890. A cet égard, comme à tant d'autres, l'Affaire jouera un rôle décisif : la minorité socialiste, socialisante ou sympathisante qui s'engage dans le camp antidreyfusard, est irrémédiablement perdue pour le socialisme. La césure se fait sur un thème qui n'a rien à voir avec la doctrine socialiste ; précisément parce que le socialisme français, dans son immense majorité, est tout d'abord une forme d'humanisme, et aussi, parce qu'il ne pratique jamais la politique du pire. C'est sur l'Affaire que les socialistes se comptèrent et c'est alors seulement que les socialistes nationalistes furent rejetés vers la droite.

Mais, vers 1890 et dans les premières années de la décennie, le socialisme de Barrès fait assez bonne figure. Son journal estime, en effet, que : « tant qu'on n'aura pas assuré la fondation, c'est-à-dire étudié les conditions du travail en France, qu'on n'aura pas pris la résolution de les modifier », nul problème politique ou institutionnel ne sera résolu, et « ce sera toujours bâtir sur le sable » [50]. Barrès appelle, par conséquent, le prolétariat à s'unir pour la conquête du pouvoir [51], à s'organiser dans les syndicats, à défendre ses revendications [52] ; il exalte l'activité des chambres syndicales et des « groupes révolutionnaires » [53]. Mais il n'en reste pas là : il engage le prolétariat à entreprendre une grande action de solidarité internationale. Car c'est de l'internationalisme authentique qu'il est à présent question. Pour les damnés de la terre, Barrès a des recommandations qui n'ont rien à envier à celles d'un manifeste marxiste ; elles rappellent étrangement celles de Marx :

> « Vous êtes des ouvriers isolés, les pauvres travailleurs des salines, des soudières ; donnez la main à tous les autres travailleurs, vos frères, et avec votre misérable salaire, vos fatigues jamais interrompues, pourtant vous dominez le monde (...) Vous pouvez entrer (...) dans une association puissante : dans une vaste société qui s'étend sur toute la France, gagne chaque jour du terrain, a ses ramifications dans l'Europe, dans le monde entier » [54].

50. *Ibid.*
51. Barrès, « La lutte entre capitalistes et travailleurs », *Le Courrier de l'Est*, 28 septembre 1890.
52. Barrès, « Chez les ouvriers », *Le Journal*, 27 janvier 1893.
53. Barrès, « Notre caractère », *Le Courrier de l'Est*, 20 février 1889.
54. Barrès, « A des amis de Saint-Nicolas et de Dombasle (lettre ouverte) », *Le Courrier de l'Est*, 27 juillet 1890. C'est une longue lettre ouverte dont la suite est publiée le 3 août et qui incite les ouvriers de Meurthe-et-Moselle à se syndiquer. Le 11 avril 1891, *Le Courrier de l'Est* publie un article signé A.S. et qui engage les ouvriers à ne pas se laisser intimider par les patrons qui renvoient systématiquement les fondateurs de syndicats. Cf. « Les amis des syndicats », *Le Courrier de l'Est*, 11 avril. Moins d'un mois plus tard, le lendemain du sanglant 1er mai 1891, Barrès, malade, exprime ses regrets de n'avoir pu

Barrès considère le problème social comme le problème capital du monde moderne, problème qui, par son ampleur même, ne peut plus rester circonscrit dans les limites nationales. « Qu'on ne s'y trompe pas », écrit-il, « d'un bout à l'autre de l'Europe, en politique, la querelle est uniquement sur le socialisme »[55]. Mouvement universel, le socialisme est une réponse à deux phénomènes qui ne le sont pas moins : l'exploitation de l'homme par l'homme et l'internationalisme du capital. « A aucune époque », écrit-il, « l'homme n'a, à ce point, dépendu de l'homme. A aucune époque la classe dominante n'a aussi réellement dominé le reste du corps social »[56]. Voilà pourquoi le socialisme est une réponse à la plus inique des iniquités, voilà pourquoi le « seul véritable problème, supérieur à toutes les intrigues (c'est) le problème de la misère sociale »[57].

Face à ce fait universel qu'est l'exploitation de l'homme par l'homme, face à l'internationalisme bourgeois — « le capital est international, anonyme, insaisissable »[58] — face à une réalité qui est celle d'un monde coupé en deux camps antagonistes, Barrès prêche l'internationalisme ouvrier : « On s'arme dans les deux camps. La lutte s'annonce prochaine. Les bourgeois coalisés organiseront certainement des mesures internationales de protection ; mais en revanche la classe ouvrière se rassemble elle aussi en de vastes associations dont les ramifications englobent le monde entier »[59]. La marche vers le socialisme est pour Barrès la caractéristique fondamentale de l'histoire moderne. Elle est inévitable et irrésistible. « L'immense courant démocratique » qui déferle sur l'Europe oblige ses pires ennemis à composer avec lui. « Rome et Berlin », écrit le futur auteur de *La Grande pitié des églises de France,* « les deux colonnes réactionnaires, les héritiers de la vieille Europe, le pape et le César sentent qu'à résister brutalement... on serait brisé comme verre. Par sagesse, ils fléchissent »[60].

Barrès met cependant en garde le mouvement socialiste international contre le piège que constitue le pseudo-réformisme du Vatican et du Chancelier allemand. Certes, Léon XIII prépare une encyclique sur le socialisme, des catholiques, comme Albert de Mun, y sont

assister aux manifestations de cette journée de combat. « Le but précis des manifestations que font aujourd'hui les ouvriers du monde entier », écrit-il, « c'est qu'ils veulent compter et faire compter par eux tous combien ils sont. Eh bien, présent ou absent, je suis des vôtres » (« Lettre de Maurice Barrès », *Le Courrier de l'Est,* 2 mai 1891).

55. Barrès, « Commémoration socialiste », *Le Courrier de l'Est,* 2 février 1890.
56. Barrès, « La classe capitaliste », *Le Courrier de l'Est,* 21 septembre 1890.
57. *Ibid.*
58. *Ibid.*
59. Barrès, « La lutte entre capitalistes et travailleurs », *Le Courrier de l'Est,* 28 septembre 1890.
60. Barrès, « Commémoration socialiste », *Le Courrier de l'Est,* 2 février 1890.

favorables, « s'intitulent socialistes et justifient de ce titre »[61]. Mais ce serait une erreur fatale de croire à une reconversion autre que circonstancielle et tactique des forces de la réaction. Agir autrement reviendrait pour la vieille Europe à pratiquer une politique d'autodestruction : elle préfèrera donc le *statu quo,* et « c'est à la démocratie de faire elle-même sa tâche »[62]. Et pourtant, ils sont « bien significatifs, ces tressaillements socialistes dans le vieux corps de l'Eglise, d'autant que nous les retrouvons dans le formidable empire allemand »[63] ; mais pour les socialistes, ils ne doivent représenter que la conséquence de leur marche vers la victoire et non point l'apparition miraculeuse d'un nouvel allié. Les doutes qui voient le jour dans l'esprit des maîtres de la réaction apportent la preuve de l'immense pas en avant effectué par le mouvement ouvrier. C'est pourquoi « nous socialistes de cœur et de programme, nous sommes sûrs du lendemain »[64].

Cette conviction profonde quant à l'avenir du mouvement ne doit en aucune façon émousser l'ardeur combattante du socialisme. Au contraire, celui-ci doit se garder des pièges qui lui sont tendus et, en premier lieu, de la prétendue et par trop nouvelle ardeur réformatrice de l'Eglise. Le catholicisme social, parfois excellent comme celui d'Albert de Mun, n'en est pas moins « si édulcoré que je le soupçonne », note Barrès, « de n'être qu'un miel destiné à faire accepter quelque fâcheux breuvage »[65]. Car que peut-on, en fin de compte, espérer de l'Eglise, cette « formidable organisation de gouvernement » ? Barrès la soupçonne de nourrir envers le socialisme des intentions aussi peu désintéressées que possible. A vrai dire, les professions de foi plus ou moins réformistes du cléricalisme, cette entrée « dans le courant socialiste » ont, aux yeux de Barrès, un but bien défini qui est précisément à l'opposé des intérêts du socialisme : « rasseoir (son) influence sur les masses ». Sentant celles-ci lui échapper, l'Eglise se lance dans la bataille avec l'espoir de reconquérir des positions perdues[66]. Or, souligne Barrès, « il y a entre la démocratie et le cléricalisme une vieille défiance qu'on ne peut espérer dissiper en un jour »[67] ; il oppose donc une fin de non-recevoir aux avances faites par l'Eglise au mouvement socialiste. Il est d'ailleurs intéressant de constater que Barrès emploie « Eglise » et « cléricalisme » comme synonymes. Il en est de même pour socialisme et démocratie : l'imprécision du vocabulaire est en elle-même fort révélatrice d'un mode de pensée qui ne s'embarrasse pas toujours de nuances.

61. *Ibid.*
62. *Ibid.*
63. *Ibid.*
64. *Ibid.*
65. Barrès, « A la cathédrale », *Le Courrier de l'Est,* 9 avril 1892.
66. *Ibid.*
67. *Ibid.*

Si Barrès énonce des principes généraux, c'est Gabriel qui, sur le terrain, mène le bon combat. Prenant violemment à partie l'évêque de Nancy, « prélat très ministériel » et « ami des rentiers », il l'accuse de tromper son monde en tenant « dans la cathédrale, des conférences pseudo-socialistes » [68]. L'apostrophe est lancée sur un ton d'une extrême violence au nom des « socialistes irreligieux » contre une Eglise qui a faussé l'esprit de l'évangile. Pour Gabriel, il s'agit de dénoncer l'infidélité d'une Eglise plus soucieuse de servir les intérêts de la grande finance que ceux des travailleurs : « Si vous respectiez la doctrine des Pères, de votre Eglise et de celui que vous prétendez adorer, vous penseriez plus audacieusement que nous sur ces questions et non comme Malthus et Rothschild » [69]. Barrès et Gabriel considèrent les velléités réformistes de l'Eglise comme une machine de guerre montée contre le socialisme pour briser son élan de l'intérieur, et par conséquent comme son ennemi le plus dangereux. Les vigoureuses défenses qu'ils mettent immédiatement en action sont évidemment partie de la volonté de précipiter l'évolution vers la gauche amorcée dès le lendemain de la défaite du mouvement. Dès le moment où le boulangisme nancéien bascule carrément à gauche, s'ouvre la campagne contre l'Eglise et le catholicisme. Déjà au cours de la réunion du 24 octobre 1889, qui consacre la création du comité socialiste révisionniste, Barrès s'attaque au représentant du cléricalisme local et ironise sur : « M. de Martimpré qui déclare ne pas vouloir du socialisme parce que le mot ne se rencontre pas dans l'évangile. Tout le monde sait que l'Evangile change de texte environ chaque cinquante ans. Nous pouvons donc espérer que M. de Martimpré ne mourra pas avant d'y avoir lu le mot fatidique » [70]. C'est dans cette optique que Barrès se prononce aussi en faveur de la séparation de l'Eglise et de l'Etat ; il y voit une mesure d'apaisement destinée à « mettre fin à la question religieuse » [71].

Entre le boulangisme et l'Affaire, la preuve étant faite que les assises du régime sont bien plus solides que l'on ne pensait, Barrès en arrive à la conclusion que pour les ébranler, il faudrait les saper à la base. Convaincu que la vague de mécontentement qui ébranlait le pays était suffisamment puissante pour lui apporter le pouvoir sur un plateau d'argent, le boulangisme chercha à le conquérir par le chemin le plus court et en prenant le minimum de risques. Cette voie s'étant révélée sans issue, Barrès comprit qu'il fallait, en s'attaquant au vrai point faible, le malaise social, prendre la tête des revendications ouvrières. C'est alors que, maniant avec beaucoup d'ai-

68. A. Gabriel, « Troubles de cathédrale », *Le Courrier de l'Est*, 9 avril 1892.
69. *Ibid.*
70. « Le comité socialiste révisionniste », *Le Courrier de l'Est*, 27 octobre 1889.
71. Barrès, « Séparation de l'Eglise et de l'Etat », *Le Courrier de l'Est*, 19 décembre 1891.

sance une terminologie quasi marxiste, il verse, pour un temps, dans l'internationalisme prolétarien et pratique un anticléricalisme militant. Cependant, il faut se garder de croire à un choix seulement tactique ; il semble bien que les motivations « politiques » de Barrès rejoignent à ce moment chez lui, des préoccupations morales profondes et constantes.

Au cours de cette période exceptionnelle dans son cheminement idéologique, Barrès manifeste un réel souci de réflexion et d'approfondissement, il est préoccupé par les problèmes de civilisation, il fait état de ses angoisses et de ses interrogations. C'est pourquoi les incohérences, les contradictions, sont extrêmement nombreuses d'un article à l'autre, à quelques mois, souvent à quelques semaines d'intervalle. Barrès semble emporté par le sujet traité à l'instant même : il oublie alors qu'il ne s'agit que d'un aspect bien déterminé d'un ensemble fort complexe et non pas du problème dans sa totalité. Peu de temps après, un autre aspect de la question étant à l'ordre du jour, Barrès prend le contre-pied de sa première option. C'est ainsi que les options internationalistes hautement affirmées sont suivies d'une condamnation non moins catégorique, à l'instant où elles s'avèrent en contradiction avec l'impératif alsacien-lorrain. Le même Barrès qui prêche la solidarité internationale des opprimés, est amené à condamner les résolutions du Congrès socialiste de Bruxelles qui vont dans le même sens, car il les considère comme préjudiciables à la cause française [72].

Chaque fois qu'il traite de tel ou tel aspect d'une même question, Barrès se comporte comme s'il s'agissait d'une question nouvelle, distincte de la précédente et susceptible de recevoir une solution tout à fait indépendante. Les impératifs de la vie politique et ceux du journalisme mis à part, la raison profonde de cette incohérence doit être cherchée dans le fait que, pendant les dix premières années de son activité, alors que mûrit sa pensée, Barrès se meut à l'intérieur de systèmes qu'il connaît mal et qui lui restent en partie étrangers. Il se jette dans l'action au sein de mouvements divers, s'allie à des familles d'esprit dont il ne partage point, il s'en faut de beaucoup, toutes les conceptions, ou à l'égard desquelles il manifeste très souvent des réticences, mais qui ont toutes un trait essentiel en commun : la révolte contre l'ordre établi. C'est ainsi que son boulangisme et son socialisme, de même que le cosmopolitisme des *Taches d'encre*, ou le repli sur le monde intérieur du *Culte du Moi*, sont autant de manifestations diverses, apparemment contradictoires, d'un même refus. A l'origine de tout, dit Sartre, il y a d'abord le refus. A l'origine de toute la pensée et de toute l'activité politique du jeune Barrès, il y a d'abord le refus. Refus d'un certain patriotisme exhibition-

72. Barrès, « Après le Congrès », *Le Courrier de l'Est*, 29 août 1891.

niste dans les toutes premières années de son activité, refus d'un conformisme simpliste dans le *Culte du Moi*, refus de l'ordre bourgeois, du libéralisme et de l'injustice sociale dans sa période boulangiste et dans les années qui précèdent l'Affaire. Mais en même temps, apparaissent les premières pousses de ce nationalisme qui ne s'épanouira pleinement que pendant l'Affaire et dont l'opposition au socialisme n'est pas discernable encore en ces années de tâtonnements. Avec les impératifs de tactique politique, avec les éclats de non-conformisme, ce refus est la raison essentielle de beaucoup d'aspirations confuses, souvent vagues et contradictoires. Il n'en est pas de même au cours de la période qui suit l'Affaire ; Barrès élabore alors un système qui forme un tout logique et cohérent, et dont il ne déviera plus.

La première période de son activité, période de recherche, est toute tissée de contradictions souvent décourageantes pour qui aime les catégories nettes. Mais c'est cela qui donne leur relief et leur caractère à ces années qui séparent les deux crises qui ébranlèrent la République. *La Cocarde* de Barrès est le symbole de cette période complexe et riche en ambiguïtés.

LES MÉFAITS DE LA BOURGEOISIE

Curieux journal que *La Cocarde* où se fit, le temps d'un semestre, la synthèse de thèmes qui trois ou quatre ans plus tard deviendront tout à fait incompatibles. La composition de l'équipe rédactionnelle est particulièrement originale[1]. On y retrouve, sous la direction de Barrès, Eugène Fournière, Clovis Hugues, Camille Pelletan, Fernand Pelloutier, Camille Mauclair aux côtés de Maurras, Daudet et Amouretti. Pierre Denis, confident de Boulanger en exil, et A. Gabriel y cohabitent avec Louis Ménard. Jules Soury et Morès trouvent naturel que leur journal fasse l'éloge de Zola et de Jaurès ; qu'il s'oppose à toute guerre en Europe et ne professe qu'une admiration modérée pour l'armée et pour l'Eglise. Quant aux socialistes, ils ne semblent être choqués ni par la fréquence, ni par la chaleur des hommages rendus par leur directeur politique au mouvement boulangiste et aux grands hommes du « Parti national ». Au cours de la veillée d'armes qui précède l'Affaire, socialisme et internationalisme cohabitent facilement avec l'antisémitisme, le fédéralisme et un certain traditionalisme. Le patriotisme militant, nourri du vieil esprit jacobin, n'est pas

1. *La Cocarde*, dirigée par Mermeix, fut avec *La Presse* de Laguerre et *L'Intransigeant* de Rochefort, le principal organe de propagande boulangiste. Barrès en prit la direction le 5 septembre 1894, pour la quitter avec son équipe le 7 mars 1895, au moment où son indépendance rédactionnelle fut mise en cause.

encore l'apanage d'un parti : les guesdistes s'en réclament aussi bien que Déroulède [2]. L'individualisme barrésien n'est point alors opposé au « collectivisme ». Le nationalisme n'exclut nullement une certaine solidarité internationale et une ferme opposition à la guerre ; de même que le traditionalisme ne se trouve pas en contradiction avec les violentes attaques contre l'Eglise. Cet amalgame deviendra impensable quelque trois ou quatre ans plus tard.

En 1905, Barrès le considère, rétrospectivement, comme un malentendu que la publication des *Déracinés* et l'Affaire dissipèrent en obligeant les Français à : « choisir entre le point de vue intellectuel et le traditionalisme : je n'ai jamais fini de rire », écrit-il, « quand je pense que cette équipe bariolée travailla aux fondations du nationalisme, et non point seulement du nationalisme politique mais d'un large classicisme français » [3]. Là encore il s'agit, semble-t-il, de la part de Barrès, d'une vision rétrospective des événements ; car *La Cocarde* fut beaucoup plus qu'un simple malentendu. Jean Touchard a déjà insisté sur la ressemblance saisissante du journal de Barrès avec les revues des années 30, comme *Réaction* ou *L'Ordre nouveau* [4]. Il a noté qu'un même esprit les anime, une même volonté de dépasser les oppositions traditionnelles et de fondre des traditions opposées.

La Cocarde est une authentique tentative de renouvellement, elle exprime une attitude de refus : refus du monde bourgeois, du parle-

2. Cf. la déclaration du conseil national du Parti ouvrier français in COMPÈRE-MOREL, *Jules Guesde. Le socialisme fait homme, 1845-1922*, Paris, Quillet, 1937, p. 389. Le onzième congrès du Parti ouvrier français se tient à Paris du 7 au 9 octobre 1893, sous le signe du succès électoral d'avril. Sur la proposition de Jules Guesde, les congressistes votent une motion qu'il a écrite de sa propre main : « La solidarité internationale n'exclut et ne limite le droit et le devoir d'une nation de se défendre contre un gouvernement quel qu'il soit, traître à la paix européenne. La France attaquée n'aurait pas de plus ardents défenseurs que les socialistes du Parti ouvrier, convaincus du grand rôle qui lui est réservé dans la prochaine révolution sociale ».

3. BARRÈS, *Un Homme libre, Préface de 1905*, p. 11. Cf. aussi *Mes Cahiers*, t. III, p. 365 : « Dans La Cocarde de 1894 », écrit-il, « j'ai tracé tout le programme du nationalisme ». Un critique d'Action française, Henri Clouard, cherchant, comme les autres disciples de Maurras, à annexer Barrès, reprend cette thèse dans « *La Cocarde* de Barrès », *Revue critique des idées et des livres*, 10 et 25 février, 10 mars 1910. Cette étude est parue en volume, sous le même titre, à La Nouvelle librairie nationale, Paris, 1910. Elle est accompagnée de lettres-préface de Barrès, Gabriel, Eugène Fournière et Boylesve. S'il ne renie rien de son passé, Barrès n'en affirme pas moins « que tout cela, dès aujourd'hui, est loin... » : il ne semble pas attacher une grande importance à cet épisode de sa carrière (pp. V-VI). Il y revient cependant au temps de l'Union sacrée, pour parler avec émotion de cette tentative sans lendemain (« Notre race a toujours su reverdir », *L'Echo de Paris*, 28 janvier 1915).

4. Jean TOUCHARD, « Le nationalisme de Barrès », in Maurice BARRÈS, *Actes du colloque de Nancy*, pp. 163-164. Cf. son « Esprit des années 1930 : une tentative de renouvellement de la pensée politique française », in *Tendances politiques dans la vie française depuis 1789*, Paris, Hachette, 1960, pp. 89-120. Cf. aussi la récente thèse de Jean-Louis LOUBET DEL BAYLE, *Les Non-conformistes des années 30, une tentative de renouvellement de la pensée politique française*, Paris, Seuil, 1969.

mentarisme, de l'encasernement de la jeunesse et de l'éducation traditionnelle, refus de la société industrielle et de la centralisation qui écrasent l'individu. *La Cocarde* est aussi une tentative de regroupement des fractions de l'opposition de gauche, des anciens boulangistes, des socialistes et des antisémites de gauche. Elle prolonge, à un niveau de réflexion plus élevé, le boulangisme ; très souvent c'est un effort de systématisation et de développement des vieux thèmes boulangistes. Elle poursuit, en l'accentuant, le redressement vers la gauche amorcé au lendemain de l'échec du boulangisme, elle cherche à élaborer une plateforme commune à l'ensemble de l'opposition de gauche. Il appartient à *La Cocarde* de poursuivre l'œuvre entreprise par *Le Courrier de l'Est*. Celui-ci, dans sa phase socialiste, était le journal d'un vaincu qui s'en désintéressait à mesure que s'affaiblissait sa position locale. Celui-là, par contre, grand quotidien parisien, lancé à la faveur de l'agitation boulangiste, a une mission nationale. *La Cocarde* se tourne par conséquent vers cette clientèle que le boulangisme récupéré par la droite n'avait pas su réellement mobiliser, vers ces couches sociales qui ne se reconnaissent pas dans la République opportuniste, vers cette jeunesse intellectuelle qui, Barrès en est convaincu, aurait dû et aurait pu former l'aile marchante du mouvement. A ce moment, Barrès revient sur bien des points de son premier engagement politique et de ceux de sa première trilogie ; c'est que dans *La Cocarde* il tente de faire la synthèse de ses conceptions socialistes et de l'individualisme du *Culte du Moi*.

En prenant possession du journal, la nouvelle équipe rédactionnelle présente sa profession de foi. Dans son premier éditorial, Barrès affirme que la nouvelle *Cocarde* sera un journal de combat qui prendra son rang dans la bataille en collaborant à « l'œuvre de réfection sociale » [5]. De leur côté, ses collaborateurs font savoir que ce sera « un journal d'opposition républicaine où se grouperont socialistes et intellectuels » et que « chacun de ceux qui vont combattre avec (Barrès) s'est affirmé au service de mêmes idées de patriotisme et de solidarité sociale » [6].

Ce sera aussi une feuille antisémite. Barrès le laisse clairement entendre en rendant hommage à Drumont, ce « philosophe », cet « historien moraliste », et en faisant allusion à sa campagne qui est « une chose très importante dans l'histoire sociale de ce temps » [7].

Dans le journal, se reconnaîtra également le lecteur « individualiste et décentralisateur », celui-là même qui comprend : « qu'une profonde solidarité n'est possible qu'entre des individus affranchis, développés, largement épanouissant leurs forces, leurs vocations dans le

5. BARRÈS, « Réflexions », *La Cocarde*, 5 septembre 1894.
6. *Ibid.*
7. *Ibid.*

milieu élu par leurs affinités ». Le portrait-robot du lecteur-disciple suppose que celui-ci est convaincu également que : « le problème de l'éducation n'est pas moins grave que le problème de la misère à cette heure où l'enseignement public use, brise, déforme toutes les jeunes intelligences et les caractères... » [8].

Tels sont les thèmes principaux sur lesquels se battra *La Cocarde*. On y retrouve les préoccupations essentielles de Barrès depuis *Les Taches d'encre* jusqu'à *L'Ennemi des lois*, en passant par *Le Culte du Moi* et *Le Courrier de l'Est*. Ses centres d'intérêt, les grandes lignes de sa pensée et de son action politique, n'ont guère varié. Au contraire : son engagement s'est accentué en se purifiant, et il a d'autant plus gagné en authenticité qu'il est maintenant libéré de préoccupations d'ordre électoral. C'est une vraie doctrine que Barrès entend forger ; moins peut-être pour des besoins immédiats que pour une action de grande envergure et de longue haleine.

Le dénominateur commun des apports successifs qui aboutissent à *La Cocarde*, celui des dix premières années de l'activité de Barrès, c'est le refus de ce qui est.

C'est, en premier lieu, le refus de cette médiocrité bourgeoise qui a amené la France à sommeiller « dans cette même brume, avec ce même sourire médiocre que lui avait fait la monarchie de Juillet » [9]. Pour Paul Brulat, alors proche collaborateur et disciple de Barrès, auteur d'un article intitulé : « Ce dont souffre le jeune homme moderne », il s'agit non seulement d'une crise de régime ou d'une crise sociale, mais aussi d'un profond sentiment de décadence : « La crise actuelle », écrit-il, « (le) doute et (...) l'inquiétude » sont ceux « de ce temps, où semblent s'éteindre toutes les forces vives de l'humanité » [10].

Dans *Les Taches d'encre*, Barrès avait déjà révélé les raisons profondes de cette décadence. Dans *L'Ennemi des lois*, il pousse son analyse plus loin encore : « Eh bien ! notre malaise vient exactement de ce que, si différents, nous vivons dans un ordre social imposé par ces morts, nullement choisi par nous-mêmes. Les morts ! ils nous empoisonnent ! » [11]. Ce « souffle de révolte (...) aujourd'hui très fréquent » dont André Maltère se fait devant ses juges le protagoniste, cet « instinct (...) épars à travers le monde » [12], est celui d'une génération qui cherche à se libérer des entraves d'un passé dont elle ne veut plus, un passé qui l'accable et qui l'empêche de s'affirmer, de créer un monde à son image. Cette génération qui voudrait voir ses

8. *Ibid.*
9. BARRÈS, « Au-delà des ministrables », *La Cocarde*, 23 janvier 1894.
10. Paul BRULAT, « Ce dont souffre le jeune homme moderne », *La Cocarde*, 2 octobre 1894. Brulat sera un dreyfusard convaincu et militant.
11. *L'Ennemi des lois*, Paris, Perrin, 1893, p. 5.
12. *Op. cit.*, p. 22.

ailes pousser se sent enfermée dans un système qui l'opprime ; elle supporte tout le poids d'un passé auquel elle se sent étrangère. Cependant, pour supprimer tout malentendu, Paul Brulat, en disciple fidèle, souligne qu'il n'est point question de renier l'histoire ou de répudier l'héritage spirituel du passé. « Tuer certains morts » pour « délivrer les vivants », ne veut pas dire « biffer l'Histoire », ni « détruire les chefs-d'œuvre de l'esprit humain que nous léguèrent les siècles passés » [13].

Barrès avait bien voulu, en descendant les morts au caveau, « placer dans leurs bras glacés les dangereux trésors que leurs bras viennent de laisser choir » [14]. Il n'entendait point renier tout un héritage spirituel, mais seulement ce en quoi il contredit les convictions et la sensibilité de la nouvelle génération. Il prétendait de cette manière, préserver sa liberté de choisir dans l'héritage du passé. Le grand grief de Barrès contre les morts, est qu'au-delà de leur tombe ils continuent à façonner l'existence des vivants. « Ils nous étouffent », s'écrie-t-il dans *La Cocarde*. En reprenant presque mot à mot ses formules de *L'Ennemi des lois*, il développe sa pensée : « Nous vivons dans un ordre social imposé par eux, nullement choisi par nous-mêmes (...) Ils continuent à nous imposer leur conception de l'Univers et de l'ordre social, leur système qui n'a plus rien à voir avec notre nature réelle. Ils nous oppressent et nous empêchent d'être nous-mêmes » [15].

Ces formules paraissent assez extraordinaires sous la plume du futur théoricien de la Terre et des Morts. Elles démontrent aussi qu'à la veille de la publication des *Déracinés*, Barrès, malgré ses affirmations ultérieures, n'a pas encore élaboré l'ensemble de sa doctrine nationaliste.

Dans *La Cocarde*, il montre que l'origine du mal réside dans l'ordre social imposé par les générations disparues dont l'enseignement bourgeois perpétue l'influence par le biais de la transmission du système des valeurs. Voilà pourquoi Barrès ouvre le procès de l'Université qui dispense un enseignement sclérosé, destiné à perpétuer la domination de la bourgeoisie. L'Université est le pilier de l'ordre établi, de cette République opportuniste qui, barricadée derrière sa phraséologie, est devenue non seulement le régime par excellence de la médiocrité, du conservatisme et de l'injustice, mais encore un système destiné à façonner l'individu en le vidant de sa substance originale. Ce que l'homme y perd, c'est la possibilité de développer toutes ses facultés : sa personnalité qui aurait pu, qui aurait dû libre-

13. Paul BRULAT, « La Saint-Barthélemy des morts », *La Cocarde*, 22 septembre 1894.
14. *L'Ennemi des lois*, p. 5.
15. « Le problème est double », *La Cocarde*, 8 septembre 1894.

ment s'épanouir, se trouve dès ses premiers pas prise dans un carcan de « préjugés qu'on impose à nos enfants dans nos écoles » et qui « contredisent leurs façons de sentir » [16]. C'est de là, conclut Barrès, que provient le malaise de la jeune génération. Celle-ci se refuse à vivre dans un monde façonné par les générations précédentes et qui, de ce fait, comme l'a dit Paul Brulat, « n'a rien de commun avec le caractère et les tendances de notre époque » [17]. Pour Camille Mauclair également, « les témoignages du passé sont des écoles de découragement ». Ce collaborateur assidu de Barrès affirme que : « rien de plus détestable que l'idée de continuation, rien de plus nuisible que l'exemple des prédécesseurs (...) la société actuelle se décompose et va droit à sa perte en partie à cause de sa croyance qu'il faut imiter ce qui a eu lieu » [18].

L'idée de continuité constitue donc le principal obstacle à ce qui devrait être le pilier de toute société saine : l'autonomie de chaque génération. En somme, c'est une conception franchement antihistorique, antitraditionaliste et essentiellement idéaliste que *La Cocarde* de Barrès cherche à imposer. Elle est aussi farouchement individualiste : si la tradition qui impose un ordre social est un mal, elle porte aussi la responsabilité de la décadence de l'individu. Par conséquent, afin de préserver la personnalité des individus et d'en favoriser le développement, il convient tout d'abord de réformer l'enseignement. Barrès aborde ici l'un des problèmes qui le passionneront toujours, mais qu'il traitera par la suite dans un esprit bien différent de celui de *La Cocarde* [19].

La défense de l'individu est l'un des grands thèmes du journal et celui qui tient peut-être le plus à cœur à son directeur. En effet, Barrès conçoit la libération de l'individu, l'autonomie de la province et la justice sociale, comme un tout dont le but est de rendre à l'homme son authenticité. Qu'il soit exploité par son prochain, ou opprimé par le poids de son passé, l'individu en tant que tel se trouve enfermé dans un système d'oppression très complexe. C'est contre ces différentes formes d'un même phénomène, l'oppression, que *La Cocarde* engage le combat.

16. *L'Ennemi des lois*, p. 6.
17. Paul BRULAT, « La Saint-Barthélemy des morts », *La Cocarde*, 22 septembre 1894. *La Cocarde* est réellement le journal de Barrès. Il est fréquemment cité, ses thèses abondamment développées et ses collaborateurs se considèrent comme une équipe de combattants dont il est le chef incontesté. Cf. le numéro de *La Cocarde* du 7 mars 1895, le dernier paru sous la direction de Barrès ; plus particulièrement les déclarations d'Eugène Fournière et de Pierre Denis. Sur le plan de la technique journalistique, c'est un journal à sensation qui recherche tous les moyens susceptibles d'accrocher l'attention. Des titres énormes annoncent scandales et catastrophes, incendies, naufrages et assassinats ; un effort considérable est fait pour tenir le lecteur au courant de tout scandale parisien, d'ordre politique ou d'ordre privé, ou pour en inventer, quitte à démentir l'information le lendemain.
18. Camille MAUCLAIR, « Les musées nuisibles », *La Cocarde*, 3 octobre 1894.
19. BARRÈS, « Le problème est double », *La Cocarde*, 8 septembre 1894.

En ce qui concerne l'individu, c'est la lutte contre l'enseignement dispensé dans les établissements secondaires et les universités ; pour ce qui est des collectivités, c'est la défense des projets de décentralisation ; et dans le domaine essentiel, celui qui commande tous les autres, le sociopolitique, c'est l'engagement en faveur du socialisme.

Aux méfaits de l'enseignement traditionnel et de l'ordre social bourgeois, viennent s'ajouter ceux de la société industrielle, de ce que Barrès appelle « le machinisme »[20]. L'homme moderne est la victime d'une réalité qui a fait de lui « l'esclave des rapports du travail et du capital ». Il bute sur « une dure société », sur une réalité qui est celle d'une lutte incessante[21].

Il est intéressant de constater que *La Cocarde* de Barrès rend responsable du mal dont souffre son temps, non seulement une organisation sociale fondée sur l'exploitation de l'homme par l'homme, mais la société industrielle elle-même. Barrès n'avait pas le sens du progrès technique et industriel, ni celui des possibilités qui s'ouvraient à l'homme grâce à ce progrès. Sa conception du monde était loin d'être optimiste et l'on a souvent l'impression qu'elle appartient encore, dans une large mesure, à l'âge préindustriel. S'il avait le sens de la misère et de l'exploitation, il avait souvent la tentation d'en rendre responsables autant les iniquités de l'ordre social que la croissance industrielle elle-même.

C'est essentiellement du point de vue de la défense de l'individu, que Barrès attaque la société industrielle : « Le machinisme scolaire aussi bien que le machinisme industriel arrête le développement harmonieux de l'individu, l'expansion de ses forces, de ses affinités »[22]. « Le machinisme industriel » amène un effacement de l'identité et de l'originalité de l'individu. Il aboutit à une sorte de déshumanisation de l'homme. A cet égard, il est frappant de constater combien cette analyse est proche de celle de Tocqueville ainsi que, sur certains points, de celle de Marx. Barrès en effet, rejoint les conclusions de Marx, mais à l'inverse de celui-ci, il met en cause autant l'évolution technologique elle-même que l'ordre social[23]. De par leur nature donc, la société industrielle, l'Etat bourgeois et libéral sécrètent la révolte.

20. *Ibid.* « Nous ne sommes pas seulement victimes du machinisme », écrit-il, « mais encore victimes des morts », et il ajoute : « nous vivons dans un ordre social imposé par eux, nullement choisi par nous-mêmes ».

21. Barrès, « Opprimés et humiliés », *La Cocarde,* 14 septembre 1894.

22. Barrès, « Le problème est double », *La Cocarde,* 8 septembre 1894.

23. En cela, il n'est pas éloigné de Tocqueville qui avait déjà posé la grande question de l'âge industriel : « Que doit-on attendre d'un homme qui a employé vingt ans de sa vie à faire des têtes d'épingles ? et à quoi peut désormais s'appliquer chez lui cette puissante intelligence humaine qui a souvent remué le monde, sinon à rechercher le meilleur moyen de faire des têtes d'épingles ! » (Alexis de Tocqueville, *De la Démocratie en Amérique,* vol. 2, Paris, Gallimard, 1961, p. 164).

Le révolté, c'est aussi bien l'ouvrier qui n'a pas pu s'instruire et qui est devenu une marchandise sur le marché du travail, que l'étudiant qui, après avoir reçu une instruction qui ne l'a point préparé pour les luttes de la vie, manque de la « sécurité dont cette culture (lui) donne le besoin »[24]. Cependant, il est certain que pour Barrès ce n'est pas le prolétariat industriel qui constitue l'élément révolutionnaire capable de s'attaquer à la société. L'important article du 14 septembre 1894[25], où on trouve côte à côte sur la même ligne de combat, les ouvriers et la jeunesse bourgeoise qui ne trouve pas sa place dans la société, est une exception. Barrès ne considérait pas le monde ouvrier comme une force révolutionnaire, ou plutôt, la révolution dont il parle ne peut avoir le prolétariat pour agent. La révolution, pour lui, c'est celle qu'engendre l'enseignement bourgeois : « le budget de l'instruction publique en dépit de ceux qui le votent », prépare la réaction des « jeunes gens, ces révoltés et ces résolus... (qui) vont se ressaisir, devenir des hommes libres qui ne reçoivent de principes que d'eux-mêmes, et demain ils seront des ennemis de la société, bien plus des ennemis des lois »[26]. Le porte-parole de Barrès est André Maltère, le type même du révolté : agrégé de l'Université, maître de conférences à l'Ecole des hautes études, âgé de vingt-huit ans, auteur d'un article séditieux mettant en cause le principe même de l'obéissance et, par là, la société.

Présentant sa défense, le prévenu proclame ce que l'on peut considérer comme le manifeste de la révolte telle que Barrès l'entend. Celle-ci est moins une pensée qu'un instinct, un sentiment que l'auteur exprime, « simplement pour le plaisir d'avoir des idées nettes »[27]. Il est cependant « entraîné à détruire tout ce qui est »[28] et s'il déconseille les actes de violence c'est parce qu'il ne croit pas qu'en « dynamitant un bourgeois » on puisse « détruire l'état social qui le crée », et que d'autre part, « de bonnes conférences, des brochures lucides (...) semblent une propagande plus efficace »[29]. Maltère avoue toutefois qu'il ne voit « rien de précis à substituer » à l'état présent des choses. Il est « d'une race qui ne vaut que pour comprendre et désorganiser »[30]. En cela il est l'ennemi des lois en tant que telles ;

24. Barrès, « Opprimés et humiliés », *La Cocarde*, 14 septembre 1894.
25. *Ibid.*
26. *Ibid.* Ce thème que l'on retrouvera dans *Les Déracinés*, était déjà au centre d'une des toutes premières publications de Barrès : *Sensations de Paris, Le Quartier Latin, Ces Messieurs, Ces Dames*, Paris, Dalou, 1888, et notamment p. 20 où il montre le danger que constituent « ces étudiants... le cœur aigri, et l'estomac empesté ». Cf. même thème chez Paul Bourget, *Essais de psychologie contemporaine*, p. 315.
27. *L'Ennemi des lois*, p. 17.
28. *Op. cit.*, p. 25.
29. *Op. cit.*, p. 19.
30. *Op. cit.*, pp. 25-26.

il s'accorde cependant avec les lois de l'histoire, car c'est l'instinct de révolte « épars à travers le monde » qui « fait la perpétuelle et nécessaire révolution » [31]. Plus tard, dans *La Cocarde*, en reprenant les principaux thèmes de *L'Ennemi des lois*, Barrès ajoute : « Le mal, le coup porté à une chose sacrée, la révolte, voilà les conditions de l'évolution humaine : ce sont les mauvaises passions qui maintiennent l'activité dans l'humanité, dans l'univers » [32].

Or, cet « instinct de la révolte, c'est-à-dire la puissance vitale » [33], existe à toute époque : « La force révolutionnaire qui est toujours dans le monde se témoigne ici par les écrits de Luther et la révolte des paysans, ailleurs par les écrits de Rousseau et le soulèvement dit grande Révolution (...) ce sont des éruptions d'une même ardeur qui est l'avenir en puissance » [34]. C'est dans ce sens que Barrès est révolutionnaire et qu'il estime que l'est la jeune génération à laquelle il s'adresse dans *L'Ennemi des lois* et dans *La Cocarde*. Il n'est donc point question d'une révolution prolétarienne, mais d'une révolte bourgeoise, alimentée principalement par le « prolétariat des bacheliers » [35], cette catégorie sociale nouvelle dont l'importance n'a cessé depuis lors d'augmenter et que mettent en scène *Les Déracinés*. Et lorsqu'il pense à une force révolutionnaire extérieure à la bourgeoisie, il songe aux bas-fonds des grandes villes et aux déchets de la société [36]. Le prolétariat industriel lui est, tout compte fait, étranger.

A LA RECHERCHE DE L'UNITÉ SOCIALISTE

Si *La Cocarde* est l'expression d'un malaise de la jeunesse, d'une crise de civilisation, si elle est le laboratoire où se préparent *Les Déracinés*, elle se veut aussi — surtout peut-être — un laboratoire d'idées sociales et un facteur d'unité de l'opposition de gauche.

Le moment est particulièrement favorable pour une telle action. En effet, la renaissance du mouvement ouvrier permet d'envisager l'avenir avec optimisme, et le succès électoral de 1893 apparaît aux yeux des militants comme un signe avant-coureur de la mutation future de la société française. Selon Barrès, le succès que viennent de remporter les quatre partis socialistes a été acquis essentiellement pour deux raisons dont il entend à présent tirer tout le profit. D'une part, les anciens boulangistes de gauche, après l'échec du révision-

31. *Op. cit.*, p. 22.
32. BARRÈS, « Le premier mot de l'année », *La Cocarde*, 1er janvier 1895.
33. BARRÈS, « Le problème est double », *La Cocarde*, 8 septembre 1894.
34. *L'Ennemi des lois*, pp. 17-18.
35. BARRÈS, « La glorification de l'énergie », *La Cocarde*, 19 décembre 1894.
36. BARRÈS, « La fidélité dans le crime et la honte. Sensations de Noël », *La Cocarde*, 25 décembre 1894.

nisme, ont reporté leurs suffrages sur des candidats dont l'opposition au régime ne peut être mise en doute. D'autre part, parmi les radicaux, même ceux qui, en 1889, s'étaient violemment opposés au boulangisme, ont été tellement écœurés par le scandale de Panama qu'ils ont mêlé leurs voix à celles des socialistes. Ces derniers sont dix-huit députés aux côtés desquels viennent siéger une trentaine de socialistes indépendants, jadis radicaux (comme Millerand) ou opportunistes (comme Jaurès) qui vont exercer une grande influence sur les députés ouvriers.

Ce rapprochement entre socialistes et boulangistes est, en 1894-1895, d'autant plus aisé qu'ils ont jusqu'alors fait un assez long chemin ensemble. A l'égard du boulangisme, les socialistes adoptent des attitudes divergentes, mais dans l'ensemble leur zèle antiboulangiste manque de chaleur. Les complaisances de Lafargue envers le boulangisme, sévèrement critiquées par Engels, sont bien connues. Si, derrière Guesde, le Parti ouvrier suit une ligne différente, comme le souligne Claude Willard, il se refuse toutefois à désigner le boulangisme comme l'ennemi principal [1]. A Lyon, les candidats guesdistes bénéficient du soutien boulangiste. A Bordeaux, le Parti ouvrier s'engage beaucoup plus avant : comités socialistes, bonapartistes et boulangistes fusionnent en vue des élections ; un siège de député pour le socialiste Jourde est le fruit de cette compromission. A Paris, dans le Ve arrondissement, Lafargue espère bien, lui aussi, recueillir les voix boulangistes. A Narbonne, Ferroul, élu député en 1889 avec l'appoint de voix boulangistes et qui a adhéré au Parti ouvrier en octobre 1890, fait triompher à une élection municipale partielle, en avril 1891, une liste où se côtoient collectivistes, radicaux, boulangistes et même monarchistes. En octobre 1891, Lafargue lance le projet d'un groupe parlementaire unique comprenant les radicaux-socialistes, tels Millerand et Moreau, et les boulangistes. Au début de mars 1892, Lafargue et Ferroul signent une déclaration commune avec des députés boulangistes comme Granger et Laisant [2].

Mais il y a plus. Ceux même des guesdistes qui dénoncent Boulanger, remarque Claude Willard, ne mettent jamais l'accent sur son nationalisme : ils capitulent, en dépit de leurs sentiments internationalistes, devant la poussée nationaliste [3]. Le guesdisme lui-même, qui se trouve, au cours de cette période, dans sa phase réformiste [4], se

1. Claude WILLARD, *op. cit.*, p. 37.
2. *Op. cit.*, pp. 88-89.
3. *Op. cit.*, p. 38.
4. Cf. Alexandre ZÉVAÈS, *Jules Guesde, 1845-1922*, Paris, Marcel Rivière, 1929, p. 121 ; et Leslie DERFLER, « Reformism and Jules Guesde », *International Review of social History*, vol. XII, 1967, pp. 67-71. « Légalement, de par votre volonté devenue loi, la transformation sociale sera accomplie », déclare Jules Guesde, le lendemain de son succès, dans sa lettre de remerciements à ses électeurs de Roubaix.

prête aisément à certains regroupements avec d'autres fractions du socialisme[5]. L'affaire de Panama contribue puissamment à créer un climat favorable à une étroite collaboration entre boulangistes et socialistes. Dénoncé à la tribune de la Chambre le 21 novembre 1892 par le député boulangiste Jules Delahaye[6], le scandale amène les uns et les autres à mêler leurs voix pour faire le 8 février suivant, avec Jaurès, « le procès de l'ordre social finissant », et pour constater, avec Lafargue le 16, que « le Panama a étalé tous les vices et tous les méfaits de la classe capitaliste »[7].

Dans *Leurs Figures*, Barrès reprend une formule identique : « le scandale (...) c'est l'image de notre société capitaliste »[8]. Dans ce dernier volume du *Roman de l'énergie nationale*, il a immortalisé les terribles séances du 21 novembre et du 20 décembre 1892 : pour atteindre ce degré de perfection, il fallait être soi-même député boulangiste, membre de ce petit groupe de parias campant dans la Chambre, à l'affût du gibier[9]. Mais pour les boulangistes qui tenaient « le bon plat de vengeance qui se mange froid »[10], il s'agit aussi

5. Georges LEFRANC, *Le Mouvement socialiste sous la Troisième République (1875-1940)*, Paris, Payot, 1963, p. 100. Guesde recherche cependant bien davantage l'unité d'action en vue d'objectifs proches qu'une unité organique qui obligerait à tempérer la doctrine.

6. Boulangiste de droite, artisan de l'alliance entre Boulanger et les catholiques. Cf. MERMEIX, *Les Coulisses du boulangisme*, pp. 146-155.

7. Cité in Alexandre ZÉVAÈS, *Histoire du socialisme et du communisme en France*, pp. 223-224. Barrès ne manque pas de rendre hommage à la campagne antipanamiste de Jaurès, à son « admirable discours sur les tripoteurs » : « Evolution nationaliste et contre la guerre », *La Cocarde*, 25 octobre 1894.

8. *Leurs Figures*, p. 134.

9. *L'Appel au soldat* et *Leurs Figures*, constituent à la fois un témoignage inestimable et une version romancée des événements. Pour la journée du 21 novembre 1892 (*Leurs Figures*, pp. 105-119), Barrès a honnêtement utilisé le procès-verbal : Pierre BARRAL, « Barrès parlementaire », in *Maurice Barrès : Actes du colloque de Nancy*, pp. 155-157, a comparé les textes. Il en est de même pour l'ensemble des événements reconstitués. A cet effet, Barrès a utilisé deux articles publiés dans *Le Figaro :* « Leurs figures », du 25 janvier 1893, et « L'Accusateur », du 23 février 1893, ainsi qu'un article du *Journal :* « La leçon du cadavre », 16 décembre 1892. Cependant, le sens de l'ensemble est celui que Barrès lui donne à l'issue de l'Affaire, dans le cadre de la théorie de la Terre et des Morts. Il déforme (p. 219) le rôle des socialistes qu'il recompose à la lumière de leur engagement dans l'Affaire, mais surtout il modifie totalement le sens de l'agitation antipanamiste. En effet, après avoir subi la tentation anarchiste (p. 223), Sturel, en constatant son échec, en découvre les origines : il ne s'est pas placé dans la lignée des ancêtres (p. 284). Et finalement, p. 307, il reconnaît sa tâche : « Si je maintiens ma tradition », dit Sturel, « si j'empêche ma chaîne de se dénouer, si je suis le fils de mes morts et le père de leurs petits-fils, je puis ne pas réaliser les plans de ma race, mais je les maintiens en puissance. Ma tâche est nette : c'est de me faire de plus en plus Lorrain, d'être la Lorraine pour qu'elle traverse intacte cette période où la France décérébrée et dissociée semble faire de la paralysie ».

10. *Leurs Figures*, p. 109. Cf. p. 118, après l'interpellation de Delahaye : « Sturel s'en allait de boulangiste en boulangiste, répétant : « Tue ! Tue ! » Et ses frères ivres de joie répondaient : « Assomme ! » Cf. aussi p. 179.

d'autre chose : ils cherchent alors à créer une constante agitation à la faveur de laquelle pourrait réapparaître l'occasion de renverser le régime. Au lendemain du scandale de Panama, les socialistes sont les alliés naturels des boulangistes : comme eux, ils n'ont rien à attendre du régime, rien à perdre à sa chute. Boulangistes et socialistes sont au contraire les seuls qui puissent profiter d'une situation révolutionnaire et c'est pourquoi ce sont encore eux qui harcèlent la majorité au lendemain des élections de 1893.

La campagne de regroupement des forces socialistes et de divers éléments socialisants et révolutionnaires bat donc son plein en cet hiver 1892-1893. Parallèlement aux initiatives de la Maison du peuple, devenue le quartier général des révolutionnaires de toutes les nuances, Cluseret, député du Var, ancien général de la Commune, et un certain nombre d'élus socialistes ou socialisants font une autre tentative : ils publient un manifeste qui convoque le prolétariat à tenir un meeting le 14 janvier. Ce manifeste, entre autres particularités, se signale par l'éclectisme des signatures. En effet, à côté de guesdistes comme Lafargue, Couturier, Ferroul, à côté de Millerand et des radicaux-socialistes comme Barodet et Moreau, on rencontre des boulangistes aussi notoires que Laisant, Turigny et Ernest Roche [11]. En acceptant d'y participer, le Parti ouvrier français incluait dans sa réponse un passage significatif : il invitait à s'unir dans un même combat : « tous ceux qui, quel qu'ait été leur passé, sont décidés à instaurer, sur les ruines de la République opportuniste, la République sociale » [12]. Leur passé ne devait donc aucunement gêner les boulangistes de gauche : ils étaient admis de plein droit dans la famille socialiste.

La Cocarde participe à ce mouvement unitaire : Barrès considère que son action doit avoir pour but d'être le pôle d'attraction de toutes les oppositions qui se placent socialement à la gauche du régime [13]. La tâche première que s'assigne Barrès est la réfection du « front socialiste », scindé par l'opportunisme à l'époque du boulangisme [14]. Ce front commun, précise Barrès, sera patriote, socialiste, antisémite [15]. Ces trois éléments ne sont pas alors incompatibles. Dans ce sens, Barrès n'avait pas tort d'affirmer que dans *La Cocarde* il jetait les bases du nationalisme, mais le chassé-croisé d'idées, que Claude

11. Cf. Alexandre Zévaès, *Histoire du socialisme et du communisme en France*, pp. 226-227.

12. *Op. cit.*, p. 228.

13. C'est cela qui explique l'extraordinaire éclectisme de l'équipe de *La Cocarde* et non point, comme le soutient par exemple Léon S. Roudiez dans *Maurras jusqu'à l'Action française*, Paris, André Bonne, 1957, p. 292, la loyauté et l'admiration de ses membres à l'égard de Barrès. Cela existait aussi sans aucun doute, mais les sentiments de l'état-major de *La Cocarde* étaient doublés par des idées communes.

14. Barrès, « Le point de vue historique », *La Cocarde*, 16 février 1895.

15. Barrès, « Leroy-Gigot-Picot », *La Cocarde*, 10 janvier 1895.

Digeon situe au temps du boulangisme[16], ne se produit en réalité qu'avec l'Affaire.

En novembre 1894, *La Cocarde* s'associe à *L'Intransigeant* pour lancer un pressant appel aux socialistes antiboulangistes, et plus particulièrement à Jaurès : « Ce qui est passé est passé, marchons tous ensemble vers l'avenir »[17]. En outre, le procès Gérault-Richard rend indispensable l'appui des boulangistes aux socialistes[18]. La candidature du condamné, pour outrages au chef de l'Etat, à un siège de député devenu vacant dans le XIIIe arrondissement de Paris, a une portée symbolique et son succès revêt une importance particulière après la déposition de Jaurès au cours des débats. L'enjeu est donc trop important pour que les socialistes antiboulangistes s'obstinent dans leur opposition aux anciens dirigeants du « Parti national ». Le soutien de Rochefort étant indispensable, Jaurès fait le voyage de Bruxelles et l'obtient : le 6 janvier 1895, le collaborateur de *La Petite République* est élu[19]. Barrès est « heureux de cette cohésion entre des éléments à la fois précieux et semblables » et il promet de tout faire « pour la fortifier »[20].

Le retour triomphal de l'exilé de Bruxelles, quelques semaines après ce succès, fournit l'occasion d'une autre manifestation d'unité : Barrès n'est pas le seul à saluer le retour du « combattant des grandes luttes de 1889 »[21], l'équipe de *La Cocarde* tout entière s'y associe par la voix du député socialiste Paulin-Méry ; un autre collaborateur du journal exige le transfert des cendres du général Boulanger[22]. Avec l'amnistie de Rochefort, Boulanger redevient pour Barrès un drapeau qu'il propose au regroupement de la gauche[23].

Pour lui, le retour de Rochefort marque les retrouvailles des socialistes boulangistes et des socialistes antiboulangistes, la réunion de deux branches de la famille socialiste. Il ne cherche pas à savoir « si c'est Jaurès qui est allé à Rochefort plutôt que Rochefort à Jaurès », parce qu'il veut faire preuve d'un authentique esprit de conciliation et enterrer définitivement les anciennes querelles[24]. Il est d'autant plus enclin à oublier le passé qu'il est alors fasciné par

16. Claude Digeon, *op. cit.*, pp. 332-333.
17. Barrès, « Amicale protestation », *La Cocarde*, 7 novembre 1894.
18. Rédacteur à *La Petite République*, Gérault-Richard avait fondé une feuille hebdomadaire, *Le Chambard*, où il publia un article injurieux pour Casimir Périer. Traduit devant le jury sous l'inculpation d'offenses au président de la République, Gérault-Richard, assisté de Jaurès, fut condamné à une année d'emprisonnement et mille francs d'amende. Fin 1894, il purge sa peine à Sainte-Pélagie. Il sera directeur, puis, avec Jaurès, co-directeur de *La Petite République*, de 1896 à 1904.
19. Barrès, « M. Jaurès et Henri Rochefort », *La Cocarde*, 8 décembre 1894.
20. Barrès, « Le point de vue historique », *La Cocarde*, 16 février 1895.
21. Barrès, « A la gare du Nord », *La Cocarde*, 3 février 1895.
22. *La Cocarde*, 4 février 1895.
23. Barrès, « Celui qui reste dans l'exil », *La Cocarde*, 7 février 1895.
24. Barrès, « Le point de vue historique », *La Cocarde*, 16 février 1895.

Jaurès, « le grand orateur », et il se range volontiers à sa suite[25]. Mais il ne fait pas de doute que dans son esprit l'unité de la gauche est en train de se refaire par le biais de l'acceptation des principes boulangistes et par le retour sur l'avant-scène du mouvement socialiste des hommes du boulangisme. La gauche antiboulangiste revient ainsi de ses errements, après avoir perdu, cinq ans plus tôt, l'occasion de dégager la République de l'enlisement opportuniste : « La popularité de celui qui était une force nationale, sans direction politique personnelle, aurait dû (...) être accaparée par les républicains soucieux d'une rénovation sociale »[26].

Cependant, Barrès ne cesse de rappeler aux adversaires socialistes du « Parti national », l'immensité de l'erreur commise au temps du boulangisme ; il leur indique ainsi la voie à suivre dorénavant : remonter le courant, ce qui en réalité signifie la création d'un nouveau boulangisme qui serait socialiste et qui engloberait les socialistes jadis antiboulangistes. Ce sera le fait de tous ceux qui « ont applaudi Drumont il y a un an, qui applaudissent ce mois-ci Jaurès »[27], de tous les socialistes qui « il y a quatre ans (...) s'unissaient sur le nom d'un homme » et qui, dans l'hommage qu'ils rendent aujourd'hui à la mémoire du général Boulanger, puisent des forces nouvelles en vue des luttes futures pour l'avènement « de la République démocratique et sociale »[28].

Mais Barrès ne se contente pas d'une unité de l'extrême-gauche socialiste : il veut élargir la gauche, y intégrer, sur la base d'un

25. BARRÈS, « Pas de dictature », *La Cocarde*, 30 décembre 1894.

26. BARRÈS, « La figure du général Boulanger », *La Cocarde*, 30 septembre 1894.

27. BARRÈS, « Les masques de mercredi prochain », *La Cocarde*, 9 janvier 1895.

28. « Conférence de Maurice Barrès », compte rendu d'une conférence faite le 2 octobre 1894, salle Anglade, rue Saint-Denis, *La Cocarde*, 3 octobre 1894. *La Cocarde* s'associe à toutes les campagnes de presse de *La Petite République*, prend sa défense dans les procès qui lui sont intentés ; elle soutient le groupe parlementaire socialiste et insère les communiqués des groupes ouvriers et appuie leurs mouvements de grèves. Cf. notamment « Le procès de *La Petite République* » du 24 septembre 1894 ; « Les opportunistes du Quartier Latin » du 11 janvier 1895, ainsi que le texte de la lettre du directeur du *Matin*, Alfred Edwards, du 22 octobre 1894. *La Cocarde* suit de très près l'évolution du mouvement ouvrier international. Des campagnes contre la misère et le chômage, appuyées par des reportages saisissants, sont lancées en octobre 1894, en même temps qu'une campagne en faveur du principe de nationalisation des grands services publics. (Voir notamment les numéros des 4, 5, 7, 8, 10 et 11 octobre 1894.) Un violent article de Paul Minck contre le capitalisme en général et le capitalisme américain en particulier, succède à un éloge du socialisme allemand (Paul MINCK, « En régime capitaliste », *La Cocarde*, 24 septembre 1894. Cf. aussi, Paul L'ERMITE, « Combattre le socialisme », *La Cocarde*, 20 septembre 1894). Dix ans après l'expérience de *La Cocarde*, Maurras raconte que les « allures révolutionnaires » du journal « faisaient souffrir dans sa chair » un Amouretti qui finit par le quitter alors que lui-même s'y est obstiné jusqu'au bout (Charles MAURRAS, « Il y a dix ans. Note sur *La Cocarde* de Barrès », *L'Action française*, 6e année, t. XVI, n° 127, 1er octobre 1904, p. 56).

« programme minimum » [29], les radicaux qui ont commis, eux aussi, l'erreur de se séparer du général, « ne comprenant pas combien c'était pour eux une circonstance heureuse d'avoir trouvé un homme capable de réaliser des réformes » [30]. Ce grand rassemblement est représenté par : « les Rochefort, les Drumont, les Millerand, les Jaurès et les Ernest Roche... (qui sont)... les voix de la liberté, de la justice, de l'indépendance » [31].

Barrès et de nombreux autres chefs boulangistes venus du radicalisme, ont toujours considéré comme essentiel le soutien des radicaux orthodoxes. Ces préoccupations se sont manifestées le 19 juin 1893, lorsque Millevoye et Déroulède ont lancé leur première attaque contre Clemenceau, « l'agent de l'étranger », sans posséder la moindre preuve. Aussitôt, on a vu Georges Thiébaud essayer d'étouffer l'assaut boulangiste, car Clemenceau s'apprêtait à dénoncer, lors du débat sur le renouvellement partiel, « dans la réforme proposée, une entreprise des oligarchies sur le suffrage universel. Une première fois rompue au 20 décembre, la conspiration antiparlementaire pouvait ce jour-là se renouer avec Clemenceau » [32].

Plus d'un an plus tard, aucun nuage de cette sorte n'assombrit le ciel unitaire. Bien que le fossé entre Clemenceau et les boulangistes reste encore trop profond pour être comblé (il ne le sera en vérité qu'au temps de l'Union sacrée), il n'y a pas d'obstacle majeur à ce que d'autres radicaux participent à l'élaboration d'un front oppositionnel uni. C'est pourquoi Barrès s'adresse à Goblet en le félicitant de se tenir en dehors des combinaisons « où le pays n'a rien à gagner » [33], et lui demande d'amener les radicaux à participer à un front commun avec « les nationalistes épris de justice (tel Drumont), les socialistes collectivistes (tel le groupe de *La Petite République*) » [34].

La collaboration des radicaux possède aux yeux de Barrès un autre avantage dont l'importance est capitale : c'est un parti « bien adapté aux luttes politiques de chaque jour » [35]. Il manque bien sûr de doctrine, mais cette lacune sera comblée par la « force que nous trouvons dans le parti socialiste et qu'on peut désigner du mot un

29. BARRÈS, « Les assagis et les apprivoisés », *La Cocarde*, 16 octobre 1894.
30. « Conférence de Maurice Barrès », compte rendu d'une conférence faite le 2 octobre 1894, Salle Anglade, rue Saint-Denis, *La Cocarde*, 3 octobre 1894.
31. BARRÈS, « Le premier mot de l'année », *La Cocarde*, 1er janvier 1895.
32. *Leurs Figures*, p. 243.
33. BARRÈS, « Les assagis et les apprivoisés », *La Cocarde*, 16 octobre 1894.
34. BARRÈS, « L'idéal et les premières étapes », *La Cocarde*, 18 septembre 1894. Goblet s'était tenu à l'écart de l'antiboulangisme militant, et avait soutenu Jaurès le 13 juillet 1889 lors de la discussion d'une proposition de loi interdisant les candidatures multiples. Jaurès avait alors élevé une éloquente protestation contre cette atteinte à la souveraineté du suffrage universel. Les anciens boulangistes ne l'avaient pas oublié.
35. BARRÈS, « Les assagis et les apprivoisés », *La Cocarde*, 16 octobre 1894.

peu vague d'idéal »[36]. Ainsi, ce qu'espère Barrès — et c'est une raison essentielle de sa volonté d'intégrer les radicaux dans l'opposition de gauche — c'est s'assurer l'appui de l'appareil du parti radical. L'ancien député de Nancy avait appris à apprécier l'importance d'une solide implantation locale et savait combien pouvait être précieux le soutien des comités radicaux. A l'opposition de gauche, le radicalisme devait donc fournir ses cadres, son appareil, son implantation en province et son savoir-faire politique. Les notables radicaux n'avaient-ils pas la réputation d'avoir la main heureuse en matière électorale ? Quant à l'idéologie, celle-ci serait l'apport du socialisme, supérieur au radicalisme par « sa puissance de sentiment »[37]. A l'adresse de tous ceux qui veulent aller de l'avant et « dont les forces sont divisées et les nuances nombreuses »[38], Barrès lance : « Il faut avoir un programme minimum et s'entendre sur ces graves et primordiales questions : nationalisation des mines et des chemins de fer, réforme de l'impôt, décentralisation »[39], « nationalisation de la Banque »[40]. Ce programme, Barrès le reconnaît, n'est qu'un simple pis-aller, au mieux ce n'est « qu'une station intermédiaire et indispensable » sur la longue route qui mène à la réalisation de cet « ensemble de perfection sociale » que « le peuple veut qu'on lui propose »[41].

Les éléments du programme commun ainsi définis par Barrès, recoupent ceux du programme socialiste minimum présenté à la tribune de la Chambre par Millerand le 16 février 1893, et implicitement accepté, à l'issue du banquet de Saint-Mandé, par toutes les fractions de l'opposition se situant à gauche du libéralisme opportuniste[42]. C'est le dénominateur commun de toutes les oppositions : boulangistes, socialistes-marxistes et socialistes à doctrine un peu vague, révolutionnaires de toutes tendances, blanquistes et anciens communards, antisémites de Drumont et patriotes de Déroulède, radicaux anti-opportunistes... Cette coalition, qui est l'objectif politique immédiat recherché par Barrès, ressemble énormément, dans ses principes, au rassemblement boulangiste, mais un boulangisme libéré sur sa droite et considérablement renforcé sur sa gauche. « Aujourd'hui », exulte Barrès, « cette entente spontanément s'est faite »[43]. En janvier 1895, le triomphe de Gérault-Richard lui apporte la caution du succès.

36. *Ibid.*
37. *Ibid.*
38. « Conférence de Maurice Barrès », compte rendu d'une conférence faite le 2 octobre 1894, Salle Anglade, rue Saint-Denis, *La Cocarde,* 3 octobre 1894 : « Les socialistes, parti de ceux qui veulent aller en avant ».
39. *Ibid.* Barrès revient sur le thème de la réforme de l'impôt dans « Les assagis et les apprivoisés », *La Cocarde,* 16 octobre 1894.
40. Barrès, « Il faut un idéal », *La Cocarde,* 13 septembre 1894.
41. *Ibid.*
42. Cf. Claude Willard, *op. cit.,* p. 405.
43. Barrès, « L'idéal et les premières étapes », *La Cocarde,* 18 septembre 1894.

Au programme social commun, Barrès ajoute deux éléments originaux, « la décentralisation et une réforme de nos systèmes d'éducation » [44]. D'autre part, afin d'éliminer tout malentendu, il ajoute que les mesures sociales envisagées, notamment les nationalisations, ne sauraient « contrarier notre idéal du libre épanouissement de l'individu » [45] qui reste son souci permanent. S'il se félicite de l'unité d'action réalisée, Barrès sait bien que les fins poursuivies par les diverses fractions de cette coalition peuvent être fort divergentes. Pour cette raison, il établit une différence entre les objectifs à court et moyen terme et l'objectif final qu'il appelle « l'idéal ». Nul besoin qu'une collaboration fructueuse ait pour condition une conception identique de la forme finale que doit prendre la société de demain ; l'essentiel est de parvenir à un accord sur les objectifs immédiats [46]. Et celui-ci est en voie d'être réalisé, car tous les groupes qui composent la nouvelle coalition « s'entendent », dit Barrès, « sur la partie la plus immédiate de notre tâche qui est d'atteindre l'excès de la richesse et par suite de la mieux répartir » [47]. Cependant, ce qu'il craint, c'est que le nouveau rassemblement ne bute sur des questions de doctrine, ou qu'il ne s'enlise dans des débats idéologiques plus approfondis qui ne peuvent que mettre en lumière les considérables divergences de vue qui persistent entre guesdistes et radicaux. Creuser les grands problèmes qui restent en suspens équivaut, dans une certaine mesure, à condamner la nouvelle coalition à se briser avant qu'ait été obtenu le premier résultat tangible. Cette crainte d'échouer dès le début est sans doute la raison pour laquelle le directeur de *La Cocarde* n'introduit pas dans son programme minimum des préoccupations d'ordre constitutionnel. S'il n'évoque pas le problème du régime, c'est qu'il sait le terrain miné. Après tout, et malgré leurs attaques communes contre les hommes de Panama ou contre la présidence Casimir Périer, les radicaux de Goblet et les hommes de la Ligue des patriotes sont profondément divisés sur la question du régime ; c'est pourquoi Barrès l'esquive consciemment alors qu'au moment du boulangisme, il avait fait de la réforme constitutionnelle l'objectif essentiel de son engagement, considérant que l'action politique déterminait l'action sociale. Il est vrai que depuis lors il avait été amené à accorder une importance bien plus grande aux questions sociales. Mais, toujours dans le même souci de mettre l'accent sur ce qui unit, il circonscrit sciemment ces préoccupations à une série de mesures immédiates et acceptables pour toute la gauche. C'est ainsi qu'en dépit de divergences sur la forme future du régime, tous les

44. *Ibid.*
45. *Ibid.*
46. *Ibid.* « Sur l'idéal chacun de nous a ses vues (...) Mais sur l'œuvre immédiate, sur la tactique nous avons à nous accorder... »
47. *Ibid.*

opposants de gauche peuvent facilement s'accorder sur un programme à caractère social et politique qui consiste à harceler et, si possible, abattre la majorité opportuniste.

Pourtant Barrès ne peut éviter la question, fondamentale, des formes que prendrait, sinon le passage au socialisme, du moins sa première étape. Il ne doute pas que l'application des réformes envisagées dans le programme minimum n'implique la conquête du pouvoir. Sa définition du socialisme le postule : « Les partisans de l'autorité la réclament-ils pour introduire dans la vie sociale ce qu'il y a d'humanité dans tous les cœurs ? C'est le socialisme » [48]. Il va de soi, pour Barrès, que l'autorité gouvernementale, le pouvoir politique, doivent s'employer à faire voter puis à faire exécuter des mesures en faveur du progrès social. Il estime, par exemple, qu'il appartient à l'Etat de prendre à sa charge les indigents [49]. Il s'ensuit que les réformes de structures ne sont possibles que dans le cadre d'un changement radical de régime ; changement de la Constitution et établissement du suffrage universel intégral [50]. Nulle réforme sérieuse ne saurait aboutir dans l'impotence parlementaire, la confusion des pouvoirs et la vénalité.

C'est ainsi qu'au cours d'une réunion organisée à l'occasion du centenaire de la Révolution, l'auteur de *L'Ennemi des lois* déclare que « le socialisme doit reprendre la direction de la Convention et pour cela se propose comme but immédiat la nationalisation des mines, de la banque, des chemins de fer... » et ajoute aussitôt que le socialisme le fera « en se rappelant toutefois que ce n'est là que le développement d'une même tendance dont la marche est indéfinie » [51]. A l'issue de cette évolution, la société accèdera à ce qui est le but ultime du socialisme, la participation des masses à la civilisation : « Légiférons pour le présent », écrit Barrès, « éduquons pour l'avenir » [52]. La série de réformes économiques n'est qu'une étape : « Un peuple s'achemine vers son avenir, le désire en même temps qu'il s'accommode des étapes » [53].

Mais comment y parvenir ? Est-ce par la voie parlementaire et la conquête de la République bourgeoise de l'intérieur, ou par le biais d'une révolution ? A dix jours d'intervalle, Barrès fournit deux réponses différentes.

Dans un article du 23 septembre 1894, consacré à l'analyse du principe de la grève générale, adopté de nouveau au congrès corporatif de Nantes, Barrès estime que :

48. Barrès, « Le principe d'autorité », *La Cocarde*, 10 octobre 1894.
49. *Ibid.*
50. Barrès, « L'assainissement. Voilà la tactique », *La Cocarde*, 6 février 1895.
51. Barrès, « La fête du 22 septembre », *La Cocarde*, 24 septembre 1894.
52. Barrès, « Il faut un idéal », *La Cocarde*, 13 septembre 1894.
53. *Ibid.*

« Les moindres rénovations nécessitent de terribles catastrophes. Que nécessitera donc la complète transformation sociale, dès aujourd'hui entrevue ! Nul événement historique ne se passe de brutalité. Taine qui pense que l'évolution d'il y a cent ans aurait pu se faire pacifiquement se trompe. Que l'on rêve de mener l'humanité par des pentes douces, c'est un rêve qu'un esprit reconnaît illusoire tout en le caressant (...) Il n'est au pouvoir de personne de ménager les moyens décisifs et... un jour ou l'autre, assez prochainement, je crois, les événements se chargeront eux-mêmes d'organiser la tempête, de balayer la douceur et d'accumuler les brutalités. Il serait peu raisonnable d'essayer d'imaginer la qualité, l'espèce des premières brutalités qui inaugureront la Révolution, toutefois il semble bien que c'est un essai de grève générale qui occasionnera les premières violences significatives »[54].

Il ne semble pas toutefois que Barrès préconise un déclenchement volontaire et organisé de la grève générale : il paraît plutôt s'en remettre à un déclenchement automatique, spontané, du processus révolutionnaire. Quelques mois plus tard, il prévoit une série de crises au cours desquelles chaque fois « un lambeau du vieux système social sera déchiré »[55]. Ce sera l'ère de la violence engendrée par la décomposition de la société et du pouvoir. Barrès revient sur le problème de la violence dans un article désormais traditionnel, commémorant la nuit du 27 janvier : les réformes les plus urgentes, déclare-t-il, sont celles « que les socialistes sont à peu près en mesure d'imposer par la violence »[56].

Comme d'habitude, les prises de position de Barrès sont amplement commentées par ses collaborateurs. Le problème étant posé, il suscite trois articles qui jettent une certaine lumière sur l'attitude du journal. Pour l'ancien colistier de Barrès à Nancy, Gabriel, la grève générale, souhaitable en principe, est parfaitement irréalisable[57] ; quant à André Marcel, il exprime à la fois son hostilité au socialisme romantique de la grève générale et son soutien au socialisme scientifique et aux méthodes de Jaurès, Guesde et Millerand, c'est-à-dire à la conquête du pouvoir et à la réforme de la société[58]. Un autre éditorialiste considère que l'idéal serait que le socialisme français ressemble au puissant socialisme allemand. Il va jusqu'à souhaiter, en dépit des différences de tempéraments et de conditions dans les deux pays, que le socialisme français « en fût même tout simplement une fraction opérant en France, par les mêmes procédés, suivant un même

54. BARRÈS, « Les violences nécessaires », *La Cocarde*, 23 septembre 1894.
55. BARRÈS, « 27 janvier », *La Cocarde*, 27 janvier 1895.
56. *Ibid.*
57. A. GABRIEL, « L'utopie de la grève générale », *La Cocarde*, 23 septembre 1894.
58. André MARCEL, « Socialisme romantique », *La Cocarde*, 26 septembre 1894.

plan et obéissant aux mêmes consignes »[59]. Le rapprochement avec le socialisme allemand est significatif, car il témoigne des options de l'équipe de *La Cocarde* : la social-démocratie allemande était bien loin d'être révolutionnaire, sa théorie de socialisme d'Etat et de l'accession pacifique au pouvoir était fort bien connue.

C'est dans un esprit très proche de celui de ses collaborateurs que Barrès publie, dix jours avant son texte sur la grève générale, un article qui est nettement en contradiction avec celui du 23 septembre. Il écrit alors :

> « Sans doute nous sommes convaincus que les transformations dans l'ordre social comme dans la nature, se font lentement par voie d'évolution. Je l'ai appris de Taine ; Jaurès l'a appris de Karl Marx. Nous savons aussi que cette époque est un instant d'une évolution qui sous la première des causes qui ont produit le capitalisme, nous conduit à une situation *x*, que Marx définit le collectivisme. Et si instamment qu'on souhaite que cette évolution aboutisse, on ne saurait supprimer ses étapes »[60].

Il semble étrange qu'à quelques jours d'intervalle, Barrès ait accepté puis récusé à la fois l'autorité de Taine, qu'il ait employé une imagerie qui sera celle du mythe de la grève générale de Sorel, et qu'il ait préconisé une longue évolution aux innombrables étapes. Mais nombreuses sont les contradictions qui émaillent la pensée barrésienne à une époque qui est surtout une période de recherche. Barrès a été tenté par la vision apocalyptique du passage d'une période de l'histoire à une autre, mais il s'en est rapidement libéré. Par ailleurs, il n'est pas impossible qu'il ait pensé un moment que, dans l'hypothèse où le passage au socialisme est un processus progressif, chacune des étapes de cette évolution doit être marquée par violence. Cependant, si l'on situe le texte du 23 septembre dans l'ensemble de son œuvre au cours de cette période, il semble bien qu'il ait plutôt cédé à une tentation passagère et que ce texte ne représente pas le fond de sa pensée.

Si dans l'ensemble Barrès croit plutôt à un passage pacifique au socialisme, il n'est pas moins conscient du danger de récupération par le système qui guette le mouvement socialiste. Il multiplie, par conséquent, les mises en garde[61] ; il reproche à certains élus socialistes, « à ces grands orateurs », de se fourvoyer dans « cette intrigue parlementaire », de l'aimer tout simplement, de croire « qu'elle soutient leur talent, parce qu'elle en est le cadre ». Ses propres sympathies, et celles de ses amis, vont ailleurs : « Nous aimons surtout », écrit-il,

59. « Combattre le socialisme », *La Cocarde*, 20 septembre 1894. Article signé Paul L'Ermite.
60. Barrès, « Il faut un idéal », *La Cocarde*, 13 septembre 1894.
61. Barrès, « Le point de vue historique », *La Cocarde*, 16 février 1895.

« ces intraitables vociférateurs, les rudes délégués de la collectivité ouvrière, ces témoins intraitables qui chaque jour insultent à l'apparente majesté des séances (...) et quelque jour enfin, feront sauter la vieille mécanique. Il n'y a que les révolutionnaires qui sachent servir les minorités » [62].

Ces reproches s'adressent surtout à Jaurès et à Millerand, les deux parlementaires socialistes les plus à l'aise dans l'enceinte du Palais-Bourbon, ceux qui paraissaient susceptibles de tomber dans le piège du jeu parlementaire au profit de la République bourgeoise. A ceux-là Barrès rappelle avec force que le devoir des élus socialistes est de « terroriser le Parlement (...) Ils ne doivent se lier par aucune sympathie, par nulle courtoisie avec leurs adversaires » [63]. Quelques mois plus tôt, Gabriel avait déjà souligné que « tout doit servir à détruire un tel régime et que loin de s'acoquiner à des concentrations soi-disant républicaines avec des gouvernementaux... il faut être sans trêve ni merci l'adversaire d'un pouvoir qui laisse mourir de faim des hommes de bonne volonté » [64].

L'argument de Barrès et de Gabriel est d'une logique certaine ; puisqu'il est indispensable, pour transformer la société, de s'emparer des leviers de commande de l'Etat, les socialistes devront jouer le jeu parlementaire, mais dans un seul but : la conquête du pouvoir pour eux-mêmes. Ils ne doivent pas se laisser enfermer dans des alliances pseudo-républicaines qui n'auraient en définitive d'autre effet que d'en faire une force d'appoint pour une concentration centriste, un garde-fou pour la République bourgeoise. Barrès ne pouvait pas négliger une telle éventualité. N'était-ce pas une concentration républicaine qui avait brisé le boulangisme ? N'était-ce pas l'alliance des opportunistes et des radicaux, l'hostilité des guesdistes et des allemanistes qui ont mis en échec le « Parti national » ? C'est pourquoi il fait des efforts considérables pour montrer qu'en fait le seul clivage qui réponde aux réalités sociales est celui qui oppose le parti du mouvement, les socialistes, à la fois aux conservateurs et aux opportunistes : les conservateurs sont les contre-révolutionnaires qui « n'ont pas accepté les réformes de 89 et 93 » et les opportunistes, ceux pour qui « rien n'est à changer dans la société telle qu'elle est organisée » [65]. Les uns refusent la République, les autres la République sociale ; mais la République, si elle n'est pas « une république

62. Barrès, « Un Parlement qui s'abandonne », *La Cocarde*, 1er novembre 1894.

63. Barrès, « Violence, violence », *La Cocarde*, 8 janvier 1895.

64. A. Gabriel, « Les sans-travail », *La Cocarde*, 7 octobre 1894.

65. « Conférence de Maurice Barrès », compte rendu d'une conférence faite le 2 octobre 1894, Salle Anglade, rue Saint-Denis, *La Cocarde*, 3 octobre 1894.

vraie, une république sociale, basée sur la justice et l'honnêteté »[66], si c'est « un régime politique, économique, judiciaire organisé et exploité par les bourgeois réactionnaires »[67], si c'est un régime « qui ne connaît que l'argent, pour lequel rien n'existe que l'or et le bien-être qui a monopolisé la fortune publique et la richesse nationale entre les mains de quelques-uns, exploiteurs féroces et cyniques spéculateurs qui font de l'or avec des larmes et des millions avec le sang... »[68], ce régime mérite-t-il encore le nom de République ?

Voilà plusieurs années que Barrès et la plupart des hommes groupés autour de lui à *La Cocarde* ont donné une réponse négative à cette question. Depuis le temps du boulangisme à Nancy jusqu'au regroupement de *La Cocarde,* c'est la préoccupation constante de Barrès, c'est aussi l'aspect le plus riche de sa pensée. Confronté avec les réalités sociales, avec le bouillonnement de la gauche socialiste, il a franchi une étape capitale de son évolution intellectuelle.

VERS UNE PHILOSOPHIE DU SOCIALISME

La Cocarde n'est pas seulement un journal de combat, elle est aussi, et avant tout un moment de véritable réflexion doctrinale. L'expérience du boulangisme a appris à Barrès qu'une action politique qui ne va pas de pair avec une solide armature idéologique ne débouche sur rien. C'est pourquoi il s'adonne, pendant cette période, à l'étude de la philosophie politique. Comme il sied à un bon socialiste, Barrès entreprend un retour aux sources : il découvre Hegel et les vertus de la dialectique. Il ne faut pas cependant oublier que si philosopher veut dire donner un sens à la vie, si le philosophe est un homme qui se pose la très simple et très élémentaire question : « à quoi sert-il de vivre ? », Barrès avait commencé à philosopher dès son premier ouvrage. Si la philosophie est une recherche de la vérité et si le philosophe est à lui-même son propre problème, Barrès faisait de la philosophie déjà dans *Sous l'œil des barbares*.

Son attachement au socialisme est une étape dans cette longue marche qui va de la quête du Moi au nationalisme et dont la grande constante, malgré d'innombrables détours, est la recherche de la vérité, de l'absolu. Cette vérité, ou cette finalité qui donne un sens à la vie, Barrès crut la trouver un instant dans le Moi et le culte du Moi,

66. A. Gabriel, « Les dégénérescences du gambettisme », *La Cocarde,* 30 novembre 1894. Dans cet article, le collaborateur de Barrès s'applique à mettre en relief la continuité du mouvement de protestation depuis Gambetta jusqu'à ces jours : Belleville, le fief de Gambetta, est devenu celui du boulangisme et, plus tard, du socialisme.
67. Paul Pascal, « Professeur et député », *La Cocarde,* 16 octobre 1894.
68. Paul Minck, « En régime capitaliste », *La Cocarde,* 24 septembre 1894.

plus tard dans le socialisme et les fins qu'il servait, et, finalement, dans la nation.

A la fois homme de cabinet et homme d'action, il alliait la passion de l'étude et de la réflexion à une tenace volonté d'agir. La pensée, dans la mesure où elle ne s'exprime pas dans l'action reste, selon lui, en quelque sorte inachevée et ne remplit pas sa fonction essentielle qui consiste à façonner l'existence. L'homme, animal métaphysique, a besoin d'une fin qui fournisse une justification à son existence, à ses luttes, à ses espoirs. La grandeur du socialisme et de ses chefs, pour lesquels Barrès manifeste alors beaucoup d'admiration, est d'avoir compris que « dans la vie politique il y a deux grandes catégories : la philosophie et la tactique » [1]. La fonction de la philosophie est de présenter une explication et une vue d'ensemble, un but qui, même s'il est pour le moment hors d'atteinte — et peut-être précisément parce qu'il l'est — constitue le véritable moteur de l'action. Cet objectif final et donc lointain répond à la profonde aspiration, à l'absolu qui est l'essence même de la nature humaine, à ce que Barrès appelle « l'idéal ». Il loue Jaurès qui, tout en sachant que pour l'instant il est impossible de faire plus que lutter pour une nationalisation des chemins de fer, des mines et de la banque, continue à réclamer le collectivisme appliqué d'une façon complète et cela « parce qu'il faut un idéal à un peuple » [2]. Barrès l'imagine disant : « Je veux bâtir dans les imaginations cette Salente. Serait-elle une chimère à jamais irréalisable, je la vanterais encore comme un but à proposer aux efforts de la masse, comme un réconfortant « pour les cœurs qu'elle anime d'enthousiasme... » [3].

1. Barrès, « Conversation de Goblet et de Jaurès », *La Cocarde*, 12 septembre 1894.

2. *Ibid.* Et le lendemain, 13 septembre, dans un article intitulé « Il faut un idéal », Barrès s'écrie : « Un idéal ? Comme Jaurès a raison, et qu'un idéal est chose nécessaire ! »

3. Barrès, « L'idéal et les premières étapes », *La Cocarde*, 18 septembre 1894. A cette époque, Jaurès est le grand homme de Barrès. C'est « le grand orateur » (« Sur Brisson », *La Cocarde*, 26 décembre 1894), Jaurès et Millerand sont « nos amis » (« Conversation de Goblet et de Jaurès », *La Cocarde*, 12 septembre 1894). Il est significatif de constater que Guesde n'est pas considéré comme un allié au même titre que Jaurès. Son nom, ainsi que celui du Parti ouvrier français, ne reviennent dans *La Cocarde* que dans les informations générales, et non pas dans les articles de fond. On peut sans doute relier les origines de ce froid évident à la violente campagne antiboulangiste menée en 1888-1889 par Guesde aussi bien à Paris que dans le département du Nord. On peut également supposer que l'orthodoxie marxiste de Guesde ainsi que sa méfiance envers les alliés peu sûrs que les circonstances lui imposaient, rendait son commerce peu encourageant pour Barrès. Celui-ci était bien plus porté vers les socialistes indépendants, dont il prisait la souplesse et la doctrine aux contours un peu flous et pour qui il était un allié désirable. C'est ainsi que *La Cocarde* rend, le 17 septembre 1894, un vibrant hommage à la mémoire de Benoît Malon. Jaurès, effectuant le voyage de Bruxelles pour régler les problèmes de la candidature Gérault-Richard, devenait tout naturellement l'homme de la réconciliation. Il est également l'allié principal de *La Cocarde* dans sa féroce campagne contre Casimir Périer.

Les réformes préconisées ne constituent rien de plus qu'un objectif à moyen terme dont il ne faut exagérer ni l'importance ni la médiocrité ; l'essentiel est que les luttes socialistes soient ordonnées en fonction d'un but ultime qui est « l'idéal » : « Ce qui nous passionne, ce n'est pas d'introduire un peu d'harmonie dans le monde, c'est de nous acheminer vers toute la justice, toute la liberté, toute l'harmonie »[4]. En cela, le mouvement socialiste répond aux plus profondes aspirations populaires, car « le peuple ne s'intéresse à ces réformes que s'il les voit comme une partie d'un tout dont il puisse prendre une idée assez nette pour le désirer et pour l'aimer dans toutes ses parties. Le peuple veut qu'on lui propose un ensemble de perfection sociale. Il veut un idéal ». C'est la raison pour laquelle « nous aussi socialistes, nous avons raison de proclamer : nous voulons tout, nous voulons l'idéal »[5].

La ressemblance est saisissante entre la fonction que confère Barrès au but ultime dans la pensée socialiste et la tâche qu'assigne Sorel au « mythe », en l'occurrence au « mythe » de la grève générale[6]. En effet, pour Sorel, le but ultime de l'Histoire, de nature apocalyptique, pourrait n'être jamais atteint, la victoire pourrait ne jamais arriver, sans que pour autant le mythe perde de sa valeur. La violence, ou le mythe de la violence, suffit à forger un prolétariat régénéré et régénérateur. En présentant au peuple le but ultime de son action, on l'amène à se conduire conformément à ce but. Barrès et Sorel étaient d'accord là-dessus : l'homme éprouve, pour lutter avec efficacité, le besoin d'avoir une vue d'ensemble de son action. Sorel voulait conserver intégralement l'analyse marxiste en la transformant

4. Barrès, « Il faut un idéal », *La Cocarde*, 13 septembre 1894.

5. *Ibid.*

6. On connaît la définition du « mythe » sorélien : « Le langage ne saurait suffire pour produire de tels résultats d'une manière assurée. Il faut faire appel à des ensembles d'images capables d'évoquer *en bloc et par la seule intuition*, avant toute analyse réfléchie, la masse des sentiments qui correspondent aux diverses manifestations de la guerre engagée par le socialisme contre la société moderne » : Georges Sorel, *Réflexions sur la violence*, 11e édition, Paris, Marcel Rivière, 1950, p. 173. La première édition de *Réflexions sur la violence*, date de 1908, mais dès 1889, Sorel publie *Le Procès de Socrate* (Paris, F. Alcan), où il justifie la condamnation du philosophe athénien. Dans les années 1890, il évolue vers le marxisme et publie une longue série d'articles et de brochures dont *L'Avenir socialiste des syndicats*, en 1897, qui seront réunies dans les *Matériaux d'une théorie du prolétariat*, Paris, Marcel Rivière, 1919. Après avoir été dreyfusard, puis avoir préconisé la grève générale, Sorel sera tenté par l'Action française. Ses préoccupations morales, ses tentatives de renouvellement et de dépassement des oppositions, rejoignent très souvent celles de Barrès. Une étude comparative des deux auteurs, seulement amorcée par Michael Curtis (*op. cit.*) reste encore à faire. Sorel et Barrès ne s'étaient rencontrés qu'une seule fois et l'entrevue fut un échec. Cf. Jean Variot, « L'unique rencontre de Maurice Barrès et de Georges Sorel », *L'Ordre*, 4 décembre 1930. Dans *Mes Cahiers*, Barrès ne mentionne Sorel qu'une fois pour le traiter de « sectaire enivré de pensée » (*Mes Cahiers*, t. VIII, p. 31).

en mythe nécessaire à l'action du prolétariat, et continuer à lutter énergiquement contre la société capitaliste en vue de sa destruction radicale. Barrès sentait, lui aussi, la nécessité de présenter aux hommes un « mythe », celui d'un monde nouveau, régénéré et juste. Comme Sorel, il était persuadé que ce dont la société manque le plus, c'est précisément d'une source d'énergie, d'un moteur de l'action. C'est une des grandes préoccupations de Barrès et l'une des constantes de sa pensée. A cette époque, c'est le caractère imprévisible de l'avenir qui crée pour lui, comme pour Sorel, un sentiment d'exaltation sans lequel rien de grand ne saurait être accompli. Plus tard, il le cherchera dans l'histoire et ses enseignements. A la République bourgeoise qui n'a à proposer aux hommes qu'un néopositivisme, Barrès oppose la foi et la mystique socialiste qu'il résume en un seul mot, « l'idéal ». Cependant, si pour Sorel « cette méthode a tous les avantages que présente la connaissance totale sur l'analyse » [7], Barrès lui attribue une vertu supplémentaire. Elle ne se limite pas à être « un réconfortant pour les cœurs », elle est « en même temps une commodité pour les intelligences où elle met de l'ordre ». « Pour toute science », continue-t-il, « on a coutume de bâtir une hypothèse (...) qui prétend seulement être la construction la plus propre à encadrer et à ordonner les faits innombrables, laborieusement amassés par les observations ». L'idéal de Barrès est donc cela aussi : « Une hypothèse sociologique lointaine, une fiction (...) propre à relier de la façon la plus satisfaisante les faits économiques constatés d'après la transformation industrielle de l'Europe » [8].

La force du socialisme réside donc dans sa double nature qui en fait une mystique et une hypothèse de travail — les socialistes « sont des hommes de foi en même temps que des sociologues » [9]. Quant aux masses socialistes, c'est dans la conviction mystique de marcher dans le sens de l'histoire qu'elles trouvent leur énergie. Cette entreprise est d'une telle envergure qu'il ne saurait être question de préciser les détails de l'évolution ultérieure ni les moyens d'y parvenir [10]. Là encore, le mode de pensée de Barrès est très proche de celui de Sorel.

Ainsi, il appartient au socialisme d'être la mystique du monde moderne. Chaque époque, pense Barrès, possède, ou plutôt doit posséder une mystique qui lui soit propre, et qui soit une source d'énergie afin que s'exprime son génie. Voilà pourquoi le socialisme doit jouer dans le monde moderne le rôle qui fut jadis celui du mythe de la

7. Georges SOREL, *Réflexions sur la violence*, p. 173.
8. BARRÈS, « L'idéal et les premières étapes », *La Cocarde*, 18 septembre 1894.
9. BARRÈS, « La foi en sociologie », *La Cocarde*, 26 octobre 1894.
10. *Ibid.* « Précisément parce que les socialistes embrassent de larges espoirs, ils ne peuvent avoir une vue absolument nette des moyens par lesquels ils les satisferont. »

Révolution ; mais ce dernier, de mythe créateur d'un monde nouveau, est devenu un facteur de conservation et de conformisme. La tradition de 1789, devenue l'idéologie officielle de la République bourgeoise, n'est plus une force révolutionnaire : non seulement en « 1894, la Révolution, et Mirabeau, et Danton, et Robespierre et peut-être Bonaparte lui-même n'importent guère », mais elle, « qui fut si longtemps l'élément révolutionnaire de ce siècle, y est devenue un élément conservateur ». Voilà pourquoi, « un révolutionnaire français, en cette fin de XIXe siècle, qu'il soit collectiviste, ou fédéraliste, ou anarchiste » ne se reconnaît point comme « petit-fils de la Révolution », car « cette filiation n'est vraie que pour les bonapartistes, les orléanistes ou les républicains parlementaires, c'est-à-dire pour les conservateurs de nos formes politiques et économiques » [11].

Quelles sont donc les sources idéologiques du socialisme français ? Celui-ci relève, répond Barrès, « de Rousseau pour sa sensibilité et de Hegel pour sa dialectique » [12]. En effet, si la Révolution, écrit-il, perd de son actualité, Rousseau, par contre, « a gardé sa vertu intacte. Depuis cent ans, il continue à éveiller les individus et à émouvoir les généreux amants de la justice, comme il faisait au siècle dernier (...) L'atmosphère française est toute chargée de Rousseau » [13].

Parmi les précurseurs de l'esprit révolutionnaire, on relève immédiatement une omission de taille, celle de Marx. Barrès s'est longuement expliqué à ce sujet dans *L'Ennemi des lois,* paru un an avant *La Cocarde.*

Tout d'abord, l'ancien député boulangiste rejette le manque de contenu moral, de spiritualité, de ce qu'il appelle le matérialisme marxiste. Pour lui, le marxisme est une synthèse du « socialisme juif » [14] et du « socialisme allemand » [15] qui allie l'esprit des « durs logiciens juifs » [16] avec « le sentiment du ventre » inhérent à la nature allemande : son exploitation par les « agitateurs juifs » [17] a abouti au marxisme. Pour Barrès, plus que Marx encore, Lassalle, « une

11. BARRÈS, *De Hegel aux cantines du Nord,* 3e édition, Paris, Sansot, 1904, pp. 17-18. C'est un recueil d'articles publiés par Barrès dans *La Cocarde* et dans *Le Journal* en 1894.
12. *Op. cit.,* p. 19.
13. *Op. cit.,* p. 18.
14. *L'Ennemi des lois,* p. 182.
15. *Op. cit.,* pp. 173-174.
16. *Op. cit.,* p. 174.
17. *Op. cit.,* pp. 177-178. Après quelques jours en Allemagne, André Maltère « eut le sentiment du ventre (...) Ils avaient beaucoup mangé (...) Dans ce bien-être (...) il envisagea mieux les mœurs d'Allemagne, et se sentit un peu de l'âme qu'il nécessite : il avoua à Claire que le ventre existe et peut, après entraînement, devenir le point sensible. Je m'explique, lui disait-il, qu'avec leur vision si nette des forces, les agitateurs juifs aient mis là le doigt ». Cf. aussi p. 165 et p. 169.

mauvaise figure blême et envieuse de Juif de banque »[18], est le symbole d'un socialisme réduit à son expression la plus primitive et la plus vulgaire, celle de la satisfaction des besoins matériels, érigée en doctrine. Et c'est ainsi que : « Les ouvriers allemands (...) ne recevant d'arguments que pour défendre leurs appétits, ne voyant de drapeau levé haut que celui de la révolution économique, ont semblé ne plus se préoccuper que de celle-ci et que le socialisme a paru réduire le parti des idéologues au parti du ventre »[19]. Or, « la réforme économique poursuivie par les socialistes allemands pour être essentielle, n'en est pas moins secondaire... »[20]. Certes, Barrès ne conteste ni l'importance de la réforme d'une société fondée sur « des exploitations cruelles »[21], ni le fait que la satisfaction de besoins matériels est primordiale pour « les misérables » dont la préoccupation essentielle « est le pain, la viande et l'alcool »[22], mais il se refuse « à concevoir le bonheur futur de l'humanité sous l'aspect d'une kermesse, ni à rétrécir son ardeur vers l'idéal à une campagne pour le ventre... »[23]. C'est pourquoi, même lorsqu'il se rapproche le plus du socialisme marxiste, Barrès ne cesse de nourrir les doutes les plus sérieux à l'égard de la vision du monde qu'il implique. Ce qu'il reproche avant tout à ses adeptes, c'est de croire qu'une solution des questions économiques résoudrait tous les problèmes inhérents à la complexité des rapports humains.

Barrès, il faut bien le souligner, ne nie pas la place très importante tenue dans l'existence des hommes par l'élément économique, mais il se refuse à tout ramener à lui. « Karl Marx a raison », écrit-il, « quand il signale l'importance de l'émancipation économique. Il a tort quand il affirme qu'elle serait l'émancipation totale. La situation religieuse, politique, juridique, morale, ne dépend pas uniquement de la situation économique »[24]. Barrès va plus loin encore lorsqu'il considère comme une « magnifique évolution » le fait que Marx et Engels aient introduit « la dialectique dans l'économie politique (car) ils

18. *Op. cit.*, p. 169 et pp. 170-171 : « Ces intelligences juives (...) manient les idées du même pouce qu'un banquier des valeurs. Elles ne semblent pas, comme c'est l'ordinaire, la formule où ils signifient leurs appétits et les plus secrets mouvements de leurs êtres, mais des jetons qu'ils trient sur un marbre froid (...) L'idéologie (...) ne les échauffe pas (...). Le Juif ne s'attache à aucune façon de voir, il n'est que plus habile à les classer toutes. C'est l'état d'esprit d'un homme habitué à manier des valeurs. Le Juif est un logicien incomparable. Les raisonnements sont nets et impersonnels comme un compte en banque ».

19. *Op. cit.*, p. 175.

20. *Op. cit.*, p. 196.

21. *Op. cit.*, pp. 29-30. Cf. p. 11 sur « l'ordre social actuel ».

22. *Op. cit.*, p. 177.

23. *Op.cit.*, p. 176.

24. Barrès, « Le problème est double », *La Cocarde*, 8 septembre 1894.

mirent l'hégélianisme au service des intérêts matériels » [25]. Ces intérêts matériels, il en reconnaît l'exceptionnelle importance, leur satisfaction étant une condition de la défense du Moi : par conséquent, affirme-t-il, « cette campagne du ventre vaut un mouvement religieux vers la justice » [26].

Mais le but ultime du socialisme est la création d'un monde nouveau : « La civilisation ne doit pas être l'apanage d'une minorité qui en jouit à part soi et pour elle-même. Elle doit augmenter la part de bien-être et de bonté de chacun. C'est ce que s'efforcèrent de faire les religions à l'origine des sociétés. C'est ce que fera le socialisme » [27].

Voilà pourquoi « le socialisme ne doit pas être que le parti du ventre (...) C'est un but plus élevé que nous devons rechercher » [28], écrit Barrès. Voilà pourquoi, contre les socialistes allemands, matérialistes et plongés dans les préoccupations économiques, il réclame « avec ceux d'école française (...) une réforme mentale complète » [29], qui hausserait chaque individu « jusqu'à la civilisation » pour en faire un « homme libre » [30]. On reconnaît aisément les préoccupations de Barrès depuis la publication de *Sous l'œil des barbares* : elles viennent maintenant s'intégrer dans son socialisme. Le culte du Moi prend dès lors les formes de la solidarité sociale, de l'édification d'un monde nouveau où « chaque individu poussé à son type sera prêt pour la coordination corporative, nationale et enfin universelle » [31].

Tel est le socialisme pour le Barrès de *La Cocarde ;* un Barrès encore relativement éloigné du leader nationaliste qu'il deviendra quatre ou cinq ans plus tard. Cependant ce socialisme humain, souvent idéaliste, qui résulte de « la sensibilité de Rousseau ordonnée par la dialectique de Hegel » [32], se présente déjà comme un socialisme national. Il est, selon Barrès, le produit d'une synthèse originale, de l'alliance du rationalisme d'un système philosophique universel avec la « sensibilité nationale » française [33] ; une synthèse qui ne saurait jamais « se plier sous le collectivisme allemand ou le terrorisme russe, car ces deux dernières conceptions sont significatives de races étrangères » [34]. Au socialisme judéo-allemand, qui « élimine les notions de

25. BARRÈS, « L'arbre de vie d'une idée », in *De Hegel aux cantines du Nord,* p. 24. Dans cet article Barrès attire l'attention du lecteur sur une étude d'Engels dans laquelle celui-ci décrit cette « magnifique évolution qu'est l'introduction de la dialectique hegélienne dans l'économie politique ».
26. *L'Ennemi des lois,* p. 185.
27. BARRÈS, « La fête du 22 septembre », *La Cocarde,* 24 septembre 1894.
28. *Ibid.*
29. *L'Ennemi des lois,* p. 196.
30. BARRÈS, « Individualisme et solidarité, *La Cocarde,* 6 septembre 1894.
31. *Ibid.*
32. BARRÈS, « La pensée plus forte que le penseur », in *De Hegel aux cantines du Nord,* p. 18.
33. BARRÈS, « La Fédération donne à tous une patrie », in *op. cit.,* p. 31.
34. *Ibid.*

pitié, de justice » [35], Barrès oppose l'école française de l'enthousiasme [36], celle de Saint-Simon qui « pour conduire les hommes estimait l'appel de la foi plus efficace que l'appel au raisonnement » [37], celle de Fourier qui est « le moraliste de la société de demain » [38].

Mais c'est le socialisme de Proudhon qui, selon Barrès, est le plus original, car il « combine notre sensibilité nationale et l'hégélianisme » [39], et prend comme levier de la révolution sociale « l'idée de justice, de fraternité, ou tel autre sentiment de 48 » [40]. En outre, le marxisme lui « a emprunté la théorie de l'augmentation du capital par la plus-value dérobée au travail de l'ouvrier » [41]. Ce socialisme où se concrétisent les « aspirations du peuple laborieux vers le bonheur, le bien-être et la justice », ne peut séparer « dans l'homme, ses besoins matériels de ses aspirations vers le mieux » [42]. Il se fixe comme objectif « une modification complète de l'état mental » [43], c'est-à-dire non seulement « des conceptions nouvelles de la propriété, de la famille, de la légalité », mais « aussi (...) des mœurs nouvelles... » [44]. Dans *L'Ennemi des lois,* André Maltère avait déjà fait une profession de foi identique : « Je révise les principes de l'éthique », disait-il, « (pour) collaborer ainsi à la réfection des mœurs » [45].

Barrès insiste sur les préoccupations morales du socialisme français, sur son individualisme, sur son souci du libre épanouissement de l'individu. Il considère qu'en négligeant l'émancipation de l'individu, le socialisme ne serait qu'une forme nouvelle de l'oppression. Et c'est précisément le danger que, selon Barrès, le marxisme fait courir. Si le socialisme devait se limiter à la poursuite de l'émancipation économique, il est à craindre qu'il ne puisse la réaliser « sans nous écraser sous une dictature uniforme » [46]. Car le bien-être pourrait être, par hasard, donné par « un dictateur » [47] et, le « marxisme interprété selon certains autoritaires » pourrait aboutir à une « immense infinité dictatoriale ». S'il n'était individualiste et — au niveau de l'organisation politique et administrative — fédéraliste, le socialisme « ne serait que transfert de notre société actuelle aux mains de nouveaux diri-

35. *L'Ennemi des lois,* p. 174.
36. *Ibid.*
37. *Un Homme libre,* p. 73.
38. *Op. cit.,* p. 98.
39. Barrès, « La Fédération donne à tous une patrie », in *De Hegel aux cantines du Nord,* p. 31.
40. *L'Ennemi des lois,* p. 177.
41. Barrès, « La Fédération donne à tous une patrie », in *De Hegel aux cantines du Nord,* p. 31.
42. Barrès, « L'idéal dans les doctrines économiques », *La Cocarde,* 14 novembre 1894.
43. *L'Ennemi des lois,* p. 177.
44. Barrès, « 27 janvier », *La Cocarde,* 27 janvier 1895.
45. *L'Ennemi des lois,* pp. 20-21.
46. Barrès, « Pas de dictature », *La Cocarde,* 30 décembre 1894.
47. Barrès, « La fête du 22 septembre », *La Cocarde,* 24 septembre 1894.

geants »[48]. C'est pour cela que Barrès doute sincèrement que le marxisme ait la faculté de modifier la condition humaine, de dépasser le stade de l'homo faber, de permettre comme l'affirme Jaurès, « le libre et entier développement de toute individualité humaine »[49]. En définitive, c'est à sa capacité de dépasser ou non la question économique que Barrès lie l'avenir du socialisme ; selon qu'il la dépassera ou non, le socialisme sera ou un mouvement de libération ou un mouvement d'oppression.

Au niveau de la politique, pense Barrès, la mutation économique et sociale proposée par les marxistes peut déboucher sur une dictature. Au niveau de la société, elle risque d'entraîner l'application des critères économiques et des impératifs du collectivisme à tous les domaines de l'existence. Il redoute par-dessus tout que le marxisme n'écrase l'individu sous le terrible conformisme d'une « société tracée au cordeau »[50].

Ce danger est d'autant plus réel que les marxistes, selon Barrès, cherchent à imposer non seulement une restructuration de la société, un nouveau système économique et finalement, leur propre système de valeurs, mais encore ils estiment que l'accession de la société au stade déterminé par eux, constitue l'étape finale de l'évolution de l'humanité. Très souvent, Barrès compare le socialisme à une religion, en voulant dire par là que le socialisme n'est pas une doctrine économique ou sociale, mais un système moral complet, qu'on ne peut comparer qu'aux religions révélées, et que ses protagonistes n'hésiteront guère, le jour venu, à imposer par la force.

Ce que Barrès craint avant tout, c'est donc le sentiment qu'ont les marxistes de détenir la vérité absolue, de penser que l'évolution humaine peut et doit s'arrêter avec « l'installation du collectivisme » et par conséquent de vouloir « imposer à l'univers en plus de l'immobilité », cette « triste folie » qu'est « l'uniformité »[51].

48. BARRÈS, « Pas de dictature », *La Cocarde*, 30 décembre 1894.

49. *Ibid.*

50. « J'entrevois qu'ils imposeront au monde », écrit Barrès à propos des marxistes, « une règle morale comme ils lui proposent une règle économique. Pour les choses du ventre chacun subissant les mêmes nécessités, une règle composée d'après les besoins de la majorité serait avec avantage substituée au désordre économique actuel. Mais ces impérieux socialistes ne mettront-ils pas aussi l'autorité au service des façons de voir de la majorité ? Les dissidents devront-ils se courber ? Détruira-t-on les acquisitions du passé, honnies de la masse, mais qui enchanteraient encore quelques individus ? Et avec ces retardataires, excommuniera-t-on les esprits d'avant-garde ? (les) excentriques qui, par frénésie d'individualisme se dérobent à toute façon de sentir accréditée ? Société tracée au cordeau ! Vous offrez l'esclavage à qui ne se conforme pas aux définitions du beau et du bien adoptées par la majorité. Au nom de l'humanité, comme jadis au nom de Dieu et de la Cité, que de crimes s'apprêtent contre l'individu » (*L'Ennemi des lois*, p. 199).

51. « La Fédération donne à tous une patrie », in *De Hegel aux cantines du Nord*, p. 35.

Pour démolir cette image que s'est faite le socialisme marxiste de lui-même, Barrès en appelle à l'autorité de Hegel. En effet, il considère que la pensée hégélienne constitue le point de départ du socialisme : la conception de l'histoire de Hegel fut une découverte capitale car le philosophe allemand a donné à un sentiment humain naturel, l'aspiration vers un avenir meilleur, le cadre conceptuel qui lui a permis de devenir une doctrine et un moyen d'action.

Le socialisme c'est, selon Barrès, « l'aspiration vers une société plus parfaite » [52] : réduit à son expression la plus simple et aussi la plus fondamentale, c'est « un rêve de justice » [53] dans lequel se concrétisent aussi les aspirations du peuple laborieux vers le bonheur et le bien-être [54]. Ce sentiment naturel n'est devenu une énorme puissance sociale que grâce à la philosophie de l'histoire de Hegel. Avec Hegel, les hommes ont pris conscience du fait que le simple instinct qui les amène à construire un monde meilleur peut devenir, à une époque historique donnée, une force capable de bouleverser le monde. Si « Hegel lui-même était conservateur (...) sa méthode était révolutionnaire » [55], écrit Barrès : pour lui tout socialiste « relève de Hegel pour sa dialectique » [56]. Or :

> « On sait que l'admirable dialectique de Hegel affirmait qu'un individu ou un fait particulier quelconque ne manifeste jamais l'Idée, et que celle-ci n'apparaît que dans une suite de manifestations qui se développent jusqu'à l'infini. C'est-à-dire que la vérité se réalise continuellement dans toute la suite de l'éternité, sans parvenir jamais à se réaliser complètement. Ainsi se trouvent justifiées toutes novations et toutes contradictions » [57].

De cette façon, toute « transformation sociale », est non seulement légitime, mais nécessaire, car elle représente une phase dans l'infini mouvement de l'histoire. C'est ainsi qu'en fournissant au parti du mouvement ses fondements idéologiques, Hegel a forgé les armes du mouvement révolutionnaire. En lui enseignant « que tout ce qui a été nécessaire a été vrai et que la place de chaque chose constitue

52. Barrès, « L'arbre de vie d'une idée », in *op. cit.*, p. 24.

53. Barrès, « Exploitation du sentiment nationaliste », *La Cocarde*, 24 novembre 1894.

54. Barrès, « L'idéal dans les doctrines économiques », *La Cocarde*, 14 novembre 1894.

55. Barrès, « L'arbre de vie d'une idée », in *De Hegel aux cantines du Nord*, p. 21.

56. Barrès, « La pensée plus forte que le penseur », in *op. cit.*, p. 19. Cf. aussi « L'arbre de vie d'une idée », in *op. cit.*, p. 19 : « C'est la même méthode hégélienne », écrit-il, « qui a suscité le collectivisme de Karl Marx en Allemagne ; en France, Proudhon ; en Russie, le terrorisme anarchique et Bakounine ». D'autre part il est intéressant de noter qu'à cette époque déjà, Barrès explique la prolifération des familles socialistes par le facteur racial : « Selon les tempéraments dont il prend possession », poursuit-il, « ou mieux encore selon les races, l'hégélianisme produit des combinaisons particulières ».

57. Barrès, « L'arbre de vie d'une idée », in *op. cit.*, p. 22.

sa vérité »[58], le philosophe allemand a rendu au socialisme un service sans prix. L'élément révolutionnaire dans la méthode hégélienne réside donc, pour Barrès, dans le fait qu'elle rend légitime tout phénomène historique. Son raisonnement se réduit à un simple syllogisme : ce qui est nécessaire est vrai ; le socialisme est nécessaire, donc le socialisme est vrai. Barrès n'est pas du tout conscient des éléments relativistes que contient la dialectique hégélienne. Il restera toujours persuadé que la méthode de Hegel est une méthode révolutionnaire et il n'aura pas l'idée de l'employer à nouveau dans un tout autre sens, lorsqu'il fixera les fondements de son relativisme conservateur. Il fera alors appel aux apôtres classiques du conservatisme, Burke, Maistre et Bonald. Pour lui, Hegel demeurera le père des doctrines révolutionnaires, l'homme dont les « idées qu'avaient accueillies avec transport, comme des armes de défense, les conservateurs prussiens » sont en fait devenues « les pires armes révolutionnaires aux mains des ouvriers sans culture ! »[59].

C'est donc le relativisme hégélien que Barrès oppose aux certitudes marxistes[60], et parce que le socialiste est pour Barrès précisément « l'homme qui a le goût de la transformation sociale »[61], il reproche aux marxistes de soutenir que le processus de l'évolution s'arrêtera avec l'accession de la société au stade déterminé par eux, alors qu'il n'y a aucune raison de supposer que le socialisme échappe aux lois générales de l'évolution historique. Si le socialisme a donc raison d'estimer, en vertu de la méthode hégélienne, « que le capitalisme, le salariat actuel ne sont pas des formes économiques éternelles », il a tort, en revanche, d'oublier cette vérité essentielle : « le collectivisme lui-même passera et c'est à quoi ne pensent pas assez les collectivistes qui montrent des âmes de croyants religieux dès qu'il s'agit de leur système philosophique devenu un credo politique »[62].

Ce que Barrès prétend c'est que l'on ne peut appliquer la méthode hégélienne d'une façon sélective. Puisque Hegel a découvert les lois de la dialectique, puisqu'il a montré que tout phénomène historique n'est que l'instant d'une interminable évolution, le stade du socialisme ne peut être lui aussi qu'un instant de cette évolution auquel succèderont d'autres formes sociales, donc d'autres époques historiques. Ainsi engagé dans un processus infini, l'homme ne peut considérer aucune étape de sa marche en avant comme l'étape finale.

58. Art. cité, p. 23.
59. Barrès, « La pensée plus forte que le penseur », in *op. cit.*, p. 16.
60. Barrès, « La Fédération donne à tous une patrie », in *op. cit.*, pp. 35-36. « Quand rien n'est que relatif, quant tout passe et fuit, c'est une prétention insensée d'imposer l'unité et l'immobilité au monde ».
61. Barrès, « L'arbre de vie d'une idée », in *op. cit.*, pp. 24-25.
62. Barrès, « La Fédération donne à tous une patrie », in *op. cit.*, p. 34.

Mais Barrès est conscient du fait que si le marxisme commet une grave erreur, cette erreur est aussi à l'origine de sa force : c'est en effet une source d'énergie, car elle suscite précisément « une puissance de sentiment » qui est un « formidable levier » et pratiquement l'unique moyen de « remuer dans le cœur des masses ». « Cette force qu'aura toujours en France un idéal » est donc un facteur politique de premier ordre [63]. Barrès souligne à plusieurs reprises que rien de grand ne saurait être accompli sans « cette force qu'on appelle la foi (...), n'est-ce pas déjà », demande-t-il, « une recommandation pour une doctrine d'être la plus capable de créer un état d'esprit religieux ou, pour mieux dire, d'enthousiasme et de dévouement ? » [64].

Cependant, toutes les faiblesses du marxisme n'ont pas pour origine une déviation de l'orthodoxie : au moins une d'entre elles, et non des moindres, provient au contraire de l'obédience hégélienne de Marx et de Engels. En effet, en introduisant « la dialectique dans l'économie politique », en mettant « l'hégélianisme au service des intérêts matériels », processus que Barrès qualifie de « magnifique évolution » [65], Marx est aussi tombé, selon lui, dans l'erreur même de Hegel qui « considérait sa philosophie comme l'absolu réalisé. Le mot du mystère universel lui semblait trouvé. Il n'avait que faire de nouveaux réformateurs » [66]. « Hegel avait cru interpréter l'univers d'une façon définitive, Marx à son tour croit l'organiser à jamais » [67]. Si Hegel considérait son propre système comme l'apothéose et la fin de la philosophie, Marx pensait qu'il était à même de fournir des solutions finales à tous les problèmes posés par les rapports entre les hommes. Tous deux, chacun à un niveau différent, croyaient avoir atteint la vérité absolue. En quoi tous deux, pense Barrès, se sont rendus coupables de déviation de leur propre système, en quoi tous deux ont trahi leur propre méthode : « L'un et l'autre », écrit Barrès, « méconnaissent leur dialectique ; ils prétendent substituer une immobilité bienheureuse à cette suite indéfinie de transformations qui sont chacune une parcelle de bonheur » [68]. Car, la dialectique n'est-elle pas la loi du développement par la conservation et le dépassement d'antinomies qui se résolvent dans un troisième terme qui les surmonte ? Ne stipule-t-elle pas un mouvement ininterrompu de l'histoire vers un avenir indéterminé ? Or, en se composant « un idéal de cabinet » et en voulant « l'imposer à l'humanité (...) les marxistes risquent d'enrayer le mouvement de l'histoire » [69].

63. Barrès, « Les assagis et les apprivoisés », *La Cocarde*, 16 octobre 1894.
64. Barrès, « La foi en sociologie », *La Cocarde*, 26 octobre 1894.
65. Barrès, « L'arbre de vie d'une idée », in *De Hegel aux cantines du Nord*, p. 24.
66. Art. cité, p. 25.
67. *Ibid.*
68. *Ibid.*
69. *Ibid.*

Il y a plus : en s'engageant dans cette voie, les disciples de Marx conscients d'être parvenus, avec le système de leur maître au stade ultime de l'évolution sociale, non seulement s'enferment dans son erreur initiale, mais ils y ajoutent une erreur supplémentaire, non moins grave. En effet, puisque, selon eux, le but ultime est en vue, puisque l'histoire s'arrêtera, ils pensent pouvoir prédire avec exactitude les formes concrètes que prendra alors la société à son apogée [70]. C'est là, dans l'esprit de Barrès, une conception absolument erronée, « car », écrit-il, « il ne s'agit point de faire le prophète mais de se prêter à l'évolution nécessaire » [71]. Là encore, il veut rester fidèle à la conception de l'histoire de Hegel et au rôle qu'il assigne à la philosophie. En effet, l'attitude de Hegel à l'égard de l'histoire explique fort bien pourquoi Barrès juge légitime de critiquer l'idée que le philosophe se faisait de la place occupée par son système dans l'histoire de la pensée. Pour Hegel, on le sait, l'histoire est « le tribunal suprême » et elle n'est ni arbitraire ni accidentelle. Puisque tout le réel est rationnel, Hegel se borne à chercher la raison du surgissement des événements. Au nom de cette conception de l'histoire qu'il considère comme la contribution capitale de Hegel aux sciences humaines, Barrès prend nettement ses distances à l'égard du marxisme : il souligne avec force que le marxisme n'est pas le socialisme, qu'en réalité le marxisme constitue une déviation du socialisme. Le socialisme authentique, celui qu'il appelle « le nôtre », est celui qui étudie les courants de l'histoire, sans pour autant s'aventurer dans le terrain de la spéculation abstraite, celui-là même où s'est engagé le marxisme.

Cependant, une grande certitude éclaire ce monde imprévisible : « l'avenir est au socialisme » [72]. Cette certitude est née de la conception que se fait Barrès de l'histoire et qu'il exprime de la manière suivante : « il y a une causalité qui détermine les transformations sociales » [73]. Cette causalité dont le socialisme est le résultat, Barrès la considère comme une donnée fondamentale qui ne nécessite point d'autre démonstration que l'autorité de Hegel. Pour lui, « la transformation sociale ne peut être entravée », car elle est dans « le sens de l'évolution historique » [74], parce que « le monde marche, les choses sont plus fortes que tout... » [75]. C'est cette foi dans un avenir où « la caste aujourd'hui possédante va sombrer dans une transformation du régime social » [76] qui constitue le socialisme. Etre socialiste

70. *Ibid.*
71. *Ibid.*
72. Barrès, « 27 janvier », *La Cocarde*, 27 janvier 1895.
73. Barrès, « L'idéal et les premières étapes », *La Cocarde*, 18 septembre 1894.
74. Barrès, « L'ingérence du pouvoir central », *La Cocarde*, 22 novembre 1894.
75. Barrès, « Une revanche », *La Cocarde*, 12 janvier 1895.
76. Barrès, « Le bourru bienfaisant », *La Cocarde*, 26 février 1895.

n'est rien d'autre que croire de toutes ses forces que l'avenir appartient au socialisme, qu'une irrésistible causalité y mène. Le socialisme est donc, pour Barrès, une foi aussi bien qu'une conclusion logique de ce qu'il appelle « les sciences historiques ».

La période qui sépare le boulangisme de l'Affaire est sans doute la période la plus féconde de la vie intellectuelle de Barrès. Il ne publie alors qu'un seul ouvrage, *L'Ennemi des lois,* mais c'est le moment où, libéré des obligations de son mandat législatif et fermement décidé à mener une action de longue haleine, il s'instruit et cherche sa voie propre, celle qui débouchera finalement sur *Les Déracinés.* C'est aussi le moment où il se consacre, comme il ne l'a jamais fait jusqu'alors, à la philosophie politique, où il découvre le socialisme qui porte tous ses espoirs d'un renouveau spirituel et social. Barrès subit sans doute l'influence des militants socialistes parmi lesquels il évolue alors, ces hommes qui s'instruisent ou qui, au moins, savent qu'il faut s'instruire. Cependant, il ne semble pas que Barrès ait jamais acquis une solide connaissance des œuvres de Hegel ou de Marx. Ses écrits révèlent plutôt une certaine familiarité avec des idées qui étaient dans l'air, que les traces d'une lecture approfondie, l'assimilation d'une terminologie plutôt que les prémisses philosophiques d'un système de pensée. C'est pourquoi son analyse de la pensée marxiste prête parfois à sourire. Du même coup, en révélant la fragilité de cette version du socialisme, elle illustre toutes les ambiguïtés, toutes les contradictions et toutes les difficultés du socialisme français à la veille de l'Affaire. Mais ce qu'il faut en retenir surtout, et c'est là un point essentiel, c'est le fait que cette critique du marxisme prépare déjà le « socialisme nationaliste » de la fin du siècle, qui lui, n'aura plus guère d'affinités avec le socialisme tout court.

Cette période qui constitue une étape privilégiée de son itinéraire intellectuel est celle où cohabitent dans sa pensée des éléments qui, peu de temps après, se révèleront contradictoires. Il collabore alors avec des hommes qu'il combattra violemment quelques années plus tard. « Nous étions alors tangents en plusieurs points, ce qui est contre la saine géométrie », écrira Eugène Fournière quinze ans après *La Cocarde*[77]. Mais c'est un moment où la cohabitation de ces éléments « tangents » est encore possible, où de jeunes intellectuels unis dans un même refus de la société bourgeoise, du capitalisme, unis dans une même dénonciation des valeurs bourgeoises et de l'ordre établi, donnent l'illusion de pouvoir dépasser, par une même volonté révolutionnaire, les vieilles querelles.

77. Lettre d'Eugène Fournière, in Henri CLOUARD, *op. cit.,* p. IV.

Barrès est alors un intellectuel qui entend assumer pleinement son rôle. Il se sent responsable de l'évolution du socialisme, il multiplie les mises en garde et les critiques, il se fait le gardien des valeurs individuelles et il sait qu'il lui appartient de penser, mais aussi d'agir. Penser et repenser un monde qui accable l'individu, et poser, dans un journal à grand tirage, les problèmes fondamentaux de la condition humaine. Il met le journal qu'il dirige à la disposition des groupes ouvriers et se lance en 1893 et en 1896, dans la mêlée électorale. Il est à la fois l'homme d'un combat et l'intellectuel conscient de ses devoirs d'homme libre.

Un nationalisme encore relativement ouvert, un socialisme individualiste, un antisémitisme qui n'est pas encore incompatible avec le socialisme, constituent l'essentiel de cette tentative de renouveau. L'Affaire Dreyfus, en mettant chacun en demeure de se définir par rapport à un certain nombre de principes, va balayer ces efforts de rassemblement.

DEUXIÈME PARTIE

L'acceptation

CHAPITRE V

Premiers éléments d'une doctrine nationaliste

LA QUESTION NATIONALE

Il faut attendre le 21 février 1889 pour trouver dans *Le Courrier de l'Est*[1], la première mention des provinces perdues[2]. Dans ses premiers articles politiquement engagés, Barrès n'y faisait aucune allusion ; l'Alsace-Lorraine est également absente du long discours-programme de Boulanger du 4 juin 1888. Cette absence ne signifie ni un manque de patriotisme sincère chez Barrès ni que le boulangisme ait abandonné l'idée de revanche. Simplement, dans le boulangisme vécu, ces thèmes paraissaient plutôt secondaires. La question sociale et le problème du régime étaient, chez Barrès, largement prioritaires. Bien sûr il y avait beaucoup d'ardeur patriotique dans la poussée boulangiste ; mais cette ardeur procédait bien davantage d'un réflexe de dignité et d'un certain esprit cocardier de tradition jacobine que d'un réel désir de déclencher une guerre. Certes, la thèse de la démission devant l'Allemagne, accréditée par Rochefort et les membres du comité de protestation nationale pour mobiliser Paris en faveur de Boulanger démis de ses fonctions ministérielles, est nourrie de cet état d'esprit et trouve un profond écho dans la clientèle radicale ; mais très rapidement ce sont les préoccupations de politique intérieure qui prennent la première place dans la propagande boulangiste.

Il en est de même chez Barrès : il n'y a pas de commune mesure entre la place que tiennent les thèmes de l'Alsace-Lorraine et de la revanche dans *L'Appel au soldat* et celle qu'ils ont dans les écrits de l'époque. Dans le second volume du *Roman de l'énergie nationale,* la France, selon Barrès, « avait rêvé Metz et Strasbourg repris sous la conduite du général Boulanger... [3] Le général Revanche était un fac-

1. Lancé le 21 janvier et quotidien jusqu'au 15 mars.
2. Barrès, « La prochaine Constitution », *Le Courrier de l'Est,* 21 février 1889.
3. *L'Appel au soldat,* p. 52.

teur de « la socialisation des âmes »[4] : autour de lui, on sentait au moment de l'affaire Schnaebelé « presque les saintes fureurs de la Marseillaise de Rude »[5]. La poussée boulangiste fut possible, explique Barrès, car le général apparaît à un moment de choix dans l'histoire de France :

> « Notre pensée nationale », écrit-il, « s'élève et s'abaisse par ondes comme la mer. Elle est, en 1887, à son plus haut niveau chez tous les Français. Sturel au Lido, Roemerspacher sur le Brocken, tendent à étouffer l'anarchie mentale, dite humanisme, que mit en eux l'Université : ils filtrent l'amas encombrant déposé dans leurs âmes ; ils s'épurent pour retrouver la discipline de leur race et se ranger à la suite de leurs pères (...) A cette date c'est toute la France, dans toutes ses cellules, qui désire repousser des éléments venus de ses dehors »[6].

Il s'agit là d'une véritable réinterprétation, sous l'influence de l'Affaire et pour les besoins de la cause, de l'état des esprits en 1887. L'affaire Schnaebelé et la crise entre la France et l'Allemagne, tenues dans *L'Appel au soldat* pour l'un des grands moments de la « pensée nationale » ne sont dans *Le Voltaire* qu'une désagréable péripétie, une perturbation temporaire et sans beaucoup de signification de l'harmonie européenne. C'est ainsi qu'en janvier 1888, à la veille de son engagement dans le boulangisme, Barrès déplore encore la renaissance du nationalisme en Europe : « Le sentiment national qui réapparaît si vif chez tous à l'étranger est entretenu dans une extrême susceptibilité par la série d'événements que supportent toutes les nations. Les haines de race se sont vraiment accrues depuis vingt ans. Or il est vraiment fastidieux de ne rencontrer autour de soi que visages défiants ou sombres, que mutisme ou que paroles amères »[7].

Notons ce texte, car la date de sa composition présente un intérêt considérable. En effet, l'article est publié un an après la tension diplomatique entre la France et l'Allemagne de janvier-février 1887, neuf mois après l'affaire Schnaebelé et la chute du ministère Goblet (qui consacre la fin de la carrière ministérielle du général Boulanger), c'est-à-dire à la fin d'une période à laquelle, dans *L'Appel au soldat*, Barrès attache une importance si grande qu'il va jusqu'à parler d'ébranlement de la conscience nationale et d'une extraordinaire réaction spirituelle[8]. Or le Barrès du *Voltaire* avait réagi d'une manière bien différente : déplorant l'atmosphère de tension en Europe, il exprimait sa sympathie pour cette « société cosmopolite » qui partage son temps entre quatre ou cinq centres de civilisation, pour « ces esprits

4. *Op. cit.*, p. 49.
5. *Op. cit.*, p. 50.
6. *Op. cit.*, p. 44.
7. BARRÈS, « Allons au soleil », *Le Voltaire*, 26 janvier 1888.
8. *L'Appel au soldat*, pp. 49-52.

sans patrie qui veulent adopter les perfections de l'univers »[9]. Ceux-là, écrit-il, « semblent parfois déracinés », mais « c'est là ce qui est tout à fait gracieux. L'univers est couvert de brebis cosmopolites »[10]. Lorsqu'on songe à l'usage que fera Barrès, en 1897, de ce même mot de déraciné !

On mesure la distance qui sépare le *Roman de l'énergie nationale* du *Voltaire*. Entre ces écrits de jeunesse et ceux de son âge mûr, s'intercale en effet l'Affaire Dreyfus, qui projette rétrospectivement son ombre sur les années 1880. C'est la raison de la différence fondamentale entre le sens que leur donne Barrès dans un article contemporain des événements et celui qui est le résultat d'une vision tardive.

On note un même décalage dans *La Cocarde*. « Certes pour ma part, je ne l'eusse pas suivi », écrit Barrès dans un article sur Boulanger, « si j'avais distingué alors ce que je vois nettement aujourd'hui, qu'il souhaitait la guerre »[11]. Quelques mois plus tard, dans un article commémorant la nuit du 27 janvier, il fait une profession de foi qui est à l'opposé de la voie qu'il suivra à partir de l'Affaire et qui ne cesse d'étonner sous la plume de l'auteur de *L'Appel au soldat* :

> « Tant qu'il y aura un budget de guerre et de la marine, rien d'utile ne peut être fait dans la direction du socialisme. Le seul titre que puisse entrevoir celui qui aspirerait à une popularité dominante dans ce pays c'est de négocier avec nous le désarmement. On eût voulu un général nous rendant Metz et Strasbourg ; il y a une seconde forme de la popularité, elle irait à celui qui aurait présidé à la pacification de l'Europe »[12].

Barrès n'est pas seul au sein du boulangisme à préconiser le désarmement général. Il ne fait en réalité que reprendre un thème déjà développé par Naquet en 1890 : le conseiller de Boulanger s'était alors élevé contre « la paix armée »[13], ce « mouvement de folie furieuse qui entraîne l'Europe »[14] ; il répétait que « les haines et les préjugés nationaux (...) doivent disparaître pour que le socialisme soit » et assignait au socialisme la « mission (...) de lutter contre cette erreur malfaisante et de la terrasser »[15]. En 1887 Laisant avait déjà affirmé qu'il était boulangiste parce qu'il voulait la paix[61]. Quant

9. Barrès, « Allons au soleil », art. cité.
10. *Ibid.*
11. Barrès, « La figure du général Boulanger », *La Cocarde*, 30 septembre 1894.
12. Barrès, « 27 janvier », *La Cocarde*, 27 janvier 1895.
13. Alfred Naquet, *Socialisme collectiviste et socialisme libéral*, p. 200.
14. *Op. cit.*, p. 201.
15. *Op. cit.*, p. 202.
16. A. Laisant, *Pourquoi et comment je suis boulangiste*, p. 5.

à Barrès, il se félicite vivement, en 1894, du désir de paix général en Europe [17].

Le boulangisme, Déroulède mis à part, n'est guère belliqueux : il est patriote, chauvin et cocardier, ce qui n'a rien de particulier en France à la fin du XIXe siècle, mais dans l'ensemble, ses leaders ne sont pas des aventuriers. Boulanger craint une guerre avec l'Allemagne et c'est une des raisons qui l'empêchent de répondre le 27 janvier aux sollicitations de Déroulède, Laguerre et Thiébaud [18].

Le thème de la revanche ne semble pas être excessivement « payant » : Barrès ne le développe pratiquement pas. Celui de l'Alsace-Lorraine, par contre, occupe une place modeste assurément, mais constante dans sa campagne boulangiste. Œuvrer pour le retour de l'Alsace-Lorraine est pour Barrès un « devoir sacré » [19]. Pour l'obtenir il préconise, non pas un recours à la force, mais « une politique de dignité et de suite dans les idées » [20]. Cette politique de dignité postule qu'il ne saurait y avoir de réconciliation entre les vainqueurs et les vaincus, car, « entamé par le traité de Francfort, l'Etre réel qu'est la France, comme toute nation, aspire invinciblement à se reconstituer » [21].

Voilà pourquoi *Le Courrier de l'Est* s'oppose à certaines manifestations, la présentation de l'art allemand par exemple, qu'il considère comme une « platitude envers l'Allemagne » [22] ; voilà pourquoi Barrès déclare au correspondant parisien du *Berliner Lokal Anzeiger*, qu'en dépit de « la force de sentiment » qui l'attire « vers Goethe et les métaphysiciens allemands il n'y a pas de haute culture qui tienne (...) : vous êtes les adversaires » [23]. Cette réconciliation qu'il désire ardemment — « nul plus que moi », écrit-il, « ne souhaiterait la bonne intelligence de la France et de l'Allemagne » — ne saurait intervenir tant que les deux provinces ne seront pas rendues à la France [24].

Le problème alsacien-lorrain constitue ainsi l'un des éléments qui bloquent l'évolution de l'Europe. Dans son journal, Barrès salue la montée du socialisme allemand qui s'était toujours opposé à l'annexion [25] ; il juge cependant que le contentieux franco-allemand empêche les ouvriers français de se persuader que « les ouvriers allemands sont des frères » sur lesquels il faudrait « refuser de tirer » en cas

17. BARRÈS, « Une perte pour la République », *La Cocarde*, 9 septembre 1894.
18. MERMEIX, *Les Coulisses du boulangisme*, pp. 10-11.
19. BARRÈS, « France et Allemagne », *Le Courrier de l'Est*, 11 avril 1891.
20. BARRÈS, « La prochaine Constitution », *Le Courrier de l'Est*, 21 février 1889.
21. BARRÈS, « France et Allemagne », *Le Courrier de l'Est*, 11 avril 1891.
22. ANONYME, « La soirée de Lobengen », *Le Courrier de l'Est*, 19 septembre 1891.
23. BARRÈS, « France et Allemagne », *Le Courrier de l'Est*, 11 avril 1891.
24. *Ibid.*
25. Georges BOUSQUET, « La Révolution en Allemagne », *Le Courrier de l'Est*, 5 mars 1892.

de guerre [26]. Quant à Gabriel, co-équipier de Barrès, il rejoint la position classique de Déroulède : « Parler d'une paix définitive aujourd'hui de la part d'un Français, c'est une trahison », écrit-il [27].

Cependant la question de l'Alsace-Lorraine n'est pas seulement le fruit d'une injustice, résultat d'une guerre perdue ; elle s'inscrit dans le cadre plus vaste du problème des nationalités. Barrès pose le problème national dès les premières années de son activité politique, mais il le fait en des termes qui, dans leur forme comme dans leurs principes, sont assez éloignés de ceux qui formeront les éléments du nationalisme de l'Affaire Dreyfus.

« Le nationalisme », écrit-il, « est la loi des peuples modernes » [28] : il est l'aboutissement d'un long processus qui conduisit l'Europe du cosmopolitisme de l'Empire romain et de la chrétienté médiévale jusqu'à la Révolution [29]. Pour Barrès cette évolution qui « se fait le long des siècles vers le nationalisme... c'est le sens de l'histoire », car elle s'achève par la libération de l'homme [30]. Sa conception du nationalisme s'apparente, à ce stade de son évolution, au nationalisme jacobin, ouvert, fondé sur la doctrine des droits naturels. Il est aux antipodes de ce nationalisme organique, qui postule un déterminisme d'ordre physiologique, dont sera faite, quelques années plus tard, la doctrine de la Terre et des Morts. Barrès se réclame hautement de l'héritage idéologique de la Révolution et de 48 : « Fils respectueux de la République » il entretient avec ferveur le culte des grands ancêtres [31]. Il conçoit le nationalisme comme « la conséquence immédiate de la Révolution » [32], du rationalisme du XVIIIe siècle et des droits des peuples à disposer d'eux-mêmes, ce complément logique des droits de l'homme.

Son nationalisme semble alors bien ancré dans les principes de 89 et dans la philosophie révolutionnaire, rationaliste et humanitaire. Après l'âge du cosmopolitisme.

26. BARRÈS, « Après le congrès », *Le Courrier de l'Est*, 29 août 1891.
27. Alfred GABRIEL, « A ceux qui reparlent de fraternité », *Le Courrier de l'Est*, 29 août 1891.
28. BARRÈS, « La protection nationale chez les peuples étrangers », *La Cocarde*, 21 novembre 1894. Cf. aussi : *Contre les étrangers*, Paris, Grande imprimerie parisienne, 1893, pp. 28-29 : « Le nationalisme est la loi qui domine l'organisation des peuples modernes ». *Contre les étrangers* est une brochure électorale publiée à la veille des législatives de 1893, alors que Barrès était candidat socialiste à Boulogne-sur-Seine. Elle reproduit trois articles parus dans *Le Figaro* des 23 mai, 6 juin et 13 juillet 1893. Deux des trois articles, « L'exploitation du sentiment nationaliste » et « Le nationalisme en Europe » seront reproduits, avec quelques changements, dans *La Cocarde* des 24 et 25 octobre 1894. La brochure, dans son ensemble, sera insérée dans *Scènes et doctrines du nationalisme*, t. II, pp. 186-207.
29. Cf. *Contre les étrangers*, p. 26.
30. BARRÈS, « Evolution nationaliste et contre la guerre », *La Cocarde*, 25 octobre 1894.
31. BARRÈS, « La noce empoisonnée », *Le Courrier de l'Est*, 30 juin 1889. Cf. aussi « Hommage à un vrai républicain », *La Cocarde*, 21 février 1895.
32. BARRÈS, *Contre les étrangers*, p. 27.

« vinrent », écrit Barrès, « la philosophie et la Révolution française dont le rôle fut d'asseoir la société sur le droit naturel, c'est-à-dire sur la logique. Ces philosophes et ces légistes déclarèrent que tous les hommes étaient les mêmes partout, qu'ils avaient des droits en tant qu'hommes, d'où la Déclaration des droits de l'homme (...) Le droit naturel posé par la Révolution nous libère du contrat historique. Les hommes libérés des contrats, des vieilles chartes, soumis à la seule logique, décidèrent spontanément de se grouper entre gens ayant un fonds de légendes et de vie communes » [33].

Barrès s'applique à démontrer que la Révolution ne fut cosmopolite que dans la mesure où elle proclama la fondamentale égalité de tous les hommes, qu'elle leur reconnut des droits inhérents à leur qualité d'être humains ; mais elle ne songea jamais à nier l'idée de patrie ou à supprimer les frontières, au contraire [34]. « Invitée à s'organiser, à disposer d'elle-même, l'Europe s'est groupée selon le principe des nationalités » [35]. Par un choix librement exprimé elle entérinait ainsi la réalité de l'existence des patries, et formulait la volonté de cultiver cette diversité.

« Une race », écrit Barrès, « a ses aptitudes et ses besoins particuliers ; elle a ses traditions, ses façons particulières de concevoir l'avenir ; elle se différencie des autres races » [36]. Dans le monde moderne, « l'idée de patrie (...) conserve sa valeur intacte. Peut-être même chaque jour l'augmente-t-elle. Les patries s'affirment et se créent dans ce siècle avec une intensité jusqu'alors inconnue » [37].

C'est pourquoi préconiser un internationalisme qui effacerait les diversités nationales c'est cultiver des chimères, se placer dans le sens contraire à la marche de l'histoire et par conséquent préparer son échec.

Mais si Barrès s'élève contre un certain internationalisme outrancier en affirmant avec force son attachement à l'idée de patrie, il ne s'oppose pas à l'idée de solidarité et de collaboration internationale. Son nationalisme, encore marqué par l'idéologie révolutionnaire, postule que « l'idée de guerre n'est pas le complément nécessaire de l'idée de patrie » [38] et que l'une des caractéristiques de la doctrine républicaine est « l'enthousiasme pour la patrie et pour l'humanité » [39]. C'est pourquoi Barrès déclare croire « au nom du sentiment nationaliste (...)

33. *Op. cit.*, pp. 26-27.
34. *Op. cit.*, p. 28.
35. *Ibid.*
36. Barrès, « Contre l'extension du pouvoir parlementaire », *La Cocarde*, 21 octobre 1894.
37. *Ibid.*
38. *Ibid.* Cf. aussi « Evolution nationaliste et contre la guerre », *La Cocarde*, 25 octobre 1894 : « Nous sommes nationalistes et fédéralistes, et ne considérons pas que l'idée de guerre soit partie nécessaire de l'idée de patrie ».
39. Barrès, « Hommage à un vrai républicain », *La Cocarde*, 21 février 1895.

à la fédération européenne »[40], c'est pourquoi il est socialiste, car l'objectif du socialisme est de veiller à « maintenir l'harmonie dans l'Europe, comme dans chaque patrie ; à empêcher qu'aucun groupe national écrase un autre groupe, de même que, dans chaque nation, il y a lieu d'intervenir pour qu'une classe n'en opprime une autre »[41]. Dans ce sens Barrès est favorable à la collaboration internationale, à la constitution d'un groupe parlementaire socialiste européen[42], mais il précise que c'est bien là la limite de l'internationalisme : « réellement respectueux des lois historiques, des directions de l'humanité », le socialisme ne saurait pousser plus avant, en aucun cas il ne pourrait s'attaquer à l'idée de patrie et de solidarité nationale[43]. Un certain internationalisme constitue pour Barrès le complément de l'idée de nation, il pourrait contribuer au bien-être du groupe-nation, mais jamais le rendre caduc — le voudrait-il qu'il ne le pourrait pas. « C'est une grande naïveté », écrit Barrès, « de penser que les vieux instincts héréditaires (...) qui constituent le sentiment patriotique seraient soudain évaporés »[44].

Très tôt, la pensée de Barrès privilégie le sentiment d'appartenance au groupe-nation, elle revendique la nationalité comme caractéristique essentielle de tout groupe humain, et s'applique à en maintenir la cohésion. Barrès considère le passé national comme le patrimoine commun à tous les Français, la conservation de ce patrimoine et la participation aux valeurs qu'il représente comme le signe distinctif de la nationalité : « On entend par nation un groupe d'hommes réunis par des légendes communes, une tradition, des habitudes prises dans un même milieu durant une suite plus ou moins longue d'ancêtres »[45], [réunis] par « une même langue »[46]. Quelques mois plus tard, en 1895, il ajoutera : « La religion d'un pays et ce qui constitue une nationalité, c'est précisément ce sentiment, ce frisson, cette communion qu'établit une date, un nom. Bonaparte ! La Révolution française ! (...) Voilà pourquoi, je n'insulterai jamais le nom du père des opportunistes... »[47]. Ainsi Barrès évoque cet héritage comme un tout indivisible, pour le meilleur comme pour le pire : ce sera une des

40. *Ibid.*
41. Barrès, « Evolution nationaliste et contre la guerre », *La Cocarde*, 25 octobre 1894.
42. Barrès, « Contre l'extension du pouvoir parlementaire », *La Cocarde*, 21 octobre 1894.
43. Barrès, « Evolution nationaliste et contre la guerre », *La Cocarde*, 25 octobre 1894.
44. Barrès, « Contre l'extension du pouvoir parlementaire », *La Cocarde*, 21 octobre 1894.
45. Barrès, « Réponse à M. Edwards », *La Cocarde*, 22 octobre 1894.
46. Barrès, « Evolution nationaliste et contre la guerre », *La Cocarde*, 25 octobre 1894. Cf. aussi, *Contre les étrangers*, p. 28.
47. Barrès, « Pas d'archéologie », *La Cocarde*, 10 février 1895.

grandes constantes de sa pensée, et aussi la raison principale de son refus de rallier l'Action française.

Il convient ici de souligner l'absence de toute conscience d'une supériorité sur les autres nations : ce ne sera qu'après l'échec du nationalisme en politique intérieure que Barrès élaborera une vision darwinienne et hiérarchique des rapports internationaux, un stéréotype négatif de l'Allemagne et de l'Angleterre, ainsi qu'un certain nationalisme culturel, un nationalisme de supériorité et de ressentiment. Dans les années qui précèdent l'Affaire, son nationalisme, moins ombrageux et moins exclusif, s'applique surtout à cultiver la conception des prérogatives de l'Etat-nation, de ce que l'on peut appeler la souveraineté nationale, et l'idée de solidarité avec le groupe-nation, solidarité qui est une fin en soi, indépendante des mérites du groupe. Toute forme d'internationalisme, souhaitable en elle-même, est subordonnée aux impératifs nationaux. Cette vision du primat du groupe national commande chez Barrès, dès avant l'Affaire, ses choix politiques et sociaux : il sera socialiste aussi longtemps que le socialisme ne sera pas incompatible avec le nationalisme. Durant de longues années Barrès s'efforcera de créer une synthèse du socialisme et du nationalisme : la période qui va du boulangisme au programme de Nancy de 1898 est consacrée à l'élaboration de ce que Barrès appelle « le socialisme nationaliste » [48]. Mais dès les tous premiers moments de l'Affaire, souvent aussi dans les périodes électorales qui précèdent le déclenchement de celle-ci, le ton se fait violemment xénophobe et la terminologie révolutionnaire recouvre alors une pensée qui n'a déjà plus guère d'affinités avec la doctrine jacobine.

LE « SOCIALISME NATIONALISTE »

Le socialisme nationaliste s'est fixé pour objectif principal l'intégration des travailleurs français à la communauté nationale. « Les lier à l'idée de patrie. De là ma campagne pour la protection des ouvriers », écrit Barrès [1]. Dans un article publié au lendemain de l'Affaire, Barrès déclare que, contrairement aux « chimères collectivistes », les « nationalistes se proposent d'assurer la sécurité économique de chaque Français (...) Le nationalisme nous ordonne de juger tout par rapport à la France. Déserter la cause des déshérités serait trahir la cause de la nation elle-même » [2].

48. BARRÈS, « Que faut-il faire ? », *Le Courrier de l'Est* (2e série), 12 mai 1898.

1. *Mes Cahiers*, t. II, p. 197.
2. BARRÈS, « Socialisme et nationalisme », *La Patrie*, 27 février 1903.

L'essence même du nationalisme est par conséquent le maintien de la cohésion du groupe-nation et la recherche d'un consensus [3] : il s'ensuit dans un premier temps le désir de dépasser les oppositions intérieures, les oppositions de classes, et dans un second temps le rejet d'éléments jugés étrangers au consensus. Ces derniers seront par la suite, du fait de leur comportement, accusés de complot et leur existence même un danger permanent.

Barrès comprend parfaitement que la cohésion nationale passe par la solution de la question sociale : il faut protéger « le menu peuple contre le peuple gras » [4], il faut éviter que l'idée de patrie ne se présente aux couches sociales les plus défavorisées uniquement sous forme de « charges à subir et de corvées à remplir » [5]. Il faut favoriser l'éclosion du sentiment de solidarité à l'intérieur du groupe national « par la haine du voisin » [6] : « L'idée de patrie implique une inégalité mais au détriment des étrangers... » [7]. Dans cette optique Barrès lance une longue campagne en faveur du protectionnisme qui « introduit le patriotisme dans l'économie politique » [8], et pour la protection des travailleurs français contre la concurrence des ouvriers étrangers.

Cette conception du socialisme relie la pensée sociale de Barrès telle qu'elle s'exprime dans le boulangisme au socialisme nationaliste de l'Affaire. Au temps du boulangisme, il défend énergiquement les ouvriers français contre la concurrence étrangère en déclarant que les idées de solidarité internationale, si précieuses soient-elles, en ouvrant largement les frontières, compromettent « l'existence du groupe national » [9] ; il préconise, comme un moindre mal, « un mur impénétrable élevé autour des frontières » [10], et revient sur ce thème lors de sa seconde campagne de Nancy [11]. Il exige que soit accordé au prolétariat, « à ces travailleurs qui n'ont que leurs bras », ce que l'on accorde aux capitalistes, c'est-à-dire une protection contre la concurrence du travail étranger par des mesures comparables à celles qui protègent la production industrielle française contre la concurrence des pro-

3. Cf. Barrès-Maurras, *La République ou le Roi*, p. 374, lettre de Barrès à Maurras du 17 mai 1902 : « L'idée socialiste est une idée organisatrice si on la purge du poison libéral qui n'y est point nécessaire ».

4. *Mes Cahiers*, t. III, p. 50.

5. Barrès, *Contre les étrangers*, p. 13.

6. *Op. cit.*, p. 28.

7. *Op. cit.*, p. 13.

8. Barrès, « L'idéal dans les doctrines économiques », *La Cocarde*, 14 novembre 1894.

9. Barrès, « Après le congrès », *Le Courrier de l'Est*, 29 août 1891. Cf. aussi « La protection nationale des ouvriers chez les peuples étrangers », *La Cocarde*, 21 novembre 1894.

10. Barrès, « Le tarif des douanes et mes votes », *Le Courrier de l'Est*, 27 février 1892.

11. Barrès, « Sur le protectionnisme », *Le Courrier de l'Est* (2e série), 8 mai 1898.

duits étrangers [12]. Selon le principe qu' « en France, le Français doit marcher au premier rang, l'étranger au second » [13], Barrès propose une série de mesures destinées à faire observer « la loi des harmonies économiques, c'est-à-dire la solidarité des différentes parties du corps social (qui) n'est vraie que dans l'intérieur d'un même pays (...) Le capital français », ajoute-t-il, « est solidaire du travailleur français et non du travailleur belge » [14]. Barrès considère la solidarité des diverses couches sociales comme une loi propre à la nature des mécanismes sociaux : il pense que l'équilibre entre intérêts opposés au sein du groupe national pourrait s'instaurer dès qu'une protection efficace serait établie. C'est « l'afflux des ouvriers étrangers » qui fausse « cette harmonie économique » [15] car il apporte le chômage [16], il crée un danger énorme, celui de la conquête économique de la France par les étrangers [17], danger clairement démontré par « la statistique » [18]. La présence des ouvriers étrangers pèse sur le niveau des salaires, abaisse le niveau de vie, et est à l'origine de la dégradation des conditions de travail. Les ouvriers français, habitués par la civilisation française à un niveau de vie supérieur, sont ainsi exclus des bienfaits d'une civilisation à l'édification de laquelle ils ont participé [19].

Ayant ainsi expliqué la misère ouvrière par la concurrence de la main-d'œuvre étrangère, Barrès propose, pour y remédier, un plan en cinq points : une taxe sur les employeurs, une taxe militaire équivalente à celle payée par les Français exempts du service militaire, l'exclusion des étrangers des travaux militaires et en général de tous les chantiers nationaux, et finalement, l'expulsion de tous les étrangers tombant à la charge de l'Assistance publique [20].

La protection des nationaux constitue l'un des deux grands thèmes de la campagne nationaliste de Barrès à la veille des élections législatives de 1898, de 1902 et au cours des premières années qui suivent l'échec du nationalisme. Dans le programme de Nancy, dans *Scènes et doctrines du nationalisme*, dans *Le Drapeau* et *La Patrie*, Barrès reprend inlassablement, jusque dans leur formulation, les thèmes de sa campagne boulangiste, les thèses de *La Cocarde* et de *Contre les étrangers*. Mais le ton est nettement plus violent. Barrès condamne

12. Barrès, *Contre les étrangers*, p. 11. Cf. aussi « Qu'on soumette les étrangers aux lois françaises », *La Cocarde*, 29 novembre 1894, et « L'idéal dans les doctrines économiques », *La Cocarde*, 14 novembre 1894.

13. Barrès, « Qu'on soumette les étrangers aux lois françaises », *La Cocarde*, 29 novembre 1894.

14. Barrès, *Contre les étrangers*, p. 18.

15. *Ibid.*

16. *Op. cit.*, pp. 18-19.

17. *Op. cit.*, p. 14.

18. *Op. cit.*, p. 8.

19. *Op. cit.*, p. 10.

20. *Op. cit.*, pp. 18-22. Cf. aussi pp. 5-6 : Barrès précise que sur 1 300 000 étrangers, 65 000 seulement vivent de leurs revenus.

toute forme d'internationalisme, attaque vigoureusement le collectivisme, cet ensemble de « fictions invérifiables qui sortirent de l'imagination de quelques Juifs messianiques »[21], se sépare irrémédiablement du socialisme marxiste. Il revendique cependant le terme de socialisme, et considère le nationalisme comme le socialisme véritable, le seul conforme aux réalités historiques. Barrès insiste encore sur les origines révolutionnaires du fait national[22], et, reprenant un thème déjà longuement développé dans les années 1890, il démontre de nouveau que de par le monde, « une lente poussée » amène « l'union de ceux qui parlent une même langue et que rapprochent les légendes communes »[23] : quoi qu'en disent Marx et Jaurès, « la force des choses ne détruit pas les frontières »[24]. Puisque le « nationalisme est une méthode pour soigner les intérêts matériels dans ce pays »[25], puisqu'il « ordonner de juger tout par rapport à la France »[26], puisque « c'est le souci des grands intérêts de la patrie » et par conséquent « un protectionnisme »[27], il « engendre nécessairement (le) socialisme » qui est défini comme « l'amélioration matérielle et morale de la classe la plus nombreuse et la plus pauvre »[28].

Le nationalisme est par définition socialiste car il postule la défense de l'ouvrier français contre l'envahisseur étranger[29], contre la « féodalité financière cosmopolite » qui s'est emparée « de toutes les ressources de l'épargne française »[30], contre « l'aristocratie bourgeoise »[31] qui favorise le parasitisme des étrangers et l'exploitation des nationaux par les Juifs et la haute finance internationale[32]. Barrès ressuscite donc à Nancy ses grands thèmes boulangistes ; en accentuant considérablement leur aspect « nationaliste » et anti-humanitaire il leur donne une dimension nouvelle.

Barrès revient à Nancy au nom du boulangisme, au nom des « idées nationalistes et sociales » qu'il avait fait triompher en 1889 :

21. Barrès, « Socialisme et nationalisme », *La Patrie*, 27 février 1903.
22. *Scènes et doctrines du nationalisme*, t. II, pp. 171-172. Barrès reprend mot à mot des textes déjà publiés dans *Contre les étrangers* et dans *La Cocarde*.
23. *Op. cit.*, p. 174.
24. *Op. cit.*, p. 173.
25. *Mes Cahiers*, t. III, p. 6.
26. *Scènes et doctrines du nationalisme*, t. II, p. 117.
27. *Op. cit.*, p. 178.
28. *Op. cit.*, p. 162 : Le programme de Nancy est réimprimé pp. 160-168.
29. Barrès, « Les nationalistes », *Le Courrier de l'Est* (2e série), 10 avril 1898. Barrès fait paraître une nouvelle série de son ancien journal boulangiste du 10 avril jusqu'au 21 mai 1898, douze numéros au total. C'est une médiocre feuille de propagande électorale, reproduisant deux et trois fois un même article, rédigée par Barrès et Gabriel, et qui s'adresse aux électeurs de la 3e circonscription de Nancy où Barrès avait été élu en 1889.
30. Barrès, « La féodalité financière », *Le Courrier de l'Est* (2e série), 17 avril 1898.
31. Barrès, « Premier article », *Le Courrier de l'Est* (2e série), 10 avril 1898.
32. Barrès, « Les nationalistes », *Le Courrier de l'Est* (2e série), 10 avril 1898. Cf. aussi *Scènes et doctrines du nationalisme*, t. II, p. 162.

il revendique hautement sa première campagne nancéienne et souligne que ce dont il s'agit c'est de poursuivre le même combat [33]. Son programme, celui du comité républicain socialiste nationaliste de Meurthe-et-Moselle, recoupe bien les grandes options du comité républicain socialiste révisionniste qui l'a précédé [34] ; il exprime cependant en premier lieu les nouvelles préoccupations de Barrès : la lutte « contre ce socialisme trop cosmopolite ou plutôt trop allemand qui énerverait la défense de la patrie » [35], la lutte contre la conspiration de la finance internationale et des ennemis de l'intérieur liés à elle, plus particulièrement les Juifs, qui par « des mœurs d'accaparement, de spéculation, de cosmopolitisme », menacent de vider le pays de sa substance [36]. « Nommés préfets, juges, trésoriers, officiers parce qu'ils ont l'argent qui corrompt », les Juifs deviennent maîtres du pays [37]. C'est pour lutter contre cet accaparement de la France par des éléments étrangers à la nation que Barrès élabore son plan d'action.

Il s'agit en premier lieu de combattre l'insécurité économique qui pèse sur le petit commerçant, l'agriculteur, le bourgeois ; sur l'ouvrier dont « les salaires sont avilis par la concurrence de l'étranger », et qui en outre est réduit « à un véritable servage » par « le machinisme (qui) l'entasse dans les usines » [38]. Barrès propose donc l'institution d'une caisse de retraite et le développement de l'instruction publique dans le sens de l'instruction professionnelle [39]. En ce qui concerne l'ouvrier, celui-ci est solidaire du petit commerçant car il le fait vivre ; d'autre part ce dernier, en lui faisant crédit, lui permet de subsister ; mais le chômage de l'ouvrer, conséquence du travail étranger, les ruine tous deux [40]. L'agriculteur, pour sa part, est constamment menacé par les fluctuations des prix sur le marché mondial. Jadis, quand la récolte était faible, le cultivateur trouvait sa compensation dans les prix plus élevés qu'il obtenait du consommateur : aujourd'hui ces prix dépendent des récoltes de l'Inde (*sic*) et des Etats-Unis [41].

En faveur de l'agriculture Barrès envisage une meilleure organisation du crédit agricole ainsi qu'une réforme de la fiscalité devant aboutir à des dégrèvements d'impôts et à un allégement des charges

33. Barrès, « Réponse à M. Gavet sur les syndicats et les impôts », *Le Courrier de l'Est* (2e série), 1er mai 1898. Cf. aussi, *Scènes et doctrines du nationalisme*, t. II, p. 160.

34. « Un ordre du jour du comité », *Le Courrier de l'Est* (2e série), 10 avril 1898.

35. *Scènes et doctrines du nationalisme*, t. II, p. 161.

36. *Ibid.*

37. *Ibid.*

38. *Op. cit.*, p. 163. Cf. même texte dans « Les nationalistes », *Le Courrier de l'Est* (2e série), 10 avril 1898.

39. Articles II et VII du programme de Nancy, *op. cit.*, p. 166 et p. 167.

40. *Op. cit.*, p. 163.

41. *Op. cit.*, p. 164.

qui frappent les petits cultivateurs [42]. A leur intention et à celle des ouvriers, il préconise une réforme des statuts des syndicats ouvriers et agricoles qui leur permettrait de devenir des sociétés de producteurs [43]. A ces trois catégories sociales ainsi qu'à la bourgeoisie menacée par la haute finance internationale, Barrès propose l'application de la mesure qu'il considère comme la plus efficace et qui possède l'incomparable mérite d' « assurer l'union de tous les Français » : le protectionnisme. Protectionnisme contre le produit étranger et l'ouvrier étranger, protectionnisme contre la féodalité financière internationale qui, par ses syndicats anonymes, élimine le travailleur français, protection enfin contre le naturalisé [44]. Ainsi, le protectionnisme dépasse largement le cadre économique ; il est, selon Barrès, le socialisme véritable, le remède-miracle de la plupart des maux sociaux — tout comme la révision constitutionnelle au temps du boulangisme.

Retrouvant une démarche qui avait fait ses preuves dix ans auparavant, Barrès s'applique à simplifier la réalité, à lancer des idées facilement assimilables et susceptibles de mobiliser l'opinion publique et de canaliser le mécontentement. La meilleure façon d'y parvenir est de faire porter la responsabilité de tous les maux à une seule cause, en l'occurrence, les éléments étrangers au consensus. C'est contre eux que Barrès affirme la solidarité des nationaux : « Le nationalisme », dit-il, « se préoccupe d'établir des rapports justes entre tous les Français » [45]. Il s'élève violemment contre l'assimilation du nationalisme à une doctrine réactionnaire : « si l'on prétend que le nationalisme nécessite les formes actuelles du salariat, on trahit notre conception » [46], écrit-il.

Cette conception du rôle du socialisme concilie en lui le boulangiste et l'antidreyfusard : « réconciliation de l'ancienne France et de la démocratie dans le socialisme », tel doit être selon Barrès, en 1890, le rôle du boulangisme [47]. Un an plus tard, dans un article à la mémoire de Boulanger, il trace les grandes lignes de ce qu'aurait dû être le grand mouvement national et social dont il rêvait : « Suture de l'ancienne France et de la démocratie dans le socialisme, oubli des mesquines chicanes anticléricales, acceptation et clôture de la Révolution de 89, fierté du drapeau national déployé sur la frontière... » [48]. C'est sur ces principes qu'il mène sa campagne électorale

42. *Op. cit.*, p. 166 et 167 ; articles III et IV.
43. *Op. cit.*, p. 167, article V.
44. *Op. cit.*, pp. 165-166.
45. *Op. cit.*, p. 177.
46. *Ibid.*
47. BARRÈS, « Coup d'œil sur la session parlementaire qui vient de finir », *Le Courrier de l'Est*, 30 mars 1890.
48. BARRÈS, « Devant le cercueil », *Le Courrier de l'Est*, 3 octobre 1891. Cf. *L'Appel au soldat*, p. 128 : Barrès fait parler Boulanger : « Ce que voudraient ces braves gens qui de toutes les classes se réunissent dans le boulangisme, c'est

de Nancy. En février 1889 il présente aux ouvriers de Saint-Dié une nouvelle recrue boulangiste, le prince de Polignac. A cette occasion Gabriel exalte à la fois la grande Révolution et « cette vieille aristocratie française qui a écrit avec son sang l'histoire de la France » [49]. Pour Barrès le boulangisme existe parce que « le pays ne veut plus fêter qu'un seul parti, celui de la France » [50] et il place un mouvement qui se réclame de 89, de 48 et de la Commune sous le patronage de Jeanne d'Arc qui « a été une sainte pour tous » [51]. Mais Barrès est conscient que ni le prince de Polignac, ni Jeanne d'Arc, ni les théories de Naquet sur la République nouvelle, ne sauraient forger l'unité d'un grand mouvement national [52]. Il comprend parfaitement que les hommes d'origines aussi différentes ne se lanceront pas dans la bataille pour effectuer, comme le veut Naquet, un rajustement des forces politiques indispensables au bon fonctionnement du régime [53] : c'est pourquoi il accorde une telle importance au socialisme, thème de ralliement des petites gens, et à l'antisémitisme, ce facteur d'unité de tous les Français. Voilà pourquoi le ralliement de Drumont à la République prend à ses yeux les dimensions d'un symbole : dans l'antisémitisme s'effectue la synthèse de la vieille France et de la République démocratique [54].

Dans le boulangisme, Barrès fait preuve d'une grande intuition politique : il a le sens de la politique moderne, politique des masses et du suffrage universel, à un degré infiniment plus développé qu'un Boulanger ou un Naquet, ou que la plupart des têtes politiques de l'état-major boulangiste. Boulanger attend un miracle, Naquet discourt longuement sur les mérites de tel ou tel système constitutionnel ; pendant ce temps Barrès, qui fait son apprentissage politique sur le tas, comprend qu'un « parti ouvert » [55], un « parti de la réconciliation » [56], ne peut dépasser les limites d'une simple coalition de mécontents que dans la mesure où il lance des thèmes capables de prendre

fonder le parti de la France : un parti qui renoncerait à la chicane oratoire pour ne s'occuper que des intérêts généraux, un parti sans groupes et qui n'aurait pour souci que le travail dans la paix, avec l'honneur national pour drapeau ».

49. Chronique — Réunion de Nancy, *Le Courrier de l'Est*, 12 février 1889.

50. Barrès, « Jeanne d'Arc ou la République ouverte », *Le Courrier de l'Est*, 6 juillet 1890.

51. Barrès, « Une journée à Flavigny », *Le Courrier de l'Est*, 24 août 1890. Barrès depuis, devait mener de nombreuses campagnes pour et sur le nom de Jeanne d'Arc ; de l'affaire Thalamas jusqu'à la reconnaissance de la brûlée de Rouen comme sainte nationale.

52. Barrès, « La République ouverte », *Le Courrier de l'Est*, 24 mars 1889.

53. Barrès, « M. Naquet », *Le Courrier de l'Est*, 10 et 11 mars 1889.

54. Barrès, « Au journal de la Meurthe », *Le Courrier de l'Est*, 4 avril 1891.

55. Barrès, « Le parti révisionniste a triomphé », *Le Courrier de l'Est*, 29 janvier 1889. « Le Parti national révisionniste est un parti ouvert », écrit Barrès le lendemain du triomphe du 27 janvier.

56. Barrès, « Ceux qui dansent pour nous », *Le Courrier de l'Est*, 14 mars 1889. « (...) Le Parti républicain national c'est le parti de la réconciliation ».

racine dans la conscience de l'homme de la rue, dans la mesure aussi où il promet, avec précision, des satisfactions d'ordre économique aux couches sociales les plus défavorisées.

Au temps de l'Affaire, Barrès poursuit l'élaboration d'un nationalisme des « petits », de tous ceux qui n'ont pour eux que leur enracinement, leur qualité de Français. Ce nationalisme est l'héritier du boulangisme plébéien ; il a retenu le même antiparlementarisme, le même anti-intellectualisme et surtout le même antisémitisme qui, de simple xénophobie ou vieux réflexe antijuif, devient chez Barrès une conception politique de première importance.

Comme son boulangisme, l'antidreyfusisme de Barrès est « national », plébéien et anticlérical : « Je ne veux pas plus du parti collectiviste qui va chercher son mot d'ordre en Allemagne que du parti ultramontain qui va chercher son mot d'ordre à Rome, ou du parti de la finance qui va le chercher à Francfort », écrit-il [57]. Barrès insiste sur l'aspect républicain et progressiste de l'antidreyfusisme et de l'antisémitisme qu'il professe. Opposé à Nancy, à un antisémite de droite, Barrès met en lumière l'archaïsme de ce « réactionnaire », candidat de « la République des curés » qui, en doublant son « antisémitisme de cléricalisme », finira par se perdre : « Les électeurs, en haine du cléricalisme rejetteraient bien vite l'antisémitisme... » [58]. Tout au long de ce dernier numéro de son journal, publié entre les deux tours du scrutin, Barrès revendique un antisémitisme plus profond, plus ancien, plus efficace que celui de Gervaize, soutenu par les cléricaux de *La Croix de l'Est* [59]. L'antisémitisme clérical préconise, selon l'un des collaborateurs de Barrès, le retour à Mac-Mahon ou au Second Empire [60], alors que celui de Barrès, il en témoigne lui-même, républicain et socialiste, est soutenu par Drumont et Rochefort [61]. Barrès rappelle les antécédents antisémites du boulangisme, les titres de gloire du premier *Courrier de l'Est*, le désaveu de son rival par *La Libre Parole*. Pour Barrès l'antisémitisme est une conception politique et non pas une simple haine du Juif, il a une fonction à remplir aux côtés du socialisme : c'est une conception progressiste devant servir de plateforme à un mouvement de masse, elle ne saurait par conséquent servir de caution à la réaction cléricale.

57. BARRÈS, « Concentration nationale et républicaine », *Le Courrier de l'Est* (2e série), 19 mai 1898.

58. BARRÈS, « Sauvons la République », *Le Courrier de l'Est* (2e série), 17 mai 1898.

59. *Ibid.* Cf. aussi dans le même numéro « Parlez donc » et la proclamation de Barrès « Citoyens ! ».

60. Gaston SAVE, « Le triomphe de la Croix », *Le Courrier de l'Est* (2e série), 12 mai 1898.

61. Au premier tour du scrutin Barrès arrive en tête du ballottage avec 5 100 voix contre 5 051 à Gervaize. Entre les deux tours du scrutin, il bénéficie en outre du soutien de Déroulède et de Habert qui viennent tenir des réunions à Nancy, ainsi que de celui de Bourget. Il sera néanmoins battu au second tour.

Barrès l'antisémite s'adresse « aux républicains, aux démocrates »[62], il veut leur soutien en faveur d'une République nouvelle. Cet antisémitisme politique à l'intention des foules est l'un des aspects les plus modernes de la pensée de Barrès, celui qui fait de lui un des annonciateurs de la politique des masses, propre à notre siècle.

L'ANTISÉMITISME SOCIAL

Le 20 octobre 1889, *Le Courrier de l'Est* consacre une colonne à un communiqué adressé aux ouvriers et trois colonnes et demi, sur les cinq que comporte la première page, à un long réquisitoire antisémite de Paul Adam, « La République d'Israël ». La deuxième page est plus équitablement répartie : une colonne et demie pour « Lutte de classes » et une colonne et demie également pour « Le triomphe de la juiverie » d'Henri Rochefort.

Avec l'antiparlementarisme et le socialisme, l'antisémitisme est une composante essentielle de la pensée de Barrès. Ces trois éléments constituent la quasi-totalité de sa doctrine politique jusqu'à la publication de *La Terre et les Morts*. Ils lui réussissent remarquablement à Nancy : leur synthèse y assure le succès du boulangisme alors que le « Parti national » dans son ensemble est largement battu.

Le boulangisme barrésien est violemment antisémite dès ses premiers pas. « Vive Boulanger » et « à bas les Juifs » sont deux thèmes électoraux intimement liés, pratiquement interchangeables. C'est sous ce double credo que se tient, le 9 février 1889, la première grande manifestation boulangiste de Nancy, ainsi que toutes les réunions suivantes du comité révisionniste[1]. Barrès les exploite à fond ; à cet égard son boulangisme tranche sur celui du général et de ses collaborateurs : bien plus que le boulangisme d'un Déroulède, d'un Laisant et d'un Naquet, lui-même Juif, le boulangisme de Barrès préfigure l'antidreyfusisme. Le candidat boulangiste à Nancy est l'un des premiers, sinon le premier homme politique français à exploiter politiquement le réveil antisémite des années 1880.

Les premières manifestations de l'antisémitisme barrésien reprennent dans leurs grandes lignes les thèmes des œuvres de Drumont, elles s'inscrivent dans la tradition de l'antisémitisme de gauche. Ensuite, pendant l'agitation nationaliste et alors qu'il tente de faire de son traditionalisme une doctrine, Barrès professe un antisémitisme

62. Barrès, « Appel aux républicains, aux démocrates, aux patriotes », *Le Courrier de l'Est* (2e série), 19 mai 1898.

1. Cf. plus particulièrement *Le Courrier de l'Est* des 7 avril, 21 avril, 7 juillet, 8 septembre 1889. Il s'agit des réunions les plus violentes, celles où se présentent des contradicteurs juifs ou antiboulangistes.

qui doit beaucoup à l'imagerie catholique en ce domaine. Finalement, l'influence décisive de Jules Soury l'amènera vers un antisémitisme physiologique et racial. La synthèse de ces trois types d'antisémitismes donne à celui de Barrès toute son originalité. On les retrouvera au fur et à mesure du cheminement de la pensée barrésienne, du boulangisme à *La Terre et les Morts* où, par le biais de l'antisémitisme racial, Barrès prend conscience du déterminisme physiologique qui sera le pilier de son nationalisme organique.

Cependant, les éléments constitutifs de l'antisémitisme barrésien ne constituent pas seulement autant d'apports successifs dans le temps ; on les rencontre tous dès les premiers moments de sa campagne boulangiste, leurs poids spécifiques variant considérablement en fonction des circonstances et de l'évolution même de la pensée de Barrès.

C'est l'antisémitisme social qui est le premier mis en valeur ; il est même un élément essentiel du boulangisme barrésien. C'est sur ce thème que Barrès lance sa première campagne nancéienne. Alors que des « à bas les Juifs » fusent de toutes parts, il ouvre sa première grande réunion publique en accusant « la valetaille, les domestiques de la haute banque sémite qui détiennent la liberté de la France sous le titre d'opportunistes » d'être la source des maux dont souffre le pays [2]. Tout au long de la campagne électorale, lui et ses collaborateurs reviendront sur cette relation de cause à effet. « Parti des Juifs » [3], l'opportunisme réduit la France en « esclave des sémites » [4]. Faut-il s'étonner que sous un régime où « la plupart des membres du gouvernement sont Juifs » et où ceux qui ne le sont pas « ont peur d'affaiblir ce gouvernement déjà chancelant en s'écartant des sémites » [5], où tant de magistrats, de hauts fonctionnaires « sortent de la synagogue » [6], les Juifs soient « parvenus à prendre en main tous nos grands établissements de crédit ? » [7] C'est l'emprise qu'ils exercent sur les milieux politiques qui a fait des Juifs les maîtres du pays ; de plus, « la haute banque sémite », qui tient en main les leviers de commande du pays, accapare « la fortune publique » [8] et réduit « à la famine des milliers de travailleurs » [9]. Ce sont par conséquent les

2. « La réunion de Nancy », compte rendu de la première grande réunion boulangiste de Nancy tenue le 9 février, *Le Courrier de l'Est*, 12 février 1889.
3. Barrès, « L'opportunisme, parti des Juifs », *Le Courrier de l'Est*, 21 juillet 1889.
4. Discours de Gabriel à l'occasion d'une réunion électorale à Dombasle, *Le Courrier de l'Est*, 21 avril 1889.
5. Barrès, « L'opportunisme, parti des Juifs », *Le Courrier de l'Est*, 21 juillet 1889.
6. *Ibid.*
7. *Ibid.*
8. Intervention de Gabriel au cours d'une réunion électorale à Saint-Nicolas, *Le Courrier de l'Est*, 7 avril 1889.
9. *Ibid.*

« tripoteurs de bourse, les Hébreux croisés d'Allemands » qui portent la responsabilité des « suicides de misère » ; et si « l'on meurt littéralement de faim, aujourd'hui, en France », c'est parce que « le capital national est absorbé rapidement par les mêmes exploiteurs... » [10]. La présence du Juif, sa main-mise sur l'activité économique du pays est la grande explication de la misère ouvrière, de la récession économique, des difficultés financières. Que ce soit en Algérie où « les immondes youpins » organisent une immense spéculation sur la monnaie [11], que ce soit dans l'Est, où les usuriers, les colporteurs, les marchands juifs accumulent les ruines, la nature du mal est la même. A force de ruses et d'escroqueries ils acculent à la faillite et à la misère d'abord « quelque malheureuse vieille, quelque paysan bêta », puis des communes et des cantons entiers. Toute une région peut être réduite à la misère par une association de cinq ou six marchands et usuriers juifs [12].

Barrès et ses coéquipiers s'appliquent à démontrer la collusion des Juifs et de l'opportunisme. Leur succès apporte la preuve de la réceptivité du public à ce genre d'argumentation. Pour Paul Adam « le régime opportuniste (a été) spécialement inventé pour aider les spéculations de la haute banque » [13] ; pour Barrès, les Juifs de l'Est, attachés au pouvoir par les « incroyables complaisances qu'il a pour eux » [14], sont ses alliés les plus fidèles, et par conséquent « les plus acharnés ennemis du révisionnisme » [15].

L'opposition des Juifs nancéiens au boulangisme pèse d'un grand poids dans l'antisémitisme de Barrès et de son équipe. Dans cette bataille électorale où le pouvoir jette tout son poids, où il exerce des pressions formidables, l'opposition démunie de moyens financiers, sans implantation locale, ne peut opposer que la violence du verbe. Elle s'emploie à déchaîner les haines : l'antisémitisme en est le meilleur moyen. Après la débâcle c'est l'intervention des Juifs qui est présentée, aussi bien par l'équipe du *Courrier de l'Est* que par Rochefort, comme responsable de l'échec du boulangisme : « Les élections der-

10. « Les Pères de 89 », *Le Courrier de l'Est,* 10 août 1890.
11. « Les Juifs en Algérie », *Le Courrier de l'Est,* 1er décembre 1889.
12. BARRÈS, « Le Juif dans l'Est », *Le Courrier de l'Est,* 14 juillet 1889.
13. Paul ADAM, « La République d'Israël », *Le Courrier de l'Est,* 20 octobre 1889. Paul Adam est l'auteur de deux nouvelles antisémites qui eurent du succès dans les années 1890. Le thème de *L'Essence de soleil* (Paris, Tresse et Stock, 1890) est la croissance de la puissance financière juive en France. Dans *Le Mystère des foules,* Paris, P. Ollendorff, 1895, Adam montre le français idéaliste essayant d'aider le peuple laborieux alors que le Juif est à l'affût de la puissance et du plaisir. Ce dernier est aussi un fauteur de guerre : son désir de s'approprier la femme d'un autre provoque un conflit armé avec l'Allemagne.
14. BARRÈS, « Le Juif dans l'Est », *Le Courrier de l'Est,* 14 juillet 1889.
15. BARRÈS, « L'opportunisme, parti des Juifs », *Le Courrier de l'Est,* 21 juillet 1889. Cf. aussi « Le Juif dans l'Est », où Barrès affirme que « juifs et opportunistes se solidarisent ».

nières ont été menées », affirme Paul Adam, « avec l'or des Juifs »[16]. Rochefort reprend le même argument en insistant sur le rôle des Rothschild, commanditaires de Constans, mais il y ajoute un argument supplémentaire qui constitue un assez extraordinaire échantillon du mode de pensée des boulangistes et des futurs antidreyfusards. Dans un article qu'il donne à la feuille boulangiste de Nancy, il affirme que, non contents de mettre à la disposition du pouvoir leurs millions, les Rothschild lui ont amené

> « des électeurs sans l'appoint desquels Paris eût laissé passer tout entière la liste boulangiste : pour cette année seulement », écrit-il, « les Rothschild ont fait venir des provinces danubiennes plus de trente-cinq mille Juifs, qu'ils ont casés dans une foule de petits emplois et fait presque séance tenante naturaliser Français (...) ; il fallait le secours (...) de ces dépenaillés pour que le gouvernement obtînt la majorité à Paris »[17].

C'est ainsi que dès l'automne 1889 la déroute du « Parti national », de son glorieux général, de ses bons Français, est expliquée par la puissance de la finance juive et par une certaine forme de complot juif. Selon une méthode identique, les difficultés économiques sont expliquées par la présence d'une main-d'œuvre étrangère. C'est ainsi que voit le jour un phénomène nouveau, celui d'hommes qui se refusent à accepter l'existence des problèmes réels et qui recherchent une seule solution à tous les maux de la société ; une solution qui soit à la fois simple, rapide et universelle.

Très rapidement, l'antisémitisme social rejoint l'antisémitisme tout court : il s'avère qu'il est impossible d'isoler les composantes du phénomène, d'autant plus que celui-ci devient une conception politique majeure, une arme extrêmement puissante.

L'antisémitisme social de Rochefort débouche très rapidement sur des menaces à peines voilées : « Tout cela pourrait bien », écrit-il, « comme en Russie, comme en Hongrie, comme en Algérie et comme en Autriche, finir par un effroyable mouvement antisémitique »[18]. D'autres collaborateurs du *Courrier*, dans des articles non signés, sont plus explicites encore. Selon l'auteur d'une chronique du 26 janvier 1890, la race sémite, si elle persiste à « combattre la race gauloise », pourrait bien « disparaître un jour ou l'autre dans une effroyable tourmente »[19]. Quant à l'auteur d'un article anonyme (signé « l'Anti-Youtre »), il lance un long appel au peuple, se terminant par cette exhortation : « Frappe sans hésitation et écrase la vermine qui te

16. Paul ADAM, « La République d'Israël », *Le Courrier de l'Est*, 20 octobre 1889. Cf. aussi « La semaine », *Le Courrier de l'Est*, 26 janvier 1890.

17. Henri ROCHEFORT, « Le triomphe de la juiverie », *Le Courrier de l'Est*, 20 octobre 1889. Si Barrès cite Drumont, Rochefort en appelle à l'autorité de Toussenel. La continuité est ainsi assurée.

18. *Ibid.*

19. « La Semaine », *Le Courrier de l'Est*, 26 janvier 1890.

ronge »[20]. Le petit journal de Barrès joue à Nancy le rôle qui sera sous peu celui de *La Libre Parole* sur le plan national.

Les appels au massacre du *Courrier de l'Est* appartiennent à la période post-électorale, alors que les militants boulangistes doivent faire face à la rapide décomposition du mouvement. La défaite des élections législatives augmente considérablement leur capital de haine : l'antisémitisme de ces vaincus gagne non seulement en virulence, mais il devient panaché de socialisme, le seul terrain de combat encore praticable. Le virage à gauche qu'amorce le boulangisme barrésien dès octobre 1889, se double donc d'une recrudescence de la campagne antisémite, sous l'égide du socialisme : « Patience », clame un collaborateur anonyme de Barrès, « la sociale remettra tout en ordre et alors gare aux règlements de comptes »[21]. Un autre article anonyme promet aux travailleurs que l'ère de l'affranchissement « ne tardera plus désormais à sonner, c'est alors qu'ils auront à venger les martyrs de Fourmies » assassinés sur l'ordre d'un « circoncis »[22] ; c'est alors seulement, quand sonnera l'heure de la révision et de la libération de la France du fléau sémite, que disparaîtra « l'Etat juif dans l'Etat français »[23].

En février 1890, Barrès résume la campagne de son journal en formulant les idées maîtresses de l'antisémitisme social dans un texte qui semble déjà appartenir à l'idéologie de l'extrême-droite du XXe siècle.

> « C'est de la haine, simplement de la haine qu'on voit tout d'abord dans cette formule antijuive (...) La haine est un des sentiments les plus vigoureux que produisent notre civilisation, nos grandes villes. Nos oppositions violentes de haut luxe et de misère la créent et la fortifient à toute heure : elle ne fera jamais défaut aux partis qui voudront l'exploiter (...) Ecoutez cette foule qui dans les réunions criait " A bas les Juifs ", c'est " A bas les inégalités sociales qu'il faut comprendre " ». Et Barrès conclut : « Le socialisme d'Etat, voilà le correctif indispensable de la formule antijuive (...) Le socialisme

20. « Les Juifs et l'Internationale », article signé « l'Anti-Youtre », *Le Courrier de l'Est*, 4 avril 1891.

21. « Le mariage religieux de Marianne et du Juif errant », article non signé, *Le Courrier de l'Est*, 5 septembre 1891.

22. « Le circoncis de Fourmies », *Le Courrier de l'Est*, 2 mai 1891. Pour une fois, le journal de Barrès anticipe sur Drumont. Le réflexe antisémite est déjà assez bien rodé pour que les événements suscitent des réactions analogues. Cf. Edouard DRUMONT, *Le Secret de Fourmies*, Paris, Albert Savine, 1892. Selon Drumont l'unique responsable est le sous-préfet Isaac, agissant sur l'ordre des Juifs allemands désireux de connaître les performances du fusil Lebel (pp. 80-81). Mais « le résultat final », écrit-il, « sera probablement celui que j'ai souvent prédit. Le Juif qui est devenu notre maître en faisant battre les Français entre eux, verra un jour tous les Français se réconcilier sur sa peau » (p. 9).

23. « La semaine », *Le Courrier de l'Est*, 26 janvier 1890. Cf. aussi compte rendu d'une réunion électorale tenue à Saint-Nicolas, *Le Courrier de l'Est*, 7 avril 1889.

d'Etat c'est tout notre espoir. Un homme installé dans la place, un pouvoir fort pourrait imposer ses volontés, ouvrir les murs aux déshérités »[24].

A Nancy, la preuve ayant été faite qu'allié au socialisme, l'antisémitisme possède une considérable force d'attraction, il n'y avait aucune raison pour que Barrès ne persévère pas dans cette voie. Dans *L'Appel au soldat,* fort de sa propre expérience, il reproche à Boulanger son refus de jouer la carte antisémite, il considère son opposition à axer le mouvement sur l'antisémitisme et le socialisme comme la cause essentielle de son échec. Barrès sait qu'il vient de trouver dans l'antisémitisme la « formule populaire »[25] par excellence, la seule susceptible de constituer un terrain de ralliement de toutes les couches sociales, une machine de guerre d'une extraordinaire puissance. A l'issue de l'Affaire, alors qu'il compose *L'Appel au soldat,* Barrès rêve de ce qu'aurait pu être l'antisémitisme entre les mains d'un chef populaire porté par une vague de fond semblable à celle du 27 janvier. Tout comme il rêve à ce qu'aurait pu être le boulangisme avec une doctrine comme celle de l'antidreyfusisme.

Boulanger fut après tout, et c'est précisément ce que Barrès lui reproche, un homme de la vieille école. Pour les mêmes raisons qui l'amenèrent à refuser de marcher sur l'Elysée dans la nuit du 27 janvier, il s'oppose violemment à toute alliance avec l'antisémitisme et refuse de cautionner une candidature Drumont aux élections législatives : « Un homme », écrit Barrès, « que des réminiscences des *Châtiments* détournèrent, au 27 janvier, de répondre à l'appel du pays, a dû nourrir sa sensibilité la plus profonde avec une littérature trop étrangère à l'idée des races pour qu'il admette dans sa cinquantième année de soumettre une classe d'habitants à une législation spéciale »[26]. Boulanger est effectivement trop nourri de la vieille tradition républicaine pour songer à abolir les effets de l'émancipation. Barrès par contre mène dans *Le Courrier de l'Est* une vaste campagne en faveur de mesures législatives ayant pour objectif la création d'une classe de citoyens de seconde zone. En préface à « Lettre d'un antisémite » qui préconise la mise hors-la-loi pure et simple de toute la population juive, et tout en critiquant les menaces qu'elle contient,

24. Barrès, « La formule antijuive », *Le Figaro,* 22 février 1890. Commentant cet article dans une lettre à son auteur, Maurras montre bien, huit ans avant l'Affaire, combien il est conscient, lui aussi, de la puissance de cette arme nouvelle qu'est l'antisémitisme, des services qu'elle rend déjà et qu'elle rendra encore. En effet, selon Maurras, c'est grâce à l'antisémitisme que l'on peut dire qu'« il y a deux partis conservateurs, l'un qui est vivant et l'autre. Le premier est avec Drumont et, par Drumont, il finira bien par joindre le parti socialiste, populaire, qui est la grande force, encore inemployée ». Barrès-Maurras, *La République ou le Roi,* pp. 31-32 : lettre de Maurras du 22 février 1890.
25. *L'Appel au soldat,* p. 465.
26. *Op. cit.,* p. 466.

Barrès déclare : « Les excès de certains israélites comme la haine que leur portent leurs adversaires, pourraient être dans un délai prochain une source de troubles graves. Pour notre part nous souhaitons vivement une intervention des hommes d'étude et que le législateur s'émeuve... » [27]. Il faut pourtant noter qu'au temps du boulangisme Barrès hésite encore à entériner une solution qui va avec une telle évidence à l'encontre des principes de 89 dont il ne cesse de se réclamer. Dans son grand article antisémite, « Le Juif dans l'Est », publié le jour du centenaire de la Révolution, Barrès parvient à la conclusion qu'une législation spéciale sur les Juifs n'est pas tout à fait compatible avec la tradition jacobine. Il la récuse donc, car « fils de la Révolution que nous acceptons comme un fait et que nous honorons comme une mère (...) nous ne pouvons penser à proscrire un groupe d'hommes » [28].

Au temps de l'Affaire, des scrupules de cette nature ne seront plus de mise : Barrès reprendra alors le projet initial de son journal boulangiste pour lui faire, en 1898, une large publicité et pour exiger le vote du projet Pontbriand repoussé par la Chambre en janvier 1895 [29]. Avec l'Affaire, Barrès se sera libéré dans une large mesure de la tradition de tolérance et d'humanisme de la Révolution ; il en aura conservé le vocabulaire mais se sera beaucoup éloigné de son esprit. Au temps du boulangisme, par contre, Barrès sait qu'aussi longtemps que la France restera imprégnée des principes de 89, aussi longtemps qu'elle se nourrira de cette littérature de combat symbolisée par l'œuvre de Victor Hugo, l'antisémitisme ne sera qu'un sous-produit venu d'un autre âge. C'est la raison pour laquelle en 1889-1890, il tente de le moderniser en lui donnant une dimension sociale ;

27. « Lettre d'un antisémite », *Le Courrier de l'Est,* 26 mai 1889. L'auteur de cette lettre parvient à la conclusion que « le Juif est indispensable à notre commerce et à notre industrie » car « il a à son service une intelligence spéciale, une activité absolument remarquable, qui font que son esprit s'adapte merveilleusement à toute combinaison commerciale, industrielle même. Le Juif... a une ténacité à toute épreuve, rien ne le rebute, et comme pour lui, la fin justifie les moyens, il en arrive à des résultats formidables ». Par conséquent puisque l'expulsion éventuelle des Juifs serait susceptible de porter préjudice à l'économie du pays — « il se passera ce qui a eu lieu sous Louis XIV » — l'auteur préconise une solution qui tout en retirant aux Juifs leurs droits civiques, préserverait les Français de la domination d' « une race étrangère » sans que se trouve pour autant lésée l'activité économique de la France.

28. BARRÈS, « Le Juif dans l'Est », *Le Courrier de l'Est,* 14 juillet 1889.

29. BARRÈS, « Indications sur l'intrigue Goulette, Nicolas, Gavet », *Le Courrier de l'Est,* (2e série), 17 avril 1898. La proposition de Pontbriand de « n'admettre dans l'administration, dans l'armée ou dans la marine, comme officiers, que les Français ou les personnes nées de parents naturalisés français depuis trois générations », recueille, le 10 janvier 1898, 158 voix. Le 11 février suivant, 198 députés appuient le représentant des Landes, Denis, qui demande au gouvernement « quelles mesures il comptait prendre pour arrêter la prédominance des Juifs dans les diverses branches de l'administration française ». Barrès commente longuement ces textes et s'en inspire. Cf. aussi *Mes Cahiers,* t. II, p. 89, où il préconise la mise « en observation » des Juifs par l'Etat aussi bien que par les particuliers.

c'est la raison aussi de l'accueil enthousiaste qu'il réserve à l'œuvre de Drumont qu'il trouve « dans la plupart de ses parties, d'une très haute moralité et utile » : Barrès met l'accent sur « la généreuse propagande ouvrière qu'il y a chez lui » [30]. Quelques années plus tard il exaltera surtout son aspect racial.

L'antisémitisme, Barrès lui attribue deux fonctions. Il est la « formule populaire » capable d'ébranler les masses, de les jeter dans l'action, et surtout, il est un thème suffisamment puissant et universel pour surmonter les clivages sociaux. L'appel de l'antisémitisme peut être entendu par toutes les couches sociales, par tous les groupes d'intérêt et par toutes les familles d'esprit. C'est, dans un pays profondément divisé, le facteur d'unité par excellence : « Le boulangisme », écrit Barrès, « doit être antisémite précisément comme un parti de réconciliation nationale » [31]. C'est dans cet esprit que Gabriel déclare au cours de la première réunion boulangiste de Nancy qu'il ne voit « dans les rangs de ceux qui ont fait la France ni Isaac ni Jacob » [32].

Selon Barrès, l'erreur capitale de Boulanger fut de ne pas comprendre quel rôle primordial pouvait jouer, dans la constitution du front national, la mobilisation de toutes les classes sociales réconciliées contre la minorité juive [33]. L'expérience de Nancy était là pour démontrer que l'on pouvait aisément faire basculer dans le camp « national » « les masses ardentes et souffrantes » dont « le point de vue est tout social » [34].

En 1898, Barrès appliquera les mêmes principes, mais les conditions, entre temps auront changé : le prolétariat a reconnu dans le camp antisémite ses propres adversaires.

Moyen d'intégration par excellence du prolétariat dans la collectivité nationale, l'antisémitisme offre l'exceptionnel avantage de rallier aussi la petite bourgeoisie, menacée de prolétarisation : « Une seconde clientèle du Général, c'était la petite bourgeoisie, âpre au maintien de la propriété privée, mais jalouse des grandes fortunes. Elle fournit

30. Barrès, « Interpellation sur le monopole Hachette », *Le Courrier de l'Est*, 22 juin 1890.
31. *L'Appel au soldat*, p. 464.
32. « La réunion de Nancy », *Le Courrier de l'Est*, 12 février 1889.
33. *L'Appel au soldat*, pp. 465-466. Cf. Edouard Drumont, *Le Testament d'un antisémite*, Paris, E. Dentu, 1891, p. x : « Le parti boulangiste qui, pendant un moment parut personnifier le réveil de l'esprit national (...) s'est mis entre les mains des Meyer et des Naquet. Dès qu'il s'est enjuivé, ce parti qui, la veille était radieux et plein d'espérance, a été perdu... ». Il est intéressant de constater que Drumont déplore non seulement l'enjuivement du boulangisme mais aussi son côté déroulèdien. Il éprouvait, en effet, une profonde aversion pour le président de la Ligue des patriotes, « enrégimenté dans le parti de Gambetta par amour pour la réclame banale » (*La France juive*, t. I, p. 153); « poseur et fanfaron du patriotisme » (p. 487). Il exprime son mépris « à cette Alsace théâtrale » qui s'est « mise aux gages des saltimbanques, à cette Alsace de vitrine et de café-concert (...), pleurarde, intrigante et quémandeuse... » (p. 423).
34. *L'Appel au soldat*, p. 466.

un bon terrain à l'antisémitisme » [35]. En 1898, pour gagner cette catégorie de la bourgeoisie, Barrès lance la même campagne qu'en 1889 contre la haute finance juive, contre « les barons » [36] ; pour démontrer l'identité des intérêts du monde ouvrier et de la bourgeoisie, il leur découvre « un ennemi commun » [37], la source commune de leurs maux, le Juif.

Dans le boulangisme, au temps de l'Affaire, Barrès s'efforce d'entraîner cette traditionnelle clientèle radicale et jacobine à l'assaut de la démocratie parlementaire : en faisant appel à la fois à son souci patriotique, à sa haine des privilèges, en lui dénonçant le Juif comme responsable de ses difficultés, il pense pouvoir la couper de la République bourgeoise. Barrès saisit parfaitement le rôle que peut jouer cette petite bourgeoisie, ensemble hétéroclite de groupes intermédiaires et de couches sociales qui ont en commun la crainte de la prolétarisation. Fondamentalement vouée à la conservation et non à l'essor, cette bourgeoisie porte une haine profonde aux grands seigneurs de la finance. Foncièrement conservatrice dans ses options économiques, inadaptée au processus d'industrialisation, souvent ignorante des rouages d'une économie moderne, la petite bourgeoisie accueille favorablement l'idée de l'exploitation et de la concurrence juives, l'image de l'usurier, inventeur et maître du crédit, « cette arme terrible que le youtre a inventée pour décupler... pour centupler sa puissance » [38]. Le Juif est aussi à l'origine de l'insécurité économique : ce thème forme le fond du programme de Nancy de 1898 [39]. On retrouve dans *Scènes et doctrines du nationalisme* une même nostalgie d'un certain âge d'or, déjà développée dans *La France juive* par Drumont et par Barrès dans *Le Courrier de l'Est,* qui resurgira à Vichy, puis dans le poujadisme, d'une France agricole et laborieuse, vivant dans l'harmonie de toutes les classes sociales, harmonie que l'évolution industrielle, la grande finance et les Juifs ont rompue. Au petit bourgeois laborieux, à l'ouvrier gagnant péniblement sa vie à la sueur de son front, le Juif est présenté comme irrémédiablement réfractaire au travail manuel, à l'effort, au travail honnête : « Il sera marchand d'hommes ou de biens, au besoin usurier », mais jamais ouvrier, paysan, ou honnête petit commerçant [40]. L'image stéréotypée du « sale Juif » comporte en outre dans *Le Courrier de l'Est* les détails suivants : « Un affreux petit individu crasseux, aux lèvres bavantes, aux habits râpés, aux mains chargées de bagues étincelantes, ayant une grosse

35. *Ibid.*
36. *Scènes et doctrines du nationalisme,* t. II, p. 182.
37. « Lettre d'un antisémite », *Le Courrier de l'Est,* 26 mai 1889.
38. « Les Juifs et l'Internationale », article signé « l'Anti-Youtre », *Le Courrier de l'Est,* 4 avril 1891.
39. *Scènes et doctrines du nationalisme,* t. II, pp. 162-164.
40. « Lettre d'un antisémite », *Le Courrier de l'Est,* 26 mai 1889.

chaîne d'or sur le ventre, sentant l'oignon... » [41]. Cette race « d'odieuse origine » [42], ces « chacals puants » [43] au « nez crochu et à barbiche noire » [44], sont parvenus finalement à transformer la France en un « repaire de sémites » [45].

C'est ainsi que très rapidement l'antisémitisme social dégénère en une violente campagne antijuive dirigée contre les Juifs en tant que tels : ce processus inévitable n'est pourtant pas encore suffisamment clair pour lui faire perdre définitivement sa coloration « de gauche » : Gabriel insiste sur le fait que « cette coalition juive et usurière... veut annihiler les principes d'égalité et de liberté en France » [46] ; quant à Barrès, dans un grand article « social » publié entre la fin du *Courrier de l'Est* et les débuts de *La Cocarde,* il ne met en cause que les grands industriels juifs [47].

L'influence de Drumont apparaît ici clairement [48] : l'antisémitisme barrésien rejoint en effet l'antisémitisme populaire et anticapitaliste de l'auteur de *La Fin d'un monde,* l'antisémitisme de l'appel au peuple contre l'aristocratie inféodée aux Juifs [49]. Le Juif porte la responsabilité de la misère ouvrière [50] ; « maître absolu de la finance » [51], il est à l'origine de la déchéance de la petite bourgeoisie [52] ; inventeur de la Révolution, il a détruit les bases de l'ancienne société, l'harmonie des rapports entre les classes [53]. *La France juive* fait l'éloge de l'Ancien Régime, de cette société stable et forte, d'où l'exploitation était bannie et qui pouvait donc « vivre tranquille et heureuse, sans connaître les guerres sociales, les insurrections, les grèves » [54]. Comme

41. « Interview », *Le Courrier de l'Est,* 10 août 1890.
42. « Un Juif candidat », *Le Courrier de l'Est,* 24 novembre 1889.
43. « Le circoncis de Fourmies », *Le Courrier de l'Est,* 2 mai 1891.
44. Compte rendu d'une réunion tenue par Gabriel dans le canton de Saint-Nicolas, *Le Courrier de l'Est,* 7 avril 1889.
45. « Lettre d'un antisémite », *Le Courrier de l'Est,* 26 mai 1889.
46. A. Gabriel, « Le pacte de famine », *Le Courrier de l'Est,* 27 octobre 1889.
47. Barrès, « Chez les ouvriers », *Le Journal,* 27 janvier 1893.
48. Tout au long de sa carrière, Barrès a eu une profonde admiration pour l'auteur de *La France juive* qu'il a toujours considéré comme un de ses maîtres à penser. Une même ferveur, très comparable à celle de Bernanos, se dégage des colonnes du *Courrier de l'Est,* de *La Cocarde* ou des pages des *Cahiers.* « Il y a bien longtemps que nous nous connaissons », écrit-il à Drumont. « Vous vous rappelez que j'ai été un des premiers à vous saluer (...) Je vous aime surtout », ajoute-t-il, « parce que je suis né nationaliste » (*Mes Cahiers,* t. II, p. 248. Cf. aussi p. 157 et *Mes Cahiers,* t. I, p. 159). En 1909 il considère qu'en écartant Drumont, « l'Académie se renie, ne comprend pas sa voie » (*Mes Cahiers,* t. VII, p. 166). Dans le neuvième volume des *Cahiers,* il rend encore hommage au « génie véritable » (p. 391) d'un écrivain sombrant dans l'oubli.
49. Edouard Drumont, *La France juive,* t. I, p. xii.
50. *Op. cit.,* p. vi, pp. 163-165, p. 301.
51. *Op. cit.,* p. viii.
52. Edouard Drumont, *La Fin d'un monde,* pp. 43-44.
53. Edouard Drumont, *La France juive,* t. I, p. xiii, p. 136.
54. *Op. cit.,* p. xiii. Drumont présente de la façon suivante la nature des rapports sociaux sous l'Ancien Régime : « Les nobles devaient combattre pour ceux qui travaillaient ; tout membre d'une corporation était tenu de travailler

Barrès, Drumont reste réfractaire à la société industrielle, comme la plupart des révoltés de la fin du XIXe siècle, il ignore pratiquement tout des impératifs de la croissance économique [55] ; mais, s'il persiste à glorifier l'âge d'or de la vieille France, il ne s'abîme pas dans une vaine nostalgie : puisque les Juifs « ont créé une question sociale, on la résoudra sur leur dos » [56]. La solution de la question sociale prendra les formes d'une marche des affamés sur les maisons de banque [57], d'une « grande lutte » à l'issue de laquelle « on distribuera tous ces biens mal acquis (...) comme on a jadis distribué des terres et des fiefs » [58].

Voilà pourquoi Drumont juge l'œuvre des socialistes « très noble » et « très nécessaire » [59], voilà pourquoi il se range du côté du peuple, cet « éternel martyr » [60] et qu'il stigmatise « l'éternel crime des conservateurs » qu'est la répression de la Commune [61].

Cependant, comme Barrès, Drumont comprend que c'est la petite bourgeoisie, menacée de glisser vers le bas de l'échelle sociale, victime du développement de la grande industrie et du grand commerce, qui présente le terrain le plus réceptif à l'antisémitisme. *La Fin d'un monde,* ce long réquisitoire contre la société moderne, dominé par le sentiment de décadence, fait appel à « ces vaincus de la bourgeoisie » qui « seront à l'avant-garde de l'armée socialiste » [62], qui réserveront un accueil triomphal au libérateur qui les mènera à l'assaut du monde bourgeois, pourri et enjuivé. Un jour viendra, écrit Drumont, où :

> « Un homme du peuple, un chef socialiste, qui aura refusé d'imiter ses camarades et de se laisser subventionner, comme eux, par la Syna-

lui-même et il lui était interdit d'exploiter, grâce à un capital quelconque, d'autres créatures humaines, de percevoir sur le labeur du compagnon et de l'apprenti aucun gain illicite ». Cf. aussi p. 61, pp. 76-77 ; pp. 258-259, p. 337 ; p. 341, p. 408, p. 417, p. 435, p. 439 et tome II, p. 77, pp. 562-564.

55. Drumont résume son idéal en matière économique ainsi :

« La vérité comme vous pouvez vous en rendre compte à l'aide de votre seule raison, est que Saint-Louis faisait de la grande économie politique en mettant directement en rapport le producteur et le consommateur ; il plaçait face à face les deux représentants du travail en reléguant au second plan l'intermédiaire, le parasite. L'organisation actuelle étant juive est naturellement la contrepartie de l'organisation chrétienne de Saint-Louis. Dans le commerce des vins, comme ailleurs, on a fait disparaître toutes ces petites maisons dont l'enseigne parfois séculaire, gage de bonne renommée et de traditionnelle probité, était une sorte de blason. Le système juif détruit à la fois la garantie de l'honneur individuel du commerçant et la garantie collective de la corporation pour substituer à tout cela le vague d'une compagnie anonyme » (*La France juive,* t. II, p. 291).

56. *Op. cit.,* p. 136.

57. *Op. cit.,* p. 123.

58. *Op. cit.,* p. 136. P. 154, Drumont préconise ouvertement le massacre des Juifs après avoir suggéré qu'on leur fasse porter une « rouelle jaune » (p. 157).

59. Edouard DRUMONT, *La Fin d'un monde,* pp. 2-3.

60. Edouard DRUMONT, *Le Secret de Fourmies,* p. 84.

61. Edouard DRUMONT, *La Fin d'un monde,* p. 139.

62. *Op. cit.,* p. 44.

gogue, reprendra notre campagne ; il groupera autour de lui ces milliers d'êtres réveillés, instruits par nous, ces spoliés de toutes les classes, ces petits commerçants ruinés par les grands magasins, ces ouvriers de la ville et des champs écrasés sous tous les monopoles, auxquels nous avons montré où était l'ennemi » [63].

Ainsi commence une mobilisation de toutes ces couches sociales touchées par les effets du progrès technique, de l'exploitation capitaliste, et qui éprouvent les plus grandes difficultés à s'adapter aux impératifs de la société industrielle. En ce sens l'antisémitisme social est une forme de révolte contre le libéralisme économique et la société bourgeoise, mais c'est une révolte qui escamote sciemment les vrais problèmes. En masquant les réalités, en créant de toutes pièces un mal mythique, la campagne antisémite permet de dépasser les clivages sociaux, les conflits d'intérêts, les contradictions idéologiques. Seul le mythe du Juif-générateur-du-mal permet de jeter un pont sur l'abîme qui sépare l'Ancien Régime de la Commune et du socialisme.

Dans les années 1890, la violence antibourgeoise d'un Barrès, d'un Rochefort, d'un Drumont peut aisément faire croire que l'antisémitisme est une école socialiste. A la veille de l'Affaire cette idée est relativement bien enracinée. En effet, les pères du socialisme sont antisémites : Proudhon, Fourier et surtout son disciple Toussenel accréditent l'idée selon laquelle le pouvoir en France est aux mains de la finance juive, personnifiée par Rothschild, et le commerce juif. Les deux volumes des *Juifs rois de l'époque* de Toussenel détiendront, jusqu'à la publication de *La France juive,* le record de la virulence dans les attaques contre les Juifs. Drumont en est nourri et il ne manque pas de se référer à « l'illustre écrivain » [64]. Quant à Marx, quelles qu'aient été ses intentions, il est de fait que *Zur judenfrage* est lu en France comme un pamphlet antisémite : en 1898 il est présenté comme tel dans *Humanité nouvelle* qui en publie une nouvelle traduction [65].

C'est cependant dans l'entourage de Blanqui d'une part, dans le milieu de la *Revue socialiste* d'autre part, que se trouvent les esprits les plus perméables à l'antisémitisme. Gustave Tridon, député de la Côte-d'Or à l'Assemblée nationale, puis membre de la Commune, est l'auteur d'un ouvrage intitulé *Le Molochisme juif*. C'est un autre intime de Blanqui, fonctionnaire de la Commune et membre de la

63. Edouard DRUMONT, *Le Testament d'un antisémite,* p. X. A la dernière page de *La France juive,* Drumont est plus explicite encore : « Toute la France suivra le chef qui sera un justicier et qui, au lieu de frapper sur les malheureux ouvriers français, comme les hommes de 1871, frappera sur les Juifs cousus d'or... » (t. II, p. 565).

64. Edouard DRUMONT, *La France juive,* t. I, p. 344. Cf. aussi p. 74 ; p. 340 ; p. 368.

65. Robert F. BYRNES, *Antisemitism in modern France...,* t. I, *The prologue to the Dreyfus Affair,* New Brunswick, Rutgers University press, 1950, p. 117.

proscription blanquiste de Londres, Albert Regnard, qui écrivit *Aryens et sémites* [66]. Si Blanqui lui-même et ses autres disciples ne versèrent pas dans l'antisémitisme militant, il est certain que le milieu en était singulièrement imprégné, et Drumont n'avait pas tout à fait tort de le souligner [67]. Quant à la *Revue socialiste,* son directeur, Benoît Malon, réserve un accueil bienveillant à l'auteur de *La France juive* [68], et laisse deux de ses collaborateurs, Gustave Rouanet et Albert Regnard, y publier des articles de la même veine que celle des articles de Drumont. Un autre collaborateur de la revue, Auguste Chirac, donne à ses deux volumes sur les *Rois de la République* le sous-titre d'*Histoire des juiveries.* Parmi les guesdistes eux-mêmes, l'antisémitisme a fait bon nombre d'adeptes : jusqu'en 1898, dans les fédérations qui concluent des alliances électorales avec d'anciens boulangistes et des nationalistes, l'Affaire Dreyfus suscite des réactions ouvertement antisémites [69]. Le *Cri du Peuple* qui compte Guesde parmi ses collaborateurs déclare, encore avant la parution du livre de Drumont, que « la question sociale est la question juive » [70]. Guesde et Lafargue participent à des réunions aux côtés de Drumont, de Morès et de Guérin [71] : bien qu'il s'agisse de débats contradictoires, leur présence sur une même tribune permet de supposer que ce sont deux branches d'une même famille idéologique qui s'affrontent. Enfin, au début de 1898, Clemenceau se voit obligé de rappeler à Millerand que c'est une erreur de penser que l'antisémitisme a des aspects positifs du fait qu'il « nous livre Rothschild » [72].

Dans ce contexte les campagnes antisémites de Barrès dans *Le Courrier de l'Est* de 1889, de 1898, et dans *La Cocarde,* peuvent passer pour l'un des éléments de son socialisme. Barrès lit Toussenel et Rouanet [73], entretient les meilleurs rapports avec Benoît Malon et les milieux de la *Revue socialiste ;* il mène sa campagne antisémite au nom de la Révolution qui donna la première l'exemple de l'élimination des ennemis de l'intérieur. Dans un violent article dirigé contre Burdeau qui s'était élevé contre les persécutions des Juifs de Russie, Barrès donne à son ancien maître une leçon en matière de pensée républicaine : « Ces mesures contre les Juifs ne sont-elles

66. Alexandre ZÉVAÈS, *Histoire du socialisme et du communisme en France,* p. 255.
67. Edouard DRUMONT, *La Fin d'un monde,* p. 185, note 1 : « Parmi les révolutionnaires, les blanquistes seuls ont eu le courage de se réclamer de la race aryenne et d'affirmer la supériorité de cette race ».
68. Cf. l'hommage de Drumont à Malon, *op. cit.,* pp. 121-125.
69. Claude WILLARD, *op. cit.,* pp. 410-411.
70. Robert F. BYRNES, *op. cit.,* p. 156.
71. Cf. la réunion du 8 juillet 1892 in *Réponse du citoyen Jules Guesde à MM. Drumont, Morès et leurs amis, au meeting de la salle des Mille-Colonnes, le 8 juillet 1892,* cité in Alexandre ZÉVAÈS, *op. cit.,* p. 258.
72. Georges CLEMENCEAU, *L'Iniquité,* Paris, Stock, 1899, p. 147.
73. *Mes Cahiers,* t. II, p. 49 et p. 89.

pas » interroge-t-il, « dans le même esprit absolu, et pour tout dire de jacobinisme qu'appliquèrent chez nous les conventionnels, quand ils déclaraient qu'il fallait en finir avec les ennemis de l'intérieur avant de s'occuper des ennemis de l'extérieur ? Encore guillotinions-nous tandis qu'en Russie on se contente d'expulser » [74]. Ce texte montre bien dans quelle mesure Barrès commence à s'éloigner de l'esprit républicain : comparer la persécution des Juifs de Russie à la Terreur, placer sur un même plan la Convention et le gouvernement du Tsar, n'est pas en France le fait d'un esprit nourri dans la tradition révolutionnaire. On peut se demander qui, de Burdeau ou de Barrès, est le jacobin ? Pour un Burdeau il ne peut y avoir de commune mesure entre la Terreur et les persécutions tsaristes, nulle affinité entre leurs motivations et leurs objectifs. Pour Barrès en revanche, le parallèle s'établit aisément, d'autant plus facilement qu'il considère la persécution d'une minorité quelconque comme une sorte de loi naturelle ; en s'attaquant aux Juifs, les Russes cherchent à sauvegarder « l'intégrité de leur principe social » [75]. Les Français d'Alsace-Lorraine, bien qu'ils soient « infiniment supérieurs en moralité à la moyenne des Juifs de Russie », sont eux aussi persécutés [76]. C'est dans la nature des choses. La lutte des groupes ethniques est une des lois qui régissent l'univers.

Cet aspect de la pensée politique de Barrès était déjà présent dans *Le Courrier de l'Est*, mais, dès les premiers moments de l'Affaire il se précise et se diversifie à la fois. Affrontement entre groupes nationaux, entre Etats-nation, conspiration des ennemis de l'intérieur, complot de la grande finance juive et internationale : c'est autant d'expressions d'une même conception de la réalité qui, dans la réflexion doctrinale de Barrès, tient autant de place que la lutte des classes dans la pensée de Marx.

74. BARRÈS, « La leçon de tolérance », *La Cocarde*, 7 novembre 1894.
75. *Ibid.*
76. *Ibid.*

CHAPITRE VI

Le nationalisme organique

L'INFLUENCE DE L'AFFAIRE DREYFUS

L'Affaire Dreyfus, ce « drame inouï d'humanité » selon Clemenceau [1], cette « crise religieuse » selon Péguy [2], cette « orgie de métaphysiciens » selon Barrès [3], ébranle profondément la conscience du pays. Considérée par Barrès comme une question « de vie ou de mort pour la nation » [4], l'Affaire constitue dans la vie politique française une coupure [5]. En mettant chacun dans l'obligation de se définir par rapport à un certain nombre de principes, elle accentue les clivages politiques et provoque une clarification. Un rassemblement comme celui de *La Cocarde* est impensable à l'issue de l'Affaire :

1. Georges CLEMENCEAU, *L'Iniquité*, p. 1.
2. Charles PÉGUY, *Notre Jeunesse*, Paris, 8, rue de la Sorbonne, 1910 (Cahiers de la quinzaine : 12e cahier de la XIe série), p. 115. Péguy souligne que « M. Barrès a fort bien noté plusieurs fois que le mouvement dreyfusiste fut un mouvement religieux » (p. 67). On connaît la ferveur dreyfusarde de Péguy. Pour lui, « cette immortelle affaire Dreyfus » (p. 52) « fut une culmination, un recoupement en culmination de trois mysticismes au moins : juif, chrétien, français » (p. 64). Affaire « essentiellement mystique » (p. 56), le dreyfusisme a dégénéré en politique (p. 21, p. 27, p. 39); « de sa politique » il est mort (p. 56). En introduisant, en 1920, le second tome des *Œuvres complètes* de Péguy, Barrès dénature délibérément la pensée de Péguy en présentant le dreyfusisme de celui-ci comme une sorte d'étourderie de jeunesse. Cf. *Œuvres complètes de Charles Péguy*, 1873-1914... Paris, Editions de la Nouvelle revue française, t. II, pp. 9-34. Si Barrès fausse d'une manière aussi criante le dreyfusisme de Péguy, c'est parce qu'il n'était guère capable de saisir le sens de cette mystique chrétienne dont était nourri l'auteur de *Notre Jeunesse*. Son réalisme traditionaliste, son pragmatisme à la fois catholique et athée représentent précisément tout ce que Péguy avait en horreur.
3. *Scènes et doctrines du nationalisme*, t. I, p. 84.
4. *Mes Cahiers*, t. II, p. 116.
5. Thibaudet pense que la raison pour laquelle l'Affaire occupe une telle place dans la politique française réside dans le fait que du « plan brillant, rapide et passager de Paris, elle s'est étendue au plan profond de la province tenace ». Selon Thibaudet l'influence des intellectuels parisiens ne compte plus politiquement : alors que les journalistes de Paris, à une époque où la presse était bridée, ont pu faire les révolutions de 1789, 1830, 1848, *L'Intransigeant*, *La Libre Parole* et *L'Action française* n'ont fait descendre dans la rue que du papier » (Albert THIBAUDET, *La République des professeurs*, Paris, Bernard Grasset, 1925, pp. 24-25). Il semble que Thibaudet minimise singulièrement et le rôle de la presse antidreyfusarde et les dimensions de l'agitation nationaliste dans les années 1898-1899.

les ambiguïtés entretenues depuis la scission des radicaux d'extrême-gauche jusqu'au déclenchement de la campagne antidreyfusarde s'évanouissent, les coalitions nouées par des opposants de tous bords éclatent, deux grands courants se forment qui acculent à des choix clairs et précis. L'Affaire provoque l'affrontement de deux visions du monde, de deux conceptions de la société, de deux échelles de valeurs morales. L'équipée boulangiste est ramenée à de plus justes proportions par une crise qui remue les consciences et façonne le comportement politique des Français pour plusieurs dizaines d'années.

Bien que les problèmes qu'elle a soulevés n'ont pas été résolus, l'Affaire, pour autant, n'a pas sombré dans l'oubli. Non seulement parce que les forces battues en 1902 ont continué de jouer un rôle de premier plan jusqu'au lendemain de la seconde guerre mondiale, mais surtout, peut-être, parce qu'elle a posé d'une manière concrète, et en lien direct avec la vie de tous les jours, quelques-unes des questions fondamentales de la politique. En ce sens, l'Affaire Dreyfus est un fait unique dans l'histoire moderne.

Les deux camps engagent l'Affaire à la fois sur le plan de la mystique et sur le plan de la politique [6]. A partir de 1898, la gauche, qu'elle soit radicale ou socialiste, résolue à se servir de l'Affaire à des fins politiques, entre dans la bataille. Ses adversaires, avec la tentative avortée de Déroulède, le jour des obsèques de Félix Faure, avec la constante agitation dans la rue dont l'affaire du Fort Chabrol est en 1898 l'expression la plus spectaculaire, manifestent une même détermination. Entre la fin de 1897 et l'exposition de 1900, dreyfusards et antidreyfusards s'affrontent en dehors du Parlement : l'âpreté de la lutte, le déchaînement des haines, la conviction également forte dans les deux camps de combattre pour le salut du pays, sont à l'origine d'un débat qui tantôt dégénère en affrontements de rue, tantôt s'élève jusqu'à une réflexion sur les principes fondamentaux de

6. On sait la haute idée que se faisaient de leur rôle dans le dreyfusisme Clemenceau, Zola, Jaurès, Labori ou Péguy. Ce dernier cependant tient Jaurès pour l'un des grands responsables du glissement de la mystique dreyfusienne vers la politique, le combisme et l'anticléricalisme (*Notre Jeunesse*, p. 121. Cf. aussi p. 52). Le symbole du dreyfusisme pur est, pour Péguy, Bernard Lazare, « l'un des plus grands noms des temps modernes ». (*Portrait de Bernard Lazare* in *Le Fumier de Job* par Bernard Lazare, Paris, Les éditions Rieder, 1928, p. 7, p. 21) : « Cet athée ruisselant de la parole de Dieu » qui s'était battu contre le cléricalisme mais non pas contre les catholiques, qui avait en horreur " le waldeckisme " et la persécution des catholiques » (*Notre Jeunesse*, p. 103); Bernard Lazare qui exigeait de Dreyfus de passer toute sa vie, s'il le fallait, devant des conseils de guerre pour être acquitté comme tout le monde (*op. cit.*, p. 102). Péguy également exigeait de Dreyfus qu'il sache soutenir son rôle, et ne redevienne pas simplement un homme privé (*op. cit.*, p. 195). Labori de son côté a exprimé sa déception devant la défection de Dreyfus qui « agit comme un pur individu » et « non comme un homme épris d'humanité et conscient de la beauté du devoir social » (Fernand LABORI, « Le mal politique et les partis », *La Grande Revue*, 19 (11), 1er novembre 1901, p. 272). Dreyfus lui-même, on le sait, n'avait guère l'idée du symbole qu'il était devenu.

la philosophie politique. Qu'est-ce que la vérité, la justice, la discipline sociale ? Qu'est-ce qu'une nation, une race ? Quels sont les droits de la société sur l'individu, quelles sont les limites de l'obéissance politique et celles de la raison d'Etat ? Dans quelle mesure la conscience individuelle doit-elle ou peut-elle s'effacer devant les intérêts supérieurs du pays ? Quels sont les critères selon lesquels ces intérêts sont établis ? Autant de questions lancées par l'Affaire sur la place publique. Pendant plusieurs années le pays tout entier vit avec intensité un débat de portée universelle. Peu nombreuses sont les nations qui eurent le privilège de vivre un tel moment, moins nombreuses encore celles qui peuvent s'enorgueillir d'avoir transformé, au-delà des considérations politiques, une simple iniquité judiciaire en un cas de conscience national.

Maurice Barrès vit ce drame de tout son être : l'Affaire Dreyfus constitue dans l'évolution de sa pensée un tournant décisif.

Son engagement de 1897 à 1902 n'a rien qui puisse surprendre : la plupart de ses motivations ont été formulées bien avant que n'éclate l'Affaire, mais c'est celle-ci qui en est le catalyseur. C'est de l'antidreyfusisme qu'émerge le nationalisme qui, ainsi que le montre René Rémond, transfère de gauche à droite tout un ensemble de notions, de sentiments et de valeurs jusqu'ici tenus pour l'apanage du radicalisme [7]. L'évolution de Barrès depuis le boulangisme de gauche de *La Cocarde* jusqu'à l'antidreyfusisme est en quelque sorte le schéma simplifié de ce processus.

Pendant l'Affaire Dreyfus le nationalisme se définit, prend les formes qui seront les siennes au cours de la première moitié du XXe siècle. Mais c'est parce que, depuis longtemps, certaines forces attendaient — et s'y étaient préparées — un affrontement majeur, que l'Affaire a eu les dimensions qu'on lui connaît. Théoricien du nationalisme de combat, Barrès entre dans l'arène porteur de toutes les armes qu'il a forgées au cours des dix années précédentes, de la fin du boulangisme au début de l'Affaire. Le boulangisme apporte au nationalisme son antiparlementarisme, son populisme au souci social évident, ses principes de l'appel au peuple, son sens de l'agitation dans la rue et au moyen des grands organes de la presse parisienne, et finalement son patriotisme que la nouvelle droite nationaliste développera en un violent militarisme. De plus, Barrès apporte ce qui lui est propre : l'antisémitisme, cette arme nouvelle qu'il avait essayée avec succès en 1889. Vivante incarnation de cette nouvelle droite qui se structure dans les années 1890, il est le précurseur des mouvements de masse qui déferleront sur l'Europe du XXe siècle. A beaucoup d'égards il est une figure plus « moderne » qu'un Maurras : son antidreyfusisme renferme la plupart des éléments qu'exploi-

7. René RÉMOND, *La Droite en France*, p. 159.

tera le fascisme. Déjà le boulangisme de Barrès était bien plus novateur que celui de Boulanger et de la plupart de ses proches collaborateurs qui ne s'engageront pas tous dans l'antidreyfusisme militant [8] : alors que le boulangisme classique est encore un phénomène du XIXe siècle, le boulangisme de Barrès annonce l'antidreyfusisme qui lui, appartient déjà au XXe siècle.

Barrès est conscient du fait que « le nationalisme se cristallise autour de l'Affaire Dreyfus » [9], cette Affaire qu'il considère, en dernière analyse, comme une « guerre de races » [10]. Ainsi introduit-il un élément relativement nouveau qui est à la base de son nationalisme et qui, dès lors, constituera le fond de sa pensée politique. Les éléments du déterminisme qu'il élabore au temps de l'Affaire sont les piliers de son éthique et de sa politique. Découvrant l'existence de ces forces profondes, responsables du sort des individus comme des destinées des nations, Barrès élabore ce nationalisme de défense qui engendre la théorie du complot de l'intérieur, du « syndicat », et qui débouche finalement sur une chasse aux sorcières. C'est ce détermi-

8. Parmi les boulangistes de souche, s'engagèrent dans l'antidreyfusisme Rochefort, Déroulède, Ernest Roche, Gabriel et Georges Thiébaud. Ce dernier y retrouve les commanditaires royalistes du boulangisme, la duchesse d'Uzès et Arthur Meyer. Le boulangisme de droite, d'origine royaliste et bonapartiste passe au grand complet au nationalisme, ainsi que la Ligue des patriotes et l'équipe de *L'Intransigeant*. Laisant, Laguerre, Naquet, Turigny, Mermeix, semblent par contre se tenir à l'écart de l'agitation nationaliste. La grande souscription ouverte du 14 décembre 1898 au 15 janvier 1899 par *La Libre Parole* (18 listes de souscripteurs qui accompagnent leurs dons de commentaires extrêmement violents) en faveur de Mme Henry, femme du commandant Henry qui s'était suicidé le 31 août, permet d'identifier les adhésions à l'antidreyfusisme. Les 18 listes furent classées et publiées en volume par un collaborateur du *Mercure de France*, Pierre QUILLARD, *Le Monument Henry, Listes des souscripteurs classées méthodiquement et selon l'ordre alphabétique*, Paris, Stock, 1899. Barrès figure sur la seconde liste (p. 131) en compagnie de Gabriel. Parmi les hommes politiques figurent un ancien de *La Cocarde*, le socialiste Paulin-Méry, député de Paris, et Gervaize, député de Nancy qui avait battu Barrès en 1898. Notons encore (p. 175) les 20 francs « non sans réflexion » de Paul Valéry, les 23 pages remplies des noms de la grande noblesse (pp. 105-128) ainsi que, parmi les officiers d'active, le nom du capitaine Weygand (p. 3).

9. BARRÈS, « Le Drapeau », *Le Drapeau*, 11 mai 1901. A la demande de Déroulède en exil à Saint-Sébastien, Barrès prend le 11 mai 1901 la rédaction en chef de l'organe de la Ligue. Il l'abandonne le 15 septembre suivant. L'équipe du *Drapeau* comprend deux autres boulangistes notoires, Georges Thiébaud et Le Hérissé. La présence à leurs côtés de l'ancien procureur général Quesnay de Beaurepaire, l'homme du procès en Haute-Cour, l'accusateur de Boulanger et de Rochefort, la bête noire du *Courrier de l'Est* montre bien combien était profond le reclassement effectué par l'Affaire. Les autres principaux collaborateurs du journal sont Gyp (pseudonyme de la comtesse Sibylle Martel de Janville, auteur d'une demi douzaine de nouvelles antisémites dont l'influence était considérable), François Coppée et Syveton. Un ancien communard, Ballière, et un conseiller municipal de Paris, Foursin, tiennent une « chronique sociale ». Dans son ensemble, *Le Drapeau* de Barrès est d'une platitude consternante : ses éditoriaux sont presque dans leur totalité, dépourvus d'intérêt, les contributions de ses collaborateurs, à l'exception de celles de Gyp qui ont un certain mordant, ne dépassent guère le niveau littéraire et le ton des *Chants du soldat*.

10. *Scènes et doctrines du nationalisme*, t. I, p. 41.

nisme physiologique qui est à l'origine de la théorie de la Terre et des Morts, du culte de la Lorraine, bastion continuellement menacé de la France, et de la Latinité face à la Germanie et à l'Orient. De ce déterminisme enfin, découle la conception selon laquelle les lois de l'existence sont celles de la guerre.

Les premiers éléments du déterminisme barrésien apparaissent par le biais de l'antisémitisme. En effet, très rapidement, comme dans le cas de Drumont, l'antisémitisme social de Barrès s'élargit pour englober des éléments d'un antisémitisme ethnique. *Le Courrier de l'Est* soutient déjà que « la race sémite » veut « combattre la race gauloise » et par conséquent, dans l'ensemble, « ce n'est pas une question de religion qui nous divise, mais une question de race »[11]. *La Cocarde* qui mène aux côtés de *La Libre Parole* une violente campagne antisémite reprend ce thème le lendemain de la condamnation, le 22 décembre 1894, du capitaine Dreyfus. Le 24 décembre, Barrès s'interroge sur « le motif de sa trahison ». Dans l'éditorial qui porte ce titre, il écarte les motifs classiques pour n'en retenir qu'un seul, celui de la trahison du Juif : « Ce n'était ni la haine, ni l'ambition, ni l'amour, ni des pertes de jeu qui le décidaient. Quel est donc le prix de son infamie ? Le prix ? demandez-vous — mais... trente deniers... »[12].

Ainsi donc, avant même qu'il y ait une affaire Dreyfus, le facteur d'explication qui se présente à son esprit est déjà celui que l'on retrouve au cœur de *Scènes et doctrines du nationalisme :* Barrès est moralement mûr pour l'Affaire plusieurs années plus tôt, alors qu'il développe dans *La Cocarde* quelques-uns des éléments dont se nourrira l'antidreyfusisme.

Pour l'un de ses collaborateurs, le cas du capitaine juif s'inscrit tout simplement dans la longue lignée des trahisons, tissée comme une toile d'araignée, par les usuriers, les voleurs, les concussionnaires juifs : « Voici Reinach, voici Schwob, voici Dreyfus, voici Raynal. Par quelle coïncidence il se trouve que tous soient israélites (...) Question de race en effet. L'usure, le vol, la concussion, la trahison, tout cela n'est pas de race française »[13].

Barrès avait déjà insisté sur ce thème dans *L'Ennemi des lois* et ses collaborateurs en avaient fait autant dans *Le Courrier de l'Est.* Selon lui, la notion de point d'honneur est inconnue des Juifs[14] ; selon Paul Adam, les caractéristiques de la race sémite excluent l'honneur et la loyauté[15]. Quant à *La Cocarde,* c'est déjà un lieu commun pour elle que d'affirmer, en citant *La Libre Parole,* que celui

11. « La semaine », *Le Courrier de l'Est,* 26 janvier 1890.
12. Barrès, « Le motif de sa trahison », *La Cocarde,* 24 décembre 1894.
13. P. (Paul Pascal ?), « Question de race », *La Cocarde,* 14 février 1895.
14. *L'Ennemi des lois,* p. 172.
15. Paul Adam, « La République d'Israël », *Le Courrier de l'Est,* 20 octobre 1889.

qui a été condamné n'est pas un Français, qu'il était destiné dès son enfance à faire ce métier-là [16].

Le problème ainsi posé ne peut rester cantonné à la question juive : Gabriel à l'époque du boulangisme [17], Maurras dans *La Cocarde,* se déchaînent contre les étrangers : la violence de ce dernier contre les métèques de tout poil qui pourrissent la France est bien connue [18]. Barrès ne descend pas si bas dans l'injure, par contre il élabore peu à peu une théorie générale de l'étranger et de son comportement. Dans *Le Courrier de l'Est* l'élément d'explication physiologique est encore très embryonnaire : il ne dépasse guère, même quand Barrès dénie à quiconque n'est « de notre race », quiconque n'est « français ni chrétien », de se mêler de la question religieuse [19], les limites d'une xénophobie relativement primitive. Par contre, dans *La Cocarde* il pose déjà les premiers jalons d'une théorie promise à un grand avenir et dont Drumont lui avait appris, d'après son propre aveu, le premer mot : « Les étrangers », constate-t-il, « n'ont pas le cerveau fait de la même façon que le nôtre » [20]. Ce qui est compréhensible pour un illettré parisien, français de race, ne saurait l'être pour un naturalisé lorsqu'il s'agit d'un mode de pensée français [21]. Il en résulte, poursuit Barrès, que « nous ne pouvons nous entendre qu'entre nous » : par conséquent « baissons un peu la voix, restons entre nous, quand nous traitons des affaires communes de notre race » [22]. Quant à la naturalisation, celle-ci n'est rien de plus qu'une simple « fiction légale... qui n'arrive pas à faire (qu'un) sang de levantin prenne la qualité du sang d'un paysan français, d'un ouvrier parisien » [23].

A l'époque de *La Cocarde,* Barrès réunit les premiers éléments du déterminisme physiologique qui est à la base du nationalisme de combat du temps de l'Affaire. Les idées de Drumont exercent alors sur lui une influence telle qu'on ne peut la comparer qu'à celle de Jules Soury, quelques années plus tard. Ce n'est pas par hasard que, durant la période qui précède l'Affaire, les thèmes de *La France juive* réapparaissent dans les articles signés Barrès.

« Pour parler une langue », écrit Drumont, « il faut d'abord penser dans cette langue (...), il faut avoir sucé en naissant le vin de la patrie, être vraiment sorti du sol » [24]. « On ne s'improvise pas patriote », poursuit-il, « on l'est dans le sang, dans les moelles » [25].

16. Charles MAURRAS, « Les métèques », *La Cocarde,* 28 décembre 1894.
17. A. GABRIEL, « Pauvre express », *Le Courrier de l'Est,* 29 décembre 1889.
18. Cf. par exemple, Charles MAURRAS, « Les métèques », *La Cocarde,* 28 décembre 1894.
19. BARRÈS, « Ils ne comprennent rien », *Le Courrier de l'Est,* 8 mars 1889.
20. BARRÈS, « Un français et un stagiaire », *La Cocarde,* 23 octobre 1894.
21. BARRÈS, « Réponse à M. Edwards », *La Cocarde,* 22 octobre 1894.
22. BARRÈS, « Un français et un stagiaire », *La Cocarde,* 23 octobre 1894.
23. *Ibid.*
24. Edouard DRUMONT, *La France juive,* t. I, p. 30.
25. *Op. cit.,* p. 58.

Et Drumont évoque l'image qui tiendra une place si importante dans l'œuvre de Barrès, celle de l'arbre s'enracinant pour porter après cent ans parfois, un fruit de choix [26]. Il professe un déterminisme biologique et social qui témoigne de la connaissance qu'il avait de l'œuvre de Gobineau, son explication de l'histoire est fortement marquée par la vision qu'en avait l'auteur de l'*Essai sur l'inégalité des races humaines.* Mais à beaucoup d'égards, le racisme de Drumont est déjà plus moderne que celui de Gobineau, car il vient d'intégrer les éléments essentiels d'un darwinisme diffus. Cette synthèse — sa réussite — explique en grande partie l'énorme succès de *La France juive* et de *La Libre Parole,* succès jamais atteint par Gobineau à qui faisait défaut l'ingrédient darwinien. Il ne s'agit pas là d'un phénomène isolé ; en Allemagne aussi, comme l'observe George L. Mosse, le triomphe de Houston Stewart Chamberlain dépasse de loin, pour une raison identique, la notoriété de l'écrivain français [27].

La lutte entre l'aryen et le sémite remonte selon Drumont aux « premiers jours de l'histoire » : ce conflit qui se perpétue à travers les âges et qui prend les dimensions d'une loi naturelle, constitue pour lui l'élément fondamental de l'explication historique. « Le rêve du sémite, en effet, sa pensée fixe a été constamment de réduire l'aryen en servage, de le mettre à la glèbe » [28]. Toute l'histoire tient dans cet affrontement entre les deux races destinées à constamment se heurter. Entre le sémite « mercantile, cupide, intrigant, subtil, rusé », et l'aryen « enthousiaste, héroïque, chevaleresque, désintéressé, franc, confiant jusqu'à la naïveté », entre le « terrien ne voyant guère rien au-delà de la vie présente » et vivant « dans la réalité » et ce « fils du ciel sans cesse préoccupé d'aspirations supérieures » et vivant « dans l'idéal », il ne peut y avoir qu'une guerre à outrance et la victoire de l'un ne peut signifier que la destruction de l'autre [29].

26. *Op. cit.,* p. 20.

27. George L. Mosse, *The Crisis of German ideology,* pp. 92-93. Sur la renaissance du gobinisme en Allemagne, sur les succès du racisme et du mouvement volkish, cf. pp. 90-101. On consultera également, du même auteur, *The Culture of western Europe,* Chicago, 1961, pp. 73-93.

28. Edouard Drumont, *La France juive,* t. I, p. 7.

29. *Op. cit.,* p. 9.

« Le sémite est négociant d'instinct, il a la vocation du trafic, le génie de tout ce qui est échange, de tout ce qui est une occasion de mettre dedans son semblable. L'aryen est agriculteur, poète, moine et surtout soldat ; la guerre est son véritable élément, il va joyeusement au-devant du péril, il brave la mort. Le sémite n'a aucune faculté créatrice ; au contraire l'aryen invente ; pas la moindre invention n'a été faite par un sémite. Celui-ci par contre exploite, organise, fait produire à l'invention de l'aryen créateur des bénéfices qu'il garde naturellement pour lui. L'aryen exécute les voyages d'aventure et découvre l'Amérique ; le sémite... attend qu'on ait tout exploré, tout défriché, pour aller s'enrichir aux dépens des autres. En un mot, tout ce qui est une excursion de l'homme dans les régions ignorées, un effort pour agrandir le domaine terrestre est absolument en dehors du sémite et surtout du sémite juif ; il ne peut vivre que sur le commun, au milieu d'une civilisation qu'il n'a pas faite » (p. 10).

C'est dans Gobineau que Drumont a puisé les principes de son racisme pour en faire très rapidement une arme extrêmement redoutable. Mais Drumont n'était pas le seul disciple de Gobineau. Renan avait soigneusement annoté l'*Essai*[30], s'en était inspiré ; Taine avait appliqué ses conclusions à la littérature dès 1863, Albert Sorel et Paul Bourget étaient, à divers degrés, des gobiniens[31]. L'auteur de *Cosmopolis* devient en 1894 membre de la Gobineau-Vereinigung fondée la même année à Freiburg. Barrès lui-même connaît Gobineau et ne manque pas d'en faire état[32].

A tous ces intellectuels du nationalisme de la fin du siècle, Gobineau apprend que : « La question ethnique domine tous les autres problèmes de l'Histoire, en tient la clef, et que l'inégalité des races dont le concours forme une nation, suffit à expliquer tout l'enchaînement des destinées des peuples »[33]. Il leur enseigne aussi « que toute civilisation découle de la race blanche », et qu'au sein de celle-ci s'affirme la supériorité des « arians »[34].

Cependant, si avec Drumont on assiste à une première explosion de la version moderne du gobinisme allié au darwinisme social, ce n'est qu'avec Jules Soury que s'élabore véritablement une théorie raciale du déterminisme physiologique qui fait déjà appel aux découvertes récentes des sciences naturelles. Soury apporte au nationalisme barrésien des fondements scientifiques et pour cette raison, son apport à l'élaboration de la pensée barrésienne sera décisif. C'est aussi par Soury que Barrès a dû prendre connaissance de Darwin et de ses disciples les plus célèbres, Spencer et Haeckel[35]. Ainsi, au moment où commence l'Affaire Dreyfus, Barrès se retrouve bien armé pour le combat.

30. Jacques BARZUN, *Race, a study in superstition*, p. 62.
31. Cf. l'éloge de Gobineau par Albert SOREL : *Notes et portraits contenant des pages inédites*, Paris, Plon-Nourrit, 1909, pp. 227-239. Cf. aussi son article sur Gobineau : « Le Comte de Gobineau », *Le Temps*, 23 mars 1904.
32. *Mes Cahiers*, t. II, p. 80, p. 176 ; t. III, p. 72 ; t. V, p. 248 ; t. VI, p. 300 ; t. IX, p. 207 ; t. X, p. 328. Cf. aussi « Un nouveau livre de Gobineau », *Le Gaulois*, 3 juin 1907. Sur les antécédents de la pensée raciale en France, cf. M. SELIGER, « The Idea of conquest and race-thinking during the Restauration », *The Review of Politics*, 22 (4), 1960, pp. 545-567.
33. Comte de GOBINEAU, *op. cit.*, p. 17.
34. *Op. cit.*, pp. 376-381.
35. *Mes Cahiers*, t. III, p. 17 : Barrès déplore que Soury ne soit jamais parvenu à faire lire à Renan, Darwin et Spencer. Il mentionne Darwin à plusieurs reprises dans ses *Cahiers* : t. I, pp. 24-25 ; t. VII, pp. 17-18, p. 240 ; t. X, p. 13, p. 229 ; t. XII, p. 55, p. 273 ; t. XIV, p. 120, p. 223, p. 227. En ce qui concerne Spencer, Barrès s'y réfère dans *Mes Cahiers*, t. I, p. 248 ; t. III, p. 17 ; t. VIII, p. 147 ; t. X, pp. 159-160 ; t. XII, p. 55 et dans un article du *Journal* daté du 12 octobre 1894 : « L'imagination représentative chez les vieillards ». Quant à Haeckel, il le cite dans une lettre à Maurras de juillet 1896 (BARRÈS-MAURRAS, *La République ou le Roi*, p. 126). Les mentions de Spencer et de Haeckel datent donc de la période où Barrès suit les cours de Soury.

LE DÉTERMINISME PHYSIOLOGIQUE

De toutes les influences qui se sont exercées sur Barrès, celle de Soury est la plus directe, la plus profonde ; celle dont il ne put jamais se libérer. A la fois pamphlétaire, philosophe et savant, Jules Soury est le véritable maître à penser du Barrès du *Roman de l'énergie nationale*, de *Scènes et doctrines du nationalisme* et de *Bastions de l'Est* [1]. Il inspire Barrès encore davantage que Taine et infiniment plus que Renan ; c'est Jules Soury qui lui fournit le cadre conceptuel de son nationalisme : pendant dix-sept ans, ce professeur de psychologie physiologique à l'Ecole des hautes études de la Sorbonne enseigne à Barrès les lois du déterminisme, l'initie aux secrets de l'ethnologie, de la guerre des races et du relativisme historique. Les méditations de Barrès sur la mort doivent beaucoup à Soury, sa conception de la fonction sociale du catholicisme est directement tirée de l'athéisme clérical du maître.

Jules Soury est l'auteur d'une série d'ouvrages aujourd'hui tombés dans l'oubli qui s'échelonnent sur un quart de siècle et qui dans leur ensemble débouchent sur une vision du monde assez proche de celle du nazisme [2]. Son œuvre capitale, celle qui résume tout son enseignement à l'Ecole des hautes études, est *Le Système nerveux central*, un énorme ouvrage en deux volumes où au fil de 1 863 pages Soury retrace l'histoire des théories du système nerveux central depuis les origines de la science en Grèce jusqu'à l'époque contemporaine [3].

1. L'influence de Soury sur Barrès est passée relativement inaperçue. Même Thibaudet, dont *La Vie de Maurice Barrès* reste l'ouvrage le plus complet, n'y fait pas allusion. Cécile Delhorbe cependant a montré le compagnonnage de Barrès et de Soury, lors du second procès Dreyfus, à Rennes et la fascination qu'exerça le savant sur l'écrivain (*L'Affaire Dreyfus et les écrivains français*, Paris, Editions Victor Attinger, Paris, 1932, pp. 190-192). Un seul article a été consacre aux relations entre Barrès et Soury par Camille Vettard, lui-même disciple de ce dernier : « Maurice Barrès et Jules Soury », *Mercure de France*, t. 170, 15 mars 1924, pp. 686-695. Vettard qui connaissait Soury, est conscient du rôle qu'a joué le célèbre professeur dans la formation intellectuelle de Barrès, mais les *Cahiers* n'ayant pas encore été publiés, il manquait les éléments d'appréciation essentiels.

2. On relève parmi ses ouvrages les plus importants, des *Essais de critique religieuse*, Paris, E. Leroux, 1878 ; des *Etudes historiques sur les religions, les arts, la civilisation de l'Asie antérieure et de la Grèce*, Paris, G. Reinwald, 1877 ; un *Bréviaire de l'histoire du matérialisme*, Paris, G. Charpentier, 1881 ; une *Philosophie naturelle*, Paris, G. Charpentier, 1882 ; une *Histoire des doctrines de psychologie physiologique contemporaines*, Paris, Bureaux du « Progrès médical », 1891. De nombreux articles publiés par des revues scientifiques spécialisées telles que les *Archives de neurologie* ; *La Revue scientifique* ; l'*Encéphale - Journal des maladies mentales et nerveuses*, ou *Les Annales médico-psychologiques* complètent une œuvre gigantesque.

3. Jules SOURY, *Le Système nerveux central, Structure et fonctions, Histoire critique des théories et des doctrines*, Paris, Georges Carré et C. Naud, 1889.

De 1893 à 1897 Barrès suivit les cours où Soury « mêlait aux plus minutieux détails sur la physiologie du névraxe d'émouvantes généralités de philosophie pessimiste »[4] : c'est aussi à partir de 1897 que ses ouvrages reflètent fidèlement les grandes thèses de cet enseignement qui, de son propre aveu, devait le marquer profondément[5]. Mais plus encore que l'enseignement *ex cathedra,* ce sont les innombrables entretiens qu'il eut avec son maître qui façonnèrent d'une manière décisive sa pensée politique[6]. Soigneusement consignée dans les *Cahiers,* la matière de ces entretiens passe souvent textuellement dans les ouvrages de Barrès, sans qu'il prenne la peine de faire référence à Soury[7].

Les deux premiers tomes des *Cahiers* qui recouvrent les six années capitales — 1896-1902 — renferment de très nombreuses notes où sont exposés différents aspects de la pensée de Soury : ce sont les années de l'antidreyfusisme militant, les années du *Roman de l'énergie nationale* et de *Scènes et doctrines du nationalisme.* Ce sont aussi les années où, à la faveur de l'agitation antidreyfusarde, Soury compose sa *Campagne nationaliste*[8], où il applique à la politique française et à l'histoire de France les conclusions de ses observations sur le sys-

4. Barrès, « Note sur Jules Soury », *Le Journal,* 24 novembre 1899. Cf. aussi « M. Jules Soury », *Le Journal,* 11 mai 1894 : le maître « dispensait le plus émouvant enseignement philosophique ».

5. Barrès, « *Note sur Jules Soury* », art. cité. Cf. aussi *Mes Cahiers,* t. II, pp. 155-156.

6. *Ibid.* : « Dans des entretiens pour moi inoubliables », écrit Barrès, « M. Jules Soury m'a bien souvent marqué, depuis dix-sept ans que j'ai l'honneur de le connaître... ».

7. *Mes Cahiers,* t. II, p. 160 et surtout *Mes Cahiers,* t. I, pp. 66-74 ; pp. 76-77 ; pp. 78-85 ; pp. 87-89 ; pp. 92-93. Ce n'est réellement qu'à travers les *Cahiers* que l'on découvre la place que tient Soury dans la formation des idées politiques de Barrès : le maître ne fait par contre que de rares apparitions dans les romans et les essais. Cf. notamment *Scènes et doctrines du nationalisme,* t. I, p. 163 et *Les Déracinés,* p. 312. S'il s'exprime à son égard en des termes extrêmement élogieux, Barrès n'en reste pas moins au niveau des généralités : nulle allusion n'est faite au rôle déterminant des théories de Soury dans la formation de la doctrine nationaliste. Le maître s'en est plaint à Camille Vettard : s'il considérait Barrès comme son « fils intellectuel adoptif », il n'en ressentait pas moins une certaine amertume envers celui-ci. Le 5 janvier 1904, il lui écrit : « Barrès (...) ne paraît même plus me connaître, Barrès qui a fait passer dans son dernier livre tout ce que je lui ai enseigné... ». Le dernier livre en question est *L'Appel au soldat* (Camille Vettard, art. cité, p. 691).

8. Paris, imprimerie de L. Maretheux, 1902. Dans le cadre de sa campagne antidreyfusarde paraissent encore quatre brochures publiées par l'Action française. Une *Lettre à Charles Maurras* du 26 janvier 1900, Paris, Bureaux de l'Action française, 1900, consacrée à la glorification de l'armée ; *Oratoire et laboratoire,* même éditeur, 1901, démontre que science et foi ne sont nullement incompatibles ; *Science et religion,* même éditeur, même date, traite également de ce sujet, et finalement *La Rédemption d'Israël, La Ligue des droits de l'homme et le régicide,* même éditeur, même date, est composée de deux pamphlets. Le premier est une violente diatribe antisémite lancée au nom des « gens de race aryenne, catholiques romains et Français de France » (p. 5), le second traite de la période la plus noire de l'histoire de France, celle qui vit naître la Déclaration des droits de l'homme et du citoyen (p. 14).

tème nerveux central. Exprimée dès 1888 [9], l'admiration de Barrès pour Soury est consacrée, en 1899, par trois articles publiés dans *Le Journal* [10] ; à la même époque il le compare, dans les *Cahiers*, à Pascal [11]. Les deux hommes mènent côte à côte le combat nationaliste ; tandis que Barrès réunit les matériaux de *Scènes et doctrines du nationalisme*, Jules Soury exalte dans *Campagne nationaliste* « la rédemption de la France par le général Mercier » [12].

Des pages du premier volume des *Cahiers* émerge une personnalité qui s'abandonnait à une exaltation totale, sans que la moindre part d'esprit critique n'intervint. Barrès lui-même le traitait de « fou » [13] ou de « fou sublime » [14], de « dément » [15]. Soury vivait dans un monde d'hallucinations et d'angoisses, se délectant d'images de larmes, de mort et de carnage. Il mangeait « trois sous de pain et de l'eau », se procurait des crachats de tuberculeux, les faisait sécher et les respirait [16] ; il passait son existence aux côtés d'une mère qui le terrorisait, et était jalouse de la blanchisseuse, de la femme de ménage, ou du temps qu'il passait sans penser à elle [17]. Sa mère était, note Barrès, « sa femme, son enfant à soigner » [18]. Sa mort le terrassa : il n'avait plus de raison de vivre [19].

Jules Soury vivait dans l'obsession des « crépuscules d'Occident » [20], de la dégénérescence de la France et de l'Occident catholique sous l'influence des Juifs, des protestants et des francs-maçons [21]. La « Porcherie modèle » qu'est la République et son « idéal démocratique et socialiste » ont pu impunément, tout comme « Henri IV l'apostat (...) qui livra nos places fortes aux éternels alliés de l'étranger, aux huguenots, ouvrir les frontières, livrer à tout venant la

9. « La jeunesse boulangiste », *Le Figaro*, 19 mai 1888.

10. « Note sur Jules Soury », art. cité, « Lavisse et Jules Soury », *Le Journal*, 12 octobre 1899 ; « La lettre de Jules Soury », *Le Journal*, 21 octobre 1899. En 1905 Barrès qualifie Louis Ménard et Jules Soury de « lumières sur les sommets de la haute littérature » (Le « Problème de l'ordre », *Le Gaulois*, 9 juillet 1905).

11. *Mes Cahiers*, t. II, p. 160. Quant à Maurras, il appelait Soury « notre vieux prophète infréquentable » (Barrès-Maurras, *La République ou le Roi*, lettre de Maurras à Barrès datée de janvier 1908, p. 480). Le nom de Jules Soury revient à de nombreuses reprises dans la correspondance Barrès-Maurras. Cf. *op. cit.*, pp. 250-251, p. 253, pp. 266-270 ; pp. 288-289, p. 312, p. 323, p. 334, p. 350, p. 380, p. 480.

12. Jules Soury, *Campagne nationaliste*, p. 180. Le livre est dédié à « M. le général Mercier qui a bien mérité de la patrie en contribuant plus qu'aucun homme de France aux deux condamnations du traître juif Alfred Dreyfus ».

13. *Mes Cahiers*, t. I, p. 64.

14. *Op. cit.*, p. 69.

15. *Op. cit.*, p. 67.

16. *Op. cit.*, p. 68.

17. *Op. cit.*, p. 70.

18. *Op. cit.*, p. 64.

19. *Op. cit.*, p. 76, p. 80.

20. Jules Soury, *Campagne nationaliste*, p. 13.

21. *Op. cit.*,p. 12 ; p. 184 ; p. 222.

défense nationale... » ; ce qui a en outre « supprimé la liberté de l'enseignement, détruit la famille, souillé les femmes et les enfants de France... » [22]. La France catholique croule sous l'assaut combiné des forces de destruction : les prêcheurs de « paix, de fraternité, et de solidarité humaine » ont transformé les Français en « êtres dégénérés »[23] (...) « et la France descend la pente qu'on ne remonte plus, celle de l'oubli de soi-même » [24]. Il existe pourtant encore un espoir de salut, celui que les rabbins d'Israël s'emploient à anéantir en forgeant l'alliance franco-russe, qui est une alliance purement défensive donc meutrirère pour la France : la guerre [25]. « La guerre, heureuse ou malheureuse, la guerre éternelle, source de toute vie supérieure, cause de tout progrès sur la terre... » [26]. Et Soury conclut sa profession de foi qui est aussi une exhortation en ces termes :

« J'ai foi en la vertu régénératrice du fer et du feu pour les peuples déchus, avilis, résignés à n'avoir plus d'histoire, s'ils meurent dans l'opération, tant mieux ! Ils sont ainsi sauvés d'eux-mêmes, de la honte de se survivre. Avant tout il nous faudrait continuer le duel interrompu, recommencer la lutte séculaire contre nos frères de Germanie, ennemis héréditaires, destinés peut-être à devenir avec les siècles les maîtres des Gaules, mais avec qui c'est un devoir et une joie, une joie héroïque, de se battre pour se battre ! Un Français doit toujours attaquer, s'il veut vaincre. En avant donc ! Au Rhin, cette fois, à travers les terres des Helvètes et des Flamands » [27].

Tel était l'homme qui devait marquer Barrès si profondément que l'on est très souvent tenté de ne voir dans la doctrine nationaliste de l'auteur du *Roman de l'énergie nationale* qu'un reflet de l'enseignement du psycho-physiologue.

L'axe du système de Soury, comme de la pensée barrésienne formée au temps de l'Affaire, est le déterminisme : « Pas plus que l'univers », écrit-il, « le moindre phénomène n'est l'œuvre du hasard : le monde est gouverné par les lois fatales, expressions abstraites des rapports naturels des choses » [28]. Soury revient inlassablement sur ce thème ; des « lois fatales » commandent chaque parcelle de l'univers, chaque instant de l'existence humaine au niveau de l'individu comme au niveau de la collectivité :

« Tous les êtres vivants ne sont que des automates. Inconscients ou conscients, les processus psychiques n'en sont pas moins toujours automatiques. La conscience n'ajoute rien, quand elle existe, à ces processus, pas plus que l'ombre du corps. Si la sensation et l'intelligence qui en

22. *Op. cit.*, p. 223.
23. *Op. cit.*, p. 12.
24. *Op. cit.*, p. 185.
25. *Op. cit.*, pp. 184-185.
26. *Op. cit.*, p. 185.
27. *Op. cit.*, p. 195.
28. Jules Soury, *Le Système nerveux central*, p. 95.

résulte (...) ne sont (...) comme la vie elle-même (...) que des forces naturelles, elles ne sauraient se soustraire aux lois d'airain du déterminisme universel » [29].

C'est ainsi que Soury nie non seulement le libre arbitre et le statut de l'homme comme sujet de l'histoire, mais encore sa qualité d'être moral : puisqu'il n'y a pas de choix il ne saurait y avoir de morale. L'homme, ainsi vidé de sa substance spirituelle, n'est qu'un simple rouage d'un mécanisme universel, mû par des « instincts héréditaires » qui naissent « des variations utiles acquises mécaniquement au cours des longues luttes pour l'existence... » ou, en d'autres termes, en vertu d' « habitudes ancestrales... devenues organiques par la sélection naturelle » [30]. Par conséquent « la raison » — Soury s'applique à n'employer ce terme qu'entre guillemets — « n'est que la loi mécanique et mathématique suivie de toute nécessité par les atomes en mouvement dans le cycle éternel de la production et de la destruction des mondes... » [31]. La filiation du naturalisme de Soury au nationalisme organique de Barrès apparaît ici clairement : elle est plus nette encore si l'on se réfère à *Campagne nationaliste* où Soury reprend dans un vocabulaire plus approprié aux sciences humaines les grandes thèses du *Système nerveux central :* « Mais qu'est-ce que ce moi conscient au regard de cet autre moi, impersonnel en quelque sorte, que le physiologiste Exner, après le philosophe Lichtenberg désigne par le pronom indéterminé " il " dans cette phrase : Es denkt in mir ? C'est ce " Il pense " inconnu au " Je pense " qui détermina la nature de nos sentiments et de nos idées et prédestine les vocations » [32]. Barrès reprend cette thèse qui est à la base de son nationalisme dans *Les Déracinés* : « L'intelligence quelle petite chose à la surface de nous-mêmes ! Certains Allemands ne disent pas *je pense* mais *il pense en moi* » [33]. L'importance de cette affirmation est telle qu'il la répète en y ajoutant une autre idée textuellement reprise de la bouche de Soury — « profondément nous sommes des êtres affectifs » [34] — aussi bien dans *L'Appel au soldat* [35] que dans *Leurs Figures* [36] et dans *Scènes et doctrines du nationalisme* [37]. Mais c'est dans ce dernier ouvrage et dans *Le 2 novembre en Lorraine*, qui en est tiré, que Barrès incorpore de la manière la plus nette l'enseignement de Soury pour en faire le véritable cadre de sa réflexion doctrinale.

29. *Op. cit.*, p. 1 778.
30. *Ibid.*
31. *Op. cit.*, p. 95.
32. Jules Soury, *Campagne nationaliste*, p. 60.
33. *Les Déracinés*, p. 318.
34. *Mes Cahiers*, t. I, p. 73. Cf. aussi p. 80 et p. 75 où Soury dit : « L'homme s'il est intelligent est surtout affectif ».
35. *L'Appel au soldat*, p. IX.
36. *Leurs Figures*, p. 280.
37. *Scènes et doctrines du nationalisme*, t. I, p. 11.

« Je dédiai cet ouvrage » [38], écrit Soury, « à la mémoire de mes parents, à ceux dont je ne suis, comme nous ne sommes tous, que la continuité substantielle, la pensée et le verbe encore vivants avec leur cortège de gestes, d'habitudes et de réactions héréditaires, qui font que le mort tient le vif et que les caractères propres, ethniques et nationaux, nés de variations séculaires, qui différencient le Français de France de l'étranger, ne sont point des métaphores, mais des phénomènes aussi réels que la matière des éléments anatomiques de nos centres nerveux, les neurones, seuls éléments de notre corps qui, de la naissance à la mort de l'individu, persistent sans proliférer ni se renouveler jamais. Là est le témoignage irréfragable de l'hérédité psychologique. Là est le fondement de notre culte des morts et de la terre où ils ont vécu et souffert, de la religion de la patrie » [39].

C'est ce texte qui inspire le credo de Barrès, c'est lui qui constitue le fondement de son déterminisme et de sa théorie de la Terre et des Morts. « Je suis la continuité de mes parents », écrit-il. « Cela est vrai anatomiquement. Ils pensent et parlent en moi » [40] ; « toute la suite des descendants ne fait qu'un même être » [41] : c'est pourquoi « celui qui se laisse pénétrer de ces certitude abandonne la prétention de sentir mieux, de penser mieux, de vouloir mieux que ses père et mère ; il se dit : *Je suis eux-mêmes* » [42].

Sur ce point capital Barrès durcit nettement sa position par rapport à celle qu'il avait exprimée dans *Les Déracinés* où l'influence de Taine contre-balançait encore celle de Soury. « Il n'y a pas d'idées innées », écrivait-il, « toutefois des particularités insaisissables de leur structure décident ces jeunes Lorrains à élaborer des jugements et des raisonnements d'une qualité particulière » [43].

Le célèbre platane de Taine est le symbole de la continuité, d'une évolution sans heurts, sans crises [44] : c'est un conservatisme quasi classique qui apparaît ici à travers l'histoire des sept jeunes lorrains et qui n'est pas incompatible avec un certain rationalisme. Il n'en est plus de même dans le feu de la bataille antidreyfusienne quand Barrès récuse non seulement l'autorité de Hugo et de Michelet mais aussi celle de Taine et de Renan qui avaient le tort immense de croire « à une raison indépendante existant dans chacun de nous et qui nous

38. Il s'agit du *Système nerveux central*.
39. Jules Soury, *Campagne nationaliste*, p. 65.
40. *Mes Cahiers*, t. II, p. 140. Cf. même texte dans *Scènes et doctrines du nationalisme*, t. I, p. 18 et dans *Stanislas de Guaita* in *Amori et dolori sacrum*, p. 125 : « Nous sommes les prolongements, la suite de nos parents ».
41. *Le 2 novembre en Lorraine* in *Amori et dolori sacrum*, p. 267. Cf. même texte dans *Scènes et doctrines du nationalisme*, t. I, p. 18.
42. *Ibid.* Cf. même texte *Mes Cahiers*, t. II, p. 141 où Barrès stipule aussi qu'il n'a pas la prétention de « savoir davantage » que ses père et mère.
43. *Les Déracinés*, p. 19. Cf. aussi, p. 214 : « M. Taine a indiqué qu'aux individus toute vie venait de la collectivité. Son raisonnement supposait que la beauté et la force pour chacun, c'est de se conformer à sa destinée ».
44. *Op. cit.*, pp. 198-200.

permet d'approcher la vérité »[45]. Cette notion à laquelle il avoue avoir été « attaché passionnément »[46], Barrès la désavoue à présent avec non moins de véhémence :

« L'individu ! son intelligence, sa faculté de saisir les lois de l'univers ! Il faut en rabattre. Nous ne sommes pas les maîtres des pensées qui naissent en nous. Elles ne viennent pas de notre intelligence ; elles sont des façons de réagir où se traduisent de très anciennes dispositions physiologiques. Selon le milieu où nous sommes plongés, nous élaborons des jugements et des raisonnements. La raison humaine est enchaînée de telle sorte que nous repassons tous dans les pas de nos prédécesseurs. Il n'y a pas d'idées personnelles : les idées même les plus rares, les jugements même les plus abstraits, les sophismes de la métaphysique la plus infatuée sont des façons de sentir générales et se retrouvent chez tous les êtres de même organisme assiégés par les mêmes images »[47]. Voilà pourquoi « le Moi s'anéantit sous nos regards d'une manière plus terrifiante encore si nous distinguons notre automatisme qui est tel que la conscience plus ou moins vague que nous pouvons en prendre n'y change rien »[48].

Dans cette « acceptation »[49], dans ces « esclavages »[50], « l'individu s'abîme pour se retrouver dans la famille, dans la race, dans la nation »[51].

Il importe de souligner ici que Barrès n'a pas attendu les grands affrontements de l'Affaire pour s'élever contre le rationalisme tainien. En effet, la première version du texte que l'on vient de citer figure déjà, presque mot pour mot, dans un article sur Taine publié dans *Le Figaro* du 19 décembre 1896[52]. Dans *Scènes et doctrines du nationalisme*, Barrès rajoute seulement quelques considérations d'ordre physiologique destinées à prouver l'impuissance de la raison et recueillies elles aussi de la bouche de Jules Soury. L'impact de l'enseignement de ce dernier est alors tel que Barrès n'hésite pas à rejeter en son nom tout ce que lui a appris à cet égard Taine « le dernier grand esprit que nous ayons eu dans la suite admirable de la pensée française »[53]. Au cours de cette période le ton de Barrès envers Taine

45. *Scènes et doctrines du nationalisme*, t. I, p. 17.
46. *Op. cit.*, p. 18.
47. *Ibid.* Cf. même texte dans *Le 2 novembre en Lorraine*, pp. 265-266, et dans *Mes Cahiers*, t. II, p. 109. Cf. aussi *Mes Cahiers*, t. IV, p. 180 : « Ta volonté était renfermée dans celle de ton père et la volonté de ton grand-père était renfermée dans celle de ses grands-pères. Toutes leurs actions, toutes leurs idées retentissent en toi, se prolongent en toi, te marquent ».
48. *Scènes et doctrines du nationalisme*, t. I, p. 17.
49. *Op. cit.*, p. 19.
50. *Op. cit.*, p. 18.
51. *Op. cit.*, p. 19.
52. BARRÈS, *Taine et Renan, Pages perdues, recueillies et commentées par Victor Giraud*, Paris, Editions Bossard, 1922, p. 101. Il s'agit d'un article intitulé « M. Taine et le philistin ».
53. *Op. cit.*, p. 115. Il s'agit d'une réponse à une « Enquête sur l'œuvre de M. Taine » publiée dans la *Revue Blanche* du 15 août 1897.

se fait dur. Dans une lettre à Maurras, où il raconte avoir écrit dans *Au Service de l'Allemagne* « un long chapitre contre Taine..., à propos des monstrueuses sottises — soyons calmes, je veux dire des germanismes déplacés qu'il a placés sur la Montagne de Sainte-Odile », il n'hésite pas à qualifier l'auteur des *Origines* comme celui de *L'Avenir de la science* de « deux personnages flottants, sans colonne vertébrale », bien comparables à Anatole France et à Jules Lemaître [54].

C'est donc indépendamment des leçons immédiates de la politique de tous les jours que Barrès condamne l'aspect rationaliste de la pensée tainienne pour lui substituer les théories de Jules Soury. Dès 1896, année où l'enseignement du psycho-physiologue commence à donner ses premiers résultats, on relève sous sa plume les formules mêmes de l'auteur du *Système nerveux central.* En assimilant les conclusions de son maître à son propre système, Barrès ne fait pas une volte-face ; il s'agit en réalité d'une évolution déjà amorcée dans *Le Culte du Moi.* L'auteur du *Jardin de Bérénice* était parfaitement préparé à accueillir l'enseignement de Soury. Celui-ci lui fournissait la confirmation « scientifique » dont il avait besoin, il l'armait d'un certain nombre de conceptions qui lui permettaient de fonder son déterminisme sur des assises plus solides que « la seule méthode des poètes et des romanciers » dont il avait naguère fait usage pour creuser l'idée du Moi [55]. Le déterminisme de Barrès est un déterminisme physiologique, naturaliste ; une vision de l'homme qui ne laisse aucune marge d'indétermination, cette marge qui se confond avec la capacité humaine de choisir, donc d'être libre et d'exercer ses facultés de créateur. L'homme selon Barrès n'a précisément nulle volonté de créer un monde différent de celui des ancêtres : le voudrait-il, il ne le pourrait pas, car « des êtres ne peuvent porter que les fruits produits de toute éternité par leur souche » [56]. Soury a appris à Barrès qu' « il y a de naissance des différences invincibles » [57] et le Saint-Phlin de *Leurs Figures,* en constatant des divergences de vue avec Roemerspacher déclare : « Je ne partage pas toutes ses opinions, car nous eûmes au même sol des berceaux différents » [58]. Dans *Le Voyage de Sparte,* et dans le même ordre d'idées, Barrès fait un aveu déconcertant : « Faute de sang grec dans mes veines », écrit-il, « je ne com-

54. Barrès-Maurras, *La République ou le Roi,* p. 419 ; lettre du 15 décembre 1903. Il s'agit d'une réponse de Barrès à une lettre de Maurras datée du même mois et où ce dernier lui écrivait : « Vous savez, et depuis longtemps, combien je fais des réserves sur l'histoire de Taine, qui est certainement écrite et conçue par un esprit de second ordre » (p. 417). Il est remarquable que Barrès ne se soit pas élevé contre une telle diatribe.

55. *Scènes et doctrines du nationalisme,* t. I, p. 17.

56. Barrès, *Une Impératrice de la solitude* in *Amori et dolori sacrum,* p. 174.

57. *Mes Cahiers,* t. III, p. 101. C'est une citation de Soury consignée par Barrès dans ses carnets.

58. *Leurs Figures,* p. 235.

prends guère Socrate ni Platon »[59]. On saisit bien, à travers ces deux affirmations, l'inexistence, l'impossibilité de toute marge d'indétermination : la psychologie de l'acteur, son comportement, non seulement reflètent son milieu, sa formation, mais également déterminent un mode de comportement. Reconnaître cette vérité, prendre conscience de l'impossibilité d'être autre chose que ce pour quoi on est né, « évaluer notre fatalité »[60], c'est-à-dire prendre conscience de la stricte proportionnalité entre les causes et les effets dans le comportement humain, tel est le seul sens de la notion de liberté : « Entre tous les caprices de la fortune, il y a une place pour notre libre volonté. Librement nous nous soumettons à ce pour quoi nous sommes nés »[61]. Reconnaître sa dépendance, se placer dans la lignée des ancêtres, « vivre avec ces maîtres en leur rendant un culte réfléchi »[62], c'est, en prenant conscience des forces qui déterminent la condition humaine, être libre. Cette constatation est capitale pour Barrès car elle est à l'origine de toute certitude. En s'acceptant comme déterminé, l'homme touche à l'absolu. C'est ainsi que Barrès parvient au terme de sa quête de l'absolu entreprise dans *Le Culte du Moi* : « Je défends mon cimetière. J'ai abandonné toutes les autres positions. Religion, certitude scientifique, sens de la vie, progrès. La fumée de toutes ces batailles perdues assombrit l'horizon »[63]. En constatant que le « Moi (...) s'anéantit et ne laisse que la société dont il est l'éphémère produit », Barrès découvre des critères de comportement qui ne sauraient faillir : « le sentiment vivant de l'intérêt général »[64], que portent en eux-mêmes tous ceux qui, pour se « sauver d'une stérile anarchie », ont su se « relier à notre terre et à nos morts », fournira toujours la réponse adéquate à toute question nouvelle[65].

Il s'avère ainsi que Barrès parvient à une conclusion qui, dans ses principe d'application, n'est pas très différente de la « volonté générale » de Rousseau. Dans les deux cas, il existera toujours une seule solution commandée par un critère identique, — l'intérêt général — mais, et c'est en cela que Barrès se sépare définitivement de la tradition rationaliste du XVIIIe siècle, alors que chez Rousseau c'est la raison individuelle qui découvre les impératifs de l'intérêt général, dans la pensée de Barrès il s'agit d'un instinct héréditaire, apanage d'individus en qui parle la voix d'une même terre et de mêmes morts. Elle introduit en outre une sorte de racisme, notion exceptionnelle en

59. *Le Voyage de Sparte*, p. 79.
60. *Stanislas de Guaita*, in *Amori et dolori sacrum*, p. 125.
61. *Mes Cahiers*, t. III, p. 284.
62. *Scènes et doctrines du nationalisme*, t. I, p. 12.
63. *Mes Cahiers*, t. II, p. 241. « Rien ne me commandait », écrit-il dans le même contexte. « Je me suis donné ce fatalisme : les morts me commandent. Voilà où il en est venu l'homme libre. Eh bien ! il n'a jamais voulu que se retrouver. »
64. *Le 2 novembre en Lorraine* in *Amori et dolori sacrum*, p. 265.
65. *Op. cit.*, p. 264.

France, qui se retrouve depuis lors à tous les degrés de l'enseignement barrésien. Le culte de la Terre et des Morts est une conséquence logique de cette forme de racisme à peine atténuée qu'engendre le déterminisme barrésien.

Le Français, note Ernst-Robert Curtius, ne possède ni instinct ni conscience raciales : la notion de race est chez lui nettement inférieure à celle de nation [66]. Au niveau du vocabulaire, « race » est synonyme, à la fin du XIXe siècle, de « nation » ou de « peuple » : c'est dans ce sens que ce mot est employé par Péguy [67], Jaurès [68], Bernard Lazare [64], et jusqu'à un certain degré par Barrès. Cependant, sous l'influence de Soury, le théoricien du nationalisme glisse rapidement vers un racisme qui annonce déjà celui du XXe siècle.

Un moment, il semble réfractaire à l'idée de race qu'enseigne Soury et qui postule que « les questions d'ethnologie (sont) capitales dans l'histoire politique des nations... » [70] : « Disons-le une fois pour toutes », écrit-il, « il est inexact de parler au sens strict d'une race française. Nous ne sommes point une race mais une nation » [71]. Très rapidement cependant l'influence de Soury prend le dessus. Pratiquement tous les textes de *Scènes et doctrines du nationalisme* et du second volume des *Cahiers* qui traitent de cette question ont pour origine la pensée du célèbre professeur. « On peut parler d'une race indo-européenne et d'une race sémitique », écrit Barrès (...) « Peut-être même sont-ce des espèces différentes » [72]. Quelques pages plus haut, il cite Soury qui lui avait fait part de ses convictions en la matière : « Je crois que le Juif est une race, a-t-il dit, bien plus, une espèce... » [73]. Barrès reprend à son compte les thèses de l'opposition irréductible entre les races aryenne et sémite, de l'infériorité de cette dernière, pour considérer finalement que c'est dans ce fait physiologique que réside l'explication de la trahison de Dreyfus. « Nous exigeons de cet enfant de Sem », dit-il, « les beaux traits de la race indo-européenne. Il n'est point perméable à toutes les excitations dont

66. *Essai sur la France*, pp. 105-106.

67. *Notre Jeunesse*, p. 118. Péguy entend par « vertus de la race » les vertus du peuple. Cf. aussi p. 203.

68. *Les Preuves*, p. VIII.

69. *Le Fumier de Job*, p. 74. Bernard Lazare parle du « peuple tout entier », de « toute la race ».

70. Jules SOURY, *Etudes historiques sur les religions, les arts, la civilisation de l'Asie antérieure et de la Grèce*, p. 5.

71. *Scènes et doctrines du nationalisme*, t. I, p. 20. Cf. p. 49 où Barrès parle de l'Ile-de-France, « le cœur de notre race ». Cf. aussi *Mes Cahiers*, t. II, p. 142 et *Mes Cahiers*, t. III, p. 112, où il écrit : « Il y a un type français, un type anglais, un allemand mais non une race. Les peuples sont des produits de l'histoire ».

72. *Mes Cahiers*, t. II, p. 141.

73. *Op. cit.*, p. 118. Dans sa *Campagne nationaliste*, p. 7, Soury se déclare « absolument convaincu de la nature irréductible des deux races ou espèces humaines dites sémitique et aryenne... ».

nous affectent notre terre, nos ancêtres, notre drapeau, le mot " honneur ". Il y a des aphasies optiques où l'on a beau voir des signes graphiques, on n'en a plus l'intelligence. Ici l'aphasie est congénitale ; elle vient de la race » [74]. Il est par conséquent naturel que le sémite ne réagisse pas de la même manière que l'aryen : il est des constantes dans le comportement des hommes dont « nulle circonstance et nulle volonté ne peuvent dépouiller un sémite non plus qu'un aryen » [75]. Or l'un des traits essentiels du sémite, celui qu'il « gardait de son sang » c'est « la capacité de tirer le meilleur parti possible de toute situation et sans s'embarrasser du sentiment de l'honneur » [76]. C'est ainsi que la question de la culpabilité de Dreyfus se trouve, ipso facto, tranchée.

> « Je n'ai pas besoin qu'on me dise pourquoi Dreyfus a trahi », écrit Barrès dans un texte célèbre. « En psychologie, il me suffit de savoir qu'il est capable de trahir et il me suffit de savoir qu'il a trahi. L'intervalle est rempli. Que Dreyfus est capable de trahir, je le conclus de sa race. Qu'il a trahi, je le sais parce que j'ai lu les pages de Mercier et de Roget qui sont de magnifiques travaux » [77].

74. *Scènes et doctrines du nationalisme*, t. I, p. 153. Cf. aussi *Mes Cahiers*, t. III, pp. 156-159.

75. *Op. cit.*, p. 159. Cf. Jules SOURY, *Campagne nationaliste*, pp. 140-141 : « Le fait de l'irréductibilité morale et intellectuelle du sémite et de l'aryen est parfaitement établi en histoire, qu'il s'agisse de la langue, de la littérature, de l'art, ou des mœurs, de la religion et de la politique, bref, de la civilisation tout entière. Les caractères différentiels du sémite et de l'aryen ont été souvent étudiés en ethnologie, en anthropologie, en épidémiologie, en clinique. Le sémite réagit autrement que l'aryen à la plupart des maladies infectieuses de l'économie (tuberculose, choléra, peste, etc.) et présente, ainsi que Charcot aimait à le répéter dans ses leçons, une neurologie (névroses, psychoses, affections organiques des centres nerveux) profondément distincte de celle de l'aryen. En dehors de cette symptomatologie générale, peut-on indiquer déjà chez les deux races, qui sont peut-être deux espèces humaines, des caractères anatomiques et physiologiques différents relativement à la structure et à la texture des tissus des divers systèmes d'organes, du système nerveux en particulier ? Que ces différences doivent exister, il n'y a point de doute pour l'anthropologiste non plus que pour le physiologiste et le clinicien. Elles seules peuvent expliquer l'hétérogénéité foncière des phénomènes de la vie chez les sémites et les aryens. Des lettrés ignorants peuvent seuls parler d'esprit sémitique sans cerveau sémitique ».

76. *Scènes et doctrines du nationalisme*, t. I, p. 159. Cf. pp. 161 sur Dreyfus : « La notion de l'honneur n'allait point l'embarrasser ; son sens réaliste le dirigeait pour tirer le meilleur parti de cette situation où il n'avait pas trouvé son contentement... ». Cf. aussi p. 162 : « Les Juifs sont de la patrie où ils trouvent leur plus grand intérêt. Et par là on peut dire qu'un Juif n'est jamais un traître ».

77. *Op. cit.*, p. 161. L'ensemble de ce raisonnement est une transcription mot à mot des conversations que Barrès eut avec Soury lors du second procès Dreyfus et qu'il consigna entre guillemets. Cf. *Mes Cahiers*, t. II, p. 118 et p. 121. P. 118 : « Ils disent que Dreyfus n'est pas un traître. Je sais qu'il est un traître parce que j'ai lu les pages de Mercier, de Roget qui sont de magnifiques travaux. Mais ils ont raison, car un Juif n'est jamais un traître, il n'est pas de notre nation, comment la trahirait-il ? Tous sont des traîtres : ils sont de la patrie où ils trouvent leur plus grand intérêt ». P. 121 : « Je n'ai pas besoin qu'on me dise pourquoi il a trahi. En psychologie, il me suffit de prouver qu'il est capable de trahir... Il me suffit de savoir qu'il a trahi. L'intervalle est rempli ».

La question des faits judiciaires est pour lui tout à fait secondaire. Fin 1903 il n'estime même plus nécessaire l'appui des témoignages ; l'hypothèse de la trahison se vérifie automatiquement, car tout « s'en déduit moralement » et parce qu'elle « explique tout logiquement » [78]. C'est donc d'une règle générale qu'il s'agit, d'un moyen universellement valable. Il avait déjà, en 1900, interprété de cette manière dans *L'Appel au soldat* la défection de *La Lanterne* d'Eugène Mayer, l'un des principaux organes de presse boulangiste, qu'il explique comme la trahison d'un Juif allemand. Ses motifs sont ceux-là même qui expliquent la trahison de Dreyfus : « Tout étranger installé sur notre territoire alors même qu'il croit nous chérir, hait naturellement la France éternelle, notre tradition, qu'il ne possède pas, qu'il ne peut comprendre et qui constitue précisément la nationalité. Cette vue d'ethnographie passe par-dessus le personnage » [79]. Race ennemie, les sémites sont aussi une race inférieure : « En toutes choses la race sémitique nous apparaît comme une race incomplète par sa simplicité même. Elle est, si j'ose le dire, à la famille indo-européenne ce que la grisaille est à la peinture, ce que le plain-chant est à la musique moderne » [80]. Là encore Barrès s'engage sur les traces de Soury qui lui avait appris, en citant Renan, que « la race sémitique se reconnaît

78. *Mes Cahiers,* t. III, p. 159.

79. *L'Appel au soldat,* p. 178.

80. *Mes Cahiers,* t. II, p. 120. Cf. p. 119 où il cite de nouveau Soury : « Il faut lire *Les langues sémitiques* de Renan. Il a bien marqué son mépris de cette espèce. Il a dit que le Juif représentait une combinaison inférieure de l'espèce humaine. Puis il s'est fait le commensal de M. de Rothschild ». Bien des années plus tard, Barrès faisait grief à Renan de sa « part... dans le triomphe des Juifs : il leur a rendu l'orgueil... Il a commenté leurs livres, les destinées de leur race » (*Mes Cahiers,* t. VIII, pp. 218-219). Soury est allé bien plus loin dans sa démonstration de l'infériorité de la race sémite. Il en administre la preuve dans les termes suivants :

« Point d'arrêt de développement : mais une disposition héréditaire à la dégénération existe, et les premiers symptômes, dont le diagnostic est absolument fatal, consistent dans une affection de la tache jaune des deux yeux tout à fait caractéristique, une atrophie du nerf optique, une paralysie progressive des mouvements des extrémités, du tronc et de la tête, et un état d'idiotie profond. La mort arrive dans le marasme. Tous les cas décrits en Amérique et en Europe appartenaient à des enfants de race juive (Falkenheim). Dès la fin de la première année, la dégénérescence frappe le cerveau et le cervelet et produit des lésions secondaires qui s'étendent au névraxe tout entier (...) C'est donc dans le cerveau, d'apparence normale, mais héréditairement dégénéré, que se produit la faille d'où résultent la dislocation, l'affaissement et la ruine de tout le névraxe, télencéphale, diencéphale, mésencéphale, pont de Varole, cervelet, moelle allongée et moelle épinière (...) Avec la démence précoce et la paralysie générale des aliénés, l'idiotie amaurotique paralytique de Tay-Sachs est un des plus redoutables fléaux d'Israël ; c'est bien jusqu'ici une maladie de la race juive ; c'est un nouveau chapitre de cette neuropathologie spéciale du Juif dont le génie clinique de Charcot a posé la pierre d'angle » (*Campagne nationaliste,* pp. 146-147).

Plus haut Soury avait déjà prophétisé que « l'écueil inéluctable où viendront se briser l'orgueil, la fortune, et les destinées d'Israël, c'est la dégénérescence héréditaire, l'usure du système nerveux central » (pp. 142-143).

presque uniquement à des caractères négatifs. Elle n'a ni mythologie, ni épopée, ni science, ni philosophie, ni fiction, ni arts plastiques, ni vie civile »[81]. Barrès reste fidèle à cette ligne de pensée quand il affirme que l'*Ethique* de Spinoza « est un poème, non de la science » : et s'il « ne conteste pas à cette race la faculté d'écrire de beaux psaumes »[82], il n'en est pas moins convaincu qu'elle ne saurait produire autre chose.

Ses réflexions sur le problème des races amènent Barrès, toujours sur les pas de Soury, à déplorer un moment l'influence du monothéisme juif sur le catholicisme : « Le sémitisme et le sémitisme seul est monothéiste (...) Les aryens ont toujours été polythéistes ; voire athées (le bouddhisme). Mais il est bien certain qu'il y a dans le christianisme beaucoup de la religion d'Israël. Modifiée avec quelle rapidité, puisqu'on y adore le fils de Dieu unique. Et la Vierge. Et les saints locaux. Voilà le polythéisme »[83].

Cependant il en reste là, et ne suit pas jusqu'au bout le raisonnement de Soury qui, lui, prêche finalement une sorte de nouveau paganisme ou un christianisme vidé totalement de sa substance spirituelle, réduit aux dimensions d'une simple fonction sociale[84]. Mais, comme Soury, il sera catholique sans avoir la foi, il défendra l'Eglise en tant que force sociale et élément de la continuité française.

Ce déterminisme qui s'exprime sous des formes multiples est à la base du nationalisme barrésien. Puisque « le fait d'être de même race, de même famille, forme un déterminisme psychologique »[85], il s'ensuit logiquement qu' « un nationaliste, c'est un Français qui a pris

81. *Mes Cahiers,* t. II, p. 120. C'est une note que Soury lui apporte à Rennes. P. 118, il cite une autre observation de celui-ci : « Le sémitisme a dit dans le monde : je crois, tandis que l'aryen dit : je sais, et fonde la science. Le sémitisme a toujours mis un obstacle à la science. Il apporte une négation stérile par la Chaldée, la Babylonie ».

82. *Mes Cahiers,* t. II, p. 143.

83. *Op. cit.,* p. 274.

84. Jules SOURY, *Campagne nationaliste,* p. 9 :

« Le plus grand méfait d'Israël, c'est d'avoir infecté nos races aryennes d'Occident de son monothéisme, de la croyance en un Dieu créateur du ciel et de la terre, nomenclateur d'espèces de flores et de faunes. Cette cosmogonie juive est l'éternel scandale de la raison aryenne, telle qu'elle a fleuri dans l'Inde védique ou dans l'Hellade, comme chez les Germains, les Scandinaves, les Slaves et les Celtes. Bouddhisme et christianisme sont, en réalité, deux rameaux d'un même tronc, la race aryenne, et cela en dépit de quelques éléments sémitiques qui quant à la lettre, mais non quant à l'esprit, ont pénétré dans notre religion ».

Finalement, Soury montre le sens qu'il donne au christianisme :

« Ce qu'il y a de bon dans la dévotion religieuse, ce n'est pas une foi métaphysique à tel ou tel dogme, incompréhensible de nature, c'est le geste ancestral, c'est l'attitude de l'adoration, l'agenouillement sur les dalles du sanctuaire, le signe de la croix, la tiédeur de l'eau du bénitier banal, les mots du rituel prononcés sans songer au sens, le murmure berçant des prières du rosaire, des prières où s'unissent et communient des âmes sœurs » (p. 49).

85. *Scènes et doctrines du nationalisme,* t. I, p. 16, note 1.

conscience de sa formation. Nationalisme est acceptation d'un déterminisme »[86]. C'est ainsi que l'ancienne théorie de la collectivité conçue comme un agrégat d'individus, consacrée par la Révolution française, aboutit avec Barrès, qui ne cesse pourtant de se réclamer de cette même Révolution française, à une théorie de la solidarité organique : « on admet, écrit-il, qu'un peuple évolue selon les mêmes lois qu'un individu »[87]. Pour lui, la nation est un organisme vivant, être animé ou arbre — l'arbre occupant d'ailleurs une place privilégiée dans l'imagerie barrésienne. Inlassablement il revient sur cette thèse[88], cherchant à prouver que le nationalisme n'est pas seulement une doctrine politique mais une « discipline générale, une manière de concevoir la vie »[89], « une formule que l'on retrouvera chaque fois qu'on en aura besoin »[90]. Le nationalisme est par conséquent une éthique, l'ensemble de critères de comportement dictés par l'intérêt général et qui existent indépendamment de la volonté de l'individu. Le devoir de l'individu et de la société est de les découvrir, mais ne peuvent y parvenir que ceux qui participent à la « conscience nationale », définie comme « l'entente de gens qui sont réunis depuis plusieurs générations dans les mêmes institutions sociales pour affirmer des intérêts moraux communs »[91].

L'ÉTHIQUE DU NATIONALISME

« Le nationalisme, c'est de résoudre chaque question par rapport à la France. Mais comment faire, si nous n'avons pas de la France une définition et une idée commune ? »[1], demande Barrès. Toute son œuvre à partir de l'Affaire est un long essai de définition, un constant effort vers l'élaboration d'un ensemble de critères de comportement.

Son point de départ est un certain relativisme qui lui permet de prendre le contre-pied, pour la première fois, de la pensée républicaine

86. *Op. cit.*, p. 10 : « ... Le problème n'est point pour l'individu et pour la nation de se créer tels qu'ils voudraient être (oh ! l'impossible besogne !) mais de se conserver tels que les siècles les prédestinèrent ». Cf. *Mes Cahiers*, t. III, p. 232 : « Le nationalisme, un déterminisme organisé, accepté », et p. 219 : « Mon déterminisme. — Les théories et les hypothèses scientifiques sont dessinées d'avance dans les formes a priori de notre pensée ». Cf. aussi *Le Voyage de Sparte*, p. 123 sur : les « thèses déterministes connues aujourd'hui sous le nom de *nationalisme* ».

87. Barrès, *L'Evolution de l'individu dans les musées de Toscane* in *Du Sang, de la volupté et de la mort*, p. 241.

88. Cf. entre autres *Mes Cahiers*, t. IV, p. 181 : la génération présente n'est qu' « un fruit de cet arbre » qu'est la nation.

89. *Mes Cahiers*, t. III, p. 317.

90. *Mes Cahiers*, t. IV, p. 132.

91. *Scènes et doctrines du nationalisme*, t. I, p. 221. Cf. aussi *Mes Cahiers*, t. I, pp. 93-94.

1. *Scènes et doctrines du nationalisme*, t. I, p. 86.

traditionnelle dans son ensemble, et de l'héritage spirituel du rationalisme français. Il franchit ainsi une étape essentielle dans son long cheminement intellectuel vers le point de non-retour. Il restera encore sensible, dans les années à venir, à l'imagerie révolutionnaire, à ses symboles, il subira l'attrait d'une époque où s'est manifestée d'une manière si éclatante la grandeur française, mais il s'opposera violemment à l'esprit révolutionnaire, à sa tradition humaniste et rationaliste. Au temps de l'Affaire, à l'heure du choix, Barrès élabore un système qui est l'antithèse même de l'esprit de 89.

En premier lieu Barrès nie l'existence de toute norme morale absolue : « Il n'y a pas de vérité absolue, écrit-il. Il n'y a que des relatives »[2]. Dans l'Affaire Dreyfus il distingue la « vérité judiciaire » de la « vérité absolue » : il attend des tribunaux qu'ils énoncent la première en fonction du « rôle des lois dans un pays »[3], il attend de la justice de son pays qu'elle applique le principe général qui impose de « tout juger par rapport à la grandeur de l'Etat »[4]. Dans *Les Déracinés* Barrès avait déjà soutenu que « la vérité, c'est ce qui satisfait les besoins de notre âme »[5] : plus tard il s'élèvera contre les « misérables qui veulent enseigner aux enfants la vérité absolue » alors qu' « il faut enseigner la vérité française, c'est-à-dire celle qui est la plus utile à la nation »[6].

Comme il n'y a de vérité que la vérité française[7], il n'existe de bien ou de mal qu'en fonction des impératifs nationaux[8]. A l'égard de chaque problème qui se pose il existe une « thèse nationaliste », un point de vue nationaliste, le seul qui soit légitime[9]. Il ne saurait par conséquent exister de justice absolue, car il n'y a « des rapports justes » que « dans un temps donné, entre des objectifs donnés »[10]. Mais Barrès n'en reste pas là : « Il n'y a de justice », écrit-il, « qu'à l'intérieur d'une même espèce ». Dreyfus est « le représentant d'une espèce différente » : n'était-ce la nécessité de le juger « selon la moralité française et selon notre justice », son cas serait du ressort d'une

2. *Mes Cahiers*, t. II, p. 163. Cf. aussi p. 123 : en parlant de *Scènes et doctrines du nationalisme* qu'il prépare, il s'apprête à inscrire « dans une page blanche (...) il y a plusieurs vérités ». Cf. cet ouvrage p. 38 où il affirme que « la vérité absolue (...) aucune institution ne la fournit et personne ne la possède ; elle n'est pas de ce monde ».
3. *Scènes et doctrines du nationalisme*, t. I, p. 38.
4. *Mes Cahiers*, t. III, p. 6.
5. *Les Déracinés*, p. 322.
6. *Mes Cahiers*, t. II, p. 86. Cf. aussi *Mes Cahiers*, t. I, p. 88, où Barrès cite Soury : « La vérité, les vérités, il n'y en a pas. Il y en a une pour chaque homme. Et il n'en sera jamais autrement ».
7. *Scènes et doctrines du nationalisme*, t. I, p. 113.
8. *Op. cit.*, p. 64.
9. *Mes Cahiers*, t. IV, p. 36.
10. *Mes Cahiers*, t. II, p. 83.

« chaire d'ethnologie comparée »[11]. En aucun cas il ne peut être question d'une justice objective, de critères s'appliquant à tout individu en toutes circonstances : « Je me révolte si la loi n'est pas la loi de ma race », dit Barrès[12]. Il est selon lui, d'autant plus absurde de parler de la justice en termes de normes absolues que, comme il l'avait appris de Soury, « le concept le plus métaphysique, le plus élevé, la Justice par exemple, n'est fondamentalement, quand on considère ses ingrédients, qu'un composé de simples sensations aux modifications du tégument cutané, des muqueuses et des appareils périphériques de l'olfaction, du goût, etc. : une fonction, c'est un organe en activité »[13].

On conçoit la profondeur du fossé qui sépare alors la pensée barrésienne de l'humanisme européen. Une semblable définition de la justice, de la vérité, du bien et du mal constitue une négation pure et simple de ces deux composantes majeures de la civilisation occidentale que sont la morale judéo-chrétienne et la philosophie grecque. C'est une sorte de tribalisme que prêche Barrès à la faveur de l'Affaire : il ne saurait y avoir de relations justes qu'entre hommes appartenant au même groupe ethnique ou historique. L'humanité se subdivise ainsi en un nombre infini de groupes antagonistes réduits à « l'état de nature », à l'état de guerre.

Depuis l'Affaire, Barrès évolue dans un monde clos ; à Athènes il ne parvient à voir qu'une vieille tour franque ; il ne comprend pas le Parthénon car il a « dans le sang un idéal différent et même ennemi »[14]. A Nancy, le Saint-Phlin de *L'Appel au soldat*, son porte-parole, voudrait épurer la capitale de la Lorraine de tout apport étranger « en tant qu'importation qui recouvre et étouffe notre nationalité » : tout ce que Stanislas y a installé lui « est odieux », car nullement nécessité « par notre développement national »[15]. On en revient ainsi à l'idéal d'une société fermée, d'un monde cloisonné et statique, voué à la défense de ce qui est, et vivant dans la crainte de l'évolution et des contacts avec l'étranger susceptibles de jeter bas un édifice déjà bien ébranlé.

Le naturalisme de Barrès, son déterminisme physiologique, sa conception de l'homme comme un mécanisme déterminé par son appartenance à une collectivité sont autant d'éléments qui favorisent l'immobilisme : ils sont complétés par un violent antirationalisme, par un culte de l'inconscient.

11. *Scènes et doctrines du nationalisme*, t. I, p. 167. Cf. aussi *Mes Cahiers*, t. II, pp. 89-90.
12. *Op. cit.*, p. 68. Cf. aussi *Mes Cahiers*, t. I, p. 115 : « Tout homme qui s'applique à des réalités voit qu'il ne peut pas y faire régner la justice absolue ».
13. *Mes Cahiers*, t. I, pp. 89-90. Ce texte figure sous un sous-titre intitulé « Jules Soury ».
14. *Le Voyage de Sparte*, p. 93.
15. *L'Appel au soldat*, p. 298.

En effet, Barrès appartient à la lignée des penseurs politiques qui sont convaincus que l'homme est irrévocablement irrationnel. Cette conviction détermine son attitude envers toutes les manifestations humaines et elle se retrouve à toutes les étapes de son évolution jusqu'au moment où, confronté avec le culte de l'irrationnel qu'il découvre en Allemagne pendant la guerre, il prend soudainement conscience des terribles dangers qu'engendre une telle vision du monde. Le théoricien du nationalisme comprend alors que « ... le mysticisme n'est pas une faculté inoffensive. Le *lied*, c'est un appel à l'inconscient. Tout ce qui en appelle à l'inconscient et qui peut paraître nous exalter jusqu'au sublime tend à réveiller l'animalisme »[16]. Au folklore allemand, à la littérature allemande qui en appelle à l'irrationnel, Barrès oppose alors « nos fées cartésiennes »[17]. Mais cette réhabilitation de Descartes est bien tardive : dans le dixième volume des *Cahiers*, un an avant la guerre, Barrès lui oppose encore Pascal, la foi au doute, la raison collective à la raison individuelle. Il s'élève avec violence contre la conception cartésienne selon laquelle :

> « L'individu doit soumettre à la critique tous ses préjugés et ne se rendre qu'à l'évidence personnelle : je l'ai vue cette société d'esprits critiques. Les sincères étaient gnostiques. Ils n'écoutaient que leur raison. Ils écoutaient les nomades, les étrangers... Ils refusaient de s'incliner devant les enseignements de la raison collective »[18]. Barrès combat : « le rationalisme du XVIIe siècle »[19], « l'esprit de l'Encyclopédie qui ne voit de source de vérité que dans la raison claire qui proclame déraisonnable tout ce qu'on trouve d'irrationnel dans le monde »[20].

Il rejette Diderot[21] et Rousseau, qu'il traitait naguère de « génie »[22] ou d'un « autre moi-même »[23]. Il trouve à présent *Le Contrat social* « profondément imbécile ». « Quelle pauvreté », s'écrie-t-il à son sujet[24]. Et il ne s'explique pas « l'influence d'un tel homme »[25]. Le grand péché de Rousseau est d'avoir voulu « rationaliser la vie »[26], ce qui veut dire « la stériliser »[27] car « l'idée rationaliste est antago-

16. BARRÈS, « Quelles limites poser au germanisme intellectuel ? », *La Revue universelle*, 8 (20), 15 janvier 1922, p. 153.
17. Art. cité, pp. 155-156.
18. *Mes Cahiers*, t. X, p. 99.
19. *Mes Cahiers*, t. XIII, p. 161.
20. *Mes Cahiers*, t. X, p. 219.
21. *Ibid.*
22. *Mes Cahiers*, t. II, p. 184.
23. *Le Jardin de Bérénice*, p. 197 : « O mon cher Rousseau, mon Jean-Jacques, vous l'homme du monde que j'ai le plus aimé et célébré sous vingt pseudonymes... »
24. *Mes Cahiers*, t. IX, p. 290.
25. *Op. cit.*, p. 291.
26. *Op. cit.*, p. 290.
27. *Mes Cahiers*, t. VIII, pp. 77-78.

niste de la vie et de ses formes spontanées »[28] ; c'est aussi d'avoir conçu un système faux parce que fondé sur la conception d' « un homme abstrait qui n'a... que la raison et la volonté »[29]. Et Barrès pose la question désormais classique de la pensée conservatrice : « Quel homme ? Où habite-t-il ? Quand vit-il ? »[30]. En attaquant le principe des droits de l'homme, Barrès en appelle à l'autorité de Taine et à celle de Burke dont il cite une page célèbre[31]. A un rationalisme qui « veut ignorer les collines éternelles »[32], Barrès oppose l'expérience, aux ressources de la raison individuelle ce « trésor lentement formé »[33] qu'est la raison collective, elle-même formée par les forces de l'inconscient national.

La primauté de l'inconscient sur la raison est l'un des grands thèmes de la pensée barrésienne depuis *Le Culte du Moi. Le Jardin de Bérénice* n'est, selon la définition même de Barrès, « qu'un acte d'humilité devant l'inconscient »[34]. Il considère que « c'est l'instinct, bien supérieur à l'analyse qui fait l'avenir »[35], et que, dans les grands problèmes qui se posent à l'homme, « il n'y a pas de logique qui persuade » : les problèmes de la vie « c'est de l'ordre sentimental, héréditaire, c'est du vieil inconscient »[36]. Barrès compare volontiers l'instinct animal à la raison humaine, au détriment de cette dernière. Ce faisant, il confond constamment instinct et inconscient : il emploie ces deux notions indifféremment parce qu'il les comprend mal ; mais surtout parce qu'il se préoccupe avant tout de bien séparer les profondeurs de l'irrationnel du domaine factice du rationnel. « Avec le seul secours de l'inconscient », écrit-il, « les animaux prospèrent dans la vie et montent en grade. Tandis que notre raison qui perpétuellement s'égare, est par essence incapable de faciliter en rien l'aboutissement de l'être supérieur que nous sommes en train de devenir et qu'elle ne peut même pas soupçonner »[37].

L'instinct, le sentiment intuitif et irrationnel, l'émotion et l'enthousiasme sont les forces profondes qui déterminent le comportement humain. Dans le meilleur des cas la raison ne peut que s'appuyer sur « la connaissance du cœur et de l'instinct »[38]. La « passion active »

28. *Mes Cahiers,* t. IX, p. 24.
29. *Op. cit.,* p. 290.
30. *Mes Cahiers,* t. II, p. 83.
31. *Ibid.* et *Mes Cahiers,* t. V, pp. 144-145. Barrès consigne pour son propre usage un passage classique où Burke attaque les « principes abstraits comme les droits de l'homme » et qu'il a puisé dans un ouvrage qui semble être *L'Histoire de la civilisation en Angleterre* de Henry Thomas Buckle.
32. *Mes Cahiers,* t. X, p. 186.
33. *Op. cit.,* p. 98.
34. *Le Jardin de Bérénice,* p. 291.
35. *Op. cit.,* p. 179.
36. *L'Appel au soldat,* p. 359.
37. *Le Jardin de Bérénice,* p. 179. Cf. aussi *L'Ennemi des lois,* p. 251.
38. *Mes Cahiers,* t. VII, p. 185. Cf. *Scènes et doctrines du nationalisme,* t. I, pp. 10-11 : « Mon intelligence est tentée de toutes parts, tout l'intéresse, l'émeut

est la vraie source de l'action [39], l'enthousiasme un réservoir d'énergies [40], et l'émotivité « la grande qualité humaine » [41] ; « ce ne sont pas d'abord les idées qui font l'homme », conclut Barrès, « ce sont les sentiments » [42].

La seule chose bonne et sûre, c'est donc bien l'instinct, le sentiment intuitif et irrationnel qui fait la réalité et la vérité des choses en même temps que leur beauté. Pour Barrès, dans la première trilogie, les réalités objectives, les faits mêmes dans leur matérialité n'existent qu'en Moi et par Moi, ne sont vrais qu'autant que le Moi les connaît et les accepte ; au temps du nationalisme, ils ne sont tels que dans la mesure où ils s'accordent avec l'instinct national, avec la vérité et la justice françaises. « L'ensemble de ces rapports justes et vrais entre des objets donnés et un homme déterminé, le Français, c'est la vérité et la justice françaises. Et le nationalisme net, ce n'est rien autre que de savoir l'existence de ce point, de le chercher et l'ayant atteint, de nous y tenir pour prendre de là notre art, notre politique et toutes nos activités » [43]. De là, la lutte acharnée de Barrès contre tout rationalisme, contre ce qui se réclame de raisons générales et de principes. Le rationalisme est le fait de « déracinés » ; ses dangers ? Il émousse la sensibilité, il tue l'instinct et, surtout, il ne peut qu'annihiler les forces motrices de l'activité nationale. Barrès considère que seul le contenu émotionnel de chaque situation a une réelle valeur : Soury lui avait déjà appris que le processus de ce qu'on

et la divertit. Mais il y a au plus profond de nous-mêmes un point constant, point névralgique : si l'on y touche, c'est un ébranlement que je ne pouvais soupçonner, c'est une rumeur de tout mon être. Ce ne sont point les sensations d'un individu éphémère qu'on irrite, mais à mon grand effroi l'on fait surgir toute ma race ». Et plus loin, Barrès ajoute : « ... La meilleure dialectique et les plus complètes démonstrations ne sauraient pas me fixer. Il faut que mon cœur soit spontanément rempli d'un grand respect joint à de l'amour. C'est dans ces minutes d'émotivité générale que mon cœur me désigne ce que je ne laisserai pas mettre en discussion ».

39. Barrès, *Les deux femmes du bourgeois de Bruges* in *Du sang, de la volupté et de la mort*, p. 82.

40. *Un Homme libre*, p. 52 ; p. 54.

41. *Leurs Figures*, p. 280. C'est encore une idée de Soury : cf. même texte dans *Mes Cahiers*, t. I, pp. 79-80. Cf. aussi *Un Homme libre*, p. 65 : « Il ne me faut pas demander ici des raisonnements équilibrés. Je n'ai souci que d'être ému ».

42. *Mes Cahiers*, t. IX, p. 23. Cf. *Mes Cahiers*, t. II, p. 25 ; *Mes Cahiers*, t. VI, p. 35 et *L'Ennemi des lois*, p. 243. Cf. aussi *Mes Cahiers*, t. I, p. 90 et p. 79 où se fait jour l'influence de Jules Soury. P. 90, Barrès affirme que « l'intelligence n'existe pas, c'est une résultante, c'est une fonction de résultat. C'est le cerveau en activité ». Quelques pages plus haut (p. 79), il avait noté de la bouche de Soury la citation suivante sur la nature du cerveau : « Le cerveau n'était pas fait pour penser. C'est un grand abus que nous en faisons. Il servait à produire les réflexes protecteurs, les réflexes qui doivent nous permettre d'éviter un obstacle, d'écarter un danger. C'est le langage qui nous a menés si loin. Créer des métaphysiques, des théologies, le cerveau ne devait point servir à cela ».

43. *Scènes et doctrines du nationalisme*, t. I, p. 13.

appelle la pensée se faisait au niveau de l'inconscient. Par conséquent, s'en prendre à l'inconscient, c'est vider l'organisme national de sa substance.

Mais comment distingue-t-on ce qui est conforme à l'instinct ? A quoi reconnaît-on la bonne cause ? Dans la première trilogie, est barbare, on l'a vu, tout ce que le Moi rejette intuitivement, tout ce qui n'est pas de « sa patrie psychique »[44]. Inversement, le Moi n'accepte que « ce qui se colle à lui quand il se livre sans réaction aux forces de son instinct »[45]. Le culte du Moi barrésien est déjà irrationaliste à l'extrême. L'essence du Moi est de sentir ; le monde extérieur n'a de valeur que dans la mesure où il peut enrichir le Moi. De ce fait, toute vérité repose sur les sensations ; le monde extérieur, l'histoire, ne s'expliquent qu'en fonction du Moi, de ses besoins et de sa sensibilité.

L'analyse reste la même quand il s'agit d'un groupe humain. Le monde n'a de sens que si on lui donne le sens français. C'est une méthode merveilleusement simple qui permet en outre d'éliminer tout élément considéré comme étranger au Moi national : Juifs, protestants, naturalisés ou intellectuels.

Ce sont ces derniers qui constituent sans doute le danger le plus grave : les autres groupes étrangers au consensus peuvent être neutralisés, mais les intellectuels détruisent le consensus lui-même. Ce sont des « idéologues qui se guident sur les axiomes de leur goût » qui portent la responsabilité du « manque d'unité morale de la France »[46], de l'anarchie qui s'y instaure, de sa décadence. La lutte contre les intellectuels, et contre le rationalisme dont ils se nourrissent est par conséquent, selon Barrès, une mesure de salut public.

L'ANTI-INTELLECTUALISME

L'Affaire Dreyfus fut, pour reprendre une expression de Thibaudet, un tumulte d'intellectuels, une insurrection et une victoire d'intellectuels[1]. Pour Julien Benda, l'Affaire est restée le modèle idéal de l'engagement du clerc : les clercs qui défendaient un innocent condamné par erreur, obéissaient à la loi de leur état, même s'ils atteignaient le prestige de l'Etat-Major et la force de l'armée[2].

44. *Le Culte du Moi, Examen des trois idéologies*, pp. 22-23.
45. *Op. cit.*, p. 25.
46. *Scènes et doctrines du nationalisme*, t. I, p. 113.

1. Albert THIBAUDET, *La République des professeurs*, p. 23 ; p. 105.
2. Julien BENDA, *La Trahison des clercs*, Paris, J.-J. Pauvert, 1965 (1re édition, Grasset, 1927). Cf. Raymond ARON, *L'Opium des intellectuels*, Paris, Calmann-Lévy, 1955, p. 310.

Mais si l'Affaire fut une victoire d'intellectuels, il ne s'agissait pas des grands noms des Sciences et des Lettres officielles : la Ligue de la patrie française était une ligue d'académiciens et la plupart des écrivains parisiens furent antirévisionnistes, comme l'était aussi la presse à grand tirage. Ce fut en réalité une victoire de l'instruction obligatoire, du libre-arbitre, de la critique rationaliste. Derrière Zola, Jaurès, Péguy ou Clemenceau, c'était en réalité la cohorte des Burdeau-Bouteiller et de leurs disciples qui tint en échec l'Académie française, l'Armée, l'Eglise, la noblesse et la grande bourgeoisie.

Barrès est parfaitement conscient du rôle que peut jouer, et a joué, l'enseignement républicain dans la création de cette mentalité qui a permis et permettra les dreyfusismes : *Les Déracinés* et *Les Amitiés françaises* constituent l'acte d'accusation dans le long procès qu'il intente à l'esprit critique et à ses produits.

Dans une large mesure l'antidreyfusisme barrésien prend les formes d'un violent anti-intellectualisme qui naît avec l'Affaire et disparaît avec la guerre. Pendant la période qui précède l'Affaire, les notions d'intellectuel et d'intellectualisme n'ont absolument pas de sens péjoratif, au contraire. Barrès se définit alors lui-même comme « un jeune Français intellectuel » [3], et il applique ce terme à ses auteurs favoris — Goethe, Byron, Heine [4] — ainsi qu'à... Jésus [5]. Il en est de même pendant [6] et après la guerre [7].

Mais au temps de l'antidreyfusisme ce sont les intellectuels, ces « anarchistes de l'estrade », que Barrès charge de l'entière responsabilité de l'Affaire, de son déclenchement aussi bien que du long pourrissement qui l'avait précédée [8]. Pour lui, à cette époque, l'intellectuel est « un individu qui se persuade que la société doit se fonder sur la logique et qui méconnaît qu'elle repose en fait sur des nécessités antérieures et peut-être étrangères à la raison individuelle » [9].

3. *Le Culte du Moi, Examen de trois idéologies,* p. 11. Cf. aussi *L'Ennemi des lois,* p. 28 : le terme s'applique à son porte-parole André Maltère. Sur le terme *intellectuel,* cf. Louis Bodin, *Les Intellectuels,* Paris, Presses universitaires de France, 1962. *Intellectuel* ne devient un substantif en français qu'avec la publication par *L'Aurore* du 14 janvier 1898 d'un *Manifeste des intellectuels* auquel Barrès répond avec une extrême violence dans *Le Journal* : Sa « Protestation des intellectuels » (1er février 1898) est un véritable manifeste de l'anti-intellectualisme. Barrès est un des tout premiers à utiliser le substantif « intellectuel » dans son sens actuel.

4. *Le Culte du Moi, Examen de trois idéologies,* p. 55.

5. *Trois stations de psychothérapie* in *Huit jours chez M. Renan,* p. 107.

6. *Les Diverses familles spirituelles de la France,* p. 91 : il s'agit d'un « jeune intellectuel » mort pour la France.

7. *L'Appel du Rhin, La France dans les pays rhénans* (*Une tâche nouvelle*), p. 9 : « Nous devons collaborer, nous les intellectuels, avec nos soldats et nos administrateurs ». Cf. aussi, *Pour la haute intelligence française,* Paris, Plon, 1925, p. 30.

8. *Scènes et doctrines du nationalisme,* t. I, p. 220.

9. *Op. cit.,* p. 48.

Les intellectuels qui jugent « tout par l'abstrait »[10] pèchent par leur rationalisme et par leur individualisme, ils attribuent à la raison une puissance qu'elle n'a pas. « Fous d'orgueil »[11], ils « ne poussent pas jusqu'à distinguer comment le Moi, soumis à l'analyse, s'anéantit pour ne laisser que la collectivité qui l'a produit »[12]. En invoquant dans l'Affaire des principes abstraits, en mettant en cause, en leur nom, l'Etat et la société, les intellectuels trahissent. A « tous ces aristocrates de la pensée »[13] « en révolte contre leur subconscient »[14] qui « ne se sentent plus spontanément d'accord avec leur groupe naturel »[15], Barrès oppose « l'instinct des humbles »[16]. « Je ne suis pas un intellectuel », s'exclame-t-il, « je désire avant tout qu'on parle en Français »[17]. Parler en Français, cela signifie ne rien concevoir qu'en fonction du bien de la patrie : seule la masse en est capable. Voilà pourquoi, pour assurer le salut de la France, « il nous faut rétablir la concordance entre la pensée, parfois chancelante, de notre élite et l'instinct sûr de nos masses »[18].

Le petit peuple apparaît ainsi comme le détenteur authentique de la vérité française. Non contaminées par le poison rationaliste et individualiste, « ces populations qui gardent le sang de la nation » sont, contre « une certaine minorité intellectuelle »[19], gardiens de ses traditions. Barrès exalte la force primitive, la vigueur et la vitalité qui se dégagent du peuple[20] : instinctivement « les volontés obscures des masses possèdent le sens le plus sûr de la santé sociale »[21], intuitivement « c'est le secret de la vie que trouve spontanément la

10. *Op. cit.*, p. 80.
11. *Op. cit.*, p. 220.
12. *Op. cit.*, p. 199.
13. *Op. cit.*, p. 49.
14. *Op. cit.*, p. 114.
15. *Op. cit.*, p. 49.
16. *Op. cit.*, p. 110. Cf. aussi p. 222 : « Nous remercions la cruelle " affaire " d'avoir réconcilié l'orgueilleuse raison avec l'instinct des humbles... ». Cf. *Mes Cahiers*, t. I, p. 70 où Barrès cite Soury : « Ah ! le chasseur, le primaire valent le savant ».
17. *Op. cit.*, p. 187.
18. *Op. cit.*, p. 115.
19. *Op. cit.*, p. 108.
20. BARRÈS, « Sur la physionomie d'Hebrard », *La Cocarde*, 25 novembre 1894. Cf. aussi *Mes Cahiers*, t. XI, p. 329 : « La grande, la seule affaire, c'est de se mettre avec la masse d'où nous viennent le sentiment et l'énergie, avec la réserve de feu, avec le soleil spirituel, avec Dieu, si vous voulez... ».
21. *Scènes et doctrines du nationalisme*, t. I, p. 222. Déroulède a, sur ce sujet, la même opinion :

« Tandis que l'âme mesquine et compliquée des égoïsmes littéraires ou scientifiques, des calculs financiers ou politiques s'égare en vaines subtilités et en fausses hypothèses, l'âme populaire va droit au but et d'un souffle elle arrache le voile bariolé du mensonge qui dérobe aux yeux de quelques égarés de bonne foi cette évidente vérité qu'il n'y a plus en présence que deux partis : le parti de l'étranger et le parti de la France. Et l'âme populaire n'hésite pas, elle est toujours et partout du parti de la France ». *Qui vive ? France ! « Quand même »*, pp. 25-26. Ce texte date du 4 décembre 1898.

foule »[22]. En effet, le grand, l'incomparable mérite du jugement populaire, provient de sa spontanéité irréfléchie surgie des profondeurs de l'inconscient, non corrompue par de longues méditations sur des abstractions fumeuses. « Les masses », écrit Barrès, « m'ont fait toucher les assises de l'humanité (...) le peuple m'a révélé la substance humaine, et mieux que cela, l'énergie créatrice, la sève du monde, l'inconscient »[23]. C'est à « l'âme populaire » qui procède de l'inconscient[24], à « l'instinct du peuple »[25] que Barrès s'en remet pour sauver le pays de l'anarchie où l'ont plongé les aberrations de ses intellectuels.

C'est ainsi que, selon Barrès, les critères de comportement politique résident dans la volonté inconsciente du peuple, dans la grande masse des Français qui, elle, ne vit pas dans un univers abstrait sans rapport avec le monde réel. Ainsi, à l'anti-intellectualisme barrésien s'ajoute, comme au temps du boulangisme, un populisme démagogique qui, pour mieux exalter les vertus populaires, présente comme suspect tout homme capable d'aligner trop aisément raisonnements et idées abstraites et trop porté à appliquer, à des questions politiques concrètes, des méthodes critiques de penseur de cabinet. Barrès exploite sans vergogne cette méfiance traditionnelle envers les théoriciens, les « idéologues » : il les accuse d'avoir perdu le fil de l'instinct populaire et le sens de l'intérêt général, de mener le pays à sa perte au nom de quelques principes abstraits, néfastes, et faux de surcroît. Aux yeux de Barrès l'intérêt national est la valeur suprême, la seule référence valable pour un Français. Il reproche par conséquent aux défenseurs de Dreyfus de troubler l'ordre social et la paix publique, d'ébranler la cohésion nationale au nom de la justice et de la vérité, notions qu'un Français de race ne devrait en aucun cas considérer comme des valeurs absolues. « Quand même », écrit-il à l'encontre des dreyfusards, « leur client serait un innocent, ils demeureraient des criminels »[26]. Barrès insiste sur le fait que la question de la culpabilité ou de la non-culpabilité de Dreyfus est absolument secondaire. Un moment cependant le doute semble l'effleurer : s'il s'avérait qu'un innocent était maintenu au bagne, nul châtiment ne serait assez lourd pour les coupables[27]. Mais très rapidement il se libère de ces scrupules, et à ceux qui préféreraient « la destruction de la société au maintien d'une injustice »[28], il donne la réponse fournie un jour par Maurras : « Très bien ! permettez-moi cependant une

22. *Le Jardin de Bérénice*, p. 202.
23. *Op. cit.*, p. 183.
24. *Op. cit.*, p. 201.
25. *Op. cit.*, p. 15.
26. *Scènes et doctrines du nationalisme*, t. I, p. 138.
27. *Op. cit.*, p. 141.
28. *Op. cit.*, p. 61.

observation : on a quelquefois vu des sociétés sans justice, mais on n'a jamais vu de justice sans société »[29]. Comme Maurras, Barrès résout le problème en fonction du critère fondamental en vertu duquel « la raison individuelle » doit se soumettre à la « raison nationale »[30]. Or, la raison nationale exige la sauvegarde de la société, donc de ses institutions, ce qui implique qu'il faut accepter le verdict de ceux que la loi a investis d'un pouvoir spécial de décision et par là, d'une responsabilité particulière : « J'avais une opinion dans l'affaire Dreyfus », écrit Barrès, « avant de connaître les faits judiciaires. Je me rangeais à l'opinion des hommes que la société a désignés pour être compétents »[31]. Cette confiance absolue en tous ceux qui sont investis d'un pouvoir est nécessaire parce que le maintien de « l'ordre social » exige que leur prestige reste intact ; c'est ainsi qu'entre Dreyfus et les chefs de l'armée, entre un individu et la collectivité, nulle hésitation n'est permise[32]. D'une façon plus générale, il en est ainsi parce qu'il faut « en toute circonstance garder une notion nette du rôle que (...) chacun doit remplir selon sa prédestination et selon sa fonction »[33].

En acceptant cette formule comme un principe général d'organisation sociale, Barrès bascule irrémédiablement dans le camp de l'ordre. Le révolté du temps du boulangisme et de *La Cocarde* combat maintenant dans les rangs des défenseurs de ce qui est. Dans l'affrontement de l'Affaire il discerne « deux révolutions : l'une pour tout renverser, l'autre pour tout rétablir »[34]. Contre les dreyfusards qui, écrit-il, ébranlent « tout ce qui fait notre vénération et la solidité de la France »[35], Barrès prend résolument le parti de ceux qui voient dans l'Affaire l'occasion de restaurer le prestige des autorités sociales. Dans un pays, note François Goguel, d'où tout loyalisme avait à peu près disparu, où la laïcité avait acquis de très fortes positions, où les « nouvelles couches » occupaient toutes les avenues du pouvoir, mais où le patriotisme était resté vivant, et où la sympathie pour l'armée était générale, on pouvait espérer que le terrain militaire four-

29. *Ibid.*, note 2. Barrès fait ici usage d'une lettre de Maurras datée de février 1898 et qui exprime fidèlement l'idée que les milieux nationalistes se font du bien politique : « Enfin je ne vois personne en France dont l'esprit soit membré suffisamment pour entendre que, s'il y a des sociétés sans justice, il n'y a pas de justice sans société ; que l'idée du juste n'est pas divine mais humaine, n'est pas absolue mais relative, n'est pas individuelle mais sociale, n'est pas première mais subordonnée » (BARRÈS-MAURRAS, *La République ou le Roi*, p. 174).

30. *Scènes et doctrines du nationalisme*, t. I, p. 41.

31. *Op. cit.*, pp. 218-219.

32. *Op. cit.*, p. 138, p. 140.

33. *Op. cit.*, p. 48. Encore faut-il que « ce qui est » épouse ses propres conceptions. En d'autres circonstances, il se souciera peu de maintenir intact le prestige du général André ou celui d'Emile Combes.

34. *Op. cit.*, p. 239.

35. *Mes Cahiers*, t. IV, p. 316.

nirait la meilleure base de départ pour une tentative de restauration des autorités traditionnelles [36]. C'est ainsi que le nationalisme, plébéien et socialisant, en se liguant avec les royalistes et les cléricaux fait passer de gauche à droite tout un ensemble de valeurs qui appartenaient jusqu'alors à l'héritage jacobin. Le nationalisme de Barrès devient à l'issue de l'Affaire le gardien de « l'ordre » et de la « discipline sociale » [37].

Au décri de la parole et de l'intelligence, l'anti-intellectualisme barrésien ajoute le culte de l'action, de l'énergie et de l'élan. « Que m'importe le fond des doctrines ! », s'exclame-t-il. « C'est l'élan qui fait la morale » [38]. Il ne s'agit pas, pour Barrès, de savoir quelle doctrine est juste, mais quelle force permet d'agir et de vaincre.

> « Dans l'ordres des faits », dit-il, « ce que nous appelons le droit et la justice n'existent pas. Tout au long de l'histoire, il y a la force qui se développe sans autre règle qu'elle-même. A l'usage, on entend par actions justes et glorieuses celles qui agissent dans le sens de la plus grande force du moment et qui, par conséquent, réussissent : les actions injustes sont celles qui agissent dans le sens opposé » [39].

Il sait aussi que « trois ou quatre parts de bassesse sont les conditions nécessaires à toute action » [40] : il s'en accommode parfaitement et ne recule guère devant les obstacles qui se dressent sur sa route vers la réalisation de ses objectifs. Barrès pousse très loin le culte de la force : on semble revenir avec lui à la vieille conception de la justice de Thrasymaque ou celle plus proche de Carlyle, selon qui la justice n'est rien d'autre que l'intérêt du plus fort, ou celle encore de Taine qui écrivait : « L'empire de ce monde est à la force » [41]. Par ailleurs,

36. François GOGUEL, *La Politique des partis sous la Troisième République*, p. 101.

37. *Mes Cahiers*, t. X, p. 219. Cf. aussi *Scènes et doctrines du nationalisme*, t. I, p. 82.

38. *Une Impératrice de la solitude* in *Amori et dolori sacrum*, p. 227. Cf. aussi *Un amateur d'âmes* in *Du Sang, de la volupté et de la mort*, p. 49 : « Peu m'importe le fond des doctrines ! C'est l'élan que je goûte ». Dans *Mes Cahiers*, t. I, p. 81, Barrès cite ce texte mot à mot de la bouche de Soury.

39. *Mes Cahiers*, t. II, p. 58. Cf. aussi *Hamlet en Salm Salm* in *Du Sang, de la volupté et de la mort*, p. 294 : « Le succès, c'est toujours la justice et le droit, même aux yeux des battus » et *Stanislas de Guaita* in *Amori et dolori sacrum*, p. 129 : « Dans un plan où seul le succès compte, les vérités supérieures ne sont plus qu'une cause de chute, et s'y élever, c'est précisément le fait d'un esprit subalterne ». Maurice BLONDEL consacre dans *L'Action, Essai d'une critique de la vie et d'une science de la pratique*. Paris, Félix Alcan, 1893, les pages 6 à 9 au problème de l'action dans les premiers ouvrages deBarrès.

40. BARRÈS, *Toute licence sauf contre l'amour* in *Huit jours chez M. Renan*, p. 248.

41. Hippolyte TAINE, *Histoire de la littérature anglaise*, Paris, Hachette, 1863, t. III, p. 617. Il importe de noter que Barrès connaissait Carlyle. C'est dans Taine qu'il a dû d'abord se familiariser avec l'auteur de *On Heroes*, avec son culte du héros et son appel à l'homme providentiel. Taine a consacré à Carlyle les pages 235 à 337 du quatrième volume de l'*Histoire de la littérature anglaise* ;

Julien Sorel, l'idole de sa jeunesse, n'estimait-il pas que le succès est le vrai critère de l'action et que le but à atteindre justifie les moyens [42].

Persuadé que sans la force il n'y a ni vérité ni justice, Barrès s'applique à exalter toutes les sources et toutes les formes de la puissance : énergie, élan, vitalité, discipline, cohésion sociale et nationale. Convaincu que l'on ne réalise rien sans s'incorporer à la majorité, à la foule, il sait goûter « profondément le plaisir instinctif d'être dans un troupeau » [43]. Délibérément, Barrès sacrifie les valeurs individuelles aux valeurs collectives : c'est le remède à la décadence de la société française.

« Ce qui fait la valeur d'un individu et d'une nation », écrit-il, « c'est que son énergie soit plus ou moins tendue » [44]. C'est pourquoi, même lorsqu'il rejette Descartes, Rousseau, Diderot et les Encyclopédistes, la Déclaration des droits de l'homme et tout cet héritage jacobin parce qu'il engendre « des forces de désordre » [45], il approuve en son « âme la plus profonde... les sinistres égorgeurs de 93. Non pas... dans leurs actes, mais dans leur élan. Ils ne furent pas des modérés » [46]. Pour cette raison, Barrès admire Robespierre [47] ; Saint-Just parce qu'il « a du ton » [48] ; Louise Michel et Jaurès pour « leur flamme » [49] ; Clemenceau pour sa virilité et sa puissance [50]. Et c'est pourquoi Taine ne le satisfait pas, car « tant d'injures au jacobin atteignent celui qui croit à l'énergie, à l'héroïsme » [51]. Dans le même esprit, il exalte l'œuvre coloniale de Marchand et de Galliéni [52], l'aventure de Morès [53] ou l'héroïsme des soldats de 1870 [54]. C'est cette même image d'une France héroïque que Barrès admire à travers « Napoléon, professeur d'énergie » [55] et qu'il propose en exemple à la jeunesse.

Le culte de Napoléon qui tient une grande place dans *Les Déracinés* est célébré en hommage, non à son œuvre, mais à lui-même

p. 491, Taine note « l'importance suprême des grands hommes ». Barrès se réfère à Carlyle notamment dans *Mes Cahiers*, t. I, p. 101 ; t. II, p. 198 ; t. V, p. 140 ; t. IX, p. 139 et p. 344.

42. Cf. *Souvenirs d'un officier de la Grande Armée (Jean-Baptiste-Auguste Barrès) publiés par son petit-fils*, Paris, Plon-Nourrit, 1923, p. XIII sur le thème de Julien Sorel transformant le « Mémorial de Sainte-Hélène en bréviaire d'énergie ».

43. *Mes Cahiers*, t. I, p. 39.

44. *Mes Cahiers*, t. XIV, p. 191.

45. *Mes Cahiers*, t. X, p. 219.

46. *Mes Cahiers*, t. II, p. 202.

47. *Ibid.*

48. *Mes Cahiers*, t. XIII, p. 160.

49. *Mes Cahiers*, t. I, p. 5 ; *Mes Cahiers*, t. VI, pp. 91-92 ; p. 247.

50. *Mes Cahiers*, t. VI, p. 137.

51. *Mes Cahiers*, t. I, p. 217.

52. *Scènes et doctrines du nationalisme*, t. II, pp. 91-111.

53. *Op. cit.*, pp. 50-91.

54. *Op. cit.*, pp. 115-139.

55. *Les Déracinés*, p. 221. Cf. *Souvenirs d'un officier de la Grande Armée*, p. XI, sur Napoléon « ce multiplicateur de l'enthousiasme ».

en tant qu'il est un éternel modèle : son tombeau « est le carrefour de toutes les énergies qu'on nomme audace, volonté, appétit »[56], sa vie — la personnalisation de toutes les vertus dont l'ensemble constitue la grandeur. Jusqu'à la fin de sa vie, Barrès restera fidèle à celui qui sut donner « des passions à des cerveaux »[57] et « qui a su tirer de l'homme tout ce qu'il peut donner »[58].

Le nationalisme barrésien apparaît à ce stade de son évolution comme une synthèse dont aucun des éléments n'est à proprement parler original. Ce qui est neuf cependant, c'est l'amalgame dans une même doctrine de thèmes issus de courants de pensée différents et souvent même contradictoires. Ce qui est neuf surtout, c'est la liaison fondamentale qu'établit Barrès entre les impératifs du nationalisme et les principaux thèmes du conservatisme politique d'une part, et les éléments essentiels de la réaction antirationaliste et antihumaniste de la fin du XIXe siècle d'autre part. D'origine républicaine et jacobine, animé d'un réel souci social au point de se définir comme le socialisme véritable, le nationalisme de Barrès bascule à l'issue de l'Affaire dans le traditionalisme. Il conserve pourtant son originalité. Aux thèmes classiques du conservatisme et du nationalisme du XIXe siècle, Barrès ajoute des éléments nouveaux.

Dans Hegel, Barrès a puisé la foi dans le processus dialectique et la conviction que le monde n'est qu'un vaste processus de devenir : il en tire le concept de relativité[59]. Cette idée fondamentale, ainsi que la notion de liberté qu'elle implique, est la conception hégélienne qui revient le plus souvent chez Barrès. Cependant l'approbation donnée par Hegel à l'Etat prussien est sensiblement différente de la glorification de la nation et du caractère sacro-saint que revêt, aux yeux de Barrès, l'intérêt de la France. Pour Hegel, le gouvernement prussien est digne d'une obéissance absolue parce que c'est un pouvoir rationnel ; le gouvernement du droit est fondé sur un équilibre de forces forgé par les différents groupes d'intérêt. Cette conception de l'obéissance due à un pouvoir rationnel est inexistante dans le système barrésien où rationalité et réalité sont considérées comme deux notions étrangères l'une à l'autre. Pour Barrès, la réalité est

56. *Op. cit.*, p. 216. Cf. aussi p. 9 ; p. 226 et p. 229.

57. BARRÈS, *Un amateur d'âmes* in *Du Sang, de la volupté et de la mort*, p. 33. Cf. aussi *Mes Cahiers*, t. IX, p. 208. Le culte de Napoléon est le culte du héros qui avait le don « d'électriser les hommes ».

58. *Mes Cahiers*, t. XIV, p. 196. Cf. aussi *Mes Cahiers*, t. III, pp. 179-180.

59. BARRÈS, « La Fédération donne à tous une patrie », in *De Hegel aux cantines du Nord*, pp. 35-36 : « Hegel nous a appris... que rien n'est faux, rien n'est complètement vrai : tout est un élément de vrai, une phase d'un développement indéfini dont l'ensemble serait la vérité ». Cf. aussi BARRÈS, « L'idéal et les premières étapes », *La Cocarde*, 18 septembre 1894. L'influence de Hegel sur Barrès n'a guère été étudiée. Georges F. PUTNAM dans « The meaning of Barresisme », *The Western Political Quarterly*, 8 (2), 1954, pp. 161-182, semble être le seul à s'y être arrêté.

irrationnelle par essence : ce postulat est un des aspects les plus originaux de son apport à la nouvelle droite. La politique devient par conséquent l'art d'en appeler au subconscient des foules et à leur instinct, admirateur de l'âme populaire, confiant en ses mouvements infaillibles, comme elle, avec elle, il propose aux problèmes les plus complexes les solutions les plus simplistes. Il les affirme avec une énergie qui n'admet ni nuances, ni réserves, il les pousse, comme le note justement Dominique Parodi, jusqu'à leurs dernières conséquences sans exclure la cruauté et la violence [60]. La politique, telle que Barrès la conçoit, ne saurait connaître d'autres normes que celles issues des mouvements de la sensibilité collective ; de plus, elle postule la subordination absolue de la raison individuelle à la raison collective, fruit de l'inconscient national. Barrès place l'individu au point de convergence des forces obscures qui depuis l'origine de la race se sont développées à travers ses ancêtres : l'homme est déterminé par sa Terre et ses Morts. S'insurger contre les lois de la race, dictées par l'inconscient collectif, est un crime inexpiable ; c'est un crime aussi que d'affaiblir la collectivité au nom de quelque principe abstrait, tel par exemple, la justice. Voilà pourquoi, récusant une tradition deux fois millénaire et un des piliers de l'humanisme européen, Barrès justifie la mort de Socrate : sa condamnation visant un enseignement qui entraînerait « un scepticisme général » [61] était une mesure de défense de la collectivité, une mesure juste.

Comme les juges de Socrate, Barrès s'emploie, à la lumière de l'Affaire et sur les bases des principes par lui énoncés, à promouvoir la restauration de la France.

60. Dominique Parodi, « La doctrine politique et sociale de M. Maurice Barrès », *La Revue du mois*, 2e année, t. III, janvier 1907, p. 20. On peut aussi, bien sûr, en faisant son apologie, dire que Barrès appuyait sa doctrine nationaliste sur le peuple (J.-M. Domenach, « Barrès et les contradictions du nationalisme », *Esprit*, 22e année, n° 213, avril 1954, p. 493). Le nationalisme barrésien donne ainsi une résonance démocratique, jacobine. Or tout nationalisme s'appuie sur le peuple : comment y aurait-il du nationalisme sans cela ? C'est une affirmation pour le moins contestable. Un tel critère permettrait de mettre sur un même plan le nationalisme de la Révolution, de Michelet, de Mazzini et le nationalisme de Fichte, de Treitschke, du fascisme et du national-socialisme. Quant à Hannah Arendt, elle s'adonne à l'exercice périlleux qui consiste à établir la différence entre le peuple et la foule (*The Origins of totalitarianism*, Cleveland and New York, Meridian books, 1966, p. 112). La foule est selon elle, un groupe humain où sont représentés les déchets de toutes les classes sociales, et c'est cela qui permet de la confondre avec le peuple qui comprend lui aussi toutes les classes sociales. Mais c'est la foule qui est devenue l'exécutant du nationalisme barrésien (p. 107, p. 112). Bien que plus proche d'une réalité difficile à cerner, cette définition est loin d'être satisfaisante. Comment peut-on en effet, soutenir que l'antidreyfusisme était le fait des déchets de la société ?

61. *Le Voyage de Sparte*, p. 21.

CHAPITRE VII

Le nationalisme conservateur

« DISSOCIÉE ET DÉCÉRÉBRÉE »

Barrès est convaincu que l'Affaire Dreyfus n'aurait pu éclater dans une nation saine : elle « n'est que le signal tragique d'un état général » [1] car, « toute pleine de Bouteiller et de ses produits », la France « est dissociée et décérébrée » [2]. Par cette formule célèbre qui revient sous sa plume à plusieurs reprises [3] et qui à l'instar de nombre des idées maîtresses de son nationalisme, est empruntée à Jules Soury [4], l'auteur des *Déracinés* entend caractériser l'absence d'un consensus national, la disparition des éléments propres à assurer le maintien de la cohésion du groupe-nation, l'état d'affrontement permanent entre forces sociales et systèmes idéologiques antagonistes, le manque de critères de comportement et, finalement, la décomposition de l'autorité. « Notre mal profond, c'est d'être divisés, troublés par mille volontés particulières, par mille imaginations individuelles. Nous sommes émiettés, nous n'avons pas une connaissance commune de notre but, de nos ressources, de notre centre » [5]. Dans cette France où « la conscience nationale est obscurcie, pleine de contradictions et de combats » [6], où personne n'est chargé... du salut public, per-

1. *Scènes et doctrines du nationalisme,* t. I, p. 83, p. 85.
2. *Op. cit.,* p. 101.
3. Tel est le titre du chapitre IX des *Déracinés,* pp. 236-243. Cf. aussi p. 255 et, dans *Scènes et doctrines du nationalisme,* t. I, p. 39, p. 75 ; p. 81 et p. 89.
4. *Mes Cahiers,* t. I, p. 70. Il cite Soury : « Le chien décérébré, le chien pareil aux hommes sans cerveau, aux déments ». Barrès reprend ce thème dans *Scènes et doctrines du nationalisme,* t. I, p. 49.
5. *Scènes et doctrines du nationalisme,* t. I, p. 85. Page 86, il poursuit : « A défaut d'une unité morale, d'une définition commune de la France, nous avons des mots contradictoires, des drapeaux divers... ». Ce qui fait que tout incident sortant de l'ordinaire « est interprété par chaque parti et d'après la définition spéciale qu'on y donne de la France. Et l'on s'explique alors la pleine importance de cette affaire Dreyfus : au lieu d'être réglée dans un esprit commun, par des Français qui se feraient de leur pays et de ce qui lui est bon une même idée, elle est examinée par des idéologues qui se guident sur les axiomes de leur goût. Dissociée et décérébrée (la France) ne lie plus ses forces et (...) manque de direction » (p. 75).
6. *Op. cit.,* p. 101.

sonne n'incarne la raison nationale »[7], on constate « une non-coordination des efforts. Chez les individus, c'est à de tels signes qu'on diagnostique les prodromes de la paralysie générale »[8]. C'est ainsi que le pays s'est engagé dans la voie de la décadence[9] : « Tous les peuples ont leurs jours comptés »[10] comme le sont ceux du peuple français, en tant que facteur politique important dans le monde, « à moins d'un considérable apport d'énergies »[11].

Comme Bourget, comme Drumont et Soury, Barrès est obsédé par la décadence : manquant de vitalité[12], avec un taux de natalité qui va décroissant, minée depuis cent ans par des guerres et des révolutions, la France est devenue une proie facile pour l'étranger[13]. Envahie par des éléments qui n'appartiennent pas à son sol et à son esprit[14], n'offrant plus qu'une faible résistance sur les frontières de l'Est, le pays vit son déclin[15].

Le nationalisme de Barrès est par conséquent une réaction devant la décadence française, une méthode pour insuffler de la vie dans un corps anémié, « un moyen pour dégager cette conscience qui manque au pays »[16]. Sur ce point le nationalisme, Barrès le sait bien, bute sur une énorme difficulté : la patrie française, en effet, n'a ni l'unité factice d'un loyalisme dynastique, ni l'unité abstraite d'une foi commune, ni l'unité ethnique d'une race pure. Barrès le regrette amèrement : « Hélas ! il n'y a point de race française, mais un peuple français, une nation française, c'est-à-dire une collectivité de formation politique »[17]. Imprégné de darwinisme social, il sait que c'est là un handicap énorme face aux « collectivités anglo-saxonnes et teutoniques » qui « arrivent à prendre conscience d'elles-mêmes organiquement » et qui sont des nations « rivales et nécessairement ennemies dans la lutte pour la vie »[18]. Mais c'est une réalité dont il est indispensable de tenir compte. La collectivité française est le fruit de l'histoire : l'histoire seule révèle les lois auxquelles

7. *Op. cit.*, p. 40.
8. *Les Déracinés*, p. 255. Cf. Jules Soury, *Campagne nationaliste*, pp. 172-173 où le psycho-physiologue rend hommage à Barrès d'avoir trouvé la définition exacte de l'état de la France. En fait Barrès a adapté l'enseignement de Soury, consigné dans ses *Cahiers*, à l'histoire et à la politique. Cf. aussi *Les Déracinés*, pp. 238-239, *L'Appel au soldat*, p. 281, et Edouard Drumont, *La France juive*, t. I, p. XVI : « La vieille France s'est dissoute, décomposée... ».
9. *Scènes et doctrines du nationalisme*, t. I, p. 42.
10. *Op. cit.*, p. 101.
11. *Op. cit.*, p. 112.
12. *Op. cit.*, p. 111.
13. *Op. cit.*, pp. 101-102.
14. *Op. cit.*, p. 102.
15. *Les Déracinés*, p. 241. Cf. aussi *L'Appel au soldat*, p. 392.
16. *Scènes et doctrines du nationalisme*, t. I, p. 86.
17. *Op. cit.*, p. 85. Cf. aussi *L'Appel au soldat*, p. 282.
18. *Ibid.*

doit obéir la nation, elle seule indique les critères de comportement. Et pour Barrès, en les révélant, il semble qu'elle les fixe et les immobilise.

Telle est la doctrine de la Terre et des Morts présentée par Barrès à la nouvelle Ligue de la patrie française dans le feu de la bataille [19]. L'essentiel de ces idées constitue la thèse du *Roman de l'énergie nationale* et de *Bastions de l'Est*. C'est bien là le cœur du nationalisme barrésien. En ce sens l'œuvre de Barrès, qui à certains égards peut apparaître comme le prolongement de celle de Renan, est, avant tout, sa négation. Il va de soi, comme il le dit lui-même, que l'homme « qui écrivit *Les Déracinés* repousse pour la France cette définition : « Qu'est-ce qu'une nation ? — C'est un esprit », car c'est « une formule d'où l'on peut tirer, d'où l'on tire aujourd'hui, de détestables conséquences » [20]. C'est en effet la définition dreyfusiste de la nation, la définition des intellectuels, ces « logiciens de l'absolu » [21] qui méconnaissent les lois du relativisme et de la réalité [22], et parmi lesquels Barrès, en 1899, range l'auteur de *Qu'est-ce qu'une nation ?*

On connaît les thèses de Renan. Sa célèbre conférence de 1882 est un long panégyrique de la liberté, de la supériorité de l'homme sur la nature, de son pouvoir d'être maître de sa destinée. Sa conception spiritualiste et volontariste s'oppose à la conception allemande de la nation : « Une nation est une âme, un principe spirituel » [23], dit Renan. Son existence est « un plébiscite de tous les jours » [24], l'expression du « désir de vivre ensemble » [25]. Il s'agit bien là d'une antithèse du nationalisme barrésien.

Cependant, cette définition de la nation ne représente qu'un aspect de la pensée politique du Renan d'après 1870. *La Réforme intellectuelle et morale de la France* réunit tous les grands thèmes de la pensée contre-révolutionnaire : les oscillations de la pensée de l'auteur de *L'Avenir de la science*, rappellent souvent celles de Barrès et leurs origines peuvent être rapprochées. S'il se considère, à juste titre,

19. Faite en 1899, cette conférence fut la troisième tenue sous les auspices de la Patrie française. Barrès en envoya le texte à tous les sénateurs, députés, conseillers municipaux de Paris, à tous les professeurs et conseillers municipaux de Meurthe-et-Moselle, Meuse et Vosges, ainsi qu'aux membres de l'état-major de l'armée (*Mes Cahiers*, t. II, p. 95).

20. *Scènes et doctrines du nationalisme*, t. I, p. 84.

21. *Op. cit.*, p. 43.

22. Barrès a réimprimé le texte de sa conférence sur la Terre et les Morts dans le chapitre III de *Scènes et doctrines du nationalisme* dont le titre est « La réplique aux intellectuels : le sens du relatif ».

23. Ernest Renan, *Qu'est-ce qu'une nation ?*, conférence faite en Sorbonne, le 11 mars 1882, Paris, Calmann-Lévy, 1882, p. 26.

24. *Op. cit.*, p. 27.

25. *Op. cit.*, p. 26.

comme « un libéral »[26], Renan n'en estime pas moins que « la France expie aujourd'hui la Révolution »[27] et que la « conception philosophique et égalitaire de la société »[28], alliée à « la fausse politique de Rousseau »[29], est à l'origine de toutes les faiblesses du pays. Les réformes qu'il propose — réforme de l'enseignement[30], réforme du système électoral — et dont le but est d'atténuer les effets du suffrage universel[31] — formation de nouvelles élites[32], décentralisation et réforme du système administratif[33] — annoncent déjà les aspects conservateurs de sa pensée, ceux que Barrès n'a pas eu de peine à intégrer au nouveau nationalisme. En vérité, au niveau de la politique, c'est à la fin du siècle le seul point de convergence qui ait une signification réelle, entre les idées de Renan et celles de Barrès.

En effet, si Barrès récuse l'aspect volontariste, rationaliste et libéral de la pensée de Renan, il reprend à son compte, en revanche, d'une part le culte des ancêtres et d'autre part la définition de la nation en termes de valeurs bourgeoises. « La nation, comme l'individu », écrit Renan, « est l'aboutissement d'un long passé d'efforts, de sacrifices et de dévouements. Le culte des ancêtres est de tous le plus légitime ; les ancêtres nous ont faits ce que nous sommes »[34]. Cette conclusion découle des prémisses de sa définition : la nation, c'est « la possession en commun d'un riche legs de souvenirs », c'est « la volonté de continuer à faire valoir l'héritage qu'on a reçu indivis »[35]. Sans une seule référence à Renan, Barrès répète la même idée : une nation, écrit-il, « est un territoire où les hommes possèdent en commun des souvenirs, des mœurs, un idéal héréditaire »[36], c'est « une énergie faite sur notre territoire de toutes les âmes additionnées

26. Ernest Renan, *La Réforme intellectuelle et morale*, Paris, Michel Lévy, 1872, p. 98.
27. *Op. cit.*, p. XIII et p. 2.
28. *Op. cit.*, pp. 24-25.
29. *Op. cit.*, p. 7.
30. *Op. cit.*, p. 106.
31. *Op. cit.*, pp. 86-88.
32. *Op. cit.*, pp. 95 et p. 106.
33. *Op. cit.*, p. 91. Jean Touchard fait observer que *La Réforme intellectuelle et morale* a un curieux côté pré-Vichy (*Cours professé en 1964-1965 à l'Institut d'études politiques de l'université de Paris*, polycopié par l'Amicale des élèves de l'I.E.P., p. 69). En effet, l'objectif des réformes proposées par Renan est une société qui soit « un ensemble lié, cimenté, où tout est devoir réciproque, responsabilité, solidarité » (*La Réforme intellectuelle et morale*, p. 88). C'est bien ce côté là qui a séduit Barrès. L'auteur de *Scènes et doctrines du nationalisme* ne pouvait également que souscrire à cette autre affirmation de Renan : « Une nation a d'ordinaire le droit de se renfermer dans le soin de ses intérêts particuliers et de récuser la gloire périlleuse des rôles humanitaires » (*Lettre à un ami d'Allemagne*, Paris, Calmann-Lévy, 1879, p. 4).
34. Ernest Renan, *Qu'est-ce qu'une nation ?*, p. 26.
35. *Ibid.*
36. *L'Appel au soldat*, p. 392.

des morts » [37], ou encore, « c'est la possession en commun d'un antique cimetière et la volonté de continuer à faire valoir cet héritage indivis » [38].

Toutes les formules du nationalisme barrésien revenant à cette même idée, ce nationalisme apparaît finalement comme une méthode pour préserver l'intégrité de cet héritage, à la fois matériel et spirituel. Chez Barrès, l'idée de nation et l'idée de civilisation coïncident exactement : la nation est une communauté formée à travers les siècles par l'action combinée de l'histoire et de l'Etat, c'est un territoire sur lequel vit une communauté soumise à un même pouvoir politique et unie par des liens tissés par une même civilisation. C'est ainsi qu'à travers les âges se forme une conscience [39], une vision du monde, une communauté d'esprit que Barrès appelle la tradition. C'est pourquoi, la tradition « ne consiste point en une série d'affirmations décharnées (...) et (...) plutôt qu'une façon de juger la vie, c'est une façon de la sentir » [40] ; c'est la substance de l'être national, c'est la source de son dynamisme et sa raison d'exister. C'est pourquoi le nationalisme est un effort pour « reprendre, protéger, augmenter cette énergie héritée de nos pères » [41]. Or cela ne se peut qu'en comprenant « que les concepts fondamentaux de nos ancêtres forment les assises de notre vie » [42], que « chacun de nos actes qui dément notre terre et nos morts nous enfonce dans un mensonge qui nous stérilise » [43].

Par conséquent le nationaliste qui accepte la discipline de sa race, qui prend conscience de sa prédestination défendra son héritage et son identité. Cette défense de l'organisme national, cet effort de préservation c'est la tâche de « réfection française » [44] que Barrès s'assigne et qu'il voudrait voir reprise par la Ligue de la patrie française. « Au moral et au géographique », écrit-il, « nous voulons restituer la plus grande France » [45].

Le premier objectif à atteindre est la restitution à la France de son unité morale. L'Affaire Dreyfus peut à cet égard jouer un rôle déterminant : de même que les guerres napoléoniennes avaient puissamment contribué à forger l'unité morale de l'Allemagne, l'épreuve que vient de travers la France doit avoir un effet analogue à celui d'une éventuelle guerre, « peut-être bienfaisante, mais qu'aucun, certes, n'oserait souhaiter », car « c'est dans la souffrance surtout que les peuples naissent à la vie morale, s'unifient et, repliés sur

37. *Op. cit.*, p. 282.
38. *Scènes et doctrines du nationalisme*, t. I, p. 114.
39. *Les Déracinés*, p. 320.
40. *Leurs Figures*, p. 240.
41. *L'Appel au soldat*, p. 282.
42. *Op. cit.*, p. 301.
43. *Le 2 novembre en Lorraine* in *Amori et dolori sacrum*, p. 269.
44. *L'Appel au soldat*, p. 356.
45. *Ibid.*

eux-mêmes, entendent la voix de la Terre et des Morts »[46]. Faute, peut-être, d'une grande souffrance collective, la France de cette fin de siècle, profondément divisée sur les problèmes-clés du régime, de la laïcité et de la question sociale, semble tomber en morceaux.

Le seul facteur qui puisse enrayer ce processus de décomposition est la solidarité du groupe-nation. Barrès s'emploie par conséquent à exalter ce qui unit, à recréer cette conscience nationale qu'il sent « diminuer, disparaître »[47], à faire prendre conscience aux Français de ce que la nation est la collectivité humaine par excellence, la seule qui existe dans l'univers actuel. Seule, elle remplit depuis longtemps la mission fondamentale de la collectivité à l'égard de l'être humain : elle assure, à travers le présent, la liaison entre le passé et l'avenir[48].

Fonder cette permanence, construire un avenir conforme à l'esprit de la nation tel qu'il s'est forgé pendant les siècles, tel est l'objectif du nationalisme barrésien, telle est l'origine du culte de la Terre et des Morts. « Les ancêtres que nous prolongeons », écrit Barrès, « ne nous transmettent intégralement l'héritage accumulé de leurs âmes que par la permanence de l'action terrienne. C'est en maintenant sous nos yeux l'horizon qui cerna leurs travaux, leurs félicités ou leurs ruines, que nous entendrons le mieux ce qui nous est permis ou défendu. De la campagne, en toute saison, s'élève le chant des morts »[49]. Le culte des morts et le culte de la terre natale sont les deux aspects, intimement liés, d'une même ferveur. C'est dans « cette religion des morts », dit Barrès dans un discours semi-clandestin prononcé à Metz en 1911, que « l'on doit voir l'honneur et la sauvegarde de l'âme de cette terre »[50]. Le culte de la Terre et des Morts est le culte de la nation qui occupe chez l'auteur de *L'Appel au soldat*, le centre de la vie intérieure et tient lieu de divinité : « J'ai ramené ma piété du ciel sur la terre, sur la terre de mes morts », écrit-il[51].

Depuis l'Affaire et jusqu'à la fin de sa vie, Barrès donnera le meilleur de lui-même au culte du terroir et des ancêtres. Le long de la vallée de la Moselle, sur les montagnes de Sainte-Odile et de Sion-Vaudémont, cette « sainte colline nationale »[52], il écoute le « chant

46. *Scènes et doctrines du nationalisme*, t. I, p. 108.
47. *L'Appel au soldat*, p. 282.
48. Cf. Simone Weil, *L'Enracinement, Prélude à une déclaration des devoirs envers l'être humain*, Paris, Gallimard, 1949, p. 90. L'ouvrage de Simone Weil repose, en des termes qui sont ceux de la société industrielle, un certain nombre de questions dont Barrès était parfaitement conscient, notamment le problème du « déracinement ».
49. *Le 2 novembre en Lorraine* in *Amori et dolori sacrum*, p. 268.
50. *Un discours à Metz* (*15 août 1911*) in *Colette Baudoche, Appendice*, pp. 273-274. Cf. aussi *Un Homme libre*, p. 130 : « Une race qui prend conscience d'elle-même s'affirme aussitôt en honorant ses morts ».
51. *Scènes et doctrines du nationalisme*, t. I, p. 10. Ce texte figure dans un passage intitulé « De Coelo in inferna ».
52. *Le 2 novembre en Lorraine* in *Amori et dolori sacrum*, p. 270.

sacré » des « siècles de jadis » [53] : « Le génie du passé vient m'assaillir avec des accents tout neufs. Il me conduit aux couches les plus profondes de l'histoire (...) Je me retrouve en société avec des milliers d'êtres qui passèrent ici » [54]. Cette conviction de n'être que le prolongement de ses morts [55], l'acceptation de ces « dures doctrines de nécessité qu'implique la foi dans la terre et les morts » [56], forment précisément la nationalité. La conscience et la discipline nationales consistent à suivre « la voix du sang et l'instinct du terroir » [57] ; à mettre « l'épée de chaque génération » au service du « capital social » que constituent « un passé héroïque, des grands hommes, de la gloire... » [58]. Par conséquent, pour la régénération de la France, pour la restauration de la nation et de l'Etat, il faut « raciner les individus dans la Terre et dans les Morts » [59], dans cette terre qui « nous donne une discipline » [60], il faut « réagir contre les étrangers qui nous envahissent et qui déforment notre raison naturelle » [61]. Telles sont les deux grandes thèses du programme nationaliste.

Les principes d'action qui en sont dérivés se placent à deux niveaux. Au niveau de l'éthique, Barrès combat au nom de l'histoire, du déterminisme physiologique, de la prédestination et de la discipline contre l'universalisme, le rationalisme et l'individualisme légués par la philosophie des Lumières et la Révolution française. Son système constitue dans son ensemble un des éléments de la révolte contre la raison qui déferle sur l'Europe dès la fin du XIXe siècle. Au niveau de la politique, ses conceptions éthiques prennent la forme d'un retour aux sources terriennes, à la solidarité familiale et régionale, à la défense du terroir et de l'esprit national contre l'ennemi qui guette les provinces de l'Est, d'une part, contre les éléments étrangers au consensus d'autre part.

« Au pays des déracinés » [62] où l'on n'entend plus guère qu' « un

53. *La Colline inspirée*, p. 271.

54. *Op. cit.*, pp. 334-335. Cf. aussi *Colette Baudoche*, p. 150 : « Bien des générations reposent là au cimetière, mais leur activité persiste », et *Le 2 novembre en Lorraine*, p. 270 : « Sion-Vaudémont nous répète ce que Delphes disait aux démocrates mégariens : de faire entrer dans le nombre souverain leurs ancêtres pour que la génération vivante se considérât toujours comme la minorité ».

55. *Scènes et doctrines du nationalisme*, t. I, p. 115.

56. *Leurs Figures*, p. 299.

57. *Scènes et doctrines du nationalisme*, t. I, p. 93.

58. *Op. cit.*, p. 114. Là encore Barrès reprend les formules mêmes de Renan : « Un passé héroïque, des grands hommes, de la gloire, voilà le capital social sur lequel on assied une idée nationale » (*Qu'est-ce qu'une nation ?* p. 26).

59. *Op. cit.*, p. 93. Cf. aussi *Le 2 novembre en Lorraine*, p. 269 : « Comment ne serait-ce point ainsi ? En eux, je vivais depuis les commencements de l'être, et des conditions qui soutinrent ma vie obscure à travers les siècles, qui me prédestinèrent, me renseignent assurément mieux que les expériences où mon caprice a pu m'aventurer depuis une trentaine d'années ».

60. *Ibid.*

61. *Op. cit.*, p. 115. Cf. aussi p. 102.

62. *Op. cit.*, p. 111. Cf. aussi p. 114.

clapotement de bêtises en même temps que le jargon des étrangers »[63], Barrès apporte une discipline et une éducation, source de vitalité[64]. Sur les frontières de l'Est, le long de la Moselle « d'où l'esprit allemand fuse dans tous les sens sur notre territoire et dans nos esprits »[65], il cherche à faire revivre « la pensée maîtresse de cette région », la fonction qui lui est propre, celle d' « une suite de redoutes sur la ligne du Rhin »[66]. Sur le plan de la politique intérieure, et afin de rendre possible la résistance au danger extérieur, l'ancien député boulangiste propose aux hommes de la Ligue de la patrie française, un programme minimum qui comporte trois clauses essentielles : en premier lieu, il réclame « une loi sur les nationalisations » qui s'inspire de cette conception fondamentale selon laquelle « nous sommes le produit d'une collectivité qui parle en nous. Que l'influence des ancêtres soit permanente et les fils seront énergiques et droits, la nation unie »[67]. Le second point concerne la nécessité d'une « organisation régionaliste »[68] afin que « nos provinces sortent de leur anesthésie »[69] et que le terroir fasse entendre sa voix. Et finalement, pour couronner le tout, il faut « un principe d'autorité » : c'est, selon Barrès, la phase la moins difficile, car : « Si nous étions d'accord pour apprécier nos forces, notre énergie accrue prendrait tout naturellement une direction, et sans secousse, un organe de la volonté nationale se créerait »[70].

On retrouve ainsi, au temps de l'Affaire, cette même foi dans la spontanéité des foules qui, dans le boulangisme, avait orienté la conception barrésienne de l'action politique ; dès le moment où s'effectue la prise de conscience et se dégage la volonté populaire, les questions purement politiques se trouvent résolues. Voilà pourquoi Barrès estime qu'il ne saurait y avoir de politique nationale, sans éthique nationaliste, voilà pourquoi le premier volume du *Roman de l'énergie nationale* est consacré à un long procès de cette idéologie républicaine traditionnelle qui porte la responsabilité de la décadence française. Dès lors, toute l'œuvre de Barrès sera consacrée à développer les principaux thèmes de son premier roman politique. Son action politique restera toujours subordonnée à des préoccupations d'ordre éthique et historique. En ce sens l'aventure boulangiste lui fut salutaire : moins qu'à l'action politique elle-même, Barrès se consacre désormais à remédier « à l'indigence de la pensée politique en France »

63. *Op. cit.*, p. 101.
64. *Ibid.*
65. *Les Déracinés*, p. 241. Cf. aussi *L'Appel au soldat*, p. 392.
66. *Leurs Figures*, p. 240.
67. *Scènes et doctrines du nationalisme*, t. I, p. 94.
68. *Op. cit.*, p. 96.
69. *Leurs Figures*, p. 236.
70. *Scènes et doctrines du nationalisme*, t. I, p. 99.

et à l'élaboration et la propagation de « quelques idées maîtresses sur la restauration profonde de la chose publique » [71].

LES PRINCIPES DE STABILITÉ

La nécessité de donner au nationalisme une philosophie, d'expliquer la faiblesse actuelle de la société française et de proposer des solutions amène Barrès à se tourner de nouveau vers Taine, mais non pas vers Renan. Le jeune Barrès avait connu l'œuvre de Taine, comme celle de Renan, de très bonne heure. Sur cette fin du XIXe siècle, remarque Victor Giraud, les deux hommes exercent une sorte de dictature spirituelle qui n'est pas sans analogie avec celle qu'entre 1760 et 1770 ont exercée Voltaire et Rousseau [1]. Pour ceux qui lisent et qui pensent, il est littéralement impossible de se dérober à leur influence [2].

Cette influence, Barrès la subit mais jamais passivement. C'est à juste titre qu'en février 1923, année de sa mort, dans un discours prononcé en Sorbonne à la cérémonie du centenaire de Renan, il se dit un disciple plein d'admiration mais indépendant qui, depuis quarante ans, fait en lui-même le procès de son maître [3]. Dès le début, tout en subissant le poids de leur souveraineté, Barrès cherche à se libérer : souvent il aura des mots très durs pour l'un et pour l'autre. Mais il n'était pas un ingrat : même au moment où il sait que leur influence ne l' « éblouit plus », il note dans ses *Cahiers* : « Je suis incapable de mal penser d'eux. Ce sont mes maîtres, mes supérieurs. Il est si doux d'avoir de la reconnaissance » [4].

Toute sa vie Barrès reconnaîtra sa dette envers les deux géants qui dominèrent sa jeunesse, comme envers Hugo ou Michelet, vilipendés par ses amis politiques. C'est là sans doute l'un des traits le plus attachants de son caractère.

C'est de Renan que Barrès semble se couper en premier. En fait, l'influence de l'auteur de la *Vie de Jésus* ne dépassera guère, en ce qui concerne Barrès, le cap des années 1884-1885. Certes, dès qu'il

71. *Op. cit.*, p. 110.

1. Victor GIRAUD in *Taine et Renan, Pages perdues*, p. 9.
2. Sur Barrès, Taine et Renan la meilleure étude comparative est celle de Pierre-Henri PETITBON, *Taine, Renan, Barrès, étude d'influence*, Paris, Les Belles Lettres, 1934. Cf. aussi Albert THIBAUDET, *La vie de Maurice Barrès*, p. 51, p. 105 et pp. 112-114.
3. BARRÈS, *Dante, Pascal et Renan*, Paris, Plon-Nourrit, 1923, p. 74.
4. *Mes Cahiers*, t. X, p. 133. Cf. aussi « L'influence de M. Taine » in BARRÈS, *Taine et Renan, Pages perdues*, p. 69, à la mort de Taine : « Je la sens si vivement, cette influence, je lui garde, à cet illustre mort, une si vive reconnaissance ».

commence à écrire, Barrès se recommande de Renan [5] qui apparaît plus tard dans *Sous l'œil des barbares*, dans *Le Jardin de Bérénice* et à d'innombrables reprises dans *Mes Cahiers*. C'est d'abord une certaine attitude de dilettantisme, telle que l'a définie Paul Bourget, que le jeune Barrès emprunte à Renan ; mais aussi une certaine tendance au relativisme, à l'ironie, au détachement des réalités et à la construction des mondes imaginaires [6].

Il n'en reste pas moins que dès *Les Taches d'encre*, le jeune Barrès s'attaque à Renan : il le traite de « génie jésuitique » et de « Tartuffe » [7]. En 1888, le portrait qu'il en fait dans *Huit jours chez M. Renan*, est en somme très peu flatteur. Enfin quelques mois avant la mort de Renan il l'accuse du conformisme le plus bas [8] pour terminer en avouant que « dans la philosophie renanienne, faite de politesse, d'habiletés et de réticences, nous sommes gênés, mal à l'aise, privés de grand air. Allons ! qu'on ouvre la fenêtre » [9]. A la mort du maître, il publie un article, certes, plein de déférence mais qui finalement minimise singulièrement le rôle de ce « bienfaiteur de l'esprit français » [10]. S'il constate que « M. Renan n'a pas été inutile » parce qu'il « est un de ceux qui ont empêché l'esprit français de se passer du sentiment religieux », il ne peut s'empêcher de conclure que celui-ci « vient de mourir sans s'être rendu un compte fort exact du cul-de-sac où nous a menés la forte impulsion qu'il nous donna sous le Second Empire, — de 1848 à 1875, car c'est là, ce me semble, la période philosophique où il faut le situer » [11].

A mesure que Barrès s'éloigne de Renan, il se rapproche de Taine. Son attitude envers l'auteur des *Origines* diffère sensiblement de celle adoptée envers Renan. Non seulement Barrès n'osa jamais publier sur Taine l'équivalent — un moment projeté — de *Huit Jours chez M. Renan*, non seulement nulle part on ne relève à l'égard de Taine les reproches formulés envers Renan, mais le nationalisme barrésien, son déterminisme, ses théories de la race, du primat de la collectivité, sa conception du sens historique, son respect de la continuité et sa haine des abstractions doivent beaucoup à Taine. Certes, sous l'influence de Soury, Barrès s'attaquera au rationalisme

5. Cf. son *Anatole France*, Paris, Charavay frères, 1883, et notamment p. 18.

6. Cf. Pierre-Henri PETITBON, *op. cit.*, pp. 54-59. Cf. aussi la définition que donnait Bourget du dilettantisme : « C'est beaucoup moins une doctrine qu'une disposition de l'esprit, très intelligente à la fois et très voluptueuse, qui nous incline tour à tour vers les formes diverses de la vie et nous conduit à nous prêter à toutes ces formes sans nous donner à aucune » (*Essais de psychologie contemporaine*, p. 42).

7. BARRÈS, « Gazette du mois », *Les Taches d'encre*, 5 novembre 1884, p. 63.

8. BARRÈS, *Taine et Renan, Pages perdues*, pp. 31-34.

9. *Op. cit.*, pp. 36-37.

10. *Op. cit.*, p. 43. Il s'agit d'un article intitulé « Renan » et publié le 3 octobre 1892 dans *Le Figaro*.

11. *Op. cit.*, p. 48.

de Taine ; il formulera alors de sérieuses réserves sur la nature de son enseignement. Mais d'autre part il avait trouvé dans cet enseignement un très grand nombre d'éléments qui eux, s'intégraient d'une manière toute naturelle dans le cadre du système qu'il cherche à élaborer, et qui inspireront la théorie de la Terre et des Morts. En outre, dans l'esprit de Barrès, Taine se rencontre avec Soury : en effet, il n'y a pas que des contradictions entre les théories du célèbre physiologiste et celles de l'auteur des *Origines,* loin de là. L'ingrédient darwinien leur est commun ainsi que des formes diverses de déterminisme racial : c'est bien ce côté-là, avec l'opposition à la philosophie des lumières que Barrès emprunte à Taine. C'est pourquoi Barrès effectue sans difficulté une synthèse des apports respectifs de Taine et de Soury.

Selon l'auteur de l'*Histoire de la littérature anglaise,* l'individu est un produit de la civilisation, et une civilisation n'est elle-même que la résultante de ces « trois forces primordiales » : « La race, le milieu, et le moment » [12]. « Ce qu'on appelle la race », dit Taine, « ce sont ces dispositions innées et héréditaires que l'homme apporte avec lui à la lumière, et qui ordinairement sont jointes à des différences marquées dans le tempérament et dans la structure du corps. Elles varient selon les peuples » [13]. En énonçant les thèses qui sous peu seront les thèses classiques du racisme, Taine insiste sur le fait que : « A l'origine et au plus profond dans la région des causes, apparaît la race » [14], et que ce qui relie les hommes entre eux c'est avant tout « la communauté de sang et d'esprit » [15]. Taine en conclut qu'

> « Il y a naturellement des variétés d'hommes, comme des variétés de taureaux et de chevaux, les unes braves et intelligentes, les autres timides et bornées, les unes capables de conceptions et de créations supérieures, les autres réduites aux idées et aux inventions rudimentaires, quelques-unes appropriées plus particulièrement à certaines œuvres et approvisionnées plus richement de certains instincts, comme on voit des races de chiens mieux douées, les unes pour la course, les autres pour le combat, les autres pour la chasse, les autres enfin pour la garde des maisons ou des troupeaux » [16].

12. Hippolyte Taine, *Histoire de la littérature anglaise,* t. I, pp. XXII-XXIII. Cf. pp. XXII à XXV sur la race, pp. XXV *à* XXVIII sur le milieu et pp. XXVIII à XXXII sur le moment.

13. *Op. cit.,* p. XXIII.

14. *Op. cit.,* t. III, p. 616. Cf. p. 665 : « Au fond du présent comme au fond du passé, reparaît toujours une cause intérieure et persistante, le *caractère* de la race... » et, t. I, p. XXII : « Toujours on rencontre pour ressort primitif quelque disposition très générale de l'esprit et de l'âme, soit innée et attachée naturellement à la race, soit acquise et produite par quelque circonstance appliquée sur la race ».

15. *Op. cit.,* t. I, p. XXIII.

16. *Ibid.*

Il en résulte qu'il est des races supérieures et des races inférieures. Ainsi :

« Chez les races aryennes, la langue devient une sorte d'épopée nuancée et colorée où chaque mot est un personnage, la poésie et la religion prennent une ampleur magnifique et inépuisable, la métaphysique se développe largement et subtilement, sans souci des applications positives ; l'esprit tout entier, à travers les déviations et les défaillances inévitables de son effort, s'éprend du beau et du sublime et conçoit un modèle idéal capable, par sa noblesse et son harmonie, de rallier autour de soi les tendresses et les enthousiasmes du genre humain ».

Par contre :

« Chez les races sémitiques, la métaphysique manque, la religion ne conçoit que le Dieu roi, dévorateur et solitaire, la science ne peut se former, l'esprit se trouve trop roide et trop entier pour reproduire l'ordonnance délicate de la nature, la poésie ne sait enfanter qu'une suite d'exclamations véhémentes et grandioses, la langue ne peut exprimer l'enchevêtrement du raisonnement et de l'éloquence, l'homme se réduit à l'enthousiasme lyrique, à la passion irréfrénable, à l'action fanatique et bornée » [17].

Taine, on le voit, est bien un maillon de la chaîne qui relie Gobineau et aussi Darwin — auquel il ne manque pas de se référer [18] — à Drumont, Soury et finalement Barrès.

Pour déterminer une fois pour toutes le comportement des hommes, le milieu et le moment s'ajoutent à la race. C'est par un milieu différent que l'on explique « la profonde différence entre les races germaniques d'une part et les races helléniques et latines de l'autre » : les conditions géographiques et climatiques ont pesé sur l'évolution des « peuples aryens » [19]. Mais « le caractère national et les circonstances environnantes (...) n'opèrent point sur une table rase... Il en est ici d'un peuple, comme d'une plante : la même sève sous la même température et sur le même sol produit, aux divers degrés de son élaboration successive, des formations différentes, bourgeons, fleurs, fruits, semences, en telle façon que la suivante a toujours pour condition la précédente, et naît de sa mort » [20]. Ainsi « à chaque moment on peut considérer le caractère d'un peuple comme le résumé de toutes ses actions et de toutes ses sensations précédentes... » [21]. Finalement, on parvient à la conclusion que « l'histoire est un problème de mécanique psychologique » [22], que des « lois géné-

17. *Op. cit.*, pp. XIX-XX.
18. *Op. cit.*, p. XXIV.
19. *Op. cit.*, p. XXVI.
20. *Op. cit.*, pp. XXIX-XXX.
21. *Op. cit.*, p. XXV.
22. *Op. cit.*, p. XXXI.

rales » régissent l'univers [23], commandent le comportement humain et permettent de le prévoir [24].

Le milieu et la race de Taine, ce sont, bien sûr, la Terre et les Morts de Barrès. Comme Taine, Barrès applique cette théorie à l'étude de l'histoire : pour lui, la race constitue la première et la plus riche source d'événements historiques, et l'homme se meut dans un déterminisme universel. Le monde se développe comme une équation gigantesque. Toute existence n'est qu'un maillon dans la chaîne ininterrompue des existences. L'homme n'est qu'un faible rouage de cette prodigieuse mécanique : il est déterminé dans ses pensées et dans ses actes. La finalité et les limites de l'action individuelle sont par conséquent fixées par la plus ou moins grande préservation des traditions qui convergent en chaque individu. Celui-ci ne représente qu'un instant du processus qui l'a fait et qu'il contribue à perpétuer. Il est, de par les lois de la nature et de la science, ce que sa Terre et ses Morts ont fait de lui. Lorsqu'il se sera imprégné de la sensibilité française, lorsqu'il aura pris conscience du fait qu'il n'est qu'une feuille de cet arbre qu'est la France, alors seulement, reconnaissant ses limites et sa prédestination, l'individu pourra poursuivre une action constructive et agir en fonction de l'idéal français.

Face à ce déterminisme, la seule attitude raisonnable est l'acceptation. Il faut vivre d'accord avec le monde : peu à peu, à mieux connaître ces fatalités, on arrivera à les aimer [25]. Ces fatalités, on les verra :

> « ... Non plus comme des formules abstraites, mais comme des forces vivantes mêlées aux choses, partout présentes, partout agissantes, véritables divinités du monde humain, qui donnent la main au-dessous d'elles, à d'autres puissances maîtresses de la matière comme elles-mêmes le sont de l'esprit, pour former toutes ensemble le chœur invisible dont parlent les vieux poètes, qui circule à travers les choses et par qui palpite l'univers éternel » [26].

Ce texte a clairement inspiré l'orientation générale des thèses illustrées par *Le Jardin de Bérénice* et *Les Déracinés*. Bérénice et Saint-Phlin sont ceux qui acceptent. Ils acceptent les conventions sociales,

23. *Op. cit.*, p. XL.
24. *Op. cit.*, p. XXXIII et p. XLII.
25. Pierre-Henri PETITBON, *op. cit.*, p. 75. L'excellente analyse de Petitbon appelle cependant une observation. Ce dernier a tort de penser que Barrès se contente de transposer les principes des *Origines de la France contemporaine* au niveau de l'individu, qu'il n'en déduit que les conséquences pour son propre moi, et qu'il lui demande tout simplement l'explication de son moi, de ses élans, et de ses malaises (p. 79). En réalité Barrès va beaucoup plus loin : il applique sa méthode à l'histoire et rejoint finalement les conclusions politiques et sociales de Taine.
26. Hippolyte TAINE, *Essais de critique et d'histoire*, 6e édition, Paris, Hachette, 1892, p. XIX.

les nécessités historiques, la souffrance et la mort. L'acceptation est le point de départ du nationalisme barrésien.

Mais pour pouvoir réellement accepter, pour s'insérer dans la vérité de sa Terre et de ses Morts, l'individu doit subir une longue préparation dont le premier principe est que l'on « ne donne à un homme que ce qu'il possède déjà » [27] : un jeune Français ne peut donc être éduqué selon les principes de l'idéalisme métaphysique d'origine allemande, on ne peut en faire un kantien imbu d'abstraction sous peine de le voir devenir « un être artificiel, un homme-mensonge » [28]. « L'homme-mensonge » des *Amitiés françaises* c'est « le déraciné » du premier volume du *Roman de l'énergie nationale*, celui qui a grandi « en dehors de sa vérité propre », qui a échangé « son chant naturel contre une cantilène apprise » [29]. Tel est le drame des sept lorrains : leur éducation fut menée de façon à fixer leur raison sur des abstractions, leur énergie sur des buts chimériques. Ils devinrent ainsi des êtres désencadrés, coupés de leur milieu naturel et sans utilité sociale.

Barrès en rend responsable le kantisme, devenu morale d'Etat [30] et inculqué aux jeunes Français « comme s'ils devaient un jour se passer de la patrie » [31]. La morale kantienne que Barrès caractérise par la formule « agis de telle sorte que la maxime de ta volonté puisse valoir en même temps comme principe de législation universelle » [32], lui apparaît comme une conception étrangère, propre à déraciner les Français [33] et à tuer l'idée de patrie. Il revient sur ce thème à d'innombrables reprises, mais c'est dans *Scènes et doctrines du nationalisme* qu'il formule de la manière la plus concise son opposition à toute philosophie de l'absolu :

> « Ce kantisme de nos classes », écrit-il, « prétend régler l'homme universel, l'homme abstrait, sans tenir compte des différences individuelles. Il tend à former nos jeunes lorrains, provençaux, bretons, parisiens de cette année d'après un homme abstrait, idéal, identique partout à lui-même, tandis que nous aurions besoin d'hommes racinés solidement dans notre sol, dans notre histoire, dans la conscience nationale, et adaptés aux nécessités françaises de cette date-ci. La philosophie qu'enseigne l'Etat est responsable en première ligne si des

27. *Les Amitiés françaises*, p. 4. Cf. aussi *Leurs Figures*, p. 237.
28. *Op. cit.*, p. 13. Cf. aussi *L'Appel au soldat*, p. 402 : « Un trop grand nombre de nos compatriotes ignorent leurs racines nationales : ils font les Allemands, les Anglais ou les Parisiens. Le Parisien c'est de l'artificiel, du composite... ».
29. *Op. cit.*, p. 12.
30. *Scènes et doctrines du nationalisme*, t. I, p. 59.
31. *Les Déracinés*, p. 32.
32. *Op. cit.*, p. 194.
33. *Scènes et doctrines du nationalisme*, t. I, p. 60 : « Un verbalisme qui écarte l'enfant de toute réalité, un kantisme qui le déracine de la terre de ses morts... ».

personnes croient intellectuel de mépriser l'inconscient national et de faire fonctionner l'intelligence dans l'abstrait pur, hors du plan des réalités » [34].

Le produit de cet enseignement, « l'intellectuel », devient « un ennemi de la société » [35] qui discute « sur la justice, sur la vérité, quant tout homme qui réfléchit sait qu'il doit s'en tenir à examiner si tel rapport est juste entre des hommes déterminés à une époque et dans des conditions spécifiées » [36]. A tous ces « théoriciens (...) ivres d'un kantisme malsain », Barrès répond : « Laissez ces grands mots de *toujours* et d'*universel* et, puisque vous êtes Français, préoccupez-vous d'agir selon l'intérêt français à cette date » [37].

Dominique Parodi et Albert Thibaudet se sont très tôt attachés à démontrer que Barrès avait donné un sens absurde à la maxime kantienne, qu'il comprenait mal la philosophie de Kant et qu'il ne se trompait pas moins sur la place du philosophe allemand dans l'enseignement français que sur la nature de sa doctrine [38]. On peut ajouter que Barrès se ridiculise quand il présente comme du kantisme l'invraisemblable comédie que joue son Bouteiller à la fin du premier chapitre des *Déracinés*, mais la question de savoir s'il comprenait intégralement Kant n'a somme toute qu'une importance mineure. Il ne le connaissait guère mieux que Hegel ou Marx, mais il avait compris qu'il se trouvait en présence d'un système fondé sur une maxime qui « équivaut à dire que l'on peut connaître la règle applicable à tous les hommes » [39], et c'est précisément la raison pour laquelle il s'acharne sur Kant, car il est bien évident que rien n'est plus opposé au relativisme barrésien que l'idée d'une règle universelle. Il semble que l'idée même d'une loi morale lui soit étrangère : il ne conçoit la vérité et la justice — ces deux notions qu'il s'emploie à ridiculiser — qu'en fonction de l'intérêt national. Il ne peut y avoir de loi morale universelle dans un système de pensée qui ne conçoit l'homme que comme le produit d'un milieu déterminé à un moment donné de l'histoire, qui s'attache « à distinguer les conceptions propres à chaque type humain » [40], et qui postule que : « Les hommes, de siècle en siècle, comme de pays en pays, conçoivent des morales diverses qui, selon les époques et les climats, sont nécessaires et, partant, justes. Elles sont la vérité tant qu'elles sont néces-

34. *Ibid.* Cf. *Mes Cahiers*, t. II, p. 279.
35. *Ibid.*
36. *Op. cit.*, p. 59. Cf. aussi *Mes Cahiers*, t. II, p. 280.
37. *Op. cit.*, p. 37. Pour Maurras aussi « c'est bien le kantisme et l'université criticiste » qui sont à l'origine de tous les maux (Barrès-Maurras, *La République ou le Roi*, lettre citée, p. 173).
38. Albert Thibaudet, *La Vie de Maurice Barrès*, p. 174 et p. 177 ; Dominique Parodi, art. cité, p. 34.
39. *Les Déracinés*, p. 23.
40. *Scènes et doctrines du nationalisme*, t. I, p. 68.

saires »[41]. Le tort immense de la morale kantienne, selon Barrès, est de nier ces réalités et de créer un type d'homme nouveau, « un sans-famille et un sans-patrie »[42], un être artificiel vivant selon les critères de « la raison abstraite »[43].

La France, pour un Bouteiller, c'est « un ensemble d'idées » ; et l'on est Français « autant qu'on les possède dans l'âme »[44]. Selon Barrès, c'est précisément cette vision de la France qui est à l'origine de sa faiblesse, de sa vulnérabilité hautement démontrée par l'Affaire. Chaque individu, chaque groupe peut ainsi concevoir à sa guise l'intérêt français, l'idéal français ; chacun peut défendre une idée de la France, fût-elle diamétralement opposée à celle de son voisin : aussi chacun réagira-t-il d'une manière différente à une même réalité, ce qui aura pour effet l'émiettement des forces et des volontés françaises, un état de « paralysie générale », une lente disparition de la substance nationale[45]. Et finalement, les produits de l'Université deviennent des traîtres à la patrie car ils perdent la faculté essentielle du nationalisme, qui consiste à apprécier tout phénomène en fonction de l'intérêt national[46]. Adeptes de la « raison pure », ils deviennent « des citoyens de l'humanité, des affranchis »[47], ils méconnaissent le premier commandement du Français de race, à savoir qu' « il n'y a pour nous de vérités utiles que tirées de notre fonds » ; ils mettent finalement « le désordre dans notre pays par des importations de vérités exotiques »[48]. Au niveau de l'individu, ce sont d'éternels candidats à la déchéance.

On connaît leur histoire : Burdeau-Bouteiller professe une doctrine qui commande et détermine son comportement. Confronté avec les réalités, il devient chéquard. Ses disciples « errent sur le pavé de Paris comme des Tonkinois dans leurs marais, sans lien social, sans règle de vie »[49] : l'un d'eux, Racadot, commet un meurtre, un autre, Mouchefrin, roule dans le ruisseau, Renaudin se fait maître-chanteur et Suret-Lefort, héritier politique de Bouteiller, s'enlise dans les bas-fonds de la politique. Sur les sept anciens lycéens de Nancy, trois échappent au triste sort de leurs camarades. Mal dirigés, ils

41. *Les Déracinés*, p. 194.
42. *Op. cit.*, p. 302.
43. *Op. cit.*, p. 19.
44. *Op. cit.*, p. 268.
45. *Scènes et doctrines du nationalisme*, t. I, p. 40 et p. 85.
46. *Les Déracinés*, p. 32. Cf. aussi *Scènes et doctrines du nationalisme*, t. I, p. 61.
47. *Ibid.*
48. *Ibid.* Un Bouteiller, bien sûr, « quand il passait en revue et classifiait les systèmes, ne se plaçait pas au point de vue français, mais chaque fois au milieu du système qu'il commentait ». Il hésitait « à se passionner de préférence pour les formes de la pensée française ».
49. *Op. cit.*, p. 243.

auraient dû devenir, comme les autres, des « déracinés » [50], mais, étant nationalistes en vertu de leurs instincts héréditaires, ils parviennent à se libérer de l'emprise du kantien.

En écartant « une formule qui implique la possibilité d'une législation universelle » [51], Gallant de Saint-Phlin, Sturel et Roemerspacher reprennent contact avec le passé, avec les trésors de leur race, avec la conscience nationale. Pour se purifier de ces « humanités vagues, flottantes, sans réalité, qu'on leur avait enseignées au lycée » [52], Sturel et Saint-Phlin vont prendre, le long de la Moselle, « une leçon de choses » [53] en vertu du principe selon lequel on ne peut parvenir à « l'éclaircissement de la conscience individuelle » que par « la connaissance de ses morts et de sa terre » [54]. Ils parviennent alors à la conclusion qu' « un jeune être isolé de sa nation ne vaut guère plus qu'un mot détaché d'un texte » [55].

Barrès développe ce thème dans la *Lettre de Saint-Phlin* [56] qui constitue le centre de sa philosophie traditionaliste, et plus tard dans *Les Amitiés françaises.* « La plante humaine », dit-il, « ne pousse vigoureuse et féconde qu'autant qu'elle demeure soumise aux conditions qui formèrent et maintinrent son espèce durant des siècles » [57]. C'est donc par un enseignement régional attentif aux besoins particuliers de tout groupe ethnique, reflétant le passé provincial et purgé des apports étrangers que l'on parviendra à préserver le génie français dans son authenticité. Préserver ce qui est, et, en se fiant à la « vertu régénératrice » du « sens historique » [58], ne se prêter qu'à une évolution lente et graduée, tel est l'objectif du nationalisme barrésien, nationalisme de conservation, voire de sauvegarde. Hanté par le spectre de la décadence française, il s'attache à sauver un édifice déjà ébranlé.

L'aspect traditionaliste du nationalisme barrésien est bien enraciné dans le conservatisme de Taine : c'est des *Origines de la France contemporaine* qu'est sorti le tableau de la France « dissociée et décérébrée », tel qu'on le trouve au chapitre IX des *Déracinés,* et tout le long du *Roman de l'énergie nationale.*

C'est chez Taine que Barrès a appris les terribles dangers de l'esprit jacobin, bien que contrairement à l'auteur des *Origines,* il

50. *Scènes et doctrines du nationalisme,* t. I, p. 114.
51. *Les Déracinés,* p. 194 : « J'étais trop votre élève, monsieur », dit Roemerspacher à Taine, « pour demeurer celui de M. Bouteiller ».
52. *L'Appel au soldat,* p. 301.
53. *Op. cit.,* p. 284.
54. *Op. cit.,* p. 301.
55. *Ibid.*
56. *Leurs Figures,* pp. 231-241.
57. *Op. cit.,* p. 236. Cf. aussi *Les Amitiés françaises,* p. 4. « Je demande simplement à l'instruction primaire qu'elle facilite pour chaque individu la pleine jouissance des forces accumulées par sa série héréditaire ».
58. *Ibid.*

n'ait jamais renié l'époque révolutionnaire dont la grandeur, la vitalité, la puissance de sentiment le fascinaient. « Nous admettons avec lui le danger de la méthode logique dans la politique », écrit-il [59], pour faire dans le *Roman de l'énergie nationale* et *Scènes et doctrines du nationalisme* le procès de toutes les abstractions appliquées à la réalité humaine. Burdeau-Bouteiller est un jacobin ; pour lui, l'homme réel avec ses affinités, ses attaches terriennes, sa place dans la société n'existe pas. Les dreyfusards sont des jacobins : ils parlent au nom de la vérité et de la justice. Le jacobin, selon Taine, raisonne non point sur des réalités, mais sur des abstractions : « L'homme en général, les droits de l'homme, le contrat social, la liberté, l'égalité, la raison, la nature, le peuple, les tyrans (...) » [60], toutes abstractions qui, lorsqu'elles se traduisent par des actes, deviennent de terribles menaces. Barrès reprend ces idées tout au long de sa campagne contre l'Université, contre l'enseignement laïque et contre les dreyfusards : tout le nationalisme barrésien plaide pour l'acceptation des réalités, pour le respect de l'histoire.

Un autre élément du réquisitoire barrésien contre la France de son temps est lui aussi puisé dans Taine. C'est dans Taine que Barrès a lu les conséquences désastreuses de la centralisation, et a appris que la France moderne produit des administrés et non des citoyens, que les « départements et les communes sont devenus des hôtels garnis » [61], que les Français manquent de liens de solidarité et d'esprit de corps [62]. *Les Origines de la France contemporaine* l'ont renforcé dans l'idée que le pays descend la pente.

Sur ce sentiment de décadence vient se greffer le sentiment de la mort. L'obsession de la mort est un thème fondamental de la pensée

59. BARRÈS, « La maison natale de M. Taine », in *Taine et Renan, Pages perdues,* p. 138.

60. Hippolyte TAINE, *Les Origines de la France contemporaine, La Conquête jacobine,* 31e édition, Paris, Hachette (s.d.), p. 23. Quelques lignes plus bas, il ajoute :

« Des hommes réels, nul souci : il ne les voit pas ; il n'a pas besoin de les voir ; les yeux clos, il impose son moule à la matière humaine qu'il pétrit ; jamais il ne songe à se figurer d'avance cette matière multiple, ondoyante et complexe, des paysans, des artisans, des bourgeois, des curés, des nobles contemporains, à leur charrue, dans leur garni, à leur bureau, dans leur presbytère, dans leur hôtel, avec leurs croyances invétérées, leurs inclinations persistantes, leurs volontés affectives. Rien de tout cela ne peut entrer ni se loger dans son esprit ; les avenues en sont bouchées par le principe abstrait qui s'y étale et prend pour lui seul toute la place ».

61. Hippolyte TAINE, *Les Origines de la France contemporaine, Le Régime moderne,* t. II, 22e édition, Paris, Hachette, 1899, p. 301. Cf. pp. 302-304. Cf. aussi Pierre-Henri PETITBON, *op. cit.,* pp. 98-99.

62. *Op. cit.,* pp. 245-255. Cf. la préface d'André Chevrillon au dernier volume des *Origines, Le régime moderne,* t. III, pp. II-IV, sur « l'émiettement des individus, isolés, diminués aux pieds de l'Etat trop puissant (...) ! ». Cf. BARRÈS, « Une page inédite de Taine sur l'association » in *Taine et Renan, Pages perdues,* pp. 117-127.

de Barrès ; sa vision du monde, foncièrement pessimiste, rejoint un phénomène européen général de la fin du siècle : la perte de la foi dans le pouvoir de l'homme de diriger la marche de l'Univers. Son culte de l'histoire est imprégné de ses méditations sur la mort, son pessimisme issu de cette forme de déterminisme qu'il professe alors est un élément essentiel du glissement du nationalisme vers le conservatisme. Celui qui se voulait un « professeur d'énergie », qui travaillait à « recréer (...) l'énergie nationale »[63], ne cesse de s'interroger : « La vie vaut-elle la peine d'être vécue ? Oui », écrit-il. « La mort demeure toujours la mesure de mon sentiment... »[64]. Pour lui, « la vie est brève et triste »[65] ; il s'en va « dans des endroits où l'on meurt pour apprendre à se résigner[66] ou pour éprouver « une intensité véritable »[67] ; il s'en prend violemment à tous ceux qui, tel Jaurès, professent une vision du monde optimiste, qui s'appuient « sur une certaine conception joyeuse de la vie, un épanouissement à la lumière... »[68].

Ce profond pessimisme est tout à fait caractéristique de l'idéologie conservatrice. Il implique, bien sûr, le repli sur soi-même, la défense de ce qui existe déjà de peur que la marche en avant ne mine encore davantage l'organisme national. Face aux dreyfusards confiants dans les facultés de la raison, héritiers du traditionnel optimisme de l'esprit révolutionnaire, et qui « poursuivent la transformation de la France selon leur esprit propre », Barrès édifie un barrage qu'il veut infranchissable : « Moi je veux conserver la France », leur lance-t-il. « Cette opposition », ajoute-t-il, « c'est tout le nationalisme »[69]. Son symbole est ce platane de l'esplanade des Invalide que Taine, le maître des meilleurs entre les sept jeunes lorrains des *Déracinés*, visite dans sa promenade quotidienne. Il figure le symbole d'une formation idéale, car comme l'arbre, un homme, une nation sont essentiellement une continuité. Mais c'est aussi un héritage qu'il faut préserver et faire fructifier : le Barrès de l'Affaire pense déjà en termes de capital et d'intérêts. Il ne reste plus grand-chose de cette révolte antibourgeoise dont il se faisait le porte-parole dans ses premières années. Le militant boulangiste, le socialiste de *La Cocarde*,

63. *L'Appel au soldat*, p. 393.
64. *Mes Cahiers*, t. III, p. 108. Cf. aussi p. 80.
65. *Op. cit.*, p. 89.
66. Barrès, *Souvenir de Pau de Béarn* in *Amori et dolori sacrum*, p. 242.
67. Barrès, *Les bijoux perdus* in *Du Sang, de la volupté et de la mort*, p. 155 : « Il n'est point d'intensité véritable, écrit-il, où ne se mêle l'idée de la mort ». Cf. aussi p. 33.
68. *Mes Cahiers*, t. VIII, p. 72. Cf. *Mes Cahiers*, t. II, p. 86 où il prend à parti « le grossier optimisme de Jaurès ». Cf. aussi le second chapitre (pp. 36-53), d'*Amori et dolori sacrum* intitulé « Une soirée dans le silence et le vent de la mort » ; et *Le 2 novembre en Lorraine*, p. 263 : « Le jour des morts est la cime de l'année. C'est de ce point que nous embrassons le plus vaste espace ».
69. *Scènes et doctrines du nationalisme*, t. I, p. 36.

le révolté de *L'Ennemi des lois* ont fait place à un solide bourgeois, gardien vigilant de son héritage, ce domaine précieux et toujours menacé, plus soucieux de conservation que d'essor. Depuis *Les Déracinés* tous les personnages qu'il met en scène pour illustrer sa pensée sont une vivante incarnation de cet idéal et Thibaudet n'a pas tort d'attirer notre attention sur les bas de laine des vieilles familles françaises que l'on aperçoit au pied de l'arbre barrésien [70]. Très souvent en effet, la pensée du Barrès d'après l'Affaire apparaît comme une philosophie de l'héritier : *Les Déracinés* et *Les Amitiés françaises* sont une pédagogie d'héritier. Le nationalisme de Barrès devient ainsi une valeur bourgeoise.

Le glissement de Barrès vers un conservatisme bourgeois apparaît dans le domaine social comme dans le domaine politique. Sur le plan social l'histoire des sept jeunes lorrains et de leur maître exprime et illustre ce conservatisme. Tous ont reçu la même formation, tous sont les produits d'une même situation de déracinement mais tous n'en sont pas victimes dans la même mesure. L'aventure parisienne ne sera fatale qu'à ceux qui proviennent des couches sociales les plus défavorisées. Les quatre fils de famille réussissent au moins à moitié — pour Suret-Lefort, fils d'homme d'affaires véreux, il ne s'agit que d'une réussite matérielle — les trois qui n'ont pas d'argent finissent misérablement. Racadot, petit-fils de serfs, Mouchefrin, fils d'un photographe, Renaudin, fils d'un modeste fonctionnaire descendent la pente. Mouchefrin et Racadot étaient boursiers, comme leur maître Bouteiller, mais leurs facultés intellectuelles, en leur donnant des prétentions sans aucun rapport avec leur rang social, sont à l'origine de leur déchéance. Sturel et Roemerspacher par contre, fils de grandes familles bourgeoises, parviennent à se libérer du poison kantien. Cela leur est cependant plus difficile qu'à Gallant de Saint-Phlin, le moins doué sur le plan intellectuel, celui qui, au lycée de Nancy, se retrouvait le plus souvent en queue du classement, mais qui, jeune hobereau, constitue une valeur sûre. Le Simon du *Jardin de Bérénice* qui décide de se faire hobereau, et le Philippe des *Amitiés françaises,* petit-fils d'une longue suite de propriétaires terriens, sont pour Barrès de véritables modèles de santé sociale. Mais Barrès n'éprouve guère de sympathie pour la grande noblesse dont il fait le procès tout au long du *Roman de l'énergie nationale.* Et dans ses œuvres ultérieures aucun de ses porte-parole n'en fait partie. Henri Gallant de Saint-Phlin, fait significatif, est un petit propriétaire terrien, et encore, de très fraîche date. C'est son grand-père qui prit le nom de la terre.

On trouve donc chez Barrès, à côté du déterminisme physiolo-

70. Albert Thibaudet, *La Vie de Maurice Barrès,* p. 59. Thibaudet pense que *Le Roman de l'énergie nationale* pourrait s'appeler tout aussi bien *Le Problème de l'héritage national* (p. 57).

gique, l'idée d'une sorte de prédestination sociale. Mieux nés, les « humbles camarades » de Saint-Phlin eussent résisté au déracinement [71] ; de même le sort d'un Burdeau-Bouteiller eût été différent s'il n'avait été aide-maçon à l'âge de neuf ans.

Bouteiller est la figure barrésienne de roman la mieux connue, la plus approfondie. Il a pour modèle, on le sait, Auguste Burdeau, l'ancien professeur de Barrès au lycée de Nancy, ministre des Finances et président de la Chambre. Bouteiller-Burdeau est pour l'auteur des *Déracinés* le symbole même de tous les maux qu'il ne cessa de dénoncer. Mais, à la haine du kantien et du parlementaire, du missionnaire de l'Etat qui vient imposer à des intelligences françaises et lorraines une doctrine abstraite et étrangère, Barrès ajoute le dédain pour l'enfant du peuple. C'est avec une cruelle ironie qu'il retrace le *cursus honorum* de ce fils d'ouvrier, boursier et brillant normalien : il est l'incarnation même du pur produit universitaire, coupé de toutes racines familiales et terriennes, flottant dans un monde abstrait et artificiel [72]. Bouteiller doit tout au régime ; ce boursier républicain est le patron de tous les ambitieux pauvres, il est le symbole de l'homme qui, s'élevant d'une manière artificielle à un rang social de plusieurs niveaux au-dessus du sien, tombe dans la déchéance morale après avoir pendant toute son existence mené l'action la plus néfaste. Barrès qui reproche à Burdeau d'avoir « l'orgueil bien moderne, de son humble naissance » et de mépriser « les fils de famille » [73], semble poursuivre son ancien professeur d'une haine qui est bien celle du fils de famille. Derrière Burdeau, c'est le régime dans son ensemble qui est visé, un régime qui permet l'éclosion d'un Burdeau et de ce « prolétariat de bacheliers », de ces diplômés qui par la bouche d'un Mouchefrin « s'en prennent à la société » [74]. Car : « Je tiens comme un grave danger pour l'individu et pour la société », écrit Barrès, « la contradiction qu'il y a trop souvent entre un développement cérébral qui nécessite des loisirs, des dépenses, car la grande culture est fort coûteuse, et une condition qui oblige à des besognes... » [75].

71. *Leurs Figures*, p. 235.

72. *Les Déracinés*, p. 19. Cf. aussi sur le jeune Burdeau, p. 269 : « Enlevé si jeune à son milieu naturel et passant ses vacances mêmes au lycée, orphelin et réduit pour toute satisfaction sentimentale à l'estime de ses maîtres, il est un produit pédagogique, un fils de la raison, étranger à nos habitudes traditionnelles, locales ou de famille, tout abstrait, et vraiment suspendu dans le vide. Ses mœurs, ses attaches, il les a discutées, préférées et décidées ».

73. *L'Appel au soldat*, p. 172.

74. *Les Déracinés*, pp. 132-133. Cf. p. 234 : sur le tombeau de Napoléon, Mouchefrin s'exprime en ces termes : « Pour tout l'ordre social moderne, ressentons-nous rien d'autre que du mépris et de la haine ? Nous sommes désignés pour le détruire ».

75. *Op. cit.*, p. 191. Il est significatif que Barrès mette cette phrase dans la bouche de Taine. Cf. aussi *L'Appel au soldat*, p. 29 : « Que dans leur vie intérieure Roemerspacher et Sturel élèvent parfois une action de grâces vers la suite des ancêtres laborieux qui leur constituèrent cette petite aisance indispensable pour la grande culture ! ».

Voilà pourquoi, au lendemain de la mort de Burdeau, Barrès soutient dans *La Cocarde* qu'il aurait certainement été préférable que le président de la Chambre fût resté ce qu'il était à l'origine : un ouvrier-maçon [76]. Ce n'est pas seulement le procès d'un homme que fait Barrès dans un journal qui se veut socialiste, mais celui d'un système qui considère précisément comme l'un de ses plus hauts titres de gloire la démocratisation de l'enseignement et les possibilités d'ascension sociale qui en résultent implicitement ; il considère précisément l'ascension d'un Burdeau et les voies qu'elle a suivies comme contraires à la nature des choses. C'est ainsi qu'on voit pointer, parallèlement aux professions de foi « gauchisantes » du Barrès de *La Cocarde*, les premiers éléments de ce conservatisme social qui s'épanouit avec l'Affaire. La révolte barrésienne contre l'ordre bourgeois, qui fut somme toute une révolte de jeune bourgeois contre une société qui l'a comblé, débouche finalement sur la défense de ce même ordre établi.

Dans *Les Déracinés*, Barrès développe déjà un paternalisme social très marqué, et aux antipodes des idées professées dans les colonnes du *Courrier de l'Est*. « Les classes élevées », écrit-il, « ont un rôle social. Elles doivent remplir une fonction de patronat, se consacrer au bien général, plus spécialement aux intérêts populaires » [77]. Et quand il affirme qu'il ne doit pas y avoir de classes dans la société, il ajoute qu' « il doit y avoir des rangs » [78], car « un peuple, une région qui manquent d'aristocratie n'ont plus de modèle, de direction vers laquelle se perfectionner » [79].

Là encore on croit entendre l'écho de l'admiration que professait Taine envers l'aristocratie anglaise, envers ce « gouvernement spontané et naturel » des « cent ou cent vingt mille familles qui dépensent par an mille livres sterling et davantage » [80]. Le Saint-Phlin du *Roman de l'énergie nationale* semble émerger tout droit de l'*Histoire de la littérature anglaise*. En effet, il est le type parfait de ce gentilhomme

76. Barrès, « Nous l'eussions préféré Canut », *La Cocarde*, 16 décembre 1894. La haine de Barrès contre Burdeau ne date pas de la classe de philosophie du lycée de Nancy, mais bien des années 1890. En 1892 Barrès considère encore Burdeau comme un exemple, avec Henri Brisson et Félix Faure, de « bon républicain et d'homme considérable » (« Le tarif des douanes et mes votes », *Le Courrier de l'Est*, 27 février 1892). La figure de Burdeau telle qu'elle est décrite dans *Le Roman de l'énergie nationale* appartient à la reconstruction du passé à la lumière de l'Affaire et dans le cadre de l'élaboration d'une doctrine nationaliste. Mais Barrès a été profondément marqué par son professeur : il le mentionne encore dans le dernier volume des *Cahiers* (*Mes Cahiers*, t. XIV, p. 279).

77. *Les Déracinés*, p. 126.

78. *Mes Cahiers*, t. I, p. 262.

79. *Mes Cahiers*, t. X, p. 74. Cf. *La mort de Venise* in *Amori et dolori sacrum*, p. 59 : « Nulle société ne peut se passer de modèle ; elle se donne toujours une aristocratie ».

80. Hippolyte Taine, *Histoire de la littérature anglaise*, t. III, p. 650.

campagnard qui suscitait l'envie de Taine[81], ce chef naturel qui entend assumer les responsabilités de sa classe, qui n'est pas un produit de la démocratie et qui sait lui faire barrage. Parce qu'elle prend part à la vie publique et parce qu'elle sait faire profiter les autres couches sociales de sa richesse, parce qu'elle vit auprès d'elles, l'aristocratie anglaise assure la stabilité du corps social et neutralise les velléités démocratiques.

Les hommes ont toujours besoin « d'un chef de file », dit Taine, « c'est un grand bonheur qu'il y en ait un, et qu'on le reconnaisse ». Les Anglais « sans élection populaire ni désignation d'en haut le trouvent tout fait et tout reconnu... »[82]. A la fin du *Roman de l'énergie nationale*, après tous les échecs de l'agitation nationaliste, Sturel parvient à la conclusion que la seule façon de servir son pays c'est de retourner dans sa province, s'enraciner parmi les siens, y assurer la permanence de l'esprit lorrain et, comme Saint-Phlin, être un chef sorti du terroir.

Le postulat selon lequel l'existence d'une élite est une nécessité n'est pas en soi antidémocratique ; mais chez Barrès, ce même postulat ne laisse place à aucune ambiguïté : « Il y a des gens qui veulent qu'un cordonnier apprenne à jouir de la Joconde, il ne voudra dès lors plus faire de souliers »[83]. On mesure ce qui sépare le théoricien du nationalisme du directeur de *La Cocarde* qui concevait l'accession de toutes les couches sociales à la culture comme l'objectif essentiel du progrès. Le conservateur qu'il est devenu milite désormais pour une société cloisonnée et fermée aussi bien à la mobilité intérieure qu'aux influences extérieures. La stabilité et l'ordre sont à ce prix. La notion de l'ordre devient pour le Barrès nationaliste la formule magique, l'objectif de toute action politique, car elle répond aux aspirations les plus profondes des hommes : « J'ai mieux compris l'histoire », écrit-il, « et ce que veulent les peuples : l'ordre, rien de

81. *Op. cit.*, pp. 650-656.

82. *Op. cit.*, p. 651 : Ce chef, c'est un « ancien habitant du pays, puissant par ses amis, ses protégés, ses fermiers, intéressé plus que personne par ses grands biens aux affaires de la commune, expert en des intérêts que sa famille manie depuis trois générations, plus capable par son éducation de donner le bon conseil, et par ses influences de mener à bien l'entreprise commune ». Cf. aussi p. 654 : « C'est parce que ce réseau aristocratique est fort que l'action de l'homme peut être libre ; car le gouvernement local et naturel étant enraciné partout, comme un lierre, par cent petites attaches toujours renaissantes, les mouvements brusques, si violents qu'ils soient, ne sont pas capables de l'arracher tout entier ; les gens ont beau parler, crier, faire des meetings, des processions, des ligues ; ils ne démoliront pas l'Etat ; ils n'ont point affaire à un compartiment de fonctionnaires plaqué extérieurement sur le pays, et qui, comme tout placage, peut être remplacé par un autre ; toujours les trente ou quarante gentlemen d'un district, riches, influents, accrédités, utiles comme ils sont, se trouveront les conducteurs du district ».

83. *Mes Cahiers*, t. X, p. 75.

plus »[84]. « Excitateur de l'ordre »[85], Barrès a le culte de la discipline : il la trouve « dans les cimetières »[86], sur la colline de Sion, dans l'armée, mais surtout dans l'Eglise.

Le catholicisme devient, pour l'anticlérical du *Courrier de l'Est* et de *La Cocarde*, un autre élément de base du nationalisme.

FACTEURS DE CONSERVATION ET FORCES DE DESTRUCTION

Alors qu'il forge sa doctrine nationaliste, Barrès voit tout d'abord dans la religion une forme éminente des principes d'autorité et de tradition, indispensables à l'équilibre social. « J'aime », écrit-il en 1896, « la beauté, la grâce, la sainteté, le génie, l'héroïsme, et comme je sais bien qu'ils ne naissent pas tout seuls, j'aime les ordres religieux, l'armée, les églises, ce qui est générateur, ce qui encadre »[1]. Et à la veille de la guerre, il affirme encore « que la fonction de ceux qui tiennent à l'équilibre intérieur et à l'ordre dans le pays » est d'œuvrer pour le catholicisme[2].

Barrès ne découvre véritablement le catholicisme qu'avec le nationalisme. Dans les années de la campagne boulangiste[3], puis plus tard dans *La Cocarde*, il avait fait preuve d'un anticléricalisme militant. Ces deux journaux eurent souvent maille à partir avec les autorités religieuses. Celles de Nancy d'abord, l'archevêché de Paris ensuite, se virent accusés de pratiquer un « christianisme hypocrite » et de susciter la riposte : « Les prêtres », écrivait en 1895 le directeur de *La Cocarde*, « décidément nécessitent l'anticléricalisme »[4]. Dans le même ordre d'idées son journal attaque « l'influence cléricale » dans l'armée et la marine[5] ; son collaborateur, Louis Ménard, s'en prend violemment au christianisme pour dénoncer en lui la plus formidable machine d'oppression de la pensée jamais connue, traître à l'idéal du « sans-culotte Jésus »[6]. *La Cocarde* prend en outre la défense de Zola à propos de la publication de *Lourdes*[7] pour lancer finalement,

84. *Mes Cahiers*, t. I, p. 100.
85. *Mes Cahiers*, t. V, p. 3.
86. *Mes Cahiers*, t. III, p. 73.

1. *Mes Cahiers*, t. I, p. 5.
2. *Mes Cahiers*, t. X, p. 110.
3. Cf. chap. IV.
4. BARRÈS, « Le mauvais concierge de son Dieu », *La Cocarde*, 5 mars 1895.
5. « Révolution de palais au ministère de la Marine », *La Cocarde*, 23 septembre 1894 (non signé).
6. Louis MÉNARD, « A Henri Rochefort », *La Cocarde*, 27 septembre 1894.
7. « Le procès de M. Zola », *La Cocarde*, 23 octobre 1894 (non signé).

sur toute la largeur de sa première page, une assez basse campagne contre l'indécence de la vie privée du clergé [8].

Il en va tout autrement au temps de la campagne antidreyfusarde et dans les années qui suivent. Le catholicisme, désormais présenté comme « une religion d'une puissance de vie sociale incomparable et qui depuis des siècles anime ce pays » [9], « est avant tout un faiseur d'ordre » [10]. D'où « la religion est utile à la société (...) elle est utile à la vie de l'individu » [11]. Mais le catholicisme n'est pas seulement un facteur de stabilité sociale. Ce mérite incomparable provient en réalité de quelque chose d'encore plus fondamental : le catholicisme est un élément essentiel du génie de la France.

Par conséquent, et afin de « protéger l'autonomie et la continuité française » [12], le nationalisme sera catholique. Et pourtant, si le nationalisme, dit Barrès, « affirme que la France est de formation catholique... (il) n'entend nullement se confondre avec le catholicisme. Il y a, pour le bien de la nation, alliance des positivistes et des catholiques » [13]. La sincérité du refus de cette confusion ne saurait être mise en doute puisque Barrès élimine du catholicisme tel qu'il l'entend, l'élément de la foi. Comme Fustel de Coulanges, comme Jules Soury, Barrès professe une sorte d'athéisme catholique. « Moi-même je suis agnostique », écrit-il [14]. Sur le Christ il exprime deux opinions : l'une, qu'il est « bien établi que Jésus n'a pas existé » [15], et l'autre, formulée quelques années plus tard, qu' « originairement le Christ était un pauvre petit qui ne savait pas ce qu'il fondait » [16]. Mais il est catholique, car : « Toutes les hypothèses sur l'origine des choses sont également absurdes. Ignoramus et ignorabimus. Cependant sur un point de notre planète, en France, le catholicisme a présidé à notre formation. Je respire seulement dans cette atmosphère catholique. Je le subventionnerai et veux le maintenir » [17]. Quand il

8. « Les scandales de l'épiscopat », *La Cocarde*, 5 septembre 1894 (non signé).
9. *Les Déracinés*, p. 307.
10. *L'Appel au soldat*, p. 360.
11. *Mes Cahiers*, t. IX, p. 23.
12. *Scènes et doctrines du nationalisme*, t. I, p. 65.
13. *Ibid.*
14. *Mes Cahiers*, t. II, p. 265. Cf. aussi *Mes Cahiers*, t. V, p. 54 : « Suis-je croyant ? Suis-je athée ? Voilà de bien grands problèmes que j'ai mal médités, que je n'ai pas jugés, tranchés, mais j'ai un mouvement de vénération et si j'avais une crise religieuse, ce qu'on appelle un mouvement de la Grâce, je voudrais qu'il fût catholique ».
15. *Mes Cahiers*, t. III, p. 16.
16. *Mes Cahiers*, t. VII, p. 19.
17. *Mes Cahiers*, t. IV, p. 143. Cf. l'intervention de Barrès à la Chambre lors de la discussion du budget de 1910 (Instruction publique), *Journal officiel*, séance du 21 janvier, p. 271 :

« Je suis de ceux qui se détournent de la recherche des causes. Je suis de ceux qui substituent à cette recherche la recherche plus immédiate des lois. Ma connaissance de l'histoire, si insuffisante qu'elle soit, et mon expérience de la vie me prouvent que les lois de la santé, pour la société comme pour l'individu, sont

bute sur la question de la foi, Barrès refuse de s'y arrêter : répondant à un prêtre défroqué, il lui avoue « que la crise qu'il prenait avec tant d'émoi n'avait à (ses) yeux propres aucun sens » [18]. Il suffisait à Barrès que le catholicisme soit « cet immense réservoir où tous les flots heureux de l'âme viennent se reposer depuis des siècles (...) Il est une construction, un poème qui nous éveille et nous satisfait » [19].

De la religion Barrès a surtout retenu le culte, et plus spécialement le culte des morts, cet élément de continuité, de solidarité et de santé sociale : « Nous repoussons les religions révélées, à cause de ce qu'elles contiennent et à quoi nous ne pouvons croire. Mais Comte a fort bien saisi le culte des morts, des héros qui nous permettraient de nous passer de ces religions, tout en nous donnant le lien social religieux » [20].

Il est beaucoup plus sensible à la beauté du culte qu'à la profondeur d'une foi qu'il n'a pas, aux émotions ressenties au cours d'une grand-messe qu'à Dieu, à la religion nationale qu'à la religion tout court. Car Barrès a soustrait la religion au catholicisme pour la nationaliser : c'est en vain que l'on rechercherait chez lui des traces de l'universalisme chrétien.

Le catholicisme est un moyen non un but, il est affaire de tradition et non de foi, de saints et non de Dieu. Homme politique, Barrès défend la religion parce qu'il trouve « qu'elle est une force, un trésor à protéger » [21]. Il l'aime parce que c'est « une religion qui accepte, qui ne va pas jusqu'au bout de la justice » [22], qui est par conséquent un facteur d'éducation nationaliste de première importance. On conçoit combien cette vision de la religion est peu conforme à l'idée que s'en fait un croyant, combien elle se préoccupe

d'accord avec le décalogue que nous apporte l'Eglise. Voilà une des raisons pour lesquelles je suis un défenseur du catholicisme. J'en donnerai une seconde. Je vois dans le catholicisme l'atmosphère où se développent le mieux les plus magnanimes sentiments de notre nation. Et par exemple, il y a quelques semaines, je visitais Rouen et j'y sentais, avec une extrême vivacité, que ce n'est pas à Burgos, ni sur les routes de l'Andalousie que le Cid est né, mais bien à l'ombre des églises catholiques de Normandie. Voici, messieurs, les deux motifs principaux de mon attitude ».

18. *Mes Cahiers*, t. VI, pp. 56-57.

19. *Op. cit.*, p. 59.

20. *Mes Cahiers*, t. I, p. 129. Cf. *Mes Cahiers*, t. VI, p. 25 : « Culte des Morts. — Est-ce un culte individuel, un culte que l'individu institue pour lui-même et utile pour lui seul... ? J'en mourrais d'angoisse (...) Non... C'est l'Eglise qui m'enseigne comment je dois les honorer. J'aime que les cérémonies au cours desquelles j'entre en conversation avec les morts soient des rites d'un caractère public. Pourquoi ? Parce qu'il m'est doux que d'autres aient les mêmes chagrins, la même issue et que par là j'aie une communion avec les vivants ». Cf. aussi p. 110 : « ... cette chaîne de prières qui relie le vivant aux morts et à ceux qui naîtront. Je ne crois pas qu'on puisse imaginer un lien social plus puissant et plus idéal ».

21. *Mes Cahiers*, t. VI, p. 66.

22. *Mes Cahiers*, t. V, p. 114.

peu du spirituel. Une religion nationalisée, un nationalisme divinisé, telles sont les deux conditions de la réfection française. En effet, il ne peut y avoir pour Barrès de nationalisme qui ne soit imprégné de catholicisme : « Le catholicisme fait une partie mêlée, confondue avec la France » [23] ; c'est « l'expression de notre sang » [24] ; c'est pourquoi : « J'accepte délibérément d'être Lorrain et Français ; j'accepte toutes les disciplines françaises et parmi elles, bien que le dogme me dépasse, la forme traditionnelle que le catholicisme a imposée à l'intelligence, à l'imagination, à la sensibilité française » [25].

Au début de 1910, Barrès semble pourtant évoluer : il se penche de plus en plus sur le fait religieux, sur « le sentiment du divin » [26] : « La religion n'est pas pour moi un simple moyen d'ordre public » [27], répond-il à ceux qui l'accusent de n'être qu' « un utilitaire social » [28]. C'est à cette date que Barrès s'interroge pour la première fois sur l'idée de la divinité [29], et qu'il éprouve le besoin de dépasser le nationalisme : « Je sens depuis des mois », note-t-il, « que je glisse du nationalisme au catholicisme. C'est que le nationalisme manque d'infini ». Mais là encore est-ce de la foi qu'il s'agit ?

> « S'il (le nationalisme) m'employait », poursuit-il, « à faire la guerre (ne fût-ce que la guerre civile de Rennes), il pourrait me captiver tout entier, mais, si je m'occupe, comme il le faut bien, à dresser son rituel, à rédiger ses prières, sa liturgie, je m'aperçois que mon souci de ma destinée dépasse le mot France, que je voudrais me donner à quelque chose de plus large et plus prolongé, d'universel. Maurras n'en a-t-il pas, lui aussi, quelque sentiment ? Il lui faut comme à moi que les dieux de la France deviennent les dieux de la civilisation » [30].

C'est de dieux qu'il est de nouveau question et non de Dieu ; en outre les préoccupations métaphysiques de Barrès semblent provenir en premier lieu du fait que le nationalisme, après la période héroïque, n'avait plus guère d'exaltations à offrir.

Quelques semaines avant cette profession de foi à laquelle on attache souvent une importance excessive [31], Barrès avait livré en une

23. *Mes Cahiers*, t. V, p. 54.
24. *Op. cit.*, p. 55.
25. *Mes Cahiers*, t. VI, p. 266. Cf. p. 230 et pp. 57-58. P. 230 : « Pour moi j'ai besoin, sinon je me dessécherais, de me plonger dans la masse des idées et des sentiments chrétiens qui me firent à travers les siècles ce que je suis aujourd'hui ». Pp. 57-58 : « La religion qui a garanti la paix à la dépouille, à la mémoire de mes pères, je ne veux pas qu'on l'abolisse ».
26. *Mes Cahiers*, t. VIII, p. 185.
27. *Op. cit.*, p. 67.
28. *Op. cit.*, p. 297 et p. 299.
29. *Op. cit.*, p. 67.
30. *Op. cit.*, p. 80.
31. Cf. l'exemple le plus récent : Jean GODFRIN, *Barrès mystique*, Neufchâtel, La Baconnière, 1962.

courte phrase ce qui semble être le fond de sa pensée : « Pourquoi je suis un défenseur de l'Eglise. Je me place au point de vue national. Je suis mené au catholicisme par un sentiment national plus que religieux »[32]. « Le malheur de la France », ajoute-t-il, « c'est de n'avoir pas eu un catholicisme national. Religieux, oui, mais pas clérical »[33]. Avec Fustel de Coulanges[34], avec Mistral[35] et avec Soury qui se dit « athée et clérical »[36], Barrès est catholique parce qu'il est Français, il défend l'Eglise parce qu'une France non catholique ne serait plus la France. Toutes ses grandes campagnes d'opinion des années 1900 sont dominées par ce thème, l'essentiel de son activité parlementaire et journalistique est subordonné à cet impératif. De 1906 à 1910, des débats d'une tenue rare opposent Barrès à Viviani, à Francis de Pressensé et surtout à Jaurès. Le leader socialiste intervient sur tous les grands sujets que Barrès prend à cœur ; le *Journal officiel* de ces quatre années renferme des pages d'une grande beauté.

32. *Mes Cahiers,* t. VIII, p. 57. Cf. BARRÈS-MAURRAS, *La République ou le Roi,* p. 499 où Barrès parle des « adversaires du catholicisme, c'est-à-dire de notre qualité française... ».

33. *Mes Cahiers,* t. II, p. 92.

34. Cf. le testament de Fustel de Coulanges in Edouard CHAMPION, *Les Idées politiques et religieuses de Fustel de Coulanges* (*d'après des documents inédits*), Paris, H. Champion, 1903, p. 26 : « Je désire un service conforme à l'usage des Français, c'est-à-dire un service à l'Eglise. Je ne suis à la vérité, ni pratiquant, ni croyant, mais je dois me souvenir que je suis né dans la religion catholique et que ceux qui m'ont précédé dans la vie étaient aussi catholiques. Le patriotisme exige que si l'on ne pense pas comme les ancêtres, on respecte au moins ce qu'ils ont pensé ».

35. *Mes Cahiers,* t. XIII, pp. 114-115 : « Mistral n'était pas croyant mais sa pensée, c'est qu'un Provençal est catholique. Si les Provençaux avaient dû savoir qu'il refusait de faire ses Pâques, il les eût faites ». Cf. aussi *Mes Cahiers,* t. IV, p. 119, sur Taine : « Taine pensait qu'il faut une religion pour toute société, et le catholicisme pour la société française, mais il ne croyait pas ».

36. *Mes Cahiers,* t. II, p. 195 : « Je suis athée et clérical », lui dit Soury. « Je n'ai pas la consolation de croire ce que croient les catholiques, mais je pense que le clergé et l'armée dans notre Etat sont les deux traditions auxquelles il faut remettre la France. En ce sens je suis clérical ». Cf. aussi Jules SOURY, *Campagne nationaliste,* pp. 10-11 :

« Toute notre religion tient dans cette doctrine : Agissez comme ont agi vos pères et vos mères (...) Ecoutez en vous la voix dolente des ancêtres ; honorez et défendez la terre où votre mère dort son sommeil éternel. Fussiez-vous athée, soyez catholique et Français. Il ne s'agit pas de croire, mais de vivre comme ceux qui croient, dans l'exaltation perpétuelle du modèle idéal suivant lequel se sont formées les âmes des seuls êtres qui vous ont aimé, les âmes de votre père et de votre mère. C'est par amour pour eux que nous méditons sur les mêmes principes de vie, que nous nous inclinons devant les mêmes symboles, vains comme tous les symboles, mais dont ont vécu ces générations de générations chrétiennes, apparues, comme les feuilles des arbres, pour se flétrir et mourir. Né dans l'Eglise catholique, où je mourrai, j'ai défendu, je continuerai de défendre, sans avoir la foi, cette Eglise, dont les traditions morales représentent ce qu'il y a de plus noble et de plus élevé dans la nature humaine. Cette Eglise, avec ses prêtres et ses religieux, n'est même aujourd'hui si odieuse à ses persécuteurs, que parce que son idéal de charité, de sacrifice et de renoncement est insupportable à des hommes qu'une société purement laïque de francs-maçons et de socialistes a rendus plus charnels que des Juifs ».

Barrès se consacre, au cours de cette période, à la lutte contre l'école laïque et les excès de l'esprit critique, contre les professeurs athées [37], contre l'anticléricalisme [38], et lance finalement sa grande campagne pour la sauvegarde des églises de France, ces « sources de vie spirituelle » dont la disparition serait « une faillite morale » [39].

L'objectif final du nationalisme barrésien — et en ce sens le boulangisme fut le précurseur du nationalisme —, est la restauration, la sauvegarde et le maintien de la cohésion nationale. Le nationalisme s'emploie par conséquent à dégager un consensus, ce qui implique le rejet des déviants. Ceux-ci, selon Barrès, sont nettement caractérisés soit par leur origine, soit par leur déviation objective de la tradition essentielle, soit par leur comportement « hors-groupe », considéré comme une trahison [40]. Au premier groupe des déviants appartiennent les Juifs et les naturalisés, au second groupe les protestants ; le troisième est composé essentiellement d'intellectuels et de tous ceux contre lesquels on ne peut retenir que leur appartenance au camp antinationaliste.

Barrès fait longuement état de sa répugnance à l'égard du protestantisme, c'est-à-dire à l'égard d'une « éducation séculaire différente de la mienne » [41]. Son refus du judaïsme procède d'une démarche

37. Cf. BARRÈS, Discours sur l'enseignement primaire prononcé à propos de la discussion du budget de 1910 : Instruction publique, *Journal officiel, débats parlementaires, Chambre des députés,* 2e séance du 18 janvier 1910, pp. 155-158. Cf. aussi *Journal officiel, débats parlementaires, Chambre des députés,* séance du 21 juin 1909, p. 1 542. Barrès interpelle le ministre de l'Instruction publique sur le suicide d'un élève du lycée de Clermont-Ferrand. Pour lui, la responsabilité de cette tragédie incombe à l'école laïque incapable de former moralement la jeunesse. Cf. aussi ce même thème dans *Mes Cahiers,* t. VII, pp. 263-264 et pp. 207-208, le brouillon de la lettre adressée à ce sujet au ministre de l'Instruction publique. Cf. aussi le texte d'une conférence faite par Barrès sur ce sujet le 16 mars 1907, salle Wagram : « Les mauvais instituteurs », *La Revue hebdomadaire,* 16e année, n° 13, 30 mars 1907, pp. 513-531, et un article du *Gaulois,* « Maître Aliboron », 17 mars 1907.

38. BARRÈS, *Journal officiel, débats parlementaires, Chambre des députés,* séance du 20 décembre 1906 — Intervention dans la discussion du projet de loi relatif à l'exercice public du culte, p. 3 400.

39. *Mes Cahiers,* t. VIII, p. 33 et p. 34. Cf. *Mes Cahiers,* t. IX, p. 118 : « L'église sauvegarde l'harmonie du village », et *Mes Cahiers,* t. V, p. 45 : elle est « le temple de l'âme au village ». Cf. *Journal officiel, débats parlementaires, Chambre des députés,* 2e séance du 16 janvier 1911, pp. 85-89 : c'est le premier discours en faveur des églises. Au cours de la discussion du budget de 1912 et 1913, Barrès prononce deux autres grands discours sur les églises : *Journal officiel,* séances du 25 novembre 1912 (pp. 2 761-2 765) et du 13 mars 1913 (pp. 1 004-1 007). Ces discours furent réimprimés dans *La Grande pitié des églises de France,* publié en 1914.

40. Sur la permanence et l'actualité de ces critères, voir par exemple l'étude de Guy MICHELAT et de Jean-Pierre H. THOMAS, *Dimensions du nationalisme, Enquête par questionnaire,* préface de Raoul Girardet, Paris, Armand Colin, 1966. L'enquête fut menée entre le 24 janvier et le 15 février 1962, c'est-à-dire quelques semaines à peine avant la signature des accords d'Evian.

41. *Scènes et doctrines du nationalisme,* t. I, p. 67.

intellectuelle identique, il s'y ajoute toutefois l'élément racial[42]. S'il prend la peine d'établir une différence entre Juifs et protestants, il les confond cependant dans un même opprobre. Il est à cet égard très proche de Drumont et de Soury[43]. Barrès considère « l'année 1525 où le duc Antoine taille en pièces à Saverne les Rustauds » comme une des grandes « dates nationales lorraines »[44] : « Je tiens l'écrasement des bandes protestantes par le duc Antoine », dit-il, « pour un des événements les plus heureux de ma vie antérieure. J'entends bien maintenir selon mes forces le bénéfice de cette victoire qui permit à l'arbre dont je suis une des feuilles de persévérer dans l'être »[45]. Comme Drumont, qui cultive le souvenir de la Saint-Barthélemy[46], Barrès exalte l'esprit des guerres de religion et honore les Guise qui permirent à la Lorraine et à la France d'échapper au protestantisme[47], ce « flot venu de l'océan germanique dont le sel eût transformé nos terres »[48]. Le péché capital des protestants est d'avoir trouvé, après leur expulsion de France, « une patrie en Angleterre, à Genève, çà et là en Allemagne ». Par conséquent, poursuit Barrès, « ils ne procèdent pas de nos aïeux qui les avaient chassés. Il suit de là qu'ils n'acceptent pas toute la continuité française et qu'ils choisissent telles ou telles périodes. La patrie pour eux, c'est certaines idées. Qu'ils les trouvent ailleurs, ces idées, et les voilà disposés à l'internationalisme »[49]. Le protestantisme est donc étranger à la nation et il est l'ennemi de sa vieille tradition catholique : il est l'allié des juifs et des intellectuels apatrides[50], et constitue, dans les provinces perdues, le terrain naturel du germanisme[51].

L'aversion de Barrès pour les protestants ne date pas de l'Affaire. Dans *La Cocarde* déjà il voyait en eux « les complices des grands

42. *Ibid.*
43. Edouard Drumont, *La France juive*, t. I, p. 190 : « Tout protestant est à moitié juif » ; cf. aussi t. II, pp. 351-377. Pour Drumont les protestants sont les alliés naturels des Juifs et des Anglais. Jules Soury, *Campagne nationaliste*, p. 222, écrit quant à lui : « J'ai regretté de ne pas entendre les Juifs et les huguenots confondus avec les francs-maçons dans cette exécration. Nous seuls, laïques, je le répète, osons écrire ces mots de Juifs et de huguenots. Le clergé séculier et régulier, toujours si pitoyable aux descendants de la race de Judas, parle avec componction des israélites, alors qu'il s'agit, dans notre croisade, non de guerre religieuse, mais d'une guerre de race ».
44. *Scènes et doctrines du nationalisme*, t. I, p. 63.
45. *Op. cit.*, p. 64. Cf. *Un Homme libre*, p. 153 : « ... ma race, cette noble race qui repoussait le protestantisme (admirable résistance d'Antoine aux bandes luthériennes, en 1523) ». Dans ce texte, il ne s'agit plus d'une « éducation » différente mais bien d'une opposition de races, comme dans le cas des Juifs.
46. Edouard Drumont, *La France juive*, t. II, pp. 358-359.
47. *Scènes et doctrines du nationalisme*, t. II, pp. 63-64.
48. *L'Appel au soldat*, p. 293.
49. *Scènes et doctrines du nationalisme*, t. I, p. 65. Cf. aussi pp. 111-112 et *Mes Cahiers*, t. II, p. 106 où Barrès reproche à Le Play, Taine et Bourget « leur goût pour le protestantisme ».
50. *Scènes et doctrines du nationalisme*, t. I, p. 65.
51. *Ibid.*

Juifs, les amis de nos chéquards, les associés du quadrille opportuno-radical »[52], il leur opposait « les vrais Français », c'est-à-dire ceux « qui ont gardé la tradition nationale » et les avertissait que « certains esprits sont préparés à une nouvelle révocation de l'édit de Nantes »[53]

Au fur et à mesure qu'augmente le poids de l'élément catholique-traditionaliste dans le nationalisme, s'accentue le parallèle entre le danger protestant et le danger juif. D'autre part, l'antisémitisme barrésien s'enrichit d'une dimension nouvelle. En 1898 Barrès avait combattu à Nancy un antisémite clérical et soutenu par *La Croix*, au nom d'un antisémitisme laïque et social. Dans les années qui suivent, au moment du procès de Rennes notamment, son antisémitisme avait suivi l'évolution générale de sa pensée et s'était découvert des racines religieuses. L'auteur de *Scènes et doctrines du nationalisme* fait alors appel à l'autorité de l'Eglise : la célèbre oraison du vendredi-saint constitue le cadre de ses réflexions sur les Juifs et sur Dreyfus[54]. Le thème du meurtre rituel fait aussi son apparition[55], ainsi que le souvenir d'une ancienne coutume, en vigueur chez les enfants de Charmes, qui consistait à effectuer, à l'issue de l'office, une bruyante démonstration de zèle religieux qui frisait le pogrom. « Quand j'étais gamin », écrit Barrès à Drumont, « le vendredi-saint, j'allais tuer le Juif. C'est une part de votre œuvre. Guérin à la Haute-Cour a dit : « Qu'on m'en montre donc un ». Cela est charmant. Pour votre part, vous avez fait plus »[56]. Ce n'est pas sans raison

52. Barrès, « Vive la nation », *La Cocarde*, 10 janvier 1895.

53. Barrès, « La question protestante », *La Cocarde*, 4 décembre 1894.

54. *Scènes et doctrines du nationalisme*, t. I, p. 152 : « Les gens du moyen-âge, pour faire entendre les mystères impénétrables de cette mer inconnue qui s'étend vers le sud, l'appelaient la mer ténébreuse. C'est une mer ténébreuse, l'âme de Dreyfus, et je m'associe aux sentiments qu'exprime l'Eglise dans sa miséricorde et dans sa prudence. Seigneur, dissipez les ténèbres de ce perfide Juif, pour que je voie clair ». P. 149, Barrès cite toute la suite de monitions et d'oraisons qui se termine par le « Prions pour les perfides Juifs ». Il précise que « dans cet incomparable office du vendredi-saint où elle apporte l'expérience des siècles, l'Eglise avant de prier pour les « perfides Juifs » a bien soin d'indiquer au célébrant et aux fidèles : « On ne se mettra point à genoux ». Prodigieuse distinction ! c'est nous prévenir que l'intérêt public commande de ne point s'abandonner à l'apitoiement avec cet adversaire enveloppé de « ténèbres ».

55. *Mes Cahiers*, t. II, p. 283.

56. *Op. cit.*, pp. 247-248. Pp. 342-343, Philippe Barrès annote le texte de son père et rapporte les précisions qui lui ont été fournies sur cette vieille coutume par un ami de Maurice Barrès, le colonel Louis Blaison : « Comment on tuait le Juif à Charmes, le vendredi-saint. Dans l'intérieur de l'église on ne tuait pas le Juif, mais Pilate (...) voici comme se terminait à Charmes (...) la finale de l'office quotidien de Ténèbres. Tous les cierges du symbolique chandelier du chœur ayant été, l'un après l'autre, éteints après chaque psaume, l'office se termine, tel quel. Le silence dure. Puis le prêtre, dans sa stalle, frappe de son livre quelques coups légers qui doivent annoncer la fin de l'office. Mais alors, à Charmes, enfants de chœur prosternés, gamins de l'école logés dans leur petite chapelle, élèvent à ce signal un tapage assourdissant. Livres de messe, sabots, trépignements : tout entrait en danse pendant quelques secondes ...) Puis instantanément, les enfants du chœur levés pour partir, tout était fini. On avait tué

précise que Barrès fait part à Drumont de ses réflexions. En effet l'antisémitisme de l'auteur de *La France juive,* racial et social, est aussi religieux et catholique. Drumont qui se veut soldat du Christ se dresse contre ceux qui prennent part à « la guerre faite à Dieu » [57] ; il considère le christianisme comme l'expression d'une race distincte et supérieure [58]. Ennemis de « ce Christ qu'ils haïssent comme au jour où ils l'ont crucifié » [59], convaincus de sacrifice sanglant d'enfants chrétiens [60], les Juifs s'attaquent à présent au caractère chrétien de la France. « Déguisés en républicains », « les agents juifs allemands », traquent « nos religieux » [61] sachant qu'ils ont ainsi trouvé le meilleur moyen d'abattre les assises du pays, de saper sa cohésion et sa vitalité pour mieux le conquérir de l'intérieur.

Aux Juifs et aux protestants dont le statut hors-consensus peut être aisément établi, s'ajoute une troisième catégorie de déviants qui, elle, suscite infiniment plus de difficultés.

En effet, si le dreyfusisme d'un Zola ou d'un Jean Psichari peut être facilement expliqué comme le fait de métèques, il n'en va pas de même pour un Anatole France, pour un Labori, pour un Picquart. C'est alors qu'interviennent des explications d'ordre psychologique pour les uns, d'ordre moral (trahison pure et simple) pour d'autres. Pour Barrès l'affrontement entre dreyfusards et nationalistes est celui du Bien et du Mal : une telle lutte exclut la tiédeur, la passivité. Le procès de Rennes est un champ de bataille où les ennemis sont, soit des égarés, soit des traîtres. Les uns comme les autres, volontairement ou non, sont des agents de l'étranger ou des agents de l'ennemi de l'intérieur, lui-même manipulé par des organismes aux multiples ramifications internationales.

La célèbre argumentation barrésienne contre les partisans de la révision, érigée en règle universelle, est bien connue. « Parce que son

Pilate. Ce bref vacarme (attendu depuis des semaines) était prévu, réglé, ordonné. Nul qui s'y opposât (...) Tuer Pilate, était pour les petits charmesiens de huit à dix ans, parfaitement licite, normal, régulier, sans qu'ils eussent, naturellement, la moindre idée de la tradition à quoi la chose pouvait s'apparenter (...) Sans doute, ces jours-là, les petits boutiquiers de la « race » (...) avaient-ils à Charmes, après l'office, la visite des mauvais garçons favorisés par l'obscurité. Il y avait un refrain (...) qu'on promenait (...) de chez Levy au petit Aaron : « Le Juif errant — la corde aux dents — le couteau et le canif — pour couper la tête au Juif ! ». Cela commençait, cela se terminait et cela recommençait ainsi, de boutique en boutique, parmi les galopades et les poursuites, jusqu'à l'heure nocturne du " souper " où l'on arrivait échauffé, Dieu sait combien (...) Cette coutume est encore en vigueur à Charmes ». « Encore » cela veut dire dans les années 1928-1930 : c'est dans ce contexte que, vers 1870, Barrès rencontra pour la première fois le problème juif.

57. Edouard Drumont, *La France juive,* t. II, p. 351.

58. *Op. cit.,* t. I, p. 143.

59. *Op. cit.,* p. 17.

60. *Op. cit.,* p. 145, p. 184. Cf. aussi *Op. cit.,* t. II, pp. 381-407, sur les crimes rituels juifs « mille fois prouvés ».

61. *Op. cit.,* p. 32.

père et la série de ses ancêtres sont des vénitiens, Emile Zola pense tout naturellement en vénitien déraciné »[62]. Le cas de l'auteur de *J'accuse* illustre la règle selon laquelle « nous ne tenons pas nos idées et nos raisonnements de la nationalité que nous adoptons »[63], car « le sang s'obstine à suivre l'ordre de la nature contre les serments, contre les lois »[64]. Quant à ceux des dreyfusards dont l'ascendance ne trahit nulle influence étrangère, leurs prises de position sont motivées soit par un manque de caractère (Picquart)[65], soit par un certain gâtisme doublé d'un scepticisme de mauvais aloi (Anatole France)[66], soit par l'incompétence du chercheur scientifique pour tout ce qui est étranger à son propre domaine (le mathématicien Joseph Bertrand)[67]. Bien sûr, Barrès s'arrête un instant sur ce qu'il peut y avoir « du chevaleresque français chez le dreyfusien de bonne foi »[68], mais tout compte fait, un Français de race, un Alsacien ou un Lorrain dreyfusard, est « traître à Dieu et à son prochain »[69]. Pour le théoricien du nationalisme, sont de mauvais Français tous ceux dont les prises de position peuvent être d'une façon quelconque utilisées dans un sens qui va à l'encontre de ce qu'il estime être l'intérêt national. Il n'y a pas d'autre critère : Labori, Alsacien mais dreyfusard, est un traître, Anatole France, le maître vénéré, un égaré, mais Jules Lemaître qu'il qualifie de « petit Français », est « un raciné »[70].

Il n'existe pas de raisonnement qui puisse s'attaquer à un tel mode de pensée : les faits, les réalités objectives restent sans force contre une telle vision du monde. Et la réalité chez Barrès est foncièrement irrationnelle ; échappant totalement à la raison, elle ne peut

62. Barrès, « L'enterrement de dimanche », *La Patrie*, 3-4 octobre 1902 : « Comparez tant de pages où il vous offense aux images en couleurs, aux caricatures sales et pesantes qu'on voit aux kiosques d'Italie. Voilà pour ses procédés d'expression, pour sa virtuosité ; mais, mieux encore, par sa pensée et par sa foi profonde, il reproduit un type très fréquent dans l'Italie moderne : l'homme qui se recommande à tout propos des idées « positivistes, scientifiques », qui les vulgarise et qui, hâtivement, essaye d'appliquer leurs conclusions dans tous les ordres de la connaissance ». Cf. *Scènes et doctrines du nationalisme*, t. I, pp. 43-44 et p. 96, sur les naturalisés en général, porteurs de leurs propres codes moraux et qui ne peuvent donc satisfaire un Français « car la vérité allemande et l'anglaise ne sont point la vérité française et peuvent nous empoisonner ». En ce sens Zola « était prédestiné pour le dreyfusisme » (p. 43).

63. *Ibid.*

64. *Scènes et doctrines du nationalisme*, t. I, p. 96. Cf. pp. 58-59 sur « Jean Psichari ou le Métèque ».

65. *Op. cit.*, pp. 195-204.

66. *Op. cit.*, pp. 54-55.

67. *Op. cit.*, pp. 50-51.

68. *Op. cit.*, p. 9. L'édition originale comporte une erreur typographique qui fausse le sens de cette phrase. Au lieu de « dreyfusien », on y lit en effet « antidreyfusien ». Un erratum joint à l'édition définitive, la répare.

69. *Mes Cahiers*, t. II, p. 272. Sur Labori, cf. *Scènes et doctrines du nationalisme*, t. I, p. 189.

70. *Op. cit.*, p. 145.

qu'être sentie. Barrès le montre bien quand il applique sa définition de la « conscience nationale » en termes d' « un *consensus* pour affirmer un certain nombre d'intérêts moraux » à ce grand débat qui déchire le pays [71].

> « Certains mots », écrit-il, « éveillent dans certains esprits un si grand nombre d'idées préalablement associées que c'est dans la conscience comme un bruissement créé dans la forêt par un coup de vent. Ainsi le mot France, ainsi le mot Dreyfus, mais comment faire entendre ces mots à ceux chez qui ces associations d'idées ne sont pas préalablement existantes. Ce n'est pas affaire d'intelligence ; quelle que soit leur rapidité, leur éveil, ils ne peuvent pas sentir comme nous » [72].

Cependant, l'élément essentiel qui explique pour Barrès l'agitation dreyfusarde réside dans la théorie bien connue du syndicat. Bien sûr, si la France n'était profondément malade, le dreyfusisme n'aurait pu prendre corps. Les causes profondes de la révolte dreyfusienne sont ailleurs et Barrès en fait longuement état. Mais les causes immédiates résident bien dans la trahison, consciente pour les uns, involontaire souvent pour d'autres.

Barrès n'est ni le premier ni le seul à expliquer certains phénomènes historiques par le travail de forces occultes, mais lui et d'autres nationalistes, Drumont, Urbain Gohier, Morès notamment, donnent à cette explication un poids et une dimension qui préfigurent déjà des phénomènes analogues du XXe siècle. En comparaison avec les mythes de notre siècle, le mythe du syndicat apparaît comme un parent pauvre : il est malgré tout à la mesure de son temps et des problèmes qui se posent à la société qui le produit. Il n'a pas engendré de drames comparables à ceux de l'Allemagne nazie, de la Russie de Staline ou même de l'Amérique mac-carthyste parce que le contexte sociologique, la nature du régime et des relations internationales étaient foncièrement différents. Le complot du syndicat Dreyfus possède cependant certaines similarités avec les protocoles des Sages de Sion d'une part et le grand complot communiste qui tend à miner toute la vie américaine d'autre part [73]. Dans ce mythe, le Juif et l'étranger constituent un concept mystique qui incarne le mal, tout ce qui menace, tout ce dont on a inconsciemment peur, dont on voudrait se défendre.

Le thème des forces occultes n'est pas nouveau à la fin du XIXe siècle. On sait que dès la première émigration la responsabilité de

71. *Op. cit.*, p. 142. *Consensus* figure en italiques dans le texte.
72. *Ibid.*
73. Cf. l'étude d'Edward A. Shils sur l'Amérique du sénateur Mac-Carthy : *The Torment of secrecy*, The Free Press, Glencoe, 1956, ainsi que l'ouvrage collectif édité par Daniel Bell : *The Radical right, The new American right*, New York, Anchor Books, 1964, et Yeshua Arieli, *Individualism and nationalism in American ideology*, Cambridge (Mass.), Harvard University Press, 1964.

la Révolution leur fut imputée, mais c'est surtout dans les trente années qui précèdent l'Affaire que, dans les milieux conservateurs, s'affirme la tendance à attribuer à un complot la responsabilité de la Révolution ainsi que la responsabilité des idées et des événements qui leur étaient défavorables. La franc-maçonnerie supportait alors tout le poids de l'assaut de la droite. Son rôle dans la campagne anticléricale des opportunistes avait puissamment contribué à l'application de cette nouvelle philosophie de l'histoire à l'ensemble de l'histoire de France, et à la division du monde en royaumes du Ciel et de Satan [74]. Cette vision de l'histoire démontre l'état d'esprit de nombreux catholiques, exaspérés par une politique dont ils se sentaient les victimes, et prépare la voie au mouvement antisémite et à l'explosion de l'Affaire.

L'attribution de visées inavouées à l'adversaire est chose commune, non seulement à la droite catholique qui vit dans un monde dominé par des forces mystérieuses, mais aussi à ce qui deviendra l'aile laïque du nationalisme : n'avait-on pas entendu jadis un Rochefort ou un Laisant accuser Ferry d'être un agent allemand ? Comme la droite, une certaine gauche s'avère extrêmement perméable à cet état d'esprit qui permet de transformer les luttes politiques, les difficultés sociales et économiques en un grand combat entre le Bien et le Mal. Depuis le krach de l'Union générale en 1882 et jusqu'à l'Affaire, la longue campagne antimaçonnique et antisémite avait puissamment contribué à préparer de nombreux Français à entrevoir dans le révisionnisme dreyfusard l'influence de forces occultes.

Les deux mouvements, antimaçonnique et antisémite s'étaient en effet intégrés en une seule tendance. Dès 1882, le père Chabauty développe la thèse selon laquelle la franc-maçonnerie est un moyen qu'emploie Satan pour préparer l'avènement de l'Anté-Christ, la destruction de la chrétienté, le retour des Juifs en Palestine et l'établissement de la domination juive sur le monde. Il fournit également des détails sur la grande conspiration juive : des sociétés juives secrètes bien organisées et bien encadrées, travaillent déjà dans l'ombre à la conquête de la chrétienté [75]. La presse catholique accueille avec enthousiasme les ouvrages du père Chabauty et les présente comme la meilleure description des réalités du monde moderne.

Mais nul n'a contribué plus que Drumont à accréditer l'idée que les forces réelles dont dépend l'évolution du monde sont celles dont l'existence est ignorée de la grande masse de ceux qui les subissent. Il s'emploie à implanter dans la conscience populaire une vision du

74. Robert F. BYRNES, *op. cit.*, pp. 126-128.

75. Abbé E.A. CHABAUTY, *Les Juifs, nos maîtres ! Documents et développements nouveaux sur la question juive*, Paris, V. Palmé, 1882. Cf. à ce sujet, Robert F. BYRNES, *op. cit.*, pp. 128-130, et Hannah ARENDT, *op. cit.*, p. 108.

monde démonologique : en retrait de la scène politique, des forces de destruction minent la société française et la chrétienté. Tout acte politique important, tout événement historique allant à l'encontre de l'idée de la France et de la chrétienté qui est la sienne, sont l'œuvre de Juifs et de francs-maçons. Juifs et francs-maçons sont à l'origine de la Révolution et en furent les profiteurs : ils portent la responsabilité des massacres de septembre, de 93, de la mort de Louis XVI [76]. Aux côtés des francs-maçons Camille Desmoulins et Robespierre, ce sont les Juifs qui dominent le club des Jacobins [77]. Avec leurs alliés, les francs-maçons qui, en 1785, réunis en congrès à Francfort décident la mort du Roi, les Juifs ont juré la perte de la France [78]. Grâce aux principes de 89, habilement exploités par eux, le pays court à sa fin [79]. En 1870, les Juifs livrèrent la France à l'Allemagne, puis fomentèrent la Défense nationale : c'est Gambetta le Juif qui envoya les aryens, les Français à la mort [80]. La Commune, cette guerre civile entre aryens, ne s'est terminée dans l'horreur que parce que les Juifs l'ont voulu [81]. Le 4 septembre fut une machination juive [82], tout comme le 16 mai [83] ou la campagne de Tunisie [84]. Et finalement, pour détruire ce qui reste encore debout, le Juif « ... invente le socialisme, l'internationalisme, le nihilisme ; il lance sur la société qui l'a accueilli, des révolutionnaires et des sophistes, des Hertzen, des Goldberg, des Karl Marx, des Lassalle, des Gambetta, des Crémieux... » [85]. Et Drumont résume sa pensée dans une courte phrase : « Tout vient du Juif ; tout revient au Juif » [86].

Tout comme Drumont, un Jules Soury, un Urbain Gohier et certains hommes de la Patrie française, et un peu plus tard de l'Action française, développent longuement, et en des termes quasi identiques, le thème de la conquête du monde par les Juifs. « Israël s'est asservi presque toutes les nations, économiquement d'abord, politiquement ensuite », écrit Soury [87], et Urbain Gohier reprend ce thème dans un texte qui résume la pensée des nationalistes en la matière :

76. Edouard DRUMONT, *La France juive*, t. I, p. 60, p. 101, p. 291. Cf. Jules LEMAITRE, *La Franc-maçonnerie*, Paris, A. Leret, 1899.
77. Edouard DRUMONT, *La France juive*, t. I, pp. 282-283, p. 294.
78. *Op. cit.*, p. 271.
79. *Op. cit.*, p. 16.
80. *Op. cit.*, p. 17, p. 38 ; p. 372, pp. 386-387.
81. *Op. cit.*, p. 72, p. 415. Cf. aussi pp. 397-398.
82. *Op. cit.*, p. 414.
83. *Op. cit.*, p. 449.
84. *Op. cit.*, p. 132. Sur la théorie du complot judéo-allemand dont les fils sont tenus par la finance internationale, cf. *Le Testament d'un antisémite*, p. VIII.
85. *Op. cit.*, p. 201. Cf. p. 106 : « Que ce soit Hertzen en Russie, Karl Marx ou Lassalle en Allemagne, on trouve toujours comme en France un Juif prêchant le communisme ou le socialisme... ».
86. *Op. cit.*, p. VI.
87. Jules SOURY, *Campagne nationaliste*, pp. 8-9.

« Quoique dispersés sur la surface de la terre, les 12 millions de Juifs composent la seule nation homogène et la plus résolument nationaliste. Leur dispersion n'empêche pas, dans le monde moderne, une étroite communauté d'intérêts, une extraordinaire discipline pour la conquête de la domination universelle. Le mot d'ordre lancé par les chefs de la nation juive en quelque partie du monde qu'ils se trouvent, est transmis, entendu, obéi sur le champ dans tous les pays ; et des forces innombrables, obscures, irrésistibles, préparent aussitôt l'effet souhaité : le triomphe ou la ruine d'un gouvernement, d'une institution, d'une entreprise ou d'un homme » [88].

Avec Drumont, Urbain Gohier contribue à lancer ce thème promis lui aussi à un grand avenir : le socialisme est une « affaire entièrement juive » [89] : francs-maçons, Juifs et socialistes constituent ainsi les trois composantes de cette armée qui marche à l'assaut de la France et du monde occidental [90].

Barrès participe activement à la création d'un climat de chasse aux sorcières : ses collaborateurs et lui-même exploitent amplement ce thème au cours des deux campagnes de Nancy. En premier lieu, est mise en cause la finance juive internationale : dominée par les Juifs allemands, elle est en réalité au service de Krupp et des intérêts économiques de l'ennemi [91], et constitue par conséquent « un danger national » [92]. Mais très rapidement *Le Courrier de l'Est* élargit le débat. En effet, Paul Adam fait état d'une « conquête occulte de la France par Israël » [93], tandis que l'auteur anonyme de *La Lettre d'un antisémite* définit « la race sémitique (...) répandue sur toute la surface du globe » comme « un syndicat puissant, presque

88. Urbain GOHIER, *La Terreur juive*, 5e édition, Paris, l'Edition, 4, rue de Fürstenberg, 1909, pp. 56-57. Journaliste, militant de la Ligue de la patrie française, Urbain Gohier eut une carrière sinueuse. Jusqu'à l'Affaire il collabore à la presse conservatrice — *Le Soleil*, *Le Figaro* ; pendant l'Affaire il est dreyfusard et rédacteur à *L'Aurore* mais il finit par passer à l'antisémitisme.

89. *Op. cit.*, p. 48.

90. La série de mystifications de Léo Taxil qui eut son moment de gloire est un exemple frappant de l'empressement de milieux très divers à accorder foi aux allégations les plus extravagantes. Pendant douze ans, de 1885 à 1897, Léo Taxil divulgua les « secrets » de la franc-maçonnerie ; reçu par le pape, félicité par les cardinaux, il était l'enfant chéri de la presse catholique. Celle-ci n'avait pas hésité un seul instant à diffuser dans le monde entier les « révélations » de Miss Diana Vaughan, miraculée par sa conversion, créée par Taxil pour les besoins de la cause. Du jour au lendemain, Diana Vaughan est devenue l'héroïne du monde catholique. Pour faire bonne mesure et pour ridiculiser le camp adverse, Léo Taxil fit publier par *La Bataille*, journal ultra-socialiste, une série de révélations sur les machinations de l'évêché de Paris qui ne le cédaient en rien aux péripéties du long commerce de Miss Diana Vaughan avec Lucifer (*Satan franc-maçon, La mystification de Léo Taxil*, présentée par Eugen WEBER, Paris, Julliard, 1964).

91. ANONYME, « Pour satisfaire M. de Bismarck », *Le Courrier de l'Est*, 30 juin 1889.

92. A. GABRIEL, « Le pacte de famine », *Le Courrier de l'Est*, 27 octobre 1889.

93. P.A. (Paul ADAM), « La République d'Israël », *Le Courrier de l'Est*, 20 octobre 1889.

invulnérable (...) une ligue internationale, la plus dangereuse, la plus terrible »[94]. Barrès lui-même reprend la notion de « syndicats juifs » qui ont juré la perte des Français, qui se préparent à faire « marcher les chrétiens dans vingt ans »[95].

Au temps de l'Affaire et dans les années qui suivent, Barrès est de plus en plus tenté d'expliquer les événements par l'influence des forces occultes. C'est ainsi qu'en 1898 il explique les préparatifs pour la campagne électorale à Nancy par un affrontement, au sein des comités opportunistes, entre « les vieux israélites et les jeunes israélites »[96]. Tout comme la situation politique en Meurthe-et-Moselle, conçue en termes de conspiration juive, l'histoire des vingt dernières années du XIXe siècle est expliquée par un même procédé :

> « Il y a », écrit Barrès en 1903, « un lien occulte mais certain, qui joint l'affaire Humbert à l'affaire Dreyfus et, plus loin, à l'affaire Bontoux (Krach de l'Union générale), comme il y a certainement un lien entre l'affaire Dreyfus et l'affaire de Panama. Les agents dreyfusards ont été pour le plus grand nombre des prisonniers du baron de Reinach, qui eut pour hériter Joseph, et de Cornélius Herz, qui laissa ses papiers à la police politique anglaise »[97].

Lors du second procès Dreyfus, Barrès ne doute point que l'agitation dreyfusarde ne soit le fait d'une vaste conspiration englobant le monde politique officiel :

> « Il y a d'habiles endormeurs au pouvoir », écrit-il. « Les personnages qui détiennent aujourd'hui les divers portefeuilles ne se proposent pas simplement, comme faisaient les plus mauvais de leurs prédécesseurs, de flotter au gré de l'opinion. Ils ont été recrutés dans les milieux les plus divers pour être les politiciens de Dreyfus, qui possède déjà ses orateurs, ses dialecticiens et ses élégiaques. Une seule discipline les assemble. Elle est réglée par les conseils supérieurs (Zadoc-Kahn ? Reinach ?) »[98].

A cet égard aussi la pensée de Barrès s'est définitivement fixée au temps de l'Affaire. Jusqu'à la fin, les événements défavorables de l'histoire seront en dernière analyse, réduits à l'effet de l'influence juive. Alors qu'il prépare, en 1917, la publication en volume des *Diverses familles spirituelles de la France,* Barrès fait, dans les *Cahiers,* de bien tristes réflexions : « La Russie disparaît car elle fut infestée par les Juifs. La Roumanie disparaît, pour la même raison.

94. « Lettre d'un antisémite », *Le Courrier de l'Est,* 26 mai 1889.
95. BARRÈS, « Le Juif dans l'Est », *Le Courrier de l'Est,* 14 juillet 1889.
96. BARRÈS, « Indications sur l'intrigue Goulette, Nicolas, Gavet », *Le Courrier de l'Est* (2e série), 17 avril 1898. Cf. aussi « Le Congrès », *Le Courrier de l'Est* (2e série), 19 avril 1898 : c'est le candidat des jeunes israélites qui a été investi par le Congrès opportuniste pour défendre la cause de la révision.
97. BARRÈS, « Honte et misère », *La Patrie,* 9 juin 1903.
98. *Scènes et doctrines du nationalisme,* t. I, p. 138. Cf. p. 203, p. 211 sur « la bête syndicale », et p. 212 sur les « 35 millions fournis par l'étranger pour créer l'agitation dreyfusarde » (Barrès cite Freycinet).

Israël rentre à Jérusalem, les Juifs sont les maîtres aux Etats-Unis et en Angleterre » [99]. Dans cette France où, Jules Soury l'a déjà dit, on distingue partout « la même dégénérescence intellectuelle et morale, la même incapacité foncière de vivre de la vie des autres peuples » [100], il ne reste aux côtés de l'Eglise qu'un seul recours, l'armée.

Jusqu'à l'Affaire, l'attitude de Barrès envers l'armée ne manque pas d'ambiguïté. Certes *Le Courrier de l'Est* lui rend en 1889 un vibrant hommage, il voit en elle le seul élément qui ne soit pas contaminé par les Juifs [101]. L'exaltation de l'armée est, lors du boulangisme, un des thèmes de sa campagne tout en restant relativement marginal. *La Cocarde*, en revanche, y est franchement hostile. Le journal de Barrès s'oppose violemment à l'inculpation d'un militant guesdiste pour outrages à l'armée [102], cette armée que Louis Ménard accuse de ne servir surtout qu'à contenir des troubles sociaux et de n'être qu'un instrument aux mains de l'exécutif pour les besoins de la politique intérieure [103]. Barrès lui-même s'attaque à ceux qui prétendent voir en elle « l'âme d'une race » : ce n'est en réalité qu'un instrument, « instrument héroïque mais grossier » [104]. Il n'hésite pas non plus à adresser de violentes critiques à l'encontre des chefs de l'armée, le général Mercier notamment : les généraux n'incarnent pas encore toutes les vertus de la nation [105].

Rien de tel au temps de l'Affaire, alors que Barrès travaille à « la réfection de la France par la connaissance des causes de sa décadence » [106]. L'armée est alors pour lui « le support du pays » [107], ses chefs « ont resserré et justifié la fraternité française » [108]. Le culte de l'armée est un cri de ralliement pour toutes les tendances du nationalisme ; de Drumont jusqu'aux respectables académiciens de la Ligue de la patrie française, en passant par Soury, Déroulède et le

99. *Mes Cahiers*, t. XI, p. 290.

100. Jules Soury, *Campagne nationaliste*, pp. 6-7.

101. Anonyme, « Le circoncis de Fourmies », *Le Courrier de l'Est*, 2 mai 1891. Cf. aussi Anonyme, « Pour l'Armée », *Le Courrier de l'Est*, 7 avril 1889 et le compte rendu d'un discours de Barrès prononcé le 9 février 1889 dans le numéro daté du 12 février.

102. J.P., « Le Parti ouvrier poursuivi », *La Cocarde*, 6 octobre 1894.

103. Louis Ménard, « Les classes dirigeantes et les ennemis de la société », *La Cocarde*, 13 octobre 1894.

104. Barrès, « Contre l'extension du pouvoir parlementaire », *La Cocarde*, 21 octobre 1894.

105. Barrès, « La vengeance d'une coterie », *La Cocarde*, 31 octobre 1894. Cf. aussi *L'Ennemi des lois*, p. 10, où Barrès acquiesce aux critiques de l'armée. Quelque chose de cet esprit est encore resté dans *L'Appel au soldat*, P. 97, il rappelle la part du général Caffarel, sous-chef d'état-major, dans l'affaire Wilson, et p. 100, il met à l'index « le carnaval des généraux, des députés, des entremetteuses, des magistrats ».

106. *Scènes et doctrines du nationalisme*, t. I, p. 40.

107. *Op. cit.*, p. 70.

108. *Op. cit.*, p. 221.

duc d'Orléans, c'est une même ferveur qui monte vers cette « seule force sociale intacte »[109]. C'est à elle que Barrès aurait voulu confier la restauration de la France, et l'instauration d'un régime fort : « Nous avons trouvé dans Rennes », écrit-il, « notre champ de bataille ; il n'y manquait que des soldats. Parlons net : des généraux. Parlons plus net : un général »[110]. Depuis le boulangisme, Barrès est à la recherche d'une solution extra-parlementaire à l'instabilité politique et au mal du régime. En 1889, il pensait la trouver en Boulanger, en 1898 il souhaitait l'intervention de l'armée en tant que corps constitué. Mais il ne se fait pas d'illusions sur la probabilité d'un coup d'Etat militaire. Son « vive l'armée » est davantage l'expression d'une ferveur, un mythe à entretenir qu'un véritable cri de guerre : « Peut-être le soldat n'existe-t-il pas tel que nous le concevons. Raison de plus pour lui souhaiter l'existence. Qu'il vive ! Ah oui, qu'il vive, enfin ». Ce souhait exprimé, il ajoute : « Au reste le vivat n'implique point nécessairement notre croyance à une réalité tangible. Nous vivons entourés d'ombres (...) Les vieux boulangistes comme moi ont appris à supporter les déceptions et à se nourrir de chimères »[111]. Si au niveau de l'action politique directe Barrès se résigne à un certain fatalisme, au niveau de l'idéologie il poursuit ses efforts pour formuler une doctrine cohérente. Mais après l'échec du nationalisme en politique intérieure, le point de gravitation de sa pensée se déplace vers l'est, vers la Lorraine et l'Allemagne.

109. Jules LEMAÎTRE, *La Patrie française, Première conférence,* 19 janvier 1899 ; Paris, Bureaux de La Patrie française (s.d.), p. 21. Cf. Edouard DRUMONT, *La France juive,* t. I, p. 16 ; Jules SOURY, *Campagne nationaliste,* p. 77 : « En somme rien ne reste debout que l'armée et l'Eglise », et *Mes Cahiers,* t. II, p. 117. Cf. aussi « Allocution prononcée à San-Remo », le 22 février 1899 par le duc d'Orléans in Elesbar DE CURZON, *A Propos de la légitimité de la Maison de France,* Paris, Imprimerie-papeterie A. Nouvian, 1910, pp. 8-9 ; ainsi que Paul DÉROULÈDE, *Qui vive ? France ! « Quand même »,* pp. 27-28 ; et *Les Parlementaires, discours prononcé à Bordeaux le 6 juillet 1909,* p. 48 : l'armée est la seule institution stable qui s'élève au milieu des ruines du régime.

110. *Scènes et doctrines du nationalisme,* t. I, p. 4. Cf. p. 40 : « Il serait raisonnable certes de mettre quelque autorité au sommet du gouvernement, de donner à la République une tête et un centre ».

111. *Op. cit.,* pp. 261-262. Barrès est trop clairvoyant pour considérer l'armée comme un ensemble homogène. Aux côtés d'un Mercier, il y a des Galliffet et des André. D'autre part il sait fort bien qu'en fin de compte l'armée est un instrument aux mains du pouvoir (*op. cit.,* pp. 226-227).

LA QUESTION LORRAINE ET LE PROBLÈME DU RÉGIONALISME

La Lorraine ne joue dans la formation intellectuelle du jeune Barrès qu'un rôle très secondaire. Les provinces perdues, le problème allemand ne commencent à prendre une place primordiale dans la pensée barrésienne qu'au moment où le nationalisme est battu en politique intérieure. C'est alors que l'ennemi de l'extérieur devient le suprême recours, la dernière chance de rassembler en faisceau les énergies françaises. C'est alors seulement, en décembre 1899, après une nouvelle arrestation de Déroulède, après la grâce de Dreyfus et la reddition du Fort Chabrol, que la question alsacienne-lorraine émerge au premier plan de la politique du théoricien de la Terre et des Morts. A cette date, Barrès fait devant les membres de la Ligue de la patrie française une nouvelle conférence (à la suite de celle sur la Terre et les Morts), consacrée cette fois à l'Alsace-Lorraine [1]. Dès lors, après la publication du *Roman de l'énergie nationale,* Barrès n'écrit pas un seul ouvrage — excepté *Un Jardin sur l'Oronte* — où il ne s'agisse d'une certaine manière de la lutte entre la France et l'Allemagne. *Les Bastions de l'Est* se lèvent contre l'ennemi ; *La Colline inspirée* lui oppose sa discipline ; *Les Amitiés françaises* montrent un jeune Français élevé dans le souvenir des deux provinces et dans la haine des gens d'outre-Rhin. Et puis, c'est l'œuvre de guerre et celle de l'après-guerre, toutes deux dominées par le problème allemand.

Cependant, la ferveur lorraine de l'auteur de *Colette Baudoche* ne se nourrit pas seulement des souvenirs de l'année terrible. Bien sûr, dans ce bréviaire d'éducation nationaliste que sont *Les Amitiés françaises,* ouvrage publié en 1903, on note un texte célèbre : « Tout mon cœur », écrit Barrès, « est parti dans ma sixième année par la route de Mirecourt, avec les zouaves et les turcos qui grelottaient et qui mendiaient et de qui, trente jours avant, j'étais si sûr qu'ils allaient à la gloire » [2]. Et il ajoute : « Après cela, tout Wagner et tout Nietzsche et leur solide administration, qu'est-ce que vous voulez que ça me fasse ? » [3]. Nulle part, dans les œuvres de jeunesse de Barrès, on ne remarque à un tel degré le poids de 1870 ; nulle part l'auteur du *Culte du Moi* ne récuse la philosophie allemande au nom des deux provinces, au contraire [4]. Il s'agit bien là d'une vision rétrospective et considérablement amplifiée par l'effondrement du parti

1. *L'Alsace et la Lorraine, Septième conférence de La Patrie française,* Paris, Bureaux de la Patrie française, 1900. Ce texte fut recueilli dans *Scènes et doctrines du nationalisme,* t. II, pp. 3-29.
2. *Les Amitiés françaises,* p. 24.
3. *Ibid.*
4. Cf. *supra,* chap. I.

nationaliste : loin d'engendrer le nationalisme, comme voudrait nous le faire croire le Barrès quadragénaire, la défaite ne prend pour lui ses véritables dimensions qu'après l'échec du boulangisme, de l'expérience de *La Cocarde* et de l'antidreyfusisme. L'antiparlementarisme battu, l'antisémitisme tenu en échec, le populisme socialisant s'étant avéré, en dernière analyse, contraire aux impératifs du nationalisme, le problème alsacien-lorrain devient la poutre maîtresse d'une pensée nationale.

Mais la question de l'Alsace-Lorraine possède aussi une autre dimension, antérieure à ce nationalisme de défense contre l'étranger : c'est un élément essentiel de la reconstitution de la vitalité du corps social. Elément aussi du patriotisme, de l'enracinement dans la terre des morts et finalement du combat contre l'influence néfaste des gens du Midi.

Cependant Barrès parvient à ce stade de sa réflexion par ce qui apparaît déjà dans les premières années du siècle comme une voie secondaire, le régionalisme. A cet égard encore, la pensée barrésienne suit toutes les étapes de l'évolution qui devait conduire le jeune militant boulangiste et socialisant jusqu'au nationalisme de combat de l'Affaire et des *Bastions de l'Est.*

En 1894-1895, Barrès mène une vaste campagne en faveur des libertés locales, régionales et syndicales, d'un certain fédéralisme européen dont les cellules de base seraient les provinces. Il combat le centralisme administratif qui étouffe les énergies locales et la personnalité de l'individu. Le régionalisme barrésien n'est pas encore, à cette époque, axé sur la Lorraine, sur Metz et Strasbourg ou sur la défense contre l'Allemagne. Au contraire. Non seulement on ne trouve pas d'allusions aux provinces perdues ou à la lutte contre l'Allemagne dans les écrits de la période antérieure à *La Cocarde*, mais de plus, Barrès s'emploie à neutraliser, par le biais d'un fédéralisme européen, les effets des affrontements nationaux. D'autre part, le point de départ de ses préoccupations régionalistes n'est pas le souci de la collectivité nationale, mais au contraire l'épanouissement de l'individu. Non la volonté de résorber le problème social dans le cadre de la solidarité nationale, mais de contribuer à sa solution au niveau local grâce à la spontanéité individuelle.

Le régionalisme barrésien constitue, à ses origines, un aspect du socialisme individualiste et humaniste qu'il professe dans *La Cocarde*. Ainsi c'est sous les auspices du « comité intransigeant socialiste » local, que l'ancien directeur de *La Cocarde* prononce à Bordeaux, le 29 juin 1895, un grand discours-programme où il résume l'ensemble de ses idées à ce sujet[5]. Dans la période qui précède l'Affaire,

5. BARRÈS, *Assainissement et fédéralisme*, Paris, Librairie de la Revue socialiste, 1895, p. 1. En tête du discours figure cet avertissement : « La réunion, à laquelle

Barrès voit dans la centralisation administrative, qui étouffe toute velléité de liberté locale et individuelle, qui développe une bureaucratie toute-puissante, qui écrase la France sous le poids de Paris, une des raisons principales de sa faiblesse [6]. La France qui « s'épuise, se dessèche d'envoyer toute sa vie dans Paris qui se congestionne » [7], est « tout anémiée » [8]. Ecrasés par le pouvoir central, devenus « un peuple vendu à son gouvernement » [9], les Français accusent une perte catastrophique de vitalité [10] et constituent finalement une proie facile pour « toute une lie de cosmopolites d'affaires, de grands Juifs et d'étrangers équivoques, barons de Reinach et Cornélius Herz... » [11]. La grande faiblesse dont souffre la société française réside donc dans le fait qu'elle est « une création artificielle, et non pas, comme nous le voudrions, le résultat de l'instinct spontané des individus qui la composent. Elle est sortie, à peu près comme un système sort d'un cerveau philosophique, de la réflexion d'hommes politiques qui se proposaient bien moins d'aider l'expansion des individus que de les plier sur un ordre préconçu » [12]. L'épanouissement de l'individu implique, par conséquent, une refonte totale des structures administratives et une modification profonde des rapports entre le citoyen et l'Etat. Il s'agit pour Barrès d'une réforme aussi bien au niveau des structures que des mentalités. Par décentralisation, il entend une série de mesures susceptibles de rendre vie à la province et de servir l'individu en lui permettant d'élaborer le cadre de son existence [13]. C'est pourquoi l'ancien député de Nancy encourage toute initiative au niveau des collectivités locales ou professionnelles tendant à transférer à celles-ci des pouvoirs de décision, car « au groupe seul, il appartient de s'organiser spontanément selon la libre initiative des individus qui le composent » [14]. Une société décentralisée, fondée sur « le triomphe de l'impulsion naturelle » [15] et sur la « liberté d'association » serait

s'associèrent toutes les écoles socialistes bordelaises, était organisée par le comité intransigeant socialiste (...) Il est tout naturel qu'un étranger soit présenté par ses amis, qu'un socialiste parle parmi des socialistes... ».

6. *Op. cit.*, pp. 2-3, pp. 14-15.

7. Barrès, « Les violences nécessaires », *La Cocarde*, 23 septembre 1894.

8. Barrès, *Assainissement et fédéralisme*, p. 15.

9. *Op. cit.*, p. 3.

10. *Op. cit.*, p. 14.

11. *Op.cit.*, p. 7.

12. Barrès, « L'association libre c'est de la décentralisation », *La Cocarde*, 13 février 1895.

13. *Ibid.* : « Individualisme, voilà toujours notre formule », écrit-il.

14. Barrès, « Encore l'ingérence du pouvoir central », *La Cocarde*, 22 novembre 1894. Cf. « L'association libre c'est de la décentralisation », art. cité : « L'individu qui suit jusqu'au bout son instinct, sa force intérieure, sa vertu humaine, a une tendance à se grouper, à se solidariser, selon ses affinités électives, d'après ses besoins, d'après ses aptitudes, d'après ses parentés, dans un corps social, et à devenir ainsi une unité dans une individualité plus large, dans cent individualités, groupes locaux et moraux ».

15. Barrès, « La glorification de l'énergie », *La Cocarde*, 19 décembre 1894.

capable de « restaurer nos centres de groupement » [16], de mobiliser les énergies et, finalement, d'apporter des solutions aux grandes questions politiques et sociales que l'Etat centralisé est incapable de résoudre. Barrès pense en effet que seule une société qui maintiendrait « les petites patries », celles où « l'homme se sent soutenu par la terre, par les mœurs, par les sympathies et où il se peut épanouir pleinement », serait capable de s'attaquer aux problèmes posés par la société moderne [17]. Sa campagne en faveur de la décentralisation s'inscrit, on le voit, dans le cadre de la lutte contre la société industrielle et ses méfaits, contre l'aliénation de l'individu et le poids toujours plus lourd de la collectivité. La décentralisation et le régionalisme ont pour but de rendre plus légères les contraintes qu'une société industrielle et un Etat bureaucratique font subir aux individus.

Barrès insiste sur l'originalité des besoins propres à chaque région de France, il en appelle à l'exemple des cantons suisses et des Etats-Unis pour montrer que chaque province devrait être libre de résoudre ses propres problèmes, conformément à son esprit et à ses besoins économiques spécifiques [18]. L'Etat serait, dans ce cas, constitué par une fédération de provinces et de communes autonomes qui pourraient essayer « par leurs propres moyens d'assurer le bien-être de leurs citoyens, sans mettre en branle une lourde machine administrative, comme dans nos grands Etats unitaires, et sans être empêchées... par les caprices du pouvoir central » [19]. Barrès pense avoir ainsi confirmé la thèse qu'il s'efforce de soutenir : « Réforme sociale par le fédéralisme » [20]. Toutefois, son analyse reste limitée à des affirmations qui ne vont pas au-delà d'un certain nombre de généralités : il ne propose guère de solutions concrètes. Mais comme il est momentanément socialiste, le directeur de *La Cocarde* place son combat sous le patronage de Proudhon et de la Révolution, qui « de 89 à 93 fut fédéraliste » et qui ne devint centralisatrice que « pour faire face à des nécessités momentanées en Vendée et sur le Rhin » [21]. Ce qui fait dire à Barrès que le fédéralisme « est conforme à la tradition profonde de la France et de la Révolution » [22] et que, « dans la doctrine républicaine, qui fut toujours comprise comme un acheminement vers le gouvernement direct, le système centraliste est un

16. Barrès, « L'association libre c'est de la décentralisation », *La Cocarde*, 13 février 1895.

17. Barrès, « La glorification de l'énergie », *La Cocarde*, 19 décembre 1894.

18. Barrès, « Encore l'ingérence du pouvoir central », *La Cocarde*, 22 novembre 1894.

19. Barrès, « Un canton, laboratoire de réformes sociales », *La Cocarde*, 2 décembre 1894.

20. *Ibid.*

21. Barrès, *Assainissement et fédéralisme*, pp. 7-8.

22. *Op. cit.*, p. 8.

contresens... » [23]. Après l'œuvre des grands unificateurs, nécessaire en son temps, il appartient aujourd'hui aux républicains de recréer les libertés régionales sans lesquelles il n'y a pas de libertés du tout [24] et sans lesquelles il ne saurait y avoir non plus de socialisme [25].

Après la défense de l'individu, l'élaboration d'un socialisme pluraliste est le second objectif de la campagne en faveur de la décentralisation et du transfert de certains pouvoirs de l'Etat aux régions.

Tout d'abord Barrès estime qu'en l'absence d'un Etat centralisé et puissant, les rapports capital-travail auraient été profondément modifiés : une minorité n'aurait jamais pu dans un système différent accaparer le pouvoir à son seul profit [26]. En ce sens, la décentralisation permettrait aux syndicats ouvriers d'affronter le patronat dans des conditions infiniment plus favorables, elle permettrait aussi d'effectuer, dans le cadre des régions, des réformes sociales indispensables, aujourd'hui bloquées au niveau de l'Etat [27].

Mais le socialisme ne saurait considérer la décentralisation uniquement comme un moyen de lutte contre l'Etat bourgeois : elle doit être pour lui un but en soi, car, écrit Barrès, reprenant une formule de Proudhon : « Sans fédéralisme il n'y a pas de socialisme. Le fédéralisme socialiste laisse à chacun sa conception propre sur l'organisation sociale, sa manière de rêver l'avenir (...) Il détruit les entraves et il aide chacun à se développer » [28]. C'est le fédéralisme qui permettra en outre au socialisme d'échapper au danger qui le guette toujours, celui d'écraser les peuples « sous une uniformité », et puis « de les libérer, de donner aux groupes et aux régions le moyen... de s'ordonner selon leurs goûts et leurs besoins » [29]. Ce pluralisme, pour Barrès, est la condition d'un socialisme véritable, humaniste, plus soucieux de l'individu que de grands agrégats humains. L'Etat ne figure alors dans le cadre de la pensée barrésienne « qu'un de ces groupements » que sont « les sociétés locales, c'est-à-dire la province, le département, la commune », ou bien les syndicats, ou encore « les autres entreprises collectives qui se donnent pour objet les intérêts professionnels, le commerce, les sciences, les lettres ou même le loisir » [30]. Ce pluralisme permettrait une redistribution de charges

23. *Op. cit.*, p. 10.
24. *Op. cit.*, pp. 8-9.
25. BARRÈS, « Fédération non uniformiste dans le socialisme », *La Cocarde*, 28 octobre 1894.
26. BARRÈS, *Assainissement et fédéralisme*, pp. 3-4.
27. *Op. cit.*, p. 4. Cf. BARRÈS, « L'erreur de l'Elysée », *La Cocarde*, 17 octobre 1894.
28. *Op. cit.*, p. 5.
29. BARRÈS, « Fédération non uniformiste dans le socialisme », *La Cocarde*, 28 octobre 1894. Cf. aussi *De Hegel aux cantines du Nord*, pp. 33-34.
30. BARRÈS, « Encore l'ingérence du pouvoir central », *La Cocarde*, 22 novembre 1894.

entre l'Etat, la province et la commune. Les affaires étrangères, la guerre, les finances et l'économie nationales demeureraient du ressort de l'Etat. Par contre, le gouvernement central n'interviendrait en aucune manière dans l'organisation autonome des pouvoirs provinciaux : « La région » élirait librement ses assemblées, ses fonctionnaires, ses magistrats ; sa seule obligation envers l'ensemble du pays serait de reconnaître l'unité nationale et de garantir à chaque citoyen la jouissance de sa liberté [31]. Quant à la cellule de base, la commune, elle voterait son budget en toute indépendance et n'aurait, par conséquent, à répondre devant personne de la bonne marche de ses propres affaires : elle serait responsable de l'instruction publique, de l'aide aux indigents, du développement de son réseau routier [32]. Cependant, et afin d'éliminer tout malentendu, Barrès stipule que, malgré le fédéralisme, « la République demeure une et indivisible », mais, poursuit-il, dans « cette unité nous introduisons à tous les degrés, la liberté. Nous émancipons la région, la commune, l'individu » [33].

Une réforme d'une telle envergure, Barrès en est parfaitement conscient, entraînerait un changement radical des rapports internationaux : c'est cela précisément qu'il souhaite. La péroraison du discours de Bordeaux ne laisse aucun doute à ce sujet bien qu'elle résonne étrangement dans la bouche du futur auteur des *Bastions de l'Est* : « Familles d'individus, voilà les communes ; familles de communes, voilà la région ; familles de régions, voilà la nation ; une famille de nations, citoyens socialistes, voilà l'humanité fédérale où nous tendons, en maintenant la patrie française et par l'impulsion de 1789 » [34]. Le fédéralisme est donc pour Barrès une synthèse de l'internationalisme et du patriotisme : il « nous permet », écrit-il, « d'aimer la patrie sans nous forcer de haïr l'étranger » [35]. Son immense mérite consiste à favoriser l'épanouissement du sentiment national (car « la nationalité française, selon les fédéralistes, est faite des nationalités provinciales » [36]) tout en constituant « une politique d'exportation qui aurait du retentissement » [37] dans toute l'Europe. Ainsi seraient assurés l'épanouissement de la nation et la fraternité des peuples.

La campagne en faveur de la décentralisation et de la régionalisation entreprise par Barrès à l'époque de *La Cocarde* est un aspect de cette vision du monde, relativement ouverte, qui caractérise sa pensée dans les années qui séparent le boulangisme de l'Affaire. Mais elle ne devait pas résister à la grande tourmente des dernières années du siècle.

31. BARRÈS, *Assainissement et fédéralisme*, p. 6.
32. *Ibid.*
33. *Op. cit.*, pp. 5-6.
34. *Op. cit.*, p. 16.
35. *Op. cit.*, p. 15.
36. *Op. cit.*, p. 10.
37. *Op. cit.*, p. 13.

C'est, en effet, dans une optique tout à faite différente que Barrès aborde ce même problème dans les années 1900. Il ne saurait être alors question de fédéralisme, entaché d'internationalisme, ni de mesures susceptibles d'affaiblir l'Etat. Sa ferveur régionaliste est fort tempérée par son aversion pour le Midi, auquel il reproche d'être le suppôt du combisme et qu'il trouve coupable de s'accommoder de la perte des deux provinces. Si bien que son régionalisme se résume alors dans le culte des régions de l'Est, dans la volonté de s'appuyer sur elles, à la fois contre Paris, « ce gouffre où viennent s'engloutir des types pour faire des métis » [38], et contre les pays du sud de la Loire, citadelles du radicalisme.

Après l'intermède de *La Cocarde,* Barrès n'a jamais, en fait, préconisé une véritable régionalisation. « Nous ne pensons pas que le régionalisme soit un but », écrit-il dans le troisième volume des *Cahiers* [39]. Quelques années plus tard, il esquisse même une véritable critique de l'idée régionaliste, en partant de sa propre « expérience de Metz (...) : le particularisme ne peut pas suffire. Il mène au dialecte. Où nous voulons aller, c'est la France (...) c'est la France seule qui nous fécondera. Sans elle, nous sommes une si petite chose et sans intérêt » [40]. Et de là l'auteur de *Colette Baudoche* en arrive à l'essentiel : « Il ne s'agit pas », dit-il, « de surexciter l'intérêt local au détriment de l'intérêt général. Il s'agit de ranimer le bon sens local, de lui donner une voix, de faire entendre la conception lorraine. Les droits et les devoirs lorrains » [41]. Tout son prétendu régionalisme se résume dans cette formule. Il est amené à défendre la Lorraine, position avancée de la France sur le Rhin, à la fois contre l'ennemi qui la guette et la convoite depuis des siècles, et contre les hommes du Midi qui n'opposent qu'une molle résistance à l'esprit germanique et à l'action de l'étranger. Il s'agit pour lui, finalement, d'imprégner la France de l'esprit lorrain pour lui rendre sa vitalité et lui permettre de résister à l'assaut des forces de destruction de l'extérieur et de l'intérieur. « Par-dessus la Loire », écrit Barrès au nom des hommes du Nord, « deux Frances irritées se regardent. Qu'y a-t-il désormais de commun entre nous ? Nos intérêts ? Vous les sacrifiez. Nos vénérations instinctives ? Vous les bafouez. Notre titre de Français ? Mais si nous mettons sous le mot France des conceptions opposées ? Si nous arrivons à sentir qu'une terre et des morts tout différents nous portent ? » [42]. Il en conclut que : « Sur la

38. *Mes Cahiers,* t. III, p. 113. Cf. *L'Appel au soldat,* p. 359.
39. *Op. cit.,* p. 72.
40. *Mes Cahiers,* t. VI, p. 41. Cf. p. 307 : « Nous n'ignorons pas que les âmes lorraines, bretonnes, normandes sont rudimentaires, de solides assises pour nos vies, mais c'est la France qui fait notre culture ».
41. *Mes Cahiers,* t. III, p. 38.
42. BARRÈS, « La prépondérance des méridionaux », *Le Gaulois,* 29 juin 1903.

construction politique française, la Loire apparaît comme une profonde fissure. La vieille Gaule Belgique, la Celtique, aussi... sont menées et brimées par l'Aquitaine et la Narbonaise (...) c'est le groupe des députés de *La Dépêche* qui constitue le gouvernement, et j'ajouterai que la France du Nord ne peut pas vivre gérée par ce syndicat despotique » [43]. C'est ainsi que le lendemain de la débâcle nationaliste aux élections de 1902 et au début du combisme, Barrès explique la réalité française. Son idée maîtresse présidait déjà à l'explication de l'Affaire : la politique du Bloc républicain est l'expression d'un affrontement d'origine raciale entre le Nord et le Sud. « On me signale », écrit-il, « un curieux livre de Gaston Méry, *Jean Révolte*, daté de 1892, et qui porte cette épigraphe : *Le Méridional, voilà l'ennemi !* Pour ma part, je préférerais celle-ci : « La question des races est ouverte » [44]. Les gens du Sud nourris d'un sol différent, façonnés par des morts qui ne sont pas ceux des gens de l'Est et du Nord s'acharnent « à suivre leurs instincts méridionaux, à vouloir violenter les manières de voir et de sentir que nous avons dans l'Est et dans le Nord... » [45]. « L'homme du Sud veut désarmer et livrer les hommes de l'Est » [46], il lance « ces coûteuses machinations anticléricales » qui viennent diviser la nation [47], il préconise le désarmement [48] car il éprouve une profonde antipathie pour l'Alsace [49].

Le vivant symbole de ce nouvel aspect des luttes de races est Jaurès. Le leader socialiste constitue la cheville ouvrière du grand complot méridional ourdi contre les provinces de l'Est : selon Barrès, ses « déclamations antialsaciennes et antilorraines », son appui à « la campagne frénétique qui est menée avec la complicité du monde officiel contre l'armée », ne sont qu'un signe avant-coureur d'autres désastres

43. *Ibid.*
44. Barrès, *Les Lézardes sur la maison*, Paris, Sansot, 1904, p. 39. C'est un recueil d'articles publiés dans *La Patrie* et *Le Gaulois* entre juillet 1902 et janvier 1904. Il porte le titre d'un article publié dans *Le Gaulois* du 14 juin 1903 où Barrès écrivait : « Il y a des lézardes sur la maison (...) Elles dessinent sur notre pauvre pays des divisions qui correspondent assez exactement aux régions que César trouva dans les Gaules ».
45. *Op. cit.*, p. 37. Cf. Barrès, « La prépondérance des méridionaux », *Le Gaulois*, 29 juin 1903 : « L'élégant homme du Sud, l'Aquitain, dédaigne, veut mettre sous le joug le rude homme du Nord, le Lorrain, le Flamand, le Breton. Par-dessus la Loire deux France irritées se regardent ».
46. Barrès, « Un cri d'alarme », *La Patrie*, 18 juillet 1902.
47. Barrès, « Les lézardes sur la maison », *Le Gaulois*, 14 juin 1903.
48. Barrès, *Les Lézardes sur la maison*, p. 30.
49. Barrès, « La sagesse de l'Est », *La Patrie*, 10 octobre 1902 : « Je trouve », dit Barrès à propos des méridionaux, « qu'ils prennent bien aisément leur parti du traité de Francfort ». Maurras n'a pas manqué de reprendre cette balle au bond : Puisque « la république lorraine et la république toulousaine sont en désaccord sur une question qui n'est pas régionale, mais nationale, sur une question d'Etat : la défense du territoire, la constitution de l'armée », la seule solution raisonnable est celle préconisée par l'Action française : le rétablissement de la royauté (Barrès-Maurras, *La République ou le Roi*, p. 423 et p. 450 ; lettres de Maurras datées de mai 1904 et de juin 1905).

qui ne tarderont guère à frapper l'Est de la France[50]. Pire que Burdeau, qui lui, sentait au moins l'Alsace, Jaurès incarne le mal dans sa totalité[51]. Dreyfusard, anticlérical, antimilitariste, traître aux deux provinces, le véritable maître à penser et l'inspirateur du Bloc, Jaurès le méridional, en menant à leur perte les bastions de l'Est, suscite une haine légitime de la part des bons Français.

> « Je parle de Jaurès », écrit Barrès, « sans animosité privée. Du moins, je le crois sincère (il suit sa race) : Eh bien, qu'il vienne un jour en Lorraine nous exposer ses idées : il n'a que le choix de savoir s'il veut terminer ses jours dans la Meurthe, dans la Moselle ou dans la Seille. Pour ma part, je lui conseille la Moselle, l'eau en est excellente et puis je le verrais passer sous le pont de ma ville natale »[52].

En ce début de siècle, le nationalisme barrésien qui se voulait un mouvement de rassemblement et d'unité est parvenu surtout à élargir le cercle de ses exclusives, à se transformer en un véritable parti de guerre civile. Les incitations à la haine, voire au meurtre, se succèdent, à mesure que s'accumulent les échecs, que devient définitive la faillite de l'antidreyfusisme. A toutes les catégories d'hommes qu'il avait rejetées de la communauté nationale pour des raisons physiologiques, psychologiques ou idéologiques, il ajoute à présent la moitié de la France. Car pour lui les vrais Français sont ceux du Nord et de l'Est. « Il est déplorable », écrit-il, « que l'âme de la République actuelle soit une âme méridionale »[53]. Et il développe sa pensée de la manière suivante : « Le défaut d'équilibre qu'il y a aujourd'hui dans notre esprit politique et dans tous les ordres en France, je ne l'attribue pas seulement à la perte de l'Alsace-Lorraine, mais à ce fait que toute notre frontière n'est pas assez au Nord. Il n'est de France, à bien dire, et d'esprit français intégral qu'avec la frontière du Rhin (voir *Les Bastions de l'Est*) »[54]. Il estime par conséquent que la défense des provinces de l'Est n'est pas seulement une question territoriale, ni même une question de fidélité ou d'honneur, mais une mesure de salut public sans laquelle la France disparaîtrait à plus ou moins brève échéance. Voilà pourquoi « contre cette prépotence méridionale il y a des objections non seulement lorraines, normandes, bretonnes, flamandes mais *françaises* »[55]. La perte de l'Alsace-Lorraine est pour Barrès une des grandes raisons du mal

50. Barrès, « Des droits mais aussi des devoirs », *La Patrie*, 26 septembre 1902. Cf. « La prépondérance des méridionaux », *Le Gaulois*, 29 juin 1903 : le gouvernement mené par une majorité méridionale, en adhérant au projet de désarmement prépare l'abandon non seulement des provinces perdues, mais encore de cette partie de la Lorraine restée française.
51. Barrès, « La sagesse de l'Est », *La Patrie*, 10 octobre 1902.
52. *Ibid.*
53. *Ibid.*
54. Barrès, *Les Lézardes sur la maison*, p. 75, note 3.
55. Barrès, « La prépondérance des méridionaux », *Le Gaulois*, 29 juin 1903.

dont souffre le pays : « C'est la perte de l'Alsace-Lorraine », dit-il, « qui, en faisant pencher déplorablement la balance, a permis aux Méridionaux de prévaloir dans le Parlement et, par suite, de disloquer la France » [56]. Voilà pourquoi la restauration française implique la prise de conscience que « la République ne sera conciliable avec la durée de la nationalité française que si elle se fonde sur notre solidité de l'Est » [57].

En effet, « ce qui perd la France contemporaine », c'est l'emprise qu'exercent sur elle « depuis trente ans, les orateurs démocrates du Midi » [58]. A leur éloquence, qui devient « très vite la verbosité, le mensonge, l'artifice, le néant » [59], les hommes de l'Est opposent « leur poids, leur sens commun » [60]. A leur « politique partisane, nullement nationale », le Nord de la Loire oppose le souci de l'intérêt général, le respect pour l'armée et « un esprit libre de fanatisme anticlérical » [61]. La Lorraine, fidèle détentrice de l'esprit national, se révolte contre les « conceptions antireligieuses » des gens du Midi, contre l'antipatriotisme et le sectarisme « des pays au Sud de la Loire (qui) mènent notre République... au démembrement » [62]. C'est pourquoi il faut faire non seulement « une plus grande place aux gens de l'Est » [63], mais surtout façonner la France selon des normes dictées par ceux qui sont les gardiens les plus intègres de son patrimoine national, qui savent encore écouter la voix du terroir et puiser dans la fidélité à leur terre et à leurs morts [64] l'énergie nécessaire pour monter la garde sur le Rhin.

Dans les années 1900, le nationalisme barrésien sera façonné selon ces mêmes critères. Après l'échec de toutes les formes d'opposition au régime, après les débâcles successives du boulangisme et de l'antidreyfusisme, et après l'accession au pouvoir d'une coalition de gauche patronnée par Jaurès, la question alsacienne-lorraine devient l'unique point d'appui sérieux de la doctrine politique de Barrès.

En elle-même, la Lorraine n'est pas pour Barrès un objet de ferveur : elle a une fonction à remplir, celle du bouclier de la France et de tout ce que représente la France, sur le Rhin : « Ma raison », écrit-il, « ne me permet pas d'aimer les provinces de l'Est pour elles-mêmes, comme parfois je serais incliné à le faire ; je dois les étudier

56. Barrès, *Les Lézardes sur la maison*, p. 38.
57. *Op. cit.*, p. 50.
58. Barrès, « Un cri d'alarme », *La Patrie*, 17 juillet 1902.
59. Barrès, *Les Lézardes sur la maison*, p. 40. L'allusion à Jaurès est claire.
60. Barrès, « Un cri d'alarme », *La Patrie*, 18 juillet 1902.
61. Barrès, « Les lézardes sur la maison », *Le Gaulois*, 14 juin 1903.
62. Barrès, « La prépondérance des méridionaux », *Le Gaulois*, 29 juin 1903.
63. Barrès, « La sagesse de l'Est », *La Patrie*, 10 octobre 1902.
64. Barrès, *Les Lézardes sur la maison*, p. 50.

et les aimer par rapport à la France, pour servir la France et pour défendre une culture latine dont nous sommes là-bas les extrêmes bastions »[65].

A la veille de la guerre, dans un aveu consigné dans ses *Cahiers,* Barrès ne laisse planer aucun doute sur la nature de son attachement à l'Alsace. Il retrouva alors, pour revendiquer les provinces perdues, une démarche qui n'est pas sans rappeler celle de Treitschke : tous deux réclament les mêmes territoires au nom de l'intérêt national sans tenir compte de la volonté de la population, facteur d'importance négligeable : « Il faut parler nettement », dit Barrès : « nous avons besoin de l'Alsace. Nous la réclamerions quand elle ne voudrait plus de nous. C'est dire que nous ne voulons pas d'elle au nom des peuples opprimés »[66]. Voilà pourquoi le particularisme alsacien-lorrain est pour lui surtout un moyen de résistance contre l'annexion[67] ; le rêve de l'Austrasie, d'un état catholique autour de l'archevêché de Trêves, le tente, car ce serait un état tampon entre la France et l'Allemagne et qui assurerait en outre l'influence française sur la rive gauche du Rhin[68]. « Notre devoir c'est de fortifier la France », dit Barrès dans sa conférence sur le problème alsacien-lorrain prononcée devant les membres de la Ligue de la patrie française[69] : encourager, en ce début de siècle, le particularisme alsacien-lorrain est une mesure qui s'inscrit dans cette optique. Mais il n'en sera plus de même au lendemain de la victoire, au moment où des velléités autonomistes de l'Alsace-Lorraine ne pourraient que porter préjudice à la cause française. On trouvera alors sous la plume de Barrès un bien curieux passage :

> « Nous avons une idée de ce que sont le génie breton, le génie provençal, le génie de l'Ile-de-France. Il faut que nous ayons une idée du génie rhénan. Nous donnerons satisfaction aux Alsaciens-Lorrains qui ont l'idée d'une certaine personnalité, qui risquent de s'agiter sans fruit, sans efficacité, s'ils veulent aller dans cette impasse chercher leur autonomie, et avec qui nous allons chercher leur mission propre. Nous leur montrerons, je le sais, que la plante locale s'oriente vers la France et que c'est là qu'elle trouve le soleil, les influences, l'éducation qui en font une des plus belles plantes de l'humanité »[70].

65. *Mes Cahiers,* t. III, p. 145. René Taveneaux (« Barrès et la Lorraine » in *Maurice Barrès. Actes du colloque de Nancy,* p. 143) pense par contre que Barrès accueille avec une réticence instinctive le rattachement de la Lorraine à la France et que toute son œuvre rappelle la douloureuse union des deux pays. Selon Taveneaux il est à la fois séduisant et simpliste de représenter son patriotisme lorrain comme l'image première mais déjà fidèle de son patriotisme français.
66. *Mes Cahiers,* t. X, p. 212.
67. *Scènes et doctrines du nationalisme,* t. II, p. 16.
68. *L'Appel au soldat,* p. 393.
69. *Scènes et doctrines du nationalisme,* t. II, p. 28.
70. *Mes Cahiers,* t. XII, pp. 124-125.

Vingt ans plus tôt, Barrès avait déjà clairement signifié ce qu'il attendait de cette « plante locale » : il voulait en faire une « haie austrasienne contre le vent de Prusse si dangereux à nos plantes françaises (...) et puis, soutenant de provincialisme notre patriotisme, cultiver sur notre sol lorrain les espèces locales, parce qu'elles résistent mieux à l'envahissement des graines d'outre-Rhin... » [71].

Mais au moment où toute latitude lui est donnée pour favoriser le particularisme alsacien-lorrain, Barrès marque un mouvement de recul qui explique mieux que de vagues théories provincialistes, le sens de son attachement aux deux provinces. En effet, se faisant l'écho d'un certain mécontentement dans les territoires libérés, Barrès exprime son désir de voir la situation régularisée le plus rapidement possible dans le sens de la liquidation des séquelle de l'annexion. Pourquoi, interroge-t-il, « l'Alsace-Lorraine continue-t-elle de constituer une région ? Ne doit-elle pas se diviser dès maintenant en départements de la Moselle, du Bas-Rhin, du Haut-Rhin ? » [72].

Au lendemain de la guerre Barrès craint, paradoxalement, que ce ne soit le demi-siècle d'annexion qui ait créé une conscience, une personnalité alsaciennes-lorraines, que ce ne soient ses propres idées prêchées dans *Au Service de l'Allemagne* qui se retournent à présent contre la France. Ce qui était bon pour les Alsaciens-Lorrains occupés ne saurait l'être pour ces mêmes Alsaciens-Lorrains de retour au bercail. Car, l'Alsace-Lorraine, finalement, c'est avant tout un avant-poste de la France et de la latinité. En couvrant le flanc le plus exposé de la patrie, elle remplit une fonction qui est sienne depuis des siècles, celle de la défense d'une culture supérieure :

> « Maintenant nous formons », écrit-il, « les régiments de fer que la France oppose à la Germanie. C'est ainsi que les gens de ce paysage, qui faisaient déjà la bataille, pour le compte de l'empire romain, contre les barbares de l'Est, sont de nouveau les grands bastions orientaux de la civilisation latine (...) Ce fut la destinée constante de notre Lorraine de se sacrifier pour que le germanisme, déjà filtré par nos voisins d'Alsace, ne dénaturât point la civilisation latine » [73].

71. *L'Appel au soldat* (La vallée de la Moselle), pp. 393-394. Cf. « La solution est à Paris », *La Patrie*, 12 septembre 1902 :
« Appuyés aux Alsaciens, qui, demi-submergés, font pourtant une digue, les Lorrains servent de seconds remparts à la France contre l'esprit allemand, contre toutes les influences de Germanie. Voilà pourquoi j'attache tant d'importance à ce qu'on respecte, protège, suscite toutes les énergies de l'Est. Elles servent de défense, en paix comme en guerre, à la grande patrie française. Ainsi abritée, que la France se reforme pour la lutte politique et guerrière et qu'elle veille jalousement à maintenir dans ses propres frontières la véritable qualité de l'esprit français, afin que l'Alsace qui s'alimente à cette source, ne se trouve pas en infériorité morale devant l'esprit germanique ».

72. BARRÈS, « Nous n'aurons de gage que sur le Rhin », *L'Echo de Paris*, 19 juillet 1920.

73. *Le 2 novembre en Lorraine* in *Amori et dolori sacrum*, p. 279.

Cet affrontement entre « les deux forces ethniques »[74] dont l'origine appartient à la préhistoire[75], se poursuit jusqu'au XXe siècle. « En 1902 (...) cette éternelle bataille (...) n'est pas militaire ; elle est plutôt morale »[76], car dans cette « guerre sacrée »[77], la France se trouve momentanément sur la défensive. Son objectif final est l'acquisition de la frontière naturelle du Rhin[78], mais elle doit d'abord assurer la résistance à la domination allemande en pays annexé. *Au Service de l'Allemagne, Colette Baudoche* et *La Colline inspirée* tracent les grandes lignes de ce programme.

On connaît les thèses des *Bastions de l'Est* : soldats de la France et de la latinité, les Alsaciens-Lorrains ont le devoir de s'accrocher à leurs terres, d'être « un caillou de France sous la botte de l'envahisseur », de subir l'inévitable et de maintenir « ce qui ne meurt pas »[79], de tenir « fort dans le sol et dans l'inconscient »[80], et de considérer qu' « il n'y a de vérité qu'en français »[81].

Ehrmann l'Alsacien[82] et la Messine Colette Baudoche incarnent la volonté française des deux provinces : tous deux consentent d'énormes sacrifices pour être fidèles à leur mission. Pour pouvoir rester Alsacien, Ehrmann, la mort dans l'âme, servira le Kaiser ; pour ne pas trahir la race, Colette n'épousera pas un Allemand. Chacun, avec des moyens appropriés à la situation dans laquelle il se trouve, est résolu à ne pas subir passivement la domination germanique, à ne pas accepter la déchéance de la France, mais décidé à croire toujours, quoi qu'il arrive, en sa supériorité. Tous deux ont le sentiment d'être porteurs d'un message, les héritiers d'un patrimoine sacré. « Je suis un héritier », dit Ehrmann, « je n'ai ni l'envie, ni

74. *L'Appel au soldat*, p. 320.
75. Barrès, « La solution est à Paris », *La Patrie*, 12 septembre 1902.
76. *Ibid.*
77. *L'Appel au soldat*, p. 337. Cf. aussi *Scènes et doctrines du nationalisme*, t. I, p. 90.
78. Barrès, « Nous sommes des usufruitiers », *La Patrie*, 6 mars 1903. Barrès parle de la « vérité historique française » qui consiste pour la France à « s'appuyer sur ses frontières naturelles ». « Si loin que se portent les regards de l'histoire, la France a voulu que le Rhin séparât nos deux races ». Pour la génération actuelle c'est un devoir sacré car « il ne nous appartient pas de renoncer à des droits créés par les générations passées et qui sont la propriété des générations futures. Nous n'avons que l'usufruit de notre patrie ». Cf. aussi « La solution est à Paris », *La Patrie*, 12 septembre 1902 :

« L'Alsace et les deux rives du Rhin sont le champ d'une bataille éternelle entre la Germanie et la Latinité. Un homme vit assez pour apercevoir une passe d'armes, mais, que cet épisode soit heureux ou malheureux, il n'en peut rien préjuger quant au résultat d'une lutte dont l'origine appartient à la préhistoire. Il en va de cette querelle pour la possession du Rhin comme de la lutte entre le soleil et la pluie qui se développe d'alternative en alternative sans atteindre jamais l'état stable ».
79. *Au Service de l'Allemagne*. Annexe, p. 254.
80. *L'Appel au soldat*, p. 349.
81. *Ibid.*
82. Le héros d'*Au Service de l'Allemagne* a pour modèle et pour inspirateur l'ami alsacien de Barrès, le docteur Pierre Bucher.

le droit d'abandonner des richesses déjà créées » [83]. Quant à la petite Lorraine, sur le point de céder à son instinct de femme, elle en est empêchée par « la présence de ces ombres tutélaires qui veillent sur la race [84] : osera-t-elle les décevoir, leur faire injure, les renier ? (...) Colette reconnaît l'impossibilité de transiger avec ces morts qui sont là présents » [85]. L'Alsace et la Lorraine, le soldat et la femme sont persuadés que « la raison *deutsche*, en travaillant à détruire ici l'œuvre *welche*, diminue la civilisation » [86]. Ils se constituent donc eux-mêmes en bastions avancés de la France sur le Rhin.

La Colline inspirée est également une sorte de bastion de l'Est. Sion-Vaudémont, comme Sainte-Odile, représente la lutte contre la germanisation car c'est un bastion du catholicisme contre le protestantisme germanique [87]. Avec son château et son église, la colline représente la double tradition lorraine : militaire et religieuse. *La Colline inspirée* raconte la victoire du christianisme sur les puissances occultes, la victoire du catholicisme — de la religion française — sur les divinités qui peuplent les forêts druidiques et germaniques. Mais si les frères Baillard ne parviennent pas à ressusciter la grandeur de la Lorraine catholique, la vie traditionnelle sur la colline continue. Et d'ailleurs, s'il éprouve une évidente sympathie pour Léopold Baillard, Barrès ne déplore guère l'échec du non-conformiste, de l'illuminé. Il s'en remet finalement à l'orthodoxie catholique, cette valeur sûre, qui dans la lutte contre la germanisation est aux avant-postes du combat. « Dans le désastre lorrain », écrit-il, l'église est « la maison de refuge du patriotisme » [88] : quand éclate, dans la cathédrale de Metz, le *Dies irae*, les annexés « croient assister à la messe de leur civilisation » [89].

En ce début du XXe siècle, après son échec total sur le plan politique, le nationalisme de Barrès s'est encore durci ; sous l'influence d'un sentiment de faiblesse en face des forces de destruction de l'intérieur et de l'ennemi de l'extérieur, ce nationalisme d'assiégé détermine alors l'ensemble de son activité.

83. *Au Service de l'Allemagne*, pp. 112-113.
84. *Colette Baudoche*, p. 243.
85. *Op. cit.*, p. 250.
86. *Au Service de l'Allemagne*, p. 9.
87. *La Colline inspirée*, pp. 30-31. Cf. Sylvia KING, *op. cit.*, pp. 169-170. Cf. aussi René TAVENEAUX (art. cité, p. 139) sur les contours de la Lorraine barrésienne : « La géographie cordiale de la Lorraine exclut les Hautes-Vosges dont la population est peu conservatrice, les vallées où l'industrie compromet la continuité des civilisations ancestrales. La vraie conscience naît sur le plateau et dans la plaine, dans les bourgades et les villages, chez un peuple mieux enraciné. La vraie Lorraine, c'est la Lorraine agricole du Sud, le Xaintois, la terre privilégiée de l'ancien comté de Vaudémont ».
88. *Colette Baudoche*, p. 239.
89. *Op. cit.*, p. 246 et p. 248. Cf. aussi p. 249 : « Colette à genoux (...) subit en pleurant toutes les puissances de cette solennité. Elle ne leur oppose aucun raisonnement. Elle repose, elle baigne dans les grandes idées qui mettent en émoi tout le fond religieux de notre race ».

Hantée par la décadence française, la doctrine de Barrès, à mesure qu'elle se définit, accuse le caractère défensif et anxieux du nationalisme. Barrès va jusqu'à s'éloigner des grands maîtres de la pensée allemande qu'il considérait jadis comme appartenant à l'héritage de toute l'humanité. La lutte qui se livre sur le Rhin ne souffre nulle faiblesse, pas plus que celle qui a pour théâtre le front intérieur.

Claude Digeon remarque que *Les Bastions de l'Est* font retrouver, après trente ans, ce terrible complexe d'infériorité qui se manifestait dans les œuvres populaires publiées au lendemain de la défaite, qu'ils sont le symptôme d'un mouvement profond qui ébranle la vie morale française [90]. Il n'en reste pas moins que le nationalisme barrésien représente aussi un sursaut d'énergie, mais, dès qu'il est question de se définir en un système cohérent de pensée, les structures intellectuelles qu'il emprunte sont celles du conservatisme.

Dès les premiers moments de l'Affaire, dès qu'il prend conscience de la puissance du courant dreyfusard, Barrès abandonne les expériences telles que celles de *La Cocarde* ou de *L'Ennemi des lois*. Les synthèses douteuses, les velléités de dépassement des oppositions, les ouvertures vers le monde extérieur, les ambiguïtés doctrinales ne sont plus de mise face au danger qui déferle sur le pays. Barrès s'attache alors à préserver ce qui existe déjà, à renforcer les facteurs de permanence, à s'incliner devant l'histoire. Son nationalisme est conservateur moins en vertu d'un choix idéologique librement consenti, que faute de mieux : il semble en effet considérer les inégalités sociales non comme inhérentes à l'espèce humaine, mais comme nécessaires à la préservation de l'édifice social. Ce sont encore les impératifs de cohésion du groupe-nation qui dictent le repli sur le catholicisme, ainsi que la lutte qu'il livre à tous les éléments qu'il juge étrangers à l'histoire de la France, ou nocifs à son évolution naturelle dans l'avenir. Voilà pourquoi, dès qu'il tente de systématiser sa pensée politique et sociale, Barrès est entraîné par une puissante logique vers le conservatisme.

Le nationalisme de Barrès se veut une méthode, et Ernst-Robert Curtius n'avait pas tort lorsqu'il comparait les recherches de l'auteur du *Culte du Moi* aux préoccupations de Descartes [91] : paradoxal à première vue, et abstraction faite du fossé qui sépare la pensée de Descartes de la doctrine barrésienne, ce rapprochement éclaire du jour le plus juste le grand souci de la politique de Barrès.

90. Claude DIGEON, *op. cit.*, p. 433.

91. Ernst-Robert CURTIUS, *Barrès und die geistigen grundlagen des französischen nationalismus*, Bonn, 1921, p. 40. Barrès considérait l'ouvrage de l'historien allemand comme un simple pamphlet. Il l'accusait d'avoir faussé le sens de sa pensée, et arbitrairement privilégié certains de ses aspects. « Le goût d'un Allemand », écrit-il, « n'est pas la mesure d'une œuvre française. Cette œuvre fait un tout, est nécessitée par un seul et même esprit » (BARRÈS, « La tâche de la France sur le Rhin », *La Revue de Genève*, n° 19, janvier 1922, p. 7).

CHAPITRE VIII

La pérennité du nationalisme

L'ÉCLIPSE

Au printemps 1902 le nationalisme est battu. Les années de l'agitation antidreyfusarde se soldent pour lui par un cuisant échec. Le 5 octobre doivent avoir lieu les obsèques de Zola. La veille, une trentaine de députés et de conseillers municipaux se réunissent avec Barrès, Rochefort, Coppée et Syveton pour mettre au point une contre-manifestation nationaliste. Le projet d'une descente dans la rue est écarté : pour Syveton, pour Barrès, cette nouvelle preuve d'impuissance, coïncidant avec les grandioses funérailles de l'auteur de *J'accuse*, symbolise les « obsèques du nationalisme » [1].

Le 5 avril 1903, Barrès se présente à une élection partielle dans le 4e arrondissement de Paris : il est battu par le radical Deville, candidat du Bloc. « J'ai été du baptême du nationalisme », dit-il, « je suis de son enterrement » [2].

La raison profonde de cette nouvelle défaite du nationalisme qui, cette fois, semble bien être une défaite définitive, réside selon Barrès, dans les faiblesses doctrinales du parti nationaliste. A quinze ans de distance, on retrouve sous sa plume des considérations identiques à celles que lui avait inspirées la débâcle boulangiste.

> « On ne s'est pas appliqué à donner au nationalisme un programme nationaliste. Je sais ce que c'est que le nationalisme, je ne sais pas ce que c'est que le parti nationaliste. On ne m'a jamais montré qu'un parti antiministériel. Un homme comme Jaurès, se présentant avec un globe d'idées, doit prendre forcément, sur l'imagination des masses populaires, autrement d'importance... » [3].

Ces critiques s'adressent, bien sûr, à la Ligue de la patrie française et à ses idéologues, Lemaître et Coppée, à leur incapacité de traduire en termes politiques la théorie de la Terre et des Morts et

1. *Mes Cahiers*, t. III, p. 51.
2. *Op. cit.*, p. 363.
3. *Ibid.*

de se présenter devant le pays armés d'une doctrine capable de contrebalancer la mystique socialiste.

Car Barrès croyait sincèrement avoir fourni au nationalisme une idéologie susceptible de rivaliser avec celle du socialisme ou avec la doctrine républicaine classique. Son ambition secrète était d'être le Victor Hugo du nationalisme : « Je voudrais marquer », écrit-il, « le caractère du *Roman de l'énergie nationale*. Ce sont les *Misérables*, les *Châtiments* qui ont jeté bas l'Empire. Comme les *Misérables* ont fourni le fumier d'où est née la pensée radicale, républicaine, je voudrais que *Les Déracinés*... » [4].

La Patrie française devait constituer, d'après lui, un moyen de diffusion de ses idées, de mobilisation idéologique et de formation spirituelle selon les principes qu'il avait rendus publics. Il lui retira son soutien actif dès qu'il devint clair à ses yeux que la Ligue entendait mener une campagne politique classique dans le cadre du système parlementaire. Le vieux boulangiste qu'il était savait que cette voie était une impasse.

La Ligue de la patrie française est fondée le 4 janvier 1899 sous l'égide de Jules Lemaître. Elle réunit un grand nombre d'intellectuels antidreyfusards et son objectif déclaré est précisément d'apporter la preuve que les grands noms des lettres et des sciences ne soutiennent pas tous la cause de la révision [5]. C'est le premier regroupement d'intellectuels de droite et il obtient un éclatant succès ; le prestige de ses adhérents est comparable à celui des signataires du *Manifeste des intellectuels* lancé par Clemenceau [6].

A ses origines la Ligue se veut essentiellement un organe de réflexion, elle s'abstient « de poursuivre directement un but politique » [7]. Consciente de la spécificité que lui confère son recrutement, elle abandonne l'agitation dans la rue à Déroulède et à la Ligue des patriotes pour s'adonner à l'analyse et à l'affirmation des principes. « La Ligue de la patrie française est avant tout une force

4. *Mes Cahiers*, t. II, p. 163.

5. Cf. *Scènes et doctrines du nationalisme*, t. I, pp. 69-72.

6. Sur la première liste d'adhérents figurent 23 membres de l'Académie française, 9 membres de l'Académie des inscriptions, 5 de l'Académie des sciences morales et politiques, 2 de l'Académie des beaux-arts, ainsi que plusieurs dizaines de professeurs de faculté, artistes, avocats et médecins. Parmi les hommes de lettres, on note les noms de Mistral, Maurras, Léon Daudet, Coppée, Brunetière, Maurice Pujo, Frédéric Amouretti et Jules Verne. L'initiative de lancer une nouvelle Ligue fut prise par Syveton, Vaugeois et Léon Daudet, et sa présidence fut confiée à Jules Lemaître (cf. la première publication de la Patrie française ; Jules LEMAÎTRE, *La Patrie française, Première conférence*). Les intrigues, les rivalités, les combinaisons qui accompagnèrent la naissance de la Patrie française avaient été fort nombreuses : on en trouvera l'écho dans la correspondance BARRÈS-MAURRAS, *La République ou le Roi*, pp. 204 à 223. Lemaître semble s'être notamment opposé à la nomination de Maurras au comité de la Ligue : pp. 212-214.

7. *Scènes et doctrines du nationalisme*, t. I, p. 99.

morale, une force d'opinion »[8], écrit Jules Lemaître, qui estime qu'il est « plus urgent encore de modifier les mœurs publiques que les lois et les institutions »[9]. Barrès de son côté affirme que l'objectif de la nouvelle Ligue est de restituer au nationalisme « toute sa noblesse et sa force intellectuelle »[10], d'« éclairer l'opinion sur les grands intérêts du pays »[11], de fournir « une discipline aux intelligences »[12] car « les meilleures institutions n'auront d'efficacité et de durée que si elles peuvent se raciner dans un état d'esprit politique transformé »[13].

Mais les ambitions que nourrissait Barrès dépassaient de loin celles de Lemaître. L'ancien boulangiste qui cherchait à éviter à tout prix les erreurs commises naguère par le « Parti national », avait voulu « doubler l'enthousiasme des masses par l'affirmation de principes »[14] tout en entretenant, grâce à la Ligue des patriotes, une constante agitation afin de préparer une intervention extra-parlementaire. « Parlons net », dit-il, « je n'attendais rien d'une action électorale ; j'attendais tout d'une intervention d'un autre ordre à laquelle nous devions préparer l'opinion »[15]. Voilà pourquoi, en octobre 1901, Barrès quitte le Comité directeur de la Patrie française, transformée en un simple « Comité électoral antiministériel »[16] : il refuse de s'associer à une entreprise destinée à subir le sort du boulangisme.

Cependant cette rupture survenant près de trois ans après la fondation de la Ligue, n'est pas fortuite. En effet, Barrès n'avait pu se dissimuler longtemps la nullité doctrinale des chefs de la Ligue. « La doctrine manquait au discours de Lemaître », note-t-il dans ses *Cahiers* après avoir entendu le long exposé du président de la Patrie française[17]. « Je ne vois pas les doctrines de Lemaître », ajoute-t-il. « Celles de Coppée sont extrêmement courtes »[18]. En

8. Allocution introduisant une conférence de Georges Thiébaud, faite le 14 février 1900 : *Parlementaire et plébiscitaire, Neuvième conférence de la Patrie française*, Paris, Bureaux de la Patrie française, s.d.

9. Jules Lemaître, *La Patrie française, Dixième conférence, L'Action républicaine et sociale de la Patrie française, Discours prononcé à Grenoble le 23 décembre 1900*, Paris, Bureaux de la Patrie française, s.d., p. 13. Cf. Jules Lemaître, *Opinions à répandre*, Paris, Société française d'imprimerie et de librairie, 1902, p. 127.

10. *Scènes et doctrines du nationalisme*, t. I, p. 106.

11. *Op. cit.*, p. 99.

12. *Op. cit.*, p. 100.

13. *Op. cit.*, p. 99.

14. *Op. cit.*, p. 106.

15. *Op. cit.*, p. 100 et p. 106.

16. *Op. cit.*, p. 100 ; cf. aussi p. 4.

17. *Mes Cahiers*, t. II, p. 94. Dans une lettre à Maurras, Barrès mentionne ce qu'il « trouve de fâcheux dans la conférence de Lemaître qui nous déforme et nous cercle... » (Barrès-Maurras, *La République ou le Roi*, p. 249. Lettre du 18 novembre 1899).

18. *Op. cit.*, p. 93. Cf. p. 91 : il juge la partie idéologique du discours « vague (...) inutile, défectueuse ».

vérité, Barrès n'a jamais éprouvé beaucoup d'estime pour Jules Lemaître : il collaborait avec le célèbre critique mais ne l'appréciait guère. « Il exprime des points de vue, mais de lui-même n'en a pas ; c'est un penseur sans portée »[19], écrit-il. En effet, comparés au président de la Patrie française, à Coppée et à Godefroy Cavaignac, un Naquet ou un Laisant faisaient figure de grands penseurs et un Déroulède ou un Rochefort pouvaient passer pour de vrais hommes d'Etat. Mais Barrès lui-même ne surestimait-il pas sa propre valeur, lorsqu'il espérait voir *Les Déracinés* jouer le rôle des *Châtiments* ? S'il était permis de supposer que la conférence sur la Terre et les Morts sonnerait le glas de la République parlementaire, il n'y avait rien de paradoxal dans le rôle et l'importance que s'assignait un Jules Lemaître[20].

Du boulangisme jusqu'à l'Affaire, les adversaires de la République parlementaire et libérale, les révisionnistes et les nationalistes, affichent une même faiblesse idéologique, une même incapacité à passer à l'action, ce qui les rend inaptes à rivaliser avec les mystiques jacobines ou socialistes, et avec l'expérience pratique des vieux cadres républicains.

La Ligue de la patrie française incarne toutes les faiblesses et toutes les contradictions du nationalisme. Née de la longue agitation de l'Affaire, elle se réclame du respect des lois et du respect des « pactes fondamentaux de la société humaine » qui impliquent l'acception des jugements rendus par les autorités compétentes ; elle ne fonde pas son antidreyfusisme sur l'intérêt supérieur de la France,

19. *Mes Cahiers*, t. I, p. 34. Dans le même contexte Barrès ajoute : « Il écrit avec une souplesse et une grâce extraordinaires. Mais qu'écrit-il ? Ce qui est l'ordinaire des jugements dans les conversations de jeunes professeurs, de jeunes écrivains. Encore le fait-il sans courage vrai, habilement ».

Dix ans plus tard, Barrès exprime son mépris pour celui qui après avoir été « ferryste, méliniste, déroulèdiste » est devenu « royaliste selon Maurras » (*Mes Cahiers*, t. VI, p. 303) ; pour celui « de qui la pensée a semé sa route de ses peaux de serpent » (*Mes Cahiers*, t. VII, p. 117).

Maurras n'avait pas une idée bien plus élevée du président de la Patrie française : cf. BARRÈS-MAURRAS, *La République ou le Roi*, p. 67, p. 313, p. 387, p. 419. Mais il s'agit là, bien sûr, d'opinions exprimées avant l'adhésion, en 1908, de Lemaître à l'Action française.

20. Barrès est alors réellement persuadé d'avoir exprimé des idées d'une puissance incomparable. « C'est là », écrit-il à propos de la doctrine de la Terre et des Morts, « une de ces idées maîtresses qui suffisent presque à la fécondité d'un esprit, tant elles sont riches en application. Si cette idée-là circulait dans la Ligue pour la soutenir et la vivifier, que de conséquences ! Il me semble que nous en sommes loin » (*Mes Cahiers*, t. II, pp. 93-94). En effet, les thèses barrésiennes ne semblent pas avoir obtenu le succès escompté ni produit l'effet auquel s'attendait l'auteur des *Déracinés* : Lemaître ne s'y réfère qu'une seule fois et cela encore après le départ de Barrès et la débâcle des élections législatives. Cf. Jules LEMAÎTRE, *La République intégrale, Discours prononcé à Paris le 12 novembre 1902*, Paris, Bureaux de la Patrie française, s.d., p. 7. L'attitude de Lemaître envers la théorie de la Terre et des Morts était sans doute pour beaucoup dans le mépris que lui vouait Barrès.

mais sur sa conviction absolue qu'un officier jugé coupable par un tribunal compétent ne saurait être innocent [21]. En ce sens, elle se situe nettement en retrait par rapport aux nationalismes de Barrès ou de Maurras. Jules Lemaître n'invoque pas la justice française ou la vérité française, notions fondamentales du nationalisme barrésien, mais la justice et la vérité tout court. Cet attachement à des principes que l'auteur de *L'Appel au soldat* considère comme des abstractions néfastes et indignes d'un nationaliste, n'est sans doute pas étranger à sa rupture avec la Ligue.

En effet, face à *Scènes et doctrines du nationalisme*, après le coup de main manqué de Déroulède, après l'affaire du Fort Chabrol et comparé aux exploits des « Amis de Morès » et aux invectives d'un Guérin ou d'un Drumont, le nationalisme de la Patrie française semble singulièrement édulcoré. Sa respectabilité, son attachement à la légalité républicaine, ses scrupules aussi bien que son programme politique et social prêtent à sourire. D'ailleurs cette organisation nationaliste avoue qu'elle aspire à devenir « le groupe patient, tenace, pratique et optimiste à la fois, celui qui sait que les évolutions morales se font lentement, et qui ne veut rien attendre que de la persévérante prédication de la vérité et du concert — long à établir, mais plus sûr que tout — des volontés saines et droites » [22]. Elle attend que son programme « puisse quelque jour être réalisé par des voies régulières et légales » [23], et espère résoudre la question sociale par « la charité chrétienne » [24].

Le nationalisme de la Patrie française est fondé sur une idée — déjà formulée par Déroulède dans un texte vieux de vingt ans — qui a des résonances inattendues dans l'atmosphère de guerre civile qui a succédé à l'unanimité de la ferveur patriotique : « Nous voudrions faire de l'amour de la patrie », dit Lemaître, « une sorte de religion » [25]. Ce vœu est ensuite développé dans une sorte de long sermon où le conférencier cherche à montrer que : « L'amour de la patrie (...) coïncide presque partout avec l'amour du bien moral », et qu'aimer ses traditions, ses héros et ses saints « coûte moins à l'égoïsme, semble-t-il, que d'obéir aux injonctions de l'impératif catégorique et dans la plupart des cas, cela revient au même » [26].

21. Jules LEMAÎTRE, *La Patrie française, Première conférence*, pp. 4-5. Cf. aussi pp. 7-9 et p. 15.

22. Jules LEMAÎTRE, *La Patrie française, Dixième conférence*, p. 7.

23. Jules LEMAÎTRE, *La République intégrale*, p. 19.

24. Jules LEMAÎTRE, *Egalité et tolérance*, Paris, Annales de la Patrie française, 1900, pp. 4-5. Cf. aussi pp. 6-7.

25. Jules LEMAÎTRE, *Première conférence*, p. 19. Cf. aussi Jules LEMAÎTRE, *Discours-programme*, Paris, Bureaux de la Patrie française, s.d., (1902), p. 24.

26. *Op. cit.*, p. 20.

Fort de cette conviction, Lemaître s'attaque à l'humanitarisme, qui sacrifie les intérêts de la nation, et à l'internationalisme [27]. Dans le même ordre d'idées, Godefroy Cavaignac précise qu'il s'agit de sauvegarder l'idée nationale contre « les internationalistes de toute espèce, depuis ceux de la haute finance cosmopolite, jusqu'à ceux du collectivisme révolutionnaire » [28]. Ce nationalisme moralisateur est républicain [29] ; il se réclame hautement de la Révolution, de Rousseau, de Michelet, de Lamartine, de Hugo, et de Quinet, mais aussi de Pascal, de Chateaubriand et de Taine [30]. C'est là un amalgame désormais classique, jusqu'à l'apparition de l'Action française, et qui porte une responsabilité considérable dans l'incapacité du mouvement à mener une action durable, à s'organiser en parti politique, à offrir des choix clairs et bien définis et, finalement, à mobiliser une clientèle pourtant disponible.

Sur le plan institutionnel, l'analyse des chefs de la Patrie française rejoint celle que Naquet ou Laisant avaient faite vingt ans plus tôt : ils s'en prennent tout d'abord à l'irresponsabilité et à la corruption de « cet autre souverain à six cents têtes » [31] ; ils préconisent ensuite une renforcement de l'exécutif — absorbé selon eux par le législatif — par l'élection du président de la République au suffrage universel à deux degrés et la responsabilité des ministres devant le chef de l'Etat [32]. Georges Thiébaud, à qui Lemaître accorde le patronage de la Ligue, développe longuement les thèses classiques du boulangisme bonapartiste ; mais le président de la Ligue prend ses distances à l'égard de l'ancien agitateur. Il souligne que « les plébiscitaires ne sont qu'une variété du genre nationaliste » [33]. Lemaître éprouve en effet quelque difficulté à reprendre à son compte le vieux programme boulangiste, car il ne s'est rallié que depuis peu de temps au principe du suffrage universel : en pleine agitation antidreyfusarde, Lemaître soutenait encore que pour régénérer la France il faudrait « supprimer le suffrage universel » [34]. C'est pourquoi, contrai-

27. Jules LEMAÎTRE, *Discours-programme*, pp. 8-9.

28. Godefroy CAVAIGNAC, *Discours-programme*, Paris, Bureaux de la Patrie française, s.d., (1902), p. 27.

29. *Ibid.* Cf. aussi le *Discours-programme* de Lemaître, p. 5.

30. Jules LEMAÎTRE, *Opinions à répandre*, p. 20 ; p. 71 ; p. 120 ; *La Patrie française, Dixième conférence*, p. 6 et p. 25 ; *Discours-programme*, p. 5. Cependant l'unanimité est loin d'être faite à cet égard : René Doumic se livre à une attaque en règle contre les jacobins, la Convention et leur héritage de fanatisme (*L'Esprit de secte*, Paris, Bureaux de la Patrie française, 1900, pp. 14-15).

31. Jules LEMAÎTRE, *La Patrie française, Dixième conférence*, p. 12. Godefroy CAVAIGNAC, *Discours-programme*, p. 31.

32. Jules LEMAÎTRE, *La République intégrale*, p. 6 ; pp. 15-17 ; *Discours-programme*, p. 6 ; p. 22.

33. Allocution d'introduction prononcée par Jules LEMAÎTRE à la neuvième conférence de la Patrie française : *Parlementaire et plébiscitaire*, p. 4 (conférence de Thiébaud).

34. Jules LEMAÎTRE, *Opinions à répandre*, p. 3 et p. 5.

rement aux boulangistes de souche, comme Barrès, Rochefort ou Thiébaud, Lemaître trouvera facilement sa voie du côté de l'Action française qui, elle, a su tirer toutes les conséquences des échecs successifs du nationalisme.

Ainsi, tous les changements préconisés — Lemaître insiste là-dessus avec force — ne sauraient intervenir que par la voie parlementaire et démocratique [35]. Ce n'est pas démagogie de sa part : la Patrie française se refuse à toute aventure. Elle reste en outre solidement attachée à un certain libéralisme qui lui confère, à côté des autres nationalismes, son caractère spécifique. Hostile à l'autoritarisme, elle est l'incarnation la plus authentique d'un certain nationalisme conservateur, beaucoup moins moderne que celui de l'auteur de *Scènes et doctrines du nationalisme*. Pour ce nationalisme de classe, l'attachement aux principes du libéralisme économique implique un certain libéralisme politique, et le souci que manifestent ses dirigeants de renforcer l'autorité du chef de l'Etat est atténué par la volonté de préserver les libertés publiques.

C'est ainsi que Lemaître considère qu'il est toujours nécessaire, quelle que soit la nature du régime, de tempérer l'omnipotence du souverain. De même que :

> « Dans le système monarchique il y avait entre le peuple et le roi (...) les parlements, les assemblées provinciales ou communales (...) il faut qu'il y ait pareillement, entre la toute-puissance aveugle du nombre et la personne de chaque citoyen, que cette toute-puissance menace d'opprimer, des groupements défensifs, des associations libres, qui travaillent à transformer cette force facilement dupe et facilement tyrannique en une force clairvoyante, bienfaisante, morale » [36].

En conséquence, Lemaître réclame la liberté d'association et d'enseignement [37]. Bien sûr, cette revendication s'inscrit dans le cadre de la campagne contre le projet de loi sur les congrégations, mais le président de la Patrie française demande avec insistance une loi qui :

> « Accorde à tous les citoyens le droit d'association dans la plus large mesure pour la formation de syndicats professionnels ouvriers, agricoles, de coopératives de production et de consommation (...) Mutualités et syndicats, voilà le salut. Nous sommes certes pour la liberté du travail : mais, dans la grande industrie, cette liberté n'est qu'un leurre et l'individu n'est qu'un grain de poussière sans l'association » [38].

35. Jules LEMAÎTRE, *Discours-programme*, p. 7. Cf. p. 6 : « J'ai donc le devoir de déclarer que la Patrie française représente le nationalisme républicain, qu'elle s'en est toujours tenue et s'en tiendra toujours à une opposition strictement constitutionnelle ».
36. Jules LEMAÎTRE, *La Patrie française, Dixième conférence*, p. 23.
37. *Op. cit.*, p. 9 et pp. 14-15.
38. *Op. cit.*, p. 17.

Semblables affirmations permettent précisément à Lemaître d'attaquer le socialisme. Selon lui, s'il était réalisé, « le programme collectiviste serait la plus insupportable des tyrannies » [39] ; ce serait « l'uniformité, la médiocrité générales, la mort de l'initiative individuelle » [40] : « le collectivisme, c'est l'ennemi », dit-il [41]. Et c'est seulement en parlant du socialisme que le président de la Patrie française se départit du ton mesuré et respectable qui est le sien : il est finalement beaucoup plus violents envers les collectivistes qu'envers les Juifs ou les francs-maçons [42].

Pour ce nationalisme bourgeois, si différent du nationalisme plébéien, le nationalisme des faubourgs, celui de Barrès, de Rochefort, de Déroulède, de Drumont, le socialisme est vraiment l'ennemi principal. En ce sens, la Patrie française contribue largement à faire basculer le nationalisme vers la droite conservatrice.

Pour combattre le socialisme, Lemaître préconise en premier lieu « la liberté d'association » conjuguée au « bienfait de l'ordre » [43], et la bonne volonté de toutes les classes sociales ; il estime en second lieu que « rien ne se fait que par des initiatives individuelles » [44]. Cependant il est parfaitement conscient du fossé qui se creuse au sein de la société française : s'il fait tout d'abord appel à la bonne volonté des classes possédantes — « nous ne sommes pas de mauvais cœurs », clame-t-il [45] — il n'est pas défavorable à une intervention de l'Etat, à une législation sociale calquée sur le système allemand [46], et à l'impôt sur le revenu [47]. Mais en dernier ressort c'est à la charité chrétienne que s'en remet Jules Lemaître pour atteindre ce que Godefroy Cavaignac considère pour sa part, comme l'objectif fondamental de la Ligue : « la paix sociale » [48].

> « Je crois », écrit Lemaître, « avec l'Evangile, avec les Pères de l'Eglise, ces précurseurs des socialistes, que le droit de propriété n'est pas un droit illimité, ou si vous voulez, que ce droit doit être limité par notre conscience ; je crois que les riches doivent être équitables aux pauvres, et les patrons à leurs ouvriers, et qu'ils ne seront pleinement équitables que lorsqu'ils seront fraternels » [49].

39. Jules LEMAÎTRE, *Discours-programme*, p. 14.
40. Jules LEMAÎTRE, *La Patrie française, Dixième conférence*, p. 16. Cf. *Opinions à répandre*, p. 3.
41. *Op. cit.*, p. 15.
42. Jules LEMAÎTRE, *La Patrie française, Première conférence*, p. 11 et pp. 14-15. Georges THIÉBAUD est beaucoup plus violent à cet égard : *Parlementaire et plébiscitaire*, p. 18.
43. Jules LEMAÎTRE, *La Patrie française, Dixième conférence*, p. 14 et *La République intégrale*, p. 18.
44. Jules LEMAÎTRE, *Comment passer à l'action, 15 mai 1901*, Paris, Imprimerie J. Mersch, s.d., p. 13.
45. Jules LEMAÎTRE, *La Patrie française, Dixième conférence*, p. 16.
46. *Op. cit.*, p. 17 ; cf. aussi *Opinions à répandre*, pp. 305-306.
47. *Op. cit.*, pp. 19-20.
48. Godefroy CAVAIGNAC, *Discours-programme*, p. 46.
49. Jules LEMAÎTRE, *La Patrie française, Dixième conférence*, p. 11.

La lutte contre « la conception violente et haineuse des relations sociales qui est celle des collectivistes »[50] constitue, de loin, le thème dominant de la campagne menée par la Patrie française à la veille de la consultation électorale de mai 1902. Le nationalisme conservateur y consacre infiniment plus d'attention qu'à l'armée ou à l'Alsace-Lorraine. Bien sûr, Lemaître ne manque pas de rendre hommage à cette école de pureté, de courage et d'abnégation qu'est l'institution militaire[51], mais il ne la conçoit jamais comme un recours possible en politique intérieure. Il aimerait au contraire voir l'armée employer son énergie outre-mer. Le nationalisme bourgeois vient en effet de découvrir que les colonies peuvent être non seulement une source de profit[52], mais aussi un terrain où peut s'exprimer la grandeur française[53]. Pour Lemaître, c'est un nouveau moyen de combattre la décadence du pays car, comme tous les nationalistes, il est hanté par la perte de vitalité qui atteint la France[54], mais en même temps il est fasciné par l'aventure : les conquêtes coloniales permettent de rendre au pays un rang privilégié dans le monde tout en inculquant à sa jeunesse le sens de « la vie passionnée », de « la lutte héroïque »[55], « certaines façons de sentir et de juger qui impliquent le respect de l'énergie, l'estime de l'activité, de l'effort individuel, de l'esprit d'entreprise... »[56].

A cette époque, et après s'y être longtemps opposé, Barrès se rallie lui aussi à la politique d'expansion coloniale, mais dans le même temps, Jules Lemaître abandonne tout à fait l'idée de revanche pour préconiser le rachat et l'échange de l'Alsace-Lorraine contre un territoire colonial, ou encore l'abandon définitif de l'Alsace contre le rattachement de la Lorraine à la France[57]. C'est le seul contexte dans lequel le président de la Patrie française fasse allusion aux deux provinces : les craintes de Déroulède se trouvent ainsi amplement justifiées puisqu'il s'avère qu'il peut exister un nationalisme sans aucune attache avec le souvenir de l'année terrible.

Les nationalismes (à l'exception de celui de Déroulède) sont une réponse à des problèmes d'ordre intérieur : l'Alsace-Lorraine leur sert souvent plutôt d'alibi que de raison d'être, jusqu'au moment où cet alibi n'est plus indispensable et où un mouvement nationaliste peut se définir sans aucune référence aux deux provinces. Car c'est

50. Godefroy Cavaignac, *Discours-programme*, p. 45.
51. Jules Lemaître, *La Patrie française, Première conférence*, pp. 21-22. Cf. aussi *Opinions à répandre*, pp. 83 et sqq.
52. Jules Lemaître, *Opinions à répandre*, pp. 50-52.
53. *Op. cit.*, pp. 33-68. Cf. pp. 237-246 sur Marchand et pp. 254-260 sur Galliéni.
54. *Op. cit.*, p. 11, p. 25, p. 234.
55. *Op. cit.*, p. 19.
56. *Op. cit.*, p. 12.
57. *Op. cit.*, p. 177.

une crise de la société, une crise aux dimensions de l'Europe, qui a suscité le nationalisme de combat ; c'est pourquoi il s'est développé aussi bien en France qu'en Allemagne, vaincue et vainqueur de la guerre de 1870.

Avec la victoire du Bloc républicain, s'achève une première période de l'histoire du nationalisme d'après 1870 ; elle correspond aux tentatives de renouvellement, de redressement ou de lutte ouverte contre le régime, mais à partir d'un postulat fondamental : l'acceptation de la Révolution. En mai 1902 la preuve est faite qu'une telle voie est sans issue, que la conquête du régime de l'intérieur n'est pas possible. La rupture avec la vieille tradition révolutionnaire semble alors une nécessité vitale pour préserver le nationalisme : ainsi naît l'Action française que rejoignent très vite la plupart des leaders de la Patrie française, mais pas Barrès.

En 1902, la pensée de Barrès est définitivement élaborée : la théorie de la Terre et des Morts est alors le fondement de son idéologie politique ; elle sera le fil conducteur de toute son œuvre ultérieure. Or, elle implique l'acceptation du verdict de l'histoire : Barrès ne saurait donc donner son adhésion à une théorie politique qu'il considère comme antihistorique. C'est pourquoi il restera toujours réticent à l'égard de la pensée de Maurras et à l'égard d'un mouvement qui, selon lui, va à l'encontre de l'histoire.

Le temps des aventures est révolu : les échecs successifs du boulangisme et de l'antidreyfusisme font du révolté des années 1880 un solide conservateur. Il restera fidèle aux souvenirs de sa jeunesse, des temps héroïques où il partait à l'aventure et appelait de tous ses vœux la fièvre des journées populaires ; mais à l'issue de toutes ces batailles perdues, il s'attachera surtout à défendre ce qui est (en proposant d'améliorer ce qui peut l'être), à préserver et à consolider les trésors de la lignée, à cultiver la fidélité à la continuité française. La politique de Barrès est dès lors commandée par sa vision de l'histoire ; son nationalisme conservateur repose sur la volonté de considérer l'histoire de France comme un tout indivisible dans lequel la Révolution française a droit de cité. Cette option fondamentale fait de Barrès un homme seul et l'isole du grand mouvement nationaliste qui surgit en ce début du siècle. Repoussé vers le centre par la logique même de ses dissensions avec l'Action française, cet ancien agiteur, ce socialiste-nationaliste devient un homme de la droite quasi classique.

Une grande question, celle de l'unité de l'histoire de France, domine le débat qui oppose l'auteur des *Déracinés* à l'Action française. L'unité de l'histoire de France est pour Barrès la question capitale, celle qui après l'effondrement du nationalisme politique, commande toute sa pensée car elle représente, au-delà de toutes les vicissitudes de la politique, la seule certitude que les événements ne puissent ébranler. Elle est aussi l'unique élément susceptible de conserver au nationalisme ce qui en est la raison d'être : sa qualité de mouvement « national », de mouvement de rassemblement. Barrès sait que tout son système s'écroulerait dès lors qu'il accepterait de suivre Maurras sur la voie de la Restauration.

De tous les mouvements issus de l'Affaire Dreyfus et des crises de la fin du XIXe siècle, l'Action française, on le sait, est la seule à rompre non seulement avec le régime, ses institutions et ses pratiques mais aussi avec ses fondements spirituels : elle clame bien haut l'incompatibilité absolue entre le régime républicain et le nationalisme, et explique ainsi les échecs successifs du boulangisme et de la Patrie française ; d'un Déroulède, d'un Cavaignac ou d'un Lemaître [1]. Selon Maurras, les raisons réelles de cette série de défaites, échelonnées sur une dizaine d'années, ne sont pas du domaine de la stratégie politique, mais tiennent au compromis qu'accepte le nationalisme et qui en vicie le principe même. Le grand tort de tous les adversaires du régime, estime-t-il, fut de vouloir le transformer, l'améliorer, ce qui impliquait l'acceptation de ses postulats et l'insertion dans le cours de l'évolution historique pour essayer de la diriger dans des voies nouvelles. Il ne s'agissait donc, somme toute, que de corriger une déviation. Persuadé que l'expérience venait de prouver que la chose était impossible, Maurras décide de se libérer de cette série d'équivoques. C'est donc sur un ton assez acerbe

1. Telle est la thèse de l'*Enquête sur la Monarchie*. Cf. aussi Léon de MONTESQUIOU, *Les Origines de la doctrine de l'Action française*, Paris, Ligue d'Action française, 1918, pp. 12-13. Cette brochure doctrinale de Léon de Montesquiou, rédigée à la veille de la guerre, constitue l'un des exposés les plus clairs et les plus concis de l'idéologie de l'Action française. Pour Maurras, un nationaliste républicain, fût-il le mieux intentionné, ne peut éviter de « manquer aux engagements pris envers l'idée de la Patrie » : la France n'est jamais pour lui que « la France mais ... » (*Enquête sur la Monarchie*, édition définitive, Paris, Arthème Fayard, s.d. (1925), p. 475 et p. 476). Cf. aussi Léon de MONTESQUIOU, *op. cit.*, p. 14 : Tel Déroulède qui « mêlait la patrie et la Révolution et l'on ne sait la plupart du temps à quoi il donnait la première place », « un vrai républicain met la République au-dessus de tout » et est prêt à sacrifier la patrie à la cause révolutionnaire. Sur les origines de l'Action française, cf. l'ouvrage de Eugen WEBER, *L'Action française*, Paris, Stock, 1962, pp. 19-62. On consultera avec profit le chapitre sur l'Action française dans l'ouvrage de Jean-Jacques CHEVALLIER, *Les Grandes œuvres politiques*, Paris, Armand Colin, 1960, pp. 288-312.

qu'il répond à Barrès lorsque, repoussant les conclusions de l'*Enquête sur la Monarchie*, celui-ci prétend se placer sur le terrain des réalités.

Barrès s'était, en effet, refusé, dans sa lettre-réponse à Maurras, à s'engager dans la voie de l'Action française, et ceci au nom des faits, du réalisme, du pragmatisme. Son texte est bref, concis, tranchant dans ses formules ramassées dont certaines blessèrent Maurras profondément : « Je comprends qu'une intelligence jugeant *in abstracto* adopte le système monarchique qui a constitué le territoire français » [2].

Le grand reproche que Barrès adresse à Maurras est de s'enfermer dans une construction abstraite, donc antihistorique, car l'histoire ne possède guère d'autres critères que celui du fait établi. Or les faits sont les fruits d'une évolution, et, qui dit évolution dit continuité, et surtout accepte la légitimité de cette continuité. C'est ainsi que l'essentiel de l'argumentation contre la théorie de Maurras sur la monarchie est condensé dans cette phrase relevée dans le même texte : « Je ne date pas d'un siècle l'histoire de la France, mais je ne puis non plus méconnaître ses périodes les plus récentes » [3].

Ce refus que Barrès signifie à Maurras, il l'avait déjà énoncé lors de la fondation de la Ligne de la patrie française. A cette occasion, en effet, les fondateurs de la Ligue, déclarant vouloir l'enter sur le respect « des traditions », butèrent sur la célèbre question de Lavisse : « Quelles traditions ? » [4]. Barrès ne l'éluda point, bien au contraire :

> « Nous ne sommes pas des dogmatiques ; nous sommes disposés à faire quelque chose avec ce qui est », dit-il. « Quelles que soient les objections que nous puissions faire contre la Révolution, nous sommes disposés à accepter les choses au point où elles sont et précisément parce que nous ne sommes pas des révolutionnaires, nous voulons tirer parti des choses » [5].

2. « Lettre de M. Maurice Barrès » in Charles MAURRAS, *Enquête sur la Monarchie*, pp. 134-135.

3. *Op. cit.*, p. 135. Cf. *Mes Cahiers*, t. I, pp. 93-94 : « Avoir la conscience nationale, le sentiment qu'il y a un passé du pays, le goût de se rattacher à ce passé le plus proche ». Cf. aussi *Scènes et doctrines du nationalisme*, t. I, p. 87 : « Après tout », écrit Barrès, « la France consulaire, la France monarchique, la France de 1830, la France de 1848, la France de l'Empire autoritaire, la France de l'Empire libéral, toutes ces Frances enfin qui, avec une si prodigieuse mobilité, vont à des excès contradictoires, procèdent du même fonds et tendent au même but ; elles sont le développement du même germe et sur un même arbre les fruits des diverses saisons ».

Maurras, on le sait, n'a pas ménagé ses efforts pour gagner Barrès à la bonne cause. A de nombreuses reprises, tout en faisant état de sa déception, de sa « mélancolie » face au refus de Barrès, il essaie de surmonter les réticences de ce dernier. Cf. leur correspondance depuis le lancement de l'*Enquête* : BARRÈS-MAURRAS, *La République ou le Roi*, pp. 298 et suivantes, et plus particulièrement pp. 298-300, pp. 348-353, pp. 435-436, pp. 454-456.

4. *Mes Cahiers*, t. II, p. 91.

5. *Op. cit.*, p. 92. Cf. aussi *Assainissement et fédéralisme*, p. 7 : « L'histoire n'admet pas de pastiches », écrit-il.

En même temps, il concédait qu'il y avait « plusieurs raisons et plusieurs traditions en France » [6].

Barrès est terriblement conscient de l'extraordinaire complexité de l'histoire de France. Deux réflexions consignées dans une même page du neuvième volume des *Cahiers* illustrent remarquablement la nature des problèmes dans lesquels il se débat et l'origine de nombreuses ambiguïtés que renferme sa pensée. « Notre tâche », écrit-il, « ruiner la religion de la Révolution (mais non, je ne trouve pas le mot) et servir l'Eglise » [7]. Non seulement Barrès ne parvient pas à « trouver le mot » mais il éprouve énormément de difficultés à esquisser l'idée de ce qu'il cherche à exprimer. Dans le même contexte, il fait cet aveu : « Je suis fait comme la France, je suis sensible aux attraits de Rousseau, à Robespierre, à Louis Blanc » [8].

Plusieurs années plus tôt il s'était déjà refusé à abandonner Michelet et Hugo [9]. Cependant, il est éminemment significatif que ces réflexions restent consignées dans le domaine intime des *Cahiers* et ne déterminent guère l'action de l'homme politique : au moment où l'écrivain avoue son admiration pour Rousseau, le député de Paris fait à la tribune de la Chambre et dans la presse, le procès de l'auteur du *Contrat social* [10].

Mais les impératifs de la politique ne sauraient ébranler sa conviction que la tradition forme un tout organique. C'est pourquoi il se refuse obstinément à considérer l'année 1789 comme une coupure dans l'histoire de France. « Je ne me dis pas », écrit-il à propos de la France qu'il voudrait forger, « je lui donnerai l'âme d'avant la Révolution ou l'âme d'après, je ne veux pas choisir. Je l'installe sur l'histoire où il y a continuité et sur sa persévérance et sur son besoin de vivre » [11]. Dans cette même série de réflexions, Barrès ajoute : « Il faut trouver le rapport de ce traditionnalisme à la Révolution, montrer qu'elle satisfit ou voulut satisfaire les intérêts éternels » [12].

6. *Mes Cahiers,* t. II, p. 157.
7. *Mes Cahiers,* t. IX, p. 319.
8. *Ibid.*
9. *Mes Cahiers,* t. II, p. 122 et *Mes Cahiers,* t. III, p. 149. Cf. aussi *Mes Cahiers,* t. I, p. 95 : « Causant avec Mazel de la Révolution, je lui dis : Possible, toutes les objections, mais je ne puis faire que je ne naisse d'elle par toutes mes façons de sentir. Il faut l'accepter... »
10. *Journal officiel, débats parlementaires, Chambre des députés,* 12 juin 1912, pp. 1 375-1 376, p. 1 379. Cf. « La fête de J.-J. Rousseau. Discours sur le bi-centenaire de J.-J. Rousseau », *L'Echo de Paris,* 12 juin 1912. Le neuvième volume des *Cahiers,* où Barrès livre sa pensée intime, recouvre précisément la période qui va de février 1911 à décembre 1912. En parlant de Michelet et de Victor Hugo, Barrès dit : « Leurs injures à Michelet, à Hugo, me séparent de mes amis secrètement. J'ai horreur de l'ingratitude » (*Mes Cahiers,* t. III, p. 149).
11. *Mes Cahiers,* t. IV, p. 180.
12. *Op. cit.,* p. 178. Cf. *Les Déracinés,* pp. 305-306, *Scènes et doctrines du nationalisme,* t. I, pp. 75-76, et *Chronique de la Grande Guerre,* Paris, Plon, 1932, t. III, p. 168.

La Révolution fut pour Barrès une des expressions du génie éternel de la France ; en réalité, il fut toujours plus ou moins fasciné par cette époque qu'il considérait comme l'une des expressions les plus significatives de la vitalité française. Mais ce n'est qu'après la guerre que Barrès donne libre cours à son admiration pour l'épopée révolutionnaire : les mêmes raisons qui avaient jadis amené l'auteur des *Déracinés* à déplorer l'antijacobinisme de Taine, l'incitent à présent à chanter la grandeur de la Révolution : face à l'Allemagne « prussienne », autoritaire et vaincue par les descendants des soldats de l'An II, Barrès ne trouve guère de terrain plus solide que celui de l'œuvre révolutionnaire. Dix ans avant la guerre n'avait-il pas déjà écrit : « J'aime la République, mais armée, glorieuse, organisée »[13]. Or, la victoire n'a-t-elle pas fait surgir des tranchées cette République nouvelle, digne héritière de celle des grands ancêtres ?

Car, dans l'esprit de Barrès, la grandeur de la Révolution consiste essentiellement à avoir porté à travers l'Europe la grandeur de la France. Nulle part l'auteur de *L'Appel au soldat* n'a exalté avec une telle conviction les principes libérateurs de la Révolution que dans la célèbre série des conférences prononcées au lendemain de la guerre à l'université de Strasbourg, sur les bords mêmes du Rhin. « Le principe d'émancipation individuelle de la Révolution, périlleux par certains côtés, fait merveille en face des bâtisses lézardées du passé »[14]. Et au cours de sa première leçon, parlant de l'élan « d'expansion vers l'Est », Barrès le donne en exemple à la jeunesse française de l'après-guerre ; il souligne :

> « L'esprit d'apostolat des plus vigoureux moments de notre histoire. Ces Français qui arrivent sur le Rhin se considèrent comme les professeurs de la seule politique justifiable (...) Pour eux le Rhin, c'est le pont par où les idées rationnelles, estimées seules légitimes doivent achever la ruine d'un passé féodal ; c'est le débouché par où l'esprit de l'Encyclopédie adaptera l'Allemagne aux temps modernes »[15].

Les principes de la Révolution sont donc étroitement associés à l'œuvre de conquête et d'expansion. Or cette poussée des temps héroïques de la Révolution n'est pas moins française que révolutionnaire. Au contraire : c'est le moment où la Révolution poursuit, fût-ce sous une forme différente, l'œuvre de la royauté. Car la liberté qu'apportent les soldats de la Révolution est la liberté française ; l'émancipation des peuples ne peut s'accomplir que grâce à la puissance de la France. Que cette France soit révolutionnaire et républicaine, et non pas monarchique, n'a guère de signification ou d'importance dès lors qu'elle s'inscrit dans la longue lignée de la grandeur nationale.

13. *Mes Cahiers*, t. IV, p. 11.
14. *Le Génie du Rhin*, p. 153.
15. *Op. cit.*, pp. 8-9.

Dans le fond, il est certain que l'esprit de 89 est étranger à Barrès. S'il répugne à adhérer à un courant dont l'un des traits les plus saillants est son antihistoricisme, c'est parce que la Révolution s'est faite contre l'Histoire et au nom de la Raison, contre les droits historiques et au nom des droits naturels. Barrès est conscient de cet aspect de la pensée révolutionnaire et c'est d'abord contre lui qu'il prodigue ses critiques. « Si la Révolution n'est fondée sur rien, elle me répugne. Je n'ai pas d'amour pour un brusque volcan, je n'ai de respect, d'amour que pour une volonté, longuement voulue, longuement assurée dans les siècles » [16]. Il trouve cette volonté non pas dans les principes de 89 à l'usage intérieur, mais dans la poussée révolutionnaire vers l'Est, dans l'affrontement sur le Rhin, dans la lutte pour l'hégémonie en Europe, dans le service rendu par la Révolution à la gloire de la France. La France révolutionnaire, puissante et armée, poursuivait l'œuvre de Louis XIV.

Barrès cependant est conscient aussi de la profondeur de l'abîme qui sépare la France de l'Ancien Régime de celle de 1789. Mais son sens historique est suffisamment développé pour l'empêcher de tomber dans l'erreur des hommes de l'Action française : « (La Révolution) n'a pas été faite par les révolutionnaires à l'assaut, mais par les possédants de Versailles (...) La France est morte en 1789. Elle n'est pas morte de 1789 ou de 1793, mais elle est venue expirer à cette date » [17]. La vieille France ne fut donc pas abattue par une explosion des forces du mal : Barrès possède à un degré trop élevé le sens de l'évolution historique pour souscrire à l'analyse de bon nombre de ses amis politiques. C'est peut-être l'une des raisons pour lesquelles, dès la fondation de l'Action française, il devient un homme seul.

Cependant, tout en se refusant à un retour en arrière, Barrès reproche de temps en temps aux hommes de 89 d'avoir « détruit le passé et détruit l'avenir » [18]. La destruction de l'avenir découle de la destruction du passé, celui-ci étant une source naturelle de toute évolution ultérieure. De là provient l'accusation majeure formulée contre la Révolution : « La légende de la Révolution a détruit les légendes des provinces, des corporations, des familles » [19]. Donc, Barrès reproche à la Révolution d'avoir voulu désintégrer la société, de s'être efforcée de l'asseoir sur des bases foncièrement individualistes. Cette atomisation de la société équivalait à la perte du passé, collective ou individuelle, perte qu'il considérait comme la grande tragédie de son époque.

16. *Mes Cahiers*, t. IV, p. 178.
17. *Mes Cahiers*, t. V, p. 60.
18. *Mes Cahiers*, t. VII, p. 10.
19. *Mes Cahiers*, t. IV, p. 178.

Cet amour du passé n'est sans doute pas réactionnaire en soi : sachant que dans l'atmosphère de l'Affaire Dreyfus des équivoques auraient pu subsister, Barrès tient à le souligner explicitement [20]. Dans ses remarques sur le contenu idéologique du programme de la Patrie française, Barrès évoque la tradition et stipule qu' « il ne faut pas chercher dans ce mot une manifestation réactionnaire » [21]. Au contraire, si la tradition doit constituer un point de départ, un fondement de regroupement et de ressaisissement, ce n'est que par le biais d'une « conciliation », de l'acceptation de l'état de fait, d'un refus d'effectuer des choix qui seraient à leur tour autant de nouvelles divisions [22]. « Il ne faut pas faire de la Révolution un fossé », déclarait-il [23]. Il adopte une position identique quelques mois avant sa mort, lorsqu'il reproche au Panthéon d'être « une maison radicale-socialiste » au lieu d' « un temple de la réconciliation » [24]. « Le grand tort de notre Panthéon », écrit-il dans le dernier volume des *Cahiers,* « c'est qu'il est d'un peuple qui mutile ses traditions » [25]. Cette mutilation des traditions, donc la perte d'une partie du passé, n'est pas l'apanage de la gauche ; l'Action française, elle aussi, s'en rend responsable. Ce reproche, Barrès le formule en s'adressant à Maurras : « Vous resserrez la doctrine, moi je l'étends » [26].

Partant du principe de la continuité, Barrès en déduit logiquement celui du pragmatisme : le point initial de toute action politique future doit nécessairement se situer dans le présent et non dans le passé. Pour cette raison une théorie du nationalisme français affirmant que la formation de la nation s'arrêtait au dernier roi était une théorie d'archéologie, une philosophie « du cabinet, non celle de la vie » [27]. Barrès était beaucoup trop mêlé à la vie des hommes pour croire à la possibilité de refaire la France sous une forme qui ne tiendrait pas compte des événements de 1793. Il savait notamment que c'était la Révolution qui, dans l'ivresse de la souveraineté nationale, avait fondu les populations soumises à la couronne de France en une masse unique. Par conséquent, Barrès se refuse à suivre l'Action française dans une voie qui dissocie la France de la souveraineté populaire [28].

Pour Barrès, l'Action française pèche par irréalisme, donc par une conception antihistorique à plusieurs égards. Tout d'abord, parce

20. *Mes Cahiers,* t. II, p. 91.
21. *Ibid.*
22. *Op. cit.,* p. 92.
23. *Mes Cahiers,* t. IV, p. 180.
24. *Mes Cahiers,* t. XIV, p. 179.
25. *Ibid.*
26. *Mes Cahiers,* t. IX, p. 251.
27. *Mes Cahiers,* t. VIII, p. 224.
28. Cf. Léon de MONTESQUIOU, *op. cit.,* p. 14, qui en fait grief à Déroulède et, implicitement, à Barrès.

qu'elle essaie de ressusciter une forme de régime à laquelle manque d'une part une infrastructure sociale, c'est-à-dire, une aristocratie, et d'autre part un point de ralliement naturel : une famille royale [29]. La noblesse qui dans la nuit du 4 août s'est dépouillée de ses privilèges, qui a abdiqué son rôle d'élite politique, avait signé son acte de décès ; ce seul fait rend impossible le rétablissement d'une monarchie [30].

Ainsi, Barrès comprend fort bien qu'une structure politique donnée n'est compatible qu'avec une certaine structure sociale. Or, à défaut de structures sociales pouvant servir de fondement à la monarchie héréditaire, c'est-à-dire une aristocratie héréditaire, le rétablissement monarchique ne peut être qu'une chimère, car Barrès se refuse à entrer dans le raisonnement de Maurras qui considère au contraire l'absence d'une telle aristocratie comme un atout pour le pouvoir monarchique.

D'autre part Barrès trouve que la tradition républicaine est trop solidement enracinée pour que l'on puisse lui substituer une monarchie héréditaire. Les périodes les plus récentes de l'histoire de France « ont disposé nos concitoyens de telle sorte qu'ils réservent pour le principe républicain ces puissances de sentiment que d'autres nations accordent au principe d'hérédité et sans lesquelles un gouvernement ne peut subsister » [31]. En partant de cette constatation, Barrès se refuse à toute solution qui ne rallierait pas « la majorité (sinon la totalité), la grande majorité des électeurs » [32]. Il s'agit ici moins de convictions démocratiques que du respect d'un verdict définitif de l'histoire et de la transmission intégrale du patrimoine inaliénable que constitue le passé de la nation. C'est cette vision du passé qui détermine le nationalisme conservateur de l'auteur des *Amitiés françaises*. Elle se résume dans la question qu'il pose à Maurras : « Ne pouvant faire que ce qui vous paraît raisonnable soit accepté de tous, pourquoi ne tâchez-vous pas que ce que la majorité accepte devienne raisonnable ? » [33].

Après la guerre, les réticences de Barrès à l'égard des options choisies par l'Action française se renforcent, mais restent enfouies dans les derniers volumes des *Cahiers*. « Ces gens d'Action française à la Chambre », écrit-il, « ce sont des royalistes, mais j'espère, je crois que ce ne sont pas des émigrés » [34]. Il reproche également à Léon Daudet « de nier, de renverser, de détruire, quand il s'agit d'accom-

29. « Lettre de M. Maurice Barrès » in Charles MAURRAS, *Enquête sur la Monarchie*, p. 135.
30. *Ibid.*
31. *Ibid.*
32. *Ibid.*
33. *Ibid.* Cf. *Mes Cahiers*, t. II, p. 162.
34. *Mes Cahiers*, t. XII, p. 235.

plir »[35]. Finalement, sur l'Action française il porte un jugement qui, s'il avait été publié, n'aurait pas manqué de provoquer un scandale considérable :

> « Ces Français de la fin du XVIIIe siècle étaient vraiment vidés de tout. Un certain nombre émigrèrent (...) C'est à l'étranger qu'ils prirent leurs idées, qu'ils furent Chateaubriand, Bonald, Maistre, etc. Tout le romantisme et toutes les idées dont vit encore *L'Action française*, furent des idées du dehors ramenées par l'émigration »[36].

Tels sont les doutes que suscite dans l'esprit de Barrès la doctrine de l'Action française. Mais ces réflexions ne furent jamais livrées au public : les impératifs des affrontements de l'après-guerre imposent aux nationalistes une cohésion sans faille. C'est ainsi que dans les années qui suivent l'armistice, face à la Russie soviétique, face à l'éternel problème allemand d'une part et aux troubles sociaux d'autre part, on retrouve Barrès, héritier de Déroulède, se dresser, dans la Chambre bleu-horizon, entouré de Léon Daudet et de Marcel Habert contre Blum, Herriot et Brousse, pour livrer à la vindicte populaire les agents de l'étranger, pour monter la garde sur le Rhin, les yeux fixés sur « le germanisme intellectuel » et sur la machination antifrançaise déferlant de l'Est.

La vision du monde de Barrès ne s'est donc pas modifiée au lendemain de la guerre, et « les murailles ne tombent pas »[37], au contraire : elles semblent s'élever plus imposantes, plus épaisses que jamais. Traumatisé par cette seconde guerre qu'il venait de vivre et qui en dépit des immenses sacrifices n'avait rien résolu, l'auteur du *Génie du Rhin* se contente de pousser plus loin les bastions de l'Est. Toute son œuvre d'après-guerre est dominée par le complexe allemand, par la défense de l'Occident latin, mais aussi par la protection du corps national contre les nouveaux ennemis de l'intérieur. A la veille de sa mort, Barrès revient aux grandes thèses de *Scènes et doctrines du nationalisme*, de *L'Appel au soldat* et des *Bastions de l'Est* ; confronté à des réalités nouvelles, il leur applique la logique et les impératifs du nationalisme, qui fut et qui reste un mouvement de défense et, en dépit des vœux de son théoricien, un parti de guerre civile.

Dans le domaine de la politique intérieure, c'est une même conception démonologique des événements, une même hantise des forces occultes et une même crainte de l'ennemi qui déterminent la politique de Barrès. C'est ainsi que les grèves des cheminots du printemps 1920 sont expliquées par « ces trésors du tzar (...) ces perles (...) ces diamants que le bolchevisme répand à travers les peuples pour y

35. *Mes Cahiers*, t. XIV, p. 118.
36. *Ibid.*
37. « Les murailles tombent » est le titre du dernier chapitre de l'ouvrage de Jacques MADAULE, *op. cit.*, pp. 249-263.

propager sa doctrine »[38] ; le communisme n'est que « l'arme dernière de l'Empire allemand »[39], et partout, en Alsace-Lorraine, dans la presse ou au sein de la C.G.T., « la conspiration ténébreuse des Boches nous contrecarre »[40]. « Assaillie par des agents de l'étranger qui dénaturent sa physionomie vraie »[41], la France doit se défendre sous peine de disparaître. C'est pourquoi le député de Paris exige, à la tribune de la Chambre, l'adoption de mesures législatives appropriées, le code pénal n'y suffisant pas[42]. En langage clair, Barrès réclame l'institution du délit d'opinion.

L'ancien antidreyfusard se réveille de nouveau dans le respectable vice-président de la Commission des Affaires étrangères quand il se déchaîne contre les faux Français, les naturalisés, « ces agents boches camouflés » ; contre eux il préconise « une loi qui dirait qu'un naturalisé contre lequel une pétition de deux mille Français aura été déposée sur le bureau de la Chambre sera déchu de sa qualité de Français et expulsé »[43].

Il est donc naturel que, lors des houleux débats de mai-juin 1920, Barrès condamne l'action de la C.G.T. mais non celle des camelots du roi, s'élève violemment contre les manifestations de gauche, mais accorde sa bienveillante neutralité à celles qui visent à soutenir le fascisme. Il manifeste sa solidarité avec Léon Daudet, il appuie l'agitation de l'Action française dont l'objectif est d'empêcher la Ligue des droits de l'homme de mobiliser la gauche contre le fascisme[44].

38. BARRÈS, « Réjouissons-nous de l'échec français du bolchevisme », *L'Echo de Paris,* 17 mars 1920. Barrès stigmatise la « tourbe de saboteurs asiatiques » mais annonce que « les mains sanglantes et incapables ne parviendront pas à jeter à terre chez nous la civilisation ». Cf. *Mes Cahiers,* t. XIII, pp. 204-205 : « Le communisme, les soviets, c'est un camouflage. Les Allemands ont décervelé la Russie, ont détruit les intellectuels russes. Ils voudraient en faire autant chez nous ».

39. BARRÈS, « Comment l'Empire allemand utilise la force dissolvante du bolchevisme », *L'Echo de Paris,* 28 mars 1919.

40. BARRÈS, « Nous n'aurons de gage que sur le Rhin », *L'Echo de Paris,* 19 juil. 1920.

41. BARRÈS, « Pour réprimer les campagnes payées par l'étranger en France », *L'Echo de Paris,* 4 fév. 1923.

42. *Journal officiel, débats parlementaires, Chambre des députés,* 31 mai 1922, pp. 1 617-1 618.

43. BARRÈS, « N'ayant pu organiser le monde, elle veut le désorganiser », *L'Echo de Paris,* 1er mars 1920.

44. *Journal officiel, débats parlementaires, Chambre des députés,* 20 mai 1920, p. 1 510 et p. 1 585. Le débat le plus significatif est cependant celui du 1er juin 1923 (*Journal officiel* du 2 juin), pp. 2 292-2 295. Le 31 mai devait avoir lieu une réunion « de protestation contre le fascisme et la réaction », organisée par la Ligue des droits de l'homme. Les camelots attaquèrent, en trois points différents de Paris, les orateurs désignés : Marc Sangnier, Marius Moutet et Violette. Le lendemain, Herriot interpelle le ministre de l'Intérieur, Maunoury : « Regardez, monsieur le ministre, vous qui êtes un républicain, dans cet instant où il faut s'élever jusqu'aux principes et se rassembler entre membres de la grande famille républicaine, il y a ici dans cette partie de l'Assemblée, une place vide. Nous nous en souvenons spécialement ces jours-ci ; nous pleurons encore, nous pleurerons toujours la mort et la mort impunie de Jaurès. Oui, nous en avons assez ! ».

Telle est dans les années 1920, la logique du nationalisme : elle ne diffère guère de celle qui présidait à l'antidreyfusisme.

Au niveau des forces politiques comme sur le plan de l'idéologie les mêmes camps s'affrontent de nouveau. Face à Barrès, Habert, Maurras et Daudet, on retrouve les héritiers des grands dreyfusards : Herriot succède à Clemenceau, Blum prend la place de Jaurès assassiné, et Marc Sangnier celle de Péguy mort à la guerre. Comme un quart de siècle plus tôt, comme à l'occasion de toutes les crises de l'histoire de France de ces cent cinquante dernières années, l'opposition entre la droite et la gauche, entre toutes les droites et toutes les gauches, constitue, à la veille de la mort de Barrès, la réalité fondamentale de la politique française[45].

Ayant définitivement choisi sa voie vers 1897, l'auteur du *Roman de l'énergie nationale* est, en 1923, l'homme d'un camp. Définitivement formée dans la tourmente de l'Affaire, sa pensée politique poursuit les mêmes objectifs en politique intérieure comme face à l'Europe. La vision barrésienne de l'Allemagne, des problèmes européens, des buts à atteindre par le nationalisme français dans le monde de l'après-guerre n'a donc guère changé. En revanche, les problèmes à résoudre sont plus nombreux et plus complexes : l'éventualité d'une révolution sociale se précise et la Russie soviétique projette son ombre menaçante sur une France saignée à blanc. Au péril communiste s'ajoute l'éternelle hantise de l'Allemagne. Ce thème désormais classique est invariablement développé dans les mêmes termes dans des dizaines d'articles de *L'Echo de Paris*, au cours de toutes les manifestations auxquelles participe le président de la Ligue des patriotes, et finalement dans ses nombreuses interventions à la tribune de la Chambre.

L'idée fondamentale qui oriente la pensée barrésienne à ce sujet est une organisation de l'Allemagne et de la rive gauche du Rhin selon les normes de l'époque napoléonienne.

Emmanuel Brousse, pour sa part, s'adresse à Léon Daudet : « ... Et je prie M. Léon Daudet de se bien mettre ceci dans la tête. Si la République était menacée, il n'y aurait plus ni socialistes, ni radicaux ni républicains de nuances variées, il n'y aurait du centre à l'extrême gauche, que des républicains, tous dressés, fraternellement unis pour faire front commun contre vos entreprises criminelles ». Sur la tentation fasciste de l'Action française dans les premières années vingt, cf. Eugen WEBER, *L'Action française*, pp. 147-162 et Ernst NOLTE, *Three Faces of Fascism*, pp. 73-75 et p. 145.

45. Sur le problème de la coupure entre la gauche et la droite, cf. René RÉMOND, *La Droite en France*, ainsi que l'introduction et le chapitre sur la France (pp. 71-127) de l'ouvrage collectif édité par Hans ROGGER et Eugen WEBER : *The European right, A historical profile*. On sait que Raymond ARON (*L'Opium des intellectuels*, pp. 16-19) réduit cet antagonisme aux dimensions d'un simple « mythe rétrospectif ». Tel n'est pourtant guère le sentiment des hommes et des mouvements qui s'affrontent au temps de l'Affaire, à l'époque du combisme ou dans l'après-guerre.

Le Rhin est ce « fleuve qui sépare la Gaule de la Germanie » [46], mais sa rive gauche est un « vieux pays celtique » [47], qui porte encore les traces de l'action des « légions gallo-romaines, des comtes de Charlemagne, roi des Francs et empereur romain (...), des agents de nos rois (...) des missionnaires de la Convention, des préfets de Napoléon » [48]. Telle est également la thèse du troisième volume des *Bastions de l'Est* : la Rhénanie est « la pointe extrême des pays latins » [49]. Comme telle, elle a une fonction à remplir, celle de bouclier de la France et de la civilisation [50] : on reconnaît ici les thèmes classiques de *L'Appel au soldat*, de *Colette Baudoche* et d'*Au Service de l'Allemagen*. Mais la défaite du Reich permet de pousser plus loin dans cette voie : Barrès encourage donc le séparatisme rhénan, s'attache à souligner tout ce qui distingue la rive gauche du Rhin des autres parties de l'Allemagne et notamment de la Prusse ; il préconise la création d'un état-tampon lié à la France et souhaite finalement l'éclatement de l'Empire en plusieurs états souverains [51]. Volontiers, il

46. *L'Appel du Rhin, La France dans les pays rhénans* (*Une tâche nouvelle*), p. 14.

47. *Op. cit.*, p. 18. Cf. pp. 12-13.

48. *Op. cit.*, pp. 45-46. Cf. *Mes Cahiers*, t. XII, pp. 92-116.

49. *Le Génie du Rhin*, p. XXVIII.

50. BARRÈS, « Nous n'aurons de gage que sur le Rhin », *L'Echo de Paris*, 19 juil. 1920 : « C'est sur le Rhin qu'est le bouclier de la France ». Cf. *Le Génie du Rhin*, p. 230 sur « l'éternel apostolat civilisateur de l'Occident sur le Rhin » et p. III : « en Rhénanie, les Français servent la France et la civilisation ». Cf. parmi les innombrables articles publiés à ce sujet pendant la guerre : « Le génie français sur le Rhin », *L'Echo de Paris*, 5 mai 1915 : « La civilisation latine et notre esprit qui étaient en danger sur la rive gauche du Rhin vont y être solidement rétablis (...) Le rôle des dignes Français, c'est éternellement de franciser la rive gauche du Rhin ». Cf. aussi, « Quelle France veut naître des tranchées », 30 mars 1915 : « Nous n'avons pas tort de jeter un regard jusqu'au Rhin (...) et de songer que nous nous battons pour une grande cause, pour que l'influence française prédomine sur des territoires qui nous furent promis de toute éternité ». Les mêmes thèses figurent également dans un article au titre suggestif : « Les clés de la maison », *L'Echo de Paris*, 26 fév. 1915.

51. *Journal officiel, débats parlementaires, Chambre des députés*, 1er décembre 1923 (c'est la dernière intervention parlementaire de Barrès mort le 5). Cf. séance du 30 août 1919, p. 4 067 : « Une telle victoire (...) nous comptions qu'elle fixerait au Rhin la frontière allemande et assurerait la garde militaire des têtes de pont. C'est l'idée fixe de l'histoire de France, l'ardente, la tenace aspiration de notre race à trouver enfin la sécurité au Nord, dans les Ardennes, en Lorraine, contre la perpétuelle menace allemande ».

Cf. aussi les textes des séances des 2 octobre 1919 (p. 4 684), 7 février 1920 (pp. 135-137), 30 juillet 1920 (p. 3 310). Le 27 mars 1920 (p. 771), Barrès note les velléités autonomistes en Allemagne du Sud : il souhaite que la politique française en Rhénanie « leur soit un enseignement, un conseil, un appel ». Ces interventions parlementaires sont appuyées par une longue campagne de presse dans *L'Echo de Paris*. Le 22 mars 1920 Barrès parle « des Allemagnes » (« La Rhénanie devant l'anarchie d'outre-Rhin »), le 12 avril, il déclare : « Nous voulons que les différents pays de l'Allemagne, en se soustrayant à la Prusse puissent s'administrer eux-mêmes ». (« Que voulons-nous en Allemagne. ») Le 9 août 1920, il écrit un article au titre éloquent : « Il faudra avoir une politique des Allemagnes ».

parle « des Allemagnes » et non de l'Allemagne : c'est sur cette chimère, dangereuse et nuisible que repose, au fond, la politique européenne de Barrès.

L'auteur des *Bastions de l'Est* n'est plus l'européen qu'il fut au temps des *Taches d'encre,* et il l'avoue dans le dernier volume des *Cahiers* : « *Le bon Européen,* quelle baliverne ! Il n'y a pas d'esprits européens. Chacun est Français, Anglais, Italien, Allemand, et bien mal compréhensible à d'autres qu'à ses compatriotes. Hors de France, qui comprend La Fontaine, Molière, Racine ? Seulement certains hommes sont si hauts — Goethe, Léonard de Vinci — qu'on les voit de toute l'Europe » [52].

Dans *Une Enquête aux pays du Levant,* à propos de Jaurès, il livre de nouveau sa pensée dans un texte éloquent : « Je détestais la profonde corruption que le germanisme et l'orgueil de la tribune avaient introduite dans ce Latin. Je sentais que né pour être un écho sonore au cœur de la France, il trouvait ce rôle trop étroit et qu'il courait toujours se placer au centre de l'Europe » [53].

Ce qu'aurait pu faire, au lendemain de la guerre, un Jaurès, Barrès était précisément incapable de l'accomplir. Quand il alla se placer au centre de l'Europe, à l'université de Strasbourg, pour y donner une série de conférences, ce fut pour annoncer au monde que l'Europe serait façonnée selon les critères du nationalisme français.

Telle était déjà la thèse d'un grand article-programme, publié en 1915 et auquel le Barrès de l'après-guerre se réfère constamment : « Après la guerre, il appartiendra à l'esprit français de réapprendre à l'esprit allemand (...) quelques règles de sens commun et une plus juste interprétation de ses propres destinées » [54]. Ce nouveau dessein est réalisable car, après la victoire de la Marne, « ils ont disparu les Français qui méconnaissaient les supériorités de la France, et qui étaient prêts à la sacrifier » [55].

52. *Mes Cahiers,* t. XIV, p. 72.

53. *Une Enquête aux pays du Levant,* t. II, p. 180.

54. BARRÈS, « Nous élargirons notre nationalisme », *L'Echo de Paris,* 20 avril 1915. Sept ans plus tard, en se référant à cet article, Barrès le commente en ces termes : « Il faut que l'on comprenne bien ce que c'est que notre nationalisme français et toute la valeur de la formule que nous avons voulu établir au moment le plus rude de la guerre quand nous disions : « Nous élargirons notre nationalisme ». Il faut d'autre part que nous complétions cet élargissement et approfondissement de notre nationalisme, en projetant de la lumière dans la notion nationale allemande ... Il nous faut montrer aux Allemands eux-mêmes tout ce qu'il y a en eux d'incomplet, d'inachevé, de déséquilibré, de primitif, de faux ; il faut nous dresser en face de leur dénaturation par la Prusse ou de leur primitivisme avec nos vraies valeurs essentielles, dépouillées de leurs impuretés et renforcées de nos profondes réserves... » (« Quelles limites poser au germanisme intellectuel », *La Revue universelle,* t. VIII, n° 20, 15 janv. 1922, p. 167).

55. BARRÈS, « Nous élargirons notre nationalisme », *L'Echo de Paris,* 20 avr. 1915.

Le raisonnement barrésien est d'une grande logique : la guerre étant une guerre entre deux civilisations, entre deux esprits, l'esprit vainqueur a le droit et le devoir de façonner le monde à son image. Barrès résume cette idée dans un texte qui ne peut que rappeler les grands principes du darwinisme social :

« La nation la plus vigoureuse est nécessairement chargée de conduire les autres nations. L'humanité n'a pas d'autres moyens de progresser. La plus élevée, c'est celle qui consent le plus de sacrifices. C'est celle-là qui reçoit des lumières supérieures. Cette grande vertu apparaît dans les moments décisifs. Elle a apparu dans les journées du 6 et du 7 septembre 1914 »[56].

Cette guerre qui fut un affrontement entre « le germanisme et l'esprit universel conçu par la France »[57], a mis en jeu non pas la victoire d'une nation sur une autre, mais la civilisation elle-même. C'est que les intérêts de la France et ceux de l'humanité se confondent[58].

Mais la victoire n'est qu'un intermède dans l'éternel combat que se livrent sur le Rhin « le germanisme » appuyé sur l'Orient et « la civilisation occidentale » : cette vision du monde implique, bien sûr, l'élévation de solides barrières, politiques, économiques et surtout spirituelles : « Oui, des barrières contre le germanisme dans le monde de la pensée (...) Le problème est à examiner »[59].

Ces nouvelles frontières à défendre sont aussi celles de l'Occident car, pour Barrès, la pensée allemande, elle, appartient à l'Orient ; la France, gardien de la latinité, devient ainsi la sentinelle de l'Occident : « Nos frontières », dit-il, « contre le germanisme, contre le slavisme, contre l'Extrême-Orient, peuvent laisser passer quelques produits »[60], mais un tri devra être scrupuleusement effectué : « notre

56. *Mes Cahiers*, t. XI, p. 99. Cf. « Sous le ciel de Verdun », *L'Echo de Paris*, 17 avr. 1916 : « L'univers dit que Verdun est la pierre de touche où l'on reconnaîtra le meilleur génie de l'humanité ». Cf. aussi *Chronique de la Grande Guerre*, t. I, p. 193 : « Joffre franchissant le 4 septembre au soir le seuil de la petite salle d'école de Bar-sur-Aube pour prescrire au chef du 3e bureau les ordres d'offensive, c'est un des sommets de l'histoire de l'esprit dans le monde ».

57. *Op.cit.*, p. 264.

58. *Mes Cahiers*, t. XIII, p. 147. Cf. même thème p. 232 et p. 237 et *Mes Cahiers*, t. XII, p. 210 : les résultats des élections du 16 novembre 1919 sont élevés eux aussi au niveau d'une victoire de la civilisation. En effet, au milieu de tous les craquements de l'Europe centrale, du déséquilibre allemand et de l'incohérence anglaise, « la France, avec son génie (fait) de goût, de mesure et de lucidité (...) une fois encore (...) sauve la civilisation ».

59. BARRÈS, « Quelles barrières faut-il élever contre la pensée germanique », *L'Echo de Paris*, 18 oct. 1920.

60. *Mes Cahiers*, t. XII, p. 63. Cf. aussi *Journal officiel, débats parlementaires, Chambre des députés*, 30 juin 1922, p. 2 143 : tout ce qui avait de la valeur dans les cultures de l'Orient a été assimilé par la civilisation gréco-romaine : « L'Orient en dehors de la tradition méditerranéenne rentre dans la catégorie des grandes curiosités ».

territoire intellectuel » déjà « jalonné de lignes de défense » doit voir « ces piquetages » multipliés [61].

La culture allemande tout entière est visée : en effet, pour la première fois, ces précautions concernant non seulement Kant mais aussi aux côtés de Wagner, l'idole de sa jeunesse, de Nietzsche avec qui il se sentait jadis tant d'affinités, de Hegel, qui avait inspiré son socialisme, Goethe, qu'il avait toujours considéré comme le véritable géant de la pensée moderne. Après la guerre, il le place sur le même pied que Bismarck [62]. Et avec l'auteur de *Faust* qui « cède à son démon et laisse dans la nuit de Walpurgis les sarabandes nocturnes se déchaîner », sont condamnés Herder, Lessing et Schiller [63].

Barrès s'était finalement aperçu de ce qu'il y avait de fondamentalement nocif dans Wagner et Nietzsche, il avait fait preuve d'une grande perspicacité en soulignant les ambiguïtés de la pensée de Herder, mais le poids de son analyse et de ses mises en garde aurait singulièrement plus de valeur s'il n'avait été accompagné d'une condamnation collective de la culture allemande et surtout, si l'auteur du *Génie du Rhin* n'avait considéré son œuvre comme une arme dans le grand combat entre le bien et le mal.

Loin d'élargir son horizon, la guerre contribue à durcir les positions du nationalisme barrésien. L'auteur du *Roman de l'énergie nationale* applique alors dans leur intégralité les idées déjà énoncées dans les premières années du siècle et il en tire un certain orgueil : « Le germe de notre pensée constante », écrit-il, « se trouve dans le voyage de la Moselle (*Appel au soldat*). C'est de là que nous sommes partis originairement, pour arriver à cette politique du Rhin... » [64].

Aucune de ses œuvres de jeunesse ne témoigne d'une vision du monde aussi étroite que les ouvrages écrits pendant et à la suite de l'Affaire Dreyfus. Jusqu'alors Barrès avait résisté au chauvinisme culturel, il avait combattu plusieurs années après le boulangisme, toutes les formes d'antigermanisme culturel, et avait fait preuve d'un réel esprit européen. Son patriotisme était alors nettement plus ouvert que celui d'un Déroulède ou d'une certaine droite conservatrice, et l'Alsace-Lorraine n'y tenait, somme toute, qu'une place modeste. Ainsi qu'il l'avoue dans *La Cocarde,* Barrès n'aurait pas risqué une guerre pour recouvrer les deux provinces, et dans le cas où un conflit se serait produit, n'aurait pas renié Goethe. Les origines du nationalisme de combat, de ce nationalisme nouveau, étroit, agressif, pré-

61. BARRÈS, « Les précautions contre le germanisme intellectuel », *L'Echo de Paris,* 20 oct. 1920.

62. BARRÈS, « La surveillance de la pensée allemande », *L'Echo de Paris,* 1er nov. 1920.

63. BARRÈS, « Quelles limites poser au germanisme intellectuel », *La Revue universelle,* t. VIII, n° 19, 1er janvier 1922, p. 11.

64. BARRÈS, « La tâche de la France sur le Rhin », *La Revue de Genève,* n° 19, janv. 1922, p. 12.

curseur du fascisme, ne remontent ni à la défaite de 1870, ni au boulangisme mais bien à l'Affaire, donc à une profonde crise du régime, politique et spirituelle. Les nationalistes combattent beaucoup moins l'Allemagne que les Juifs et les marxistes, ils se préoccupent moins de rendre à la France l'Alsace-Lorraine que d'abattre la démocratie parlementaire. Les souvenirs de l'année terrible ont, bien sûr, hautement sensibilisé les Français, mais n'ont pas produit le nationalisme : les images de la défaite ont moins contribué à son éclosion que la réaction antilibérale et antirationaliste de la fin du XIXe siècle, qu'un certain romantisme antibourgeois ou que le renouveau antisémite. Le nationalisme barrésien est le produit d'une série de phénomènes complexes, il est extrêmement symptomatique de toutes les ambiguïtés de la vie politique française, mais il ne constitue pas un phénomène isolé en Europe : pour cette raison, il n'en intéresse que davantage, sur un plan plus général, l'histoire de la pensée politique.

CONCLUSION

Dans l'itinéraire intellectuel de Barrès, les premières années de notre siècle sont les années charnières en même temps qu'elles sont celles de la pleine mesure. Sa pensée politique a pris sa tournure définitive ; sur le nationalisme — son nationalisme — il a tout dit. Après, pendant la guerre et l'après-guerre, à ses théories il n'ajoutera que des aménagements de détail dont l'étude, tout en ne manquant assurément pas d'intérêt, ne laisse apparaître aucun élément bien nouveau. Dans ses écrits ou dans son action politique, ce sont les vieux thèmes antidreyfusards qui reviennent, tout comme reviennent les idées déjà contenues dans *L'Appel au soldat* ou dans *Les Bastions de l'Est*.

Tel qu'il se fixe en ce début de siècle, le nationalisme barrésien présente deux aspects : l'un dynamique et mystique, plébéien et socialisant, l'autre, bourgeois et conservateur, attaché aux principes d'ordre et de hiérarchie et à la vision d'une société préindustrielle, stable et paternaliste, nourrie des valeurs catholiques. A l'issue de l'Affaire et de la débâcle politique du mouvement nationaliste face aux partis du Bloc, c'est ce second aspect qui prend le dessus, mais il ne saurait faire oublier le premier, de loin le plus original, celui dont l'influence a été finalement la plus grande.

Le nationalisme populaire et autoritaire, le nationalisme antibourgeois et antiparlementaire, le nationalisme des diatribes contre les riches, contre les injustices économiques, le nationalisme d'une certaine démagogie socialisante est essentiellement le produit d'une crise de la démocratie. A des moments divers et dans des contextes dissemblables, cette crise revêt des formes différentes. A la fin des années quatre-vingts, en France, elle s'exprime dans le boulangisme. Ceci explique pourquoi dans le boulangisme, même et surtout le boulangisme barrésien, le sursaut antilibéral pèse d'un poids singulièrement plus lourd que les images de la défaite. Bien sûr, le boulangisme sut mobiliser l'ardeur patriotique et tirer le meilleur parti du sentiment d'humiliation, de la volonté du pays de préserver sa dignité face à l'Empire allemand, mais il est avant tout la première grande manifestation de la série d'assauts que subira, dès la fin du siècle, la démocratie française. Le libéralisme opportuniste qui, sous peine de succomber sous l'assaut combiné de la gauche et de la droite, ne pouvait que perpétuer l'immobilisme politique et social, doit alors faire face à la révolte d'une partie de sa clientèle traditionnelle. C'est ainsi que l'antiparlementarisme jacobin parvient à mobiliser des tempéraments autoritaires de gauche sur une plateforme idéologique qui est d'abord une critique négative de la faiblesse, de l'incohérence et du caractère impersonnel du régime. Stabiliser l'autorité, affermir l'exécutif, donner à l'Etat une tête et un cerveau — tel est l'objectif principal de l'idéologie boulangiste.

Cette révolte sans cadres politiques utilise des thèmes familiers à l'extrême-gauche et parvient ainsi à mobiliser une vaste clientèle populaire, celle-là même sur laquelle repose la République. Cela lui est d'autant plus aisé qu'elle allie à ces velléités autoritaires un évident souci social et surtout, un certain populisme flatteur pour la petite bourgeoisie et une large partie du prolétariat, encore peu perméable au socialisme marxiste. C'est le succès qu'obtient la convergence de ces thèmes qui en fait la gravité, démontre la vulnérabilité de la démocratie libérale et explique ce phénomène dont on ne cesse de s'étonner : comment un mouvement conduit par un homme d'une médiocrité aussi consternante a-t-il pu faire trembler la République ? Si la chose fut possible, c'est peut-être parce que la politique, dès la fin du siècle dernier, ce n'est plus uniquement des idées, malgré ce que pensait Thibaudet.

En ce sens le boulangisme, et plus particulièrement le boulangisme barrésien, annonce bien un âge nouveau. Les idées qu'il préconise ne constituent pas une mise en forme cohérente de principes d'action se rattachant et provenant d'un système philosophique. Barrès n'affiche guère de telles prétentions : voilà pourquoi il n'éprouve nul besoin de s'engager dans des longs développements sur les mérites des institutions ou sur le sens de telle ou telle théorie politique. Il fait en revanche appel à un certain nombre de thèmes populaires et d'idées simples ; son boulangisme, comme son nationalisme du temps de l'Affaire, sont des synthèses qui ne manquent pas d'originalité et qui manifestent un sens aigu de la politique des masses.

Le boulangisme barrésien cumule en effet l'autoritarisme politique et un certain socialisme non-marxiste, plus tard antimarxiste : ce sont les deux aspects de l'antilibéralisme qui est au fond du boulangisme et plus tard du nationalisme. Contre l'institution qui incarne la démocratie libérale, Barrès fait appel au peuple ; contre les jeux du cirque du parlementarisme, il veut l'action directe ; contre la bourgeoisie triomphante, et en évoquant largement l'imagerie révolutionnaire, il veut mobiliser les couches sociales les plus défavorisées, menacées par de nouvelles techniques de production industrielle et des nouvelles méthodes de commercialisation.

Mais cette évocation de la Révolution ne garde rien de son sens jacobin et partisan ; elle en retient un certain vocabulaire mais en abandonne le contenu. Vidé de l'humanitarisme, de l'universalisme, de l'appel à la liberté que lui avait conféré la Révolution, ce vocabulaire de révolté sert à présent à battre en brèche la démocratie représentative. Au parlementarisme Barrès oppose le culte du chef, à l'incohérence des institutions, le sens de l'autorité, au capitalisme, un vague programme de réformes dont l'essentiel est un protectionnisme sommaire, mais appuyé sur un paroxysme verbal antibourgeois, susceptible de mobiliser les masses populaires.

Qu'une large partie du monde ouvrier et de la clientèle radicale ait donné son adhésion au boulangisme ne prouve pas qu'il était un mouvement de gauche ; cela veut dire seulement que, dans une situation donnée, les couches populaires peuvent aisément soutenir un parti au programme qui emprunte à la gauche ses valeurs sociales et à la droite ses valeurs politiques.

Telle fut l'originalité du boulangisme et c'est en cela que cette synthèse audacieuse préfigure les mouvements de masse du XXe siècle. Même éphémères, les triomphes du boulangisme montrent bien que toute la gauche n'était pas imperméable au culte de l'homme fort, qu'elle pouvait aisément s'accommoder de la défaite d'une République qui ne répondait pas à son propre idéal, qu'elle n'était pas insensible à la démagogie pour peu qu'elle livre à sa vindicte les grands seigneurs de la finance.

A cette synthèse qui, bien plus que l'élan patriotique et la conjoncture de tension avec l'Allemagne, fit la force du boulangisme, Barrès ajoute l'antisémitisme. Dans l'antisémitisme moderne Barrès croit avoir trouvé le meilleur moyen d'intégrer le prolétariat dans la communauté nationale, il y voit le terrain idéal qui permettrait enfin de dépasser les clivages sociaux, de mobiliser la nation tout entière : c'est ainsi que Barrès transforme de simples sentiments xénophobes et antijuifs en un concept politique de première importance. Il est le premier penseur politique français à employer cette arme nouvelle en la dépouillant de toute signification confessionnelle, et, contrairement à Drumont, sans aucune référence à la vieille France monarchique.

Autoritarisme, culte du chef, anticapitalisme, antisémitisme, un certain romantisme révolutionnaire, tels sont les éléments essentiels du boulangisme barrésien. Cette synthèse, bien plus moderne que le boulangisme officiel, celui du Général et de son état-major, faite au nom de l'intérêt national considéré comme primant toute autre forme d'intérêt, annonce étrangement certaines formes de fascisme.

Le boulangisme qui recrute dans tous les milieux, qui rompt, l'espace d'un moment, les barrières des fidélités coutumières, l'expérience de *La Cocarde,* illustrent toutes les ambiguïtés d'une période qui voit se forger et se définir les positions qui permettront, au temps de l'Affaire, une redistribution des forces politiques et des courants idéologiques.

Au lendemain de l'effondrement du « Parti national », Barrès se rapproche considérablement du socialisme, sans pour autant abandonner les positions qu'il avait défendues dans le boulangisme. Cette cohabitation d'hommes et d'idées, qui pendant l'Affaire deviendra inimaginable, semble alors très naturelle. Une importante partie du monde ouvrier appuie volontiers toute forme d'opposition au régime, tout anticapitalisme, quelles que soient les motivations de ses alliés. Anciens boulangistes et socialistes mènent un même combat dans la Chambre élue en 1889, des députés guesdistes sont élus grâce aux voix boulangistes, et *La Cocarde* se considère comme un organe de rassemblement de toutes les oppositions ayant pour seules caractéristiques communes l'anticapitalisme et l'antilibéralisme. L'adhésion massive des ouvriers à ces opérations font du boulangisme un phénomène nouveau : pour la première fois on peut se réclamer de la grande Révolution, de 48 et de la Commune pour préconiser une « journée » populaire dont le bénéficiaire serait un sauveur, cet homme fort, honni de la vieille tradition républicaine. Pour la première fois on peut en appeler à des larges couches de la population et obtenir leur adhésion enthousiaste au nom de l'autoritarisme politique ; et ce sont d'authentiques hommes de gauche, des dissidents de l'extrême-gauche, qui lancent un mouvement qui se range résolument à la fois sous la bannière de l'autoritarisme et du suffrage universel, de l'homme élu par l'instinct du peuple et des réformes sociales. Des thèmes jusqu'alors considérés comme fondamentalement contradictoires, cessent de l'être au temps du boulangisme. C'est en cela que réside l'importance du boulangisme, souvent masquée par les aspects folkloriques du mouvement et la médiocrité de son chef.

L'Alsace-Lorraine et le problème allemand tiennent dans l'idéologie boulangiste une place dont il ne faut pas surestimer l'importance. Barrès, Laisant, Paul Adam se défendent de vouloir la guerre, Naquet n'en parle pas du tout, et si Rochefort mentionne l'ennemi, c'est pour traiter d'agent de l'étranger quiconque lui déplaît. Les boulangistes ne combattent pas pour les deux provinces mais contre la démocratie libérale ; accessoirement, bien sûr, ils n'omettent pas de souligner qu'un régime fort serait en mesure de venger la défaite. Ils s'attachent à tirer tout le profit possible de l'ardeur patriotique sincère et spontanée qui est le propre de la quasi-totalité des Français, mais à l'exception de Déroulède, les yeux des chefs boulangistes restent bien davantage fixés sur le Palais-Bourbon et l'Elysée que sur la ligne bleue des Vosges.

Dans l'évolution de la pensée politique de Barrès le boulangisme est l'élément formateur, l'école dont le poids se fera désormais sentir en toute occasion. Le boulangisme n'est pas le nationalisme, mais il le prépare : le nationalisme de la fin du XIXe siècle est une synthèse de la politique boulangiste et de l'éthique antidreyfusienne, une éthique fondée sur les principes de déterminisme physiologique, sur l'antirationalisme, sur le relativisme moral, le culte de l'inconscient et la primauté de l'instinct.

La doctrine nationaliste se fixe et se définit sur l'Affaire, donc sur une crise politique et spirituelle qui ne touche que de très loin l'Alsace-Lorraine. Comme dans le boulangisme, l'ennemi de l'extérieur y joue surtout le rôle de manipulateur et de financier des forces occultes qui minent l'organisme national. Mais l'Allemand n'est pas plus haï que le Juif, le protestant ou le franc-maçon, au contraire. Pour un Soury, l'Allemand est un frère de race contre lequel il faut se battre pour affermir l'espèce ; pour un Drumont, qui ne cache guère son admiration pour la puissance et la vitalité des hommes d'outre-Rhin, il est un exemple à imiter [1]. Pour Jules Lemaître, le nationalisme est avant tout une forme d'antimarxisme, et il abandonne non seulement l'idée d'une guerre de reconquête mais aussi celle d'un éventuel retour des deux provinces. Quant à Barrès, indiscutablement plus marqué par le désastre, le problème des provinces perdues n'en occupe pas moins chez lui une place secondaire aussi longtemps que le nationalisme de combat garde ses chances en politique intérieure.

A la fin du XIXe siècle, c'est la droite qui annexe le nationalisme et en fait l'essentiel de sa doctrine. Mais cela ne s'est pas déroulé aussi naturellement qu'on pourrait le penser. Tout d'abord parce que la droite n'a jamais été la seule à se réclamer du nationalisme, ensuite parce que le nationalisme, au début, a refusé les options sociales de la droite et enfin, parce que, tout comme la droite, le nationalisme n'était pas un [2]. Ce n'est qu'au moment où il s'est heurté au marxisme,

1. En décrivant l'état-major prussien lors de son entrée à Paris, Drumont écrit : « L'ensemble (...) était grandiose (...) Tout ce groupe respirait l'Allemagne féodale, l'âge de fer, le règne de la force, le moyen-âge militaire » (*La France juive*, t. I, p. 395).

2. S'il bascule vers la droite, le nationalisme n'en conserve pas moins deux tendances nettement distinctes. Il existe, comme le montre Jean Touchard, un nationalisme qui est nationaliste avant d'être de droite, et un nationalisme bourgeois qui est de droite avant d'être nationaliste : cf. Jean TOUCHARD, *Le Mouvement des idées politiques dans la France contemporaine*, Cours professé à l'Institut d'études politiques de l'université de Paris durant l'année 1964-1965, p. 18. Ce dernier aspect du nationalisme est relativement peu étudié : il est vrai qu'il exerce sur l'historien des idées politiques un moindre attrait que le nationalisme romantique. C'est aussi à celui-ci que Raoul GIRARDET consacre son article ·

du fait que son grand souci était, justement, d'intégrer le prolétariat dans la communauté nationale et d'éliminer toute forme de particularisme — désamorcer la question sociale en somme — que le nationalisme est devenu l'allié de toutes les droites. Ce heurt est par ailleurs une des grandes raisons de l'apport petit-bourgeois qui a permis au nationalisme de jouer un rôle politique : c'est la petite bourgeoisie qui constitue déjà l'essentiel de la clientèle de la Ligue des patriotes et cette filiation se perpétue jusqu'aux ligues des années trente.

Sur le plan politique, le nationalisme antidreyfusard de Barrès reprend les grands thèmes du boulangisme, mais, faute de chef, il substitue au culte du chef celui de l'armée qui incarne la nation dans sa pureté et dans son indivisibilité. Sur le plan social, il professe un même anticapitalisme, il fait appel à l'Etat et au suffrage universel contre la ploutocratie : Barrès songe alors à l'élaboration d'un socialisme nationaliste, violemment antimarxiste. Si cette tentative a échoué c'est que, au cours des dix années qui séparent le boulangisme de l'Affaire, le socialisme marxiste et internationaliste a fait d'immenses progrès, et que l'engagement de la fraction organisée du prolétariat dans le dreyfusisme a donné un coup d'arrêt décisif à ces velléités de renouvellement de l'opération boulangiste. Mais le facteur essentiel qui contribue à la transformation du nationalisme est la nouvelle éthique que Barrès oppose à la mystique jacobine et humanitaire dont se nourrit le dreyfusisme.

En ce sens le nationalisme barrésien présente certaines caractéristiques que l'on pourrait aisément définir comme préfascistes ou annonçant le fascisme. Certes, une juxtaposition sommaire des thèses barré-

« Pour une introduction à l'histoire du nationalisme français », *Revue française de science politique*, 8 (3), sept. 1958, pp. 505-528. Dans cette étude, Raoul Girardet remarque que l'histoire du nationalisme doit être nettement distinguée, tout au moins dans le cadre de la France, de celle de l'idée et de conscience nationale (p. 506). Il s'agit en effet d'un phénomène d'une ampleur bien plus considérable. C'est pourquoi il nous semble que, dans le cas de Barrès, Raoul Girardet accorde une importance quelque peu démesurée au poids de la défaite : cf. son article dans *La Table ronde*, n° 111, mars 1957 : « Un tournant du nationalisme français », où il considère que le nationalisme de Barrès puise ses racines « dans les images ineffaçables de la défaite » (p. 190).

Sur les diverses « droites », cf. l'ouvrage de René RÉMOND, *La Droite en France, De la première Restauration à la Ve République*. René Rémond distingue trois droites : légitimiste, orléaniste, bonapartiste. Une droite légitimiste — des Ultras à Maurras ; une droite orléaniste — de la Monarchie de Juillet à M. Pinay et finalement une droite bonapartiste : c'est dans cette dernière tradition que s'inscrivent le boulangisme, le nationalisme et le gaullisme. Sur la poussée nationaliste qui précéda la guerre, cf. l'étude de Eugen WEBER : *The Nationalist revival in France*, Berkeley, University of California Press, 1968. On consultera également l'ouvrage collectif, édité par David SHAPIRO, *The Right in France 1890-1919, Three studies*. Saint-Antony's papers, number 13, London, Chatto and Windus, qui contient trois études : David SHAPIRO, *The Ralliement in the politics of the 1890's ;* D.R. WATSON, *The Nationalist movement in Paris, 1900-1906* et Malcolm ANDERSON, *The Right and the social question in Parliament, 1905-1919*.

siennes à celles employées dans les années vingt et trente par les mouvements totalitaires de droite, conduirait à une interprétation erronée de la pensée barrésienne [3] ; cependant il est évident que Barrès fut, en ce domaine, un précurseur.

3. Les interprétations de la pensée barrésienne ne cessent, très souvent, de surprendre. C'est ainsi que Hans KOHN place la doctrine de la Terre et des Morts sur le même pied que *Blut und Boden* de Hitler (*Nationalism, its meaning and history,* Princeton, Van Nostrand Company, 1955, p. 75), ou que Peter VIERECK, dans son ouvrage sur les origines du nazisme, présente Barrès comme « le plus grand philosophe français du fascisme, le saint patron du régime français de 1941 » (*Metapolitics, The roots of the nazi mind,* pp. 128-129). Il est vrai qu'il ne lui consacre guère plus de quatre lignes. Quant à l'historien américain Boyd C. SHAFER, Barrès est selon lui « l'un des derniers royalistes réactionnaires français » dont le nationalisme « était si enragé dans l'extase qu'il est presque impossible d'en saisir le sens » (*Le Nationalisme, Mythe et réalité,* trad. franç., Paris, Payot, 1963, p. 28). Dans un même ordre d'idées, Herbert TINT traite Barrès d'exhibitionniste (*The Decline of French patriotism,* London, Weidenfeld and Nicholson, 1964, p. 110). C'est là une opinion qui avait déjà été exprimée dans les années vingt par Edouard Berth et par André Suarès, et elle est très représentative de l'idée que l'on se faisait de Barrès dans certains secteurs de l'opinion. « Edition abâtardie » de Maistre et de Chateaubriand (Edouard BERTH, *La Fin d'une culture,* Paris, Marcel Rivière, 1927, p. 106), Barrès lance le nationalisme comme un exercice spirituel, dans la lignée des expériences que ce « bourgeois voluptueux » avait entrepris dans *Le Culte du Moi* (*op. cit.,* p. 129). Cet « écrivain de talent, mais intelligence médiocre, rhéteur en toute manière, bourgeois sans noblesse ... féru de jouer un grand rôle et tout incapable de le tenir... » (André SUARÈS, *Sur la vie, essais,* Paris, Emile Paul, 1925, t. I, p. 377), qui n'est, selon Daniel HALEVY, « jamais tout entier dans chacune de ses pensées » (*Quelques nouveaux maîtres,* Paris, E. Figuières, 1914, p. 4), qui « joue de la raison comme d'autres de la flûte » (Jules RENARD, *Journal inédit,* Paris, F. Bernouard, 1926, t. II, p. 625) est incapable d'« être le croyant d'aucune foi » (Julien BENDA, « De Gide, de Mauriac, de Barrès », *La Nouvelle revue française,* 1er octobre 1932, p. 620). On ne peut pas ne pas remarquer que ces dernières critiques s'adressent précisément à ce qu'il y a de plus attachant chez Barrès : les hésitations qu'on lui reproche sont la conséquence de sa longue marche à la recherche de la vérité, des difficultés qu'éprouve l'intellectuel pour se faire l'homme d'un parti. Cf. par exemple *Mes Cahiers,* t. VIII, p. 95 : « Je ne puis être d'un parti, je n'en ai jamais été » ou « Le point de vue historique », *La Cocarde,* 16 février 1895 : « Je ne puis arriver à me passionner pour des demi-vérités. Je ne ferais jamais un " boulangiste " ou un " anti-boulangiste " convaincu ». Même au temps du nationalisme des doutes de cette nature persistent encore. A l'autre extrémité de l'éventail des appréciations sur l'œuvre barrésienne, on trouve les apologies d'Henri Massis, de Pierre de Boisdeffre, de Jean-Marie Domenach ou celles qui furent réunies dans un numéro spécial de *La Table ronde* (n° 111, mars 1957) et dont la contribution d'Henri Gouhier — « Du culte du Moi à la vie de l'âme » — éclaire bien l'esprit : selon cet auteur, ce fut la situation européenne et non la logique de son système qui détourna Barrès de développer les conséquences politiques de son humanisme (p. 185).

Il convient de signaler finalement l'usage qui peut être fait de l'œuvre barrésienne dans les affrontements politiques de notre temps. Aragon, on le sait, se dit barrésien et l'une des raisons essentielles qu'il en donne est résumée dans le texte suivant :

« Barrès est l'expression de la bourgeoisie de son temps qui était nationaliste et chauvine, mais il ne peut être aujourd'hui réclamé par une bourgeoisie qui a perdu le sens national, et qui pour conserver ses privilèges et ses biens matériels, est prête à faire bon marché de l'indépendance nationale (...)

J'ai le regret d'avoir à dire que, pour étroit qu'il soit, le nationalisme de Barrès est plus proche de ce que je ressens, et sans doute de ce que ressent

En effet, Barrès a largement contribué à propager le culte de l'élan vital et à glorifier le mythe qui pousse à l'action indépendamment du degré de vérité qu'il renferme[4] : tel est finalement le sens de cette « fièvre » dont parle l'auteur de *L'Appel au soldat*. Barrès est très proche de l'éthos fasciste, émotionnel et sentimental, il a le même culte de la jeunesse, de l'aventure, de la lutte et de l'héroïsme, du sang et du sol, une même haine des valeurs bourgeoises, une même foi dans les forces de l'inconscient. Il y a aussi chez lui un certain romantisme de l'action, une mystique activiste, une force de refus que l'on retrouvera dans le fascisme. Sur le plan social, Barrès qui manifeste une même crainte de la société industrielle, du progrès technique, des grandes villes, professe un même anticapitalisme et énonce les thèses d'un socialisme nationaliste. La clientèle à laquelle il s'adresse est essentiellement petite-bourgeoise : Drumont avait lui aussi compris que c'était cette catégorie sociale, la plus menacée par l'évolution industrielle, qui serait la plus perméable à un appel aux armes. Pour lui comme pour Barrès, l'antisémitisme devient le moyen de mobilisation par excellence de ce vaste ensemble de couches sociales intermédiaires mal adaptées au monde moderne, et qui ne répondent ni à l'appel du marxisme ni à celui de la démocratie libérale.

Les hommes d'extrême-gauche, les communards et les blanquistes, ne manquent guère dans le rassemblement nationaliste : là encore le rapprochement avec le fascisme est frappant. Ce qui manque à ce nationalisme pour devenir celui du fascisme, c'est le chômage étendu, les paysans appauvris et les petits-bourgeois ruinés et terrorisés. Les conditions économiques et sociales de la fin du XIXe siècle n'avaient pas encore produit les troupes de choc des mouvements révolutionnaires de droite. Les hommes du boulangisme et du nationalisme ne sont pas en rupture de ban, les antidreyfusards ne sont pas des déclassés ; c'est pourquoi la révolte qui gronde dans les dix dernières années du siècle ne débouche pas sur un mouvement capable de traduire en actes politiques cette masse de sentiments que charrie le nationalisme et qui exerce une influence déterminante dans la formation du climat fasciste.

Le phénomène d' « imprégnation fasciste » que l'on constate dans l'histoire du nationalisme français, mais que Raoul Girardet limite aux cinq ou six années qui précèdent la Seconde Guerre mondiale[5], n'est donc pas fortuit, et il ne peut être considéré comme totalement

aujourd'hui l'avant-garde ouvrière dans notre pays (...) car, comme Barrès, les hommes de notre peuple ne sont pas disposés à sacrifier ce qui est national à une Europe, par exemple, fabriquée par MM. Blum et Churchill et financée par M. Marshall » (*La Lumière de Stendhal*, Paris, Denoël, 1954, p. 265).

4. Cf. J.L. TALMON, *op. cit.*, p. 78.

5. Raoul GIRARDET, « Notes sur l'esprit d'un fascisme français », *Revue française de science politique*, 5 (3), juil. 1955, p. 530.

nouveau dans la tradition du nationalisme français [6]. Une certaine continuité existe, semble-t-il, essentiellement au niveau des idéologies, de l'état d'esprit, d'une certaine sensibilité politique, qui tient de l'essence des traditions politiques.

Cependant, la pensée barrésienne comporte, parallèlement à son côté dynamique, mystique et romantique, un aspect solidement conservateur [7]. Ces deux formes de nationalisme coexistent chez Barrès dès la publication des *Déracinés ;* mais l'aspect conservateur ne se développe pleinement que lorsque Barrès juge le pays si malade, les forces de destruction si puissantes, que son salut exige tout d'abord de sauver ce qui tient encore debout. D'autre part, dans cette bataille qui se livre dans les dernières années du siècle, à tous les niveaux de la vie politique, la droite classique devient le support essentiel du nationalisme de l'aventure. Elle lui fournit l'appui de l'Eglise, de l'armée et de nombreux intellectuels, mais en lui permettant de jouer le rôle d'une force politique et d'ébranler les assises de la République libérale, elle l'imprègne des valeurs qui lui sont propres. Cette alliance du nationalisme avec la droite traditionnelle est facilitée par le fait que ces deux familles spirituelles poursuivent les mêmes objectifs immédiats — destruction de la démocratie libérale et des valeurs spirituelles de la Révolution française — et que les hommes venus au nationalisme du blanquisme, de la Commune, du gambettisme, ont considérablement perdu de leur influence. On ne saurait comparer, vers 1905, l'audience d'un Rochefort, d'un Déroulède ou d'un Ernest Roche à ce qu'elle était dix ou quinze ans plus tôt. Le nationalisme constitue également pour la droite traditionnelle un facteur de rajeunissement : il lui fournit une doctrine, il vient combler un vide idéologique qui se faisait durement sentir.

La pensée barrésienne suit un même processus mais en sens inverse : dans l'esprit de Barrès le traditionalisme doit suppléer aux carences, démontrées dans les faits, de la mystique nationaliste, car il possède l'énorme avantage de puiser ses racines dans un terrain solide, immuable. Dans l'idée conservatrice le fait de l'existence pure et simple d'une chose la dote d'une valeur plus élevée [8] : c'est ainsi que Barrès découvre l'importance du passé, et celle du temps comme créateur de valeur. Dès lors, tout ce qui existe a une valeur positive parce que cela est né lentement et graduellement, parce que cela incarne le génie de la nation tel qu'il s'est exprimé à travers les

6. Raoul Girardet considère en revanche cette tonalité fascisante que présente le nationalisme français comme tout à fait nouvelle et originale dans son histoire (art. cité, pp. 530-532).

7. Il n'est pas sans intérêt de constater qu'une même synthèse était le propre du régime de Vichy. Sur ces deux aspects de la « Révolution nationale », cf. Stanley HOFFMANN, « Aspects du régime de Vichy », *Revue française de science politique*, 6 (1), janv. 1956, p. 45.

8. Karl MANNHEIM, *Idéologie et utopie*, Paris, Marcel Rivière, 1955, pp. 189-191.

siècles. La présence et l'immédiateté du passé tout entier deviennent une expérience réelle : le passé est considéré comme virtuellement présent, il est une source de certitude, de plénitude et de puissance morale.

> « J'entrevois », écrit Barrès, « quand je me baigne dans la tradition française, j'entrevois, je ressens mon plein bonheur. Je vois dans notre histoire, dans notre littérature où dominent l'*ordre* et le *sens de l'honneur*, ma propre substance. Toute modification de ces forces porte préjudice à ma jouissance et nie des parties de moi-même. Je demande que la France, ou plutôt que l'idéal des Français, Ronsard, Racine, Chateaubriand, Corneille, Napoléon, continue de fleurir. Je n'ai pas besoin qu'il soit altéré. Voilà pourquoi je suis conservateur et ne veux pas qu'on désorganise l'Etat français » [9].

Voilà pourquoi il écrit encore, dix ans plus tard, à la veille de la guerre : « Il faut des institutions traditionnelles, une éducation nationale, une religion acceptée. Sans quoi c'est une décadence de l'esprit » [10]. C'est ainsi que le nationalisme du refus accepte les lois et les verdicts de l'histoire : il s'agit là aussi bien d'un phénomène psychologique que d'une attitude politique. Cette acceptation de la réalité existante constitue le fondement du nationalisme conservateur. S'il s'oppose au nouveau mouvement nationaliste qui surgit sur sa droite, c'est que Barrès saisit parfaitement les contradictions internes du « nationalisme intégral ». A Maurras, il pose la question : comment la contre-révolution qui accuse les révolutionnaires d'avoir violé les lois de l'évolution organique, pourra-t-elle, elle-même, les respecter ? Il ne pense pas que le régime conforme au génie de la France doive demeurer, en ses caractéristiques majeures, immuable. Barrès sait également qu'en se refusant à faire la paix avec la Révolution, le nationalisme se condamnerait à l'impuissance et s'étiolerait finalement en mythe rétrospectif. Or, pour lui, le nationalisme est une certaine façon de concevoir la vie : il ne peut donc se permettre de rester en dehors de la marche des événements.

C'est en cela que consiste précisément l'originalité du nationalisme barrésien qui est une synthèse du nationalisme romantique et dynamique, et d'un nationalisme socialement et politiquement conservateur. Il peut dépendre de la conjoncture politique que l'un de ces éléments dissimule la présence de l'autre, mais il ne l'abolit jamais totalement. C'est pour cette raison que la synthèse barrésienne fait date dans la tradition politique française : elle renferme en elle, dès les dernières années du XIXe siècle, presque tous les éléments qui, jusqu'à la période la plus récente, composeront le ou les nationalismes

9. *Mes Cahiers,* t. IV, p. 67. Ce texte est intitulé : « Comment je suis conservateur ».

10. *Mes Cahiers,* t. X, pp. 280-281.

français. Cette concordance de thèmes et de modes de pensée ne saurait être l'effet du hasard : elle montre à la fois la place qu'occupe Barrès dans la tradition politique française et la richesse d'une œuvre qui peut légitimement prétendre avoir nourri et nourrir encore la plupart des formes du nationalisme. Mais ce qu'elle met surtout en lumière, c'est la continuité et la stabilité du nationalisme : le vocabulaire, les structures, le style changent ; les idées fondamentales évoluent, mais, dans leur ensemble, elles demeurent.

BIBLIOGRAPHIE

La bibliographie de référence pour l'étude de la pensée de Barrès est la *Bibliographie barrésienne* d'Alphonse Zarach (Paris, Presses universitaires de France, 1951, 358 p.). Dans la première partie de son ouvrage, Alphonse Zarach recense les œuvres imprimées de Barrès, ses articles de revues et de journaux, toutes ses interventions parlementaires, ses préfaces et introductions, les ouvrages en collaboration, ainsi que sa correspondance. Dans la seconde partie sont réunis les ouvrages, articles et études relatifs à Barrès. La bibliographie est complétée par une liste de journaux et de périodiques qui comptèrent Barrès parmi leurs collaborateurs, ainsi que par un index de noms d'auteurs, un index des personnes et des journaux à qui Barrès a adressé préfaces ou lettres, et finalement un index analytique. Du point de vue de l'historien des idées, cet index est la seule faiblesse de cet ouvrage, par ailleurs remarquable par son ampleur, la richesse et la précision de ses références.

En ce qui concerne l'œuvre de Barrès, une bibliographie complète n'apporterait donc pas de grandes nouveautés. Aussi n'avons-nous pas cru nécessaire d'établir un répertoire exhaustif de toutes les sources directes sur lesquelles s'appuie cette étude ; de ces sources, les références sont signalées dans les notes.

C'est ainsi que la liste des articles que nous dressons ci-dessous ne contient qu'un petit nombre de titres : ceux des textes qui présentent un intérêt tout particulier et sont absolument indispensables pour une bonne compréhension de la politique de Barrès. Ces textes peuvent être considérés comme presque inédits car ils n'ont jamais été recueillis en volume.

Cette liste par contre ne signale pas l'activité parlementaire de Barrès. Là aussi nous renvoyons à l'ouvrage d'Alphonse Zarach pour le recensement complet, et aux notes pour les références des documents que nous avons cités dans notre étude.

La bibliographie qui suit est divisée en quatre parties. La première est consacrée aux œuvres de Maurice Barrès, la seconde à ses articles, la troisième aux écrits des contemporains. Dans la dernière partie figurent tous les ouvrages, articles et études critiques relatifs à notre sujet, mais postérieurs à 1902.

ŒUVRES DE MAURICE BARRÈS

Anatole France. Paris, Chavaray frères. 1883, in-8°, 31 p.

Les Taches d'encre. Gazette mensuelle, n° 1, 5 novembre 1894, in-18, IV-68 p. :
I, II. Psychologie contemporaine (La Sensation en littérature). La Folie de Charles Baudelaire. — III. Un Mauvais Français : M. Victor Tissot. — IV. Nouvelle pour les rêveurs. — V. Gazette du Mois. — VI. Moralités.

N° 2, 5 décembre 1884, in-18, 48 p. :
I, II. Monsieur Alphonse Lemerre. — III. Deux misérables (nouvelle). — IV. La Sensation en littérature (suite) : Les poètes suprêmes. — V. Gazette du Mois. — VI. Moralités.

N° 3, janvier 1885, in-18, 51 p. :
I. M. Paul-Alexis Trublot (notes d'un ami). — II. Psychologie : Une nouvelle manière de sentir (MM. Leconte de Lisle (2) et Sully Prudhomme). — III. Nouvelle de Philippe Daiguo. — IV. Gazette du Mois. — V. Moralités ; Etrennes aux *Taches d'encre :* Laurent Tailhade.

N° 4, février 1885, in-8°, 41 p. :
I. Les Héroïsmes superflus (1). — II. Gazette du Mois. — III. Moralités.

Sensations de Paris. Le Quartier Latin. Ces Messieurs. Ces Dames. Paris, C. Dalou, 1888. Plaquette in-18, 35 p.

Huit jours chez M. Renan. Nouvelle édition, série *Œuvres complètes,* Paris, Plon-Nourrit, 1923, in-16, XVI-267 p. L'édition originale date de 1888. L'édition définitive comporte également *Trois stations de psychothérapie* (publié en 1891), in-16, XX-69 p., et *Toute licence sauf contre l'amour,* in-16, 87 p., qui date de 1892.

Le Culte du Moi :
- I. *Sous l'œil des barbares.* Paris, Alphonse Lemerre, 1888, in-18, 204 p.
- II. *Un Homme libre.* Paris, Perrin, 1889, in-16, 299 p. Une nouvelle édition revue et augmentée d'une importante préface est publiée en 1905 (Paris, Fontemoing, in-8°, 240 p.).
- III. *Le Jardin de Bérénice.* Paris, Perrin, 1891, in-16, 296 p. Une édition de poche des trois volumes du *Culte du Moi* est parue en 1966.

Le Culte du Moi. Examen de trois idéologies. Paris, Perrin, 1892, in-16, 56 p.

L'Ennemi des lois. Paris, Perrin, 1893, in-16, 302 p.

Contre les étrangers. Etude pour la protection des ouvriers français. Paris, Grande imprimerie parisienne, 1893, in-32, 32 p.

Une Journée parlementaire. Comédie de mœurs en trois actes. Paris, Charpentier et Fasquelle, 1894. in-8°, III-85 p. Cette violente satire du parlementarisme fut interdite par la censure.

Du Sang, de la volupté et de la mort. Paris, Plon, 1959, in-12, 311 p. C'est une réimpression de l'édition définitive, série *Œuvres complètes,* parue en 1921. La publication de l'ouvrage date de 1894.

Assainissement et fédéralisme. Discours prononcé à Bordeaux le 29 juin 1895. Paris, Librairie de la Revue socialiste, 1895, in-16, 16 p.

Le Roman de l'énergie nationale :
- I. *Les Déracinés.* Paris, E. Fasquelle, 1897, in-12, 492 p. Edition de poche en 1967.
- II. *L'Appel au soldat.* Paris, E. Fasquelle, 1900, in-12, XI-552 p.
- III. *Leurs Figures.* Paris, Plon, 1960, in-8°, 323 p. C'est une réimpression de l'édition définitive, série *Œuvres complètes,* parue en 1932. La première édition de l'ouvrage date de 1902.

Scènes et doctrines du nationalisme. 2 vol. Paris, Plon, 1925, in-16. Edition définitive. Tome I, 295 p., tome II, 259 p. Ce recueil d'articles, de discours et de brochures, publié en 1902, contient notamment :

1. *La Patrie française : La Terre et les Morts.* Troisième conférence par Maurice Barrès. Paris, Bureaux de La Patrie française, 1899, in-18, 36 p.
2. *La Patrie française : L'Alsace et la Lorraine.* Septième conférence par Maurice Barrès. Paris, Bureaux de La Patrie française, 1899, 36 p.

Amori et dolori sacrum. Paris, Plon, 1960, in-8°, 303 p. Réimpression de l'édition définitive, série *Œuvres complètes* parue en 1921. Edition originale en 1903. Contient également :

1. *Un Rénovateur de l'occultisme : Stanislas de Guaita (1861-1898).* Paris, Chamuel, 1898, in-8°, 32 p.
2. *Une Soirée dans le silence et le vent de la mort.* Paris, Action française, 1901, in-8°, 20 p.

Les Amitiés françaises. Paris, Plon, 1924, in-16, 269 p. Edition définitive, série *Œuvres complètes.* Edition originale en 1903.

Les Lézardes sur la maison. Paris, Sansot, 1904, in-12, 77 p.

De Hegel aux cantines du Nord. Préface et notes d'E. Nolent. Paris, Sansot, 1904, in-12, 96 p.

Les Bastions de l'Est : Au Service de l'Allemagne. Paris, Plon, 1950, in-12, XIV-299 p. Edition définitive, série *Œuvres complètes.* Edition originale en 1905.

Le Voyage de Sparte. Paris, Juven, 1906, in-16, VIII-303 p.

Les Mauvais instituteurs. Conférence faite à Paris, le 16 mars 1907, à la grande réunion de la salle Wagram. Paris, la Patrie française, 1907, petit in-8°, 32 p.

Les Bastions de l'Est : Colette Baudoche, histoire d'une jeune fille de Metz. Paris, Plon, 1951, in-12, V-291 p. Edition définitive, série *Œuvres complètes.* Edition originale en 1909. L'édition définitive contient également : *Un discours à Metz* (15 août 1911). Paris, Emile-Paul, 1911, in-16, 23 p.

La Colline inspirée. Paris, Plon, 1950. Edition définitive, in-12, 343 p. Edition originale en 1913. Edition de poche en 1966.

La Grande pitié des églises de France. Paris, Emile-Paul, 1914, in-16, III-419 p.

Dans le cloaque. Notes d'un membre de la commission d'enquête sur l'affaire Rochette. Paris, Emile-Paul, 1914. Quatrième édition, in-8°, 120 p.

Les Traits éternels de la France. Strasbourg, Imprimerie Müch, 1920, in-12, 56 p. C'est un discours prononcé à Londres le 12 juillet 1916, sous les auspices de l'Académie britannique.

En regardant au fond des crevasses. Paris, Emile-Paul, 1917, in-12, 110 p.

Les Diverses familles spirituelles de la France. Paris, Emile-Paul, 1917, in-16, 316 p.

Chronique de la Grande Guerre. 14 vol. Paris, Plon, 1930-1939.

I. 1er février-4 octobre 1914 (avec une dédicace et préface de Maurice Barrès), in-8°, 303 p.
II. 14 octobre-31 décembre 1914, in-8°, 371 p.
III. 1er janvier-11 mars 1915, in-8°, 371 p.
IV. 12 mars-31 mai 1915, in-8°, 385 p.
V. 1er juin-24 août 1915, in-8°, 375 p.
VI. 25 août-11 décembre 1915, in-8°, 394 p.
VII. 12 décembre 1915-9 avril 1916, in-8°, 379 p.
VIII. 11 avril-24 août 1916, in-8°, 399 p.
IX. 3 septembre 1916-28 juin 1917, in-8°, 391 p.
X. 1er juillet-1er décembre 1917, in-8°, 368 p.

XI. 2 décembre 1917-23 avril 1918, in-8°, 415 p.
XII. 24 avril-7 août 1918, in-8°, 425 p.
XIII. 8 août 1918-29 mai 1919, in-8°, 487 p.
XIV. 1er juin 1919-4 juillet 1920, in-8°, 403 p.

L'Appel du Rhin. La France dans les pays rhénans (*Une tâche nouvelle*). Paris, Société littéraire de France, 1919, in-16, 98 p.

Les Bastions de l'Est : Le Génie du Rhin. Paris, Plon-Nourrit, 1921, in-16, XXIX-261 p.

Taine et Renan. Pages perdues, recueillies et commentées par Victor Giraud. Paris, Editions Bossard, 1922, in-18, 146 p.

La Politique rhénane. Discours parlementaires. Paris, Bloud et Gay, 1922, in-16, 144 p.

Les Grands problèmes du Rhin. Paris, Plon, 1930, in-8°, 471 p., carte. Introduction de Philippe Barrès.

Dante, Pascal et Renan. Paris, Plon-Nourrit, 1923, petit in-16, 85 p.

Une Enquête aux pays du Levant. — Paris, Plon-Nourrit, 1923, 2 vol., in-16, tome I, IV-312 p. ; tome II, 243 p.

Souvenirs d'un officier de la Grande Armée (*Jean-Baptiste-Auguste Barrès*), *publiés par Maurice Barrès, son petit-fils.* Paris, Plon-Nourrit, 1923, in-16, XIX-335 p.

Pour la haute intelligence française. Paris, Plon, 1925, in-8°, XXVI-283 p.

Le Mystère en pleine lumière. Paris, Plon, 1926, in-16, II-283 p.

Les Maîtres. Paris, Plon, 1927, in-16, II-327 p.

Mes Cahiers. Paris, Plon, 1929-1938, 1949-1957.
I. janvier 1896-février 1898. — 1929, IX-311 p.
II. février 1898-mai 1902. — 1930, V-364 p.
III. mai 1902-novembre 1904. — 1931, VI-411 p.
IV. novembre 1904-septembre 1906. — 1931, IV-365 p.
V. mai 1906-juillet 1907. — 1932, IV-367 p.
VI. juillet 1907-juin 1908. — 1933, V-383 p.
VII. juin 1908-novembre 1909. — 1933, VII-379 p.
VIII. novembre 1909-février 1911. — 1934, VII-399 p.
IX. février 1911-décembre 1912. — 1935, VIII-479 p.
X. janvier 1913-juin 1914. — 1936, VIII-458 p.
XI. juin 1914-décembre 1918. — 1938, XII-443 p.
XII. janvier 1919-juin 1920. — 1949, VI-387 p.
XIII. juin 1920-janvier 1922. — 1950, X-344 p.
XIV. février 1922-décembre 1923. — 1957, VIII-400 p.

La République ou le Roi. Correspondance inédite 1883-1923. Correspondance Barrès-Maurras, Paris, Plon, 1970, in-8°, 705 p.

ARTICLES DE MAURICE BARRÈS

« Un mauvais Français : M. Victor Tissot ». *Les Taches d'encre,* 5 nov. 1884.

« Le sentiment en littérature. — Une nouvelle nuance de sentir. — M. Leconte de Lisle ». *Les Taches d'encre,* janv. 1885.

« Musiques ». *Revue illustrée,* 1 (1), 15 déc. 1885.

« La mode de Bayreuth ». *Le Voltaire,* 29 juil. 1886.

« La société cosmopolite ». *Le Voltaire,* 5 juil. 1887.

« La doyenne des institutrices laïques ». *Le Voltaire,* 29 août 1887.

« En Allemagne ». *Le Voltaire*, 19 oct. 1887.
« Les historiens en 1887 ». *Le Voltaire*, 16 déc. 1887.
« Israël restitué ». *Le Voltaire*, 3 janv. 1888.
« Heine et Tourgueniev ». *Le Voltaire*, 6 janv. 1888.
« M. le général Boulanger et la nouvelle génération ». *La Revue indépendante*, t. VIII, avr. 1888.
« La jeunesse boulangiste ». *Le Figaro*, 19 mai 1888.
« Aux parlementaires du Quartier Latin ». *Le Courrier de l'Est*, 22 janv. 1889.
« Les travailleurs décideront ». *Le Courrier de l'Est*, 26 janv. 1889.
« Un entretien avec le général Boulanger ». *Le Courrier de l'Est*, 27 et 28 janv. 1889.
« La prochaine Constitution ». *Le Courrier de l'Est*, 21 fév. 1889.
« La République ouverte ». *Le Courrier de l'Est*, 24 mars 1889.
« Le Juif dans l'Est ». *Le Courrier de l'Est*, 14 juil. 1889.
« L'opportunisme, parti des Juifs ». *Le Courrier de l'Est*, 21 juil. 1889.
« Le punch du 20 juin ». *Le Courrier de l'Est*, 28 juil. 1889.
« Programme du comité révisionniste de Meurthe-et-Moselle ». *Le Courrier de l'Est*, 15 sept. 1889.
« Les socialistes révisionnistes ». *Le Courrier de l'Est*, 24 nov. 1889.
« Commémoration socialiste ». *Le Courrier de l'Est*, 2 fév. 1890.
« Petit questionnaire sur la situation des ouvriers ». *Le Courrier de l'Est*, avr. 1890.
« Jeanne d'Arc ou la République ouverte ». *Le Courrier de l'Est*, 6 juil. 1890.
« La voie du peuple et le proscrit ». *Le Courrier de l'Est*, 31 août 1890.
« La classe capitaliste ». *Le Courrier de l'Est*, 21 sept. 1890.
« La lutte entre capitalistes et travailleurs ». *Le Courrier de l'Est*, 28 sept. 1890.
« France et Allemagne ». *Le Courrier de l'Est*, 11 avr. 1891.
« Après le congrès, situation des socialistes ». *Le Courrier de l'Est*, 20 août 1891.
« Séparation de l'Eglise et de l'Etat ». *Le Courrier de l'Est*, 19 déc. 1891.
« Anarchistes ». *Le Courrier de l'Est*, 2 avr. 1892.
« A la cathédrale ». *Le Courrier de l'Est*, 9 avr. 1892.
« La querelle des nationalistes et des cosmopolites ». *Le Figaro*, 4 juil. 1892.
« Chez les ouvriers ». *Le Journal*, 27 janv. 1893.
« Réflexions ». *La Cocarde*, 5 sept. 1894.
« Conversation de Goblet et de Jaurès ». *La Cocarde*, 12 sept. 1894.
« Il faut un idéal ». *La Cocarde*, 13 sept. 1894.
« Opprimés et humiliés ». *La Cocarde*, 14 sept. 1894.
« L'idéal et les premières étapes ». *La Cocarde*, 18 sept. 1894.
« Les violences nécessaires ». *La Cocarde*, 23 sept. 1894.
« La figure du général Boulanger ». *La Cocarde*, 30 sept. 1894.
« Le principe d'autorité ». *La Cocarde*, 10 oct. 1894.
« Les assagis et les apprivoisés ». *La Cocarde*, 16 oct. 1894.
« Contre l'extension du pouvoir parlementaire ». *La Cocarde*, 21 oct. 1894.
« Un Français et un stagiaire ». *La Cocarde*, 23 oct. 1894.
« Evolution nationaliste et contre la guerre ». *La Cocarde*, 25 oct. 1894.
« La foi en sociologie ». *La Cocarde*, 26 oct. 1894.

« Fédération non uniformiste dans le socialisme ». *La Cocarde,* 28 oct. 1894.
« Amicale protestation ». *La Cocarde,* 7 nov. 1894.
« L'idéal dans les doctrines économiques ». *La Cocarde,* 14 nov. 1894.
« L'ingérence du pouvoir central ». *La Cocarde,* 22 nov. 1894.
« Sur la physionomie d'Hebrard ». *La Cocarde,* 25 nov. 1894.
« La question protestante ». *La Cocarde,* 4 déc. 1894.
« L'équivoque de Saint-Genest ». *La Cocarde,* 13 déc. 1894.
« La glorification de l'énergie ». *La Cocarde,* 19 déc. 1894.
« Pas de dictature ». *La Cocarde,* 30 déc. 1894.
« Le premier mot de l'année ». *La Cocarde,* 1er janv. 1895.
« 27 janvier ». *La Cocarde,* 27 janv. 1895.
« A la gare du Nord ». *La Cocarde,* 3 fév. 1895.
« L'association libre c'est la décentralisation ». *La Cocarde,* 13 fév. 1895.
« Le point de vue historique ». *La Cocarde,* 16 fév. 1895.
« Le mauvais concierge de son Dieu ». *La Cocarde,* 5 mars 1895.
« Réponse à une enquête franco-allemande ». *Mercure de France,* t. XIV, avr. 1895.
« Les nationalistes ». *Le Courrier de l'Est,* 2e série, 10 avr. 1898.
« La féodalité financière ». *Le Courrier de l'Est,* 2e série, 17 avr. 1898.
« Sauvons la République ». *Le Courrier de l'Est,* 2e série, 17 mai 1898.
« Appel aux républicains, aux démocrates, aux patriotes ». *Le Courrier de l'Est,* 2e série, 19 mai 1898.
« Un cri d'alarme ». *La Patrie,* 18 juil. 1902.
« Des droits mais aussi des devoirs ». *La Patrie,* 26 sept. 1902.
« L'enterrement de dimanche ». *La Patrie,* 3-4 oct. 1902.
« La sagesse de l'Est ». *La Patrie,* 10 oct. 1902.
« Socialisme et nationalisme ». *La Patrie,* 27 fév. 1903.
« Honte et misère ». *La Patrie,* 9 juin 1903.
« Les lézardes sur la maison ». *Le Gaulois,* 14 juin 1903.
« La prépondérance des méridionaux ». *Le Gaulois,* 29 juin 1903.
« Le problème de l'Ordre ». *Le Gaulois,* 9 juil. 1905.
« Les mauvais maîtres en Sorbonne ». *L'Echo de Paris,* 18 déc. 1908.
« Questions du jour : pour la peine de mort ». *Les Annales,* 20 déc. 1908.
« M. Aulard vole au secours de M. Thalamas ». *L'Echo de Paris,* 13 janv. 1909.
« La démolition des églises ». *L'Echo de Paris,* 6 janv. 1910.
« La question des églises ». *Le Figaro,* 28 mars 1911.
« La loi des trois ans et les naturalisés ». *Le Journal,* 12 mai 1913.
« Discours aux funérailles de Paul Déroulède ». *Le Gaulois,* 4 fév. 1914.
« Quelle France veut naître des tranchées ». *L'Echo de Paris,* 30 mars 1915.
« Nous élargirons notre nationalisme ». *L'Echo de Paris,* 20 avr. 1915.
« Le génie français sur le Rhin ». *L'Echo de Paris,* 5 mai 1915.
« Comment l'Empire allemand utilise la force dissolvante du bolchevisme ». *L'Echo de Paris,* 28 mars 1919.
« Réjouissons-nous de l'échec français du bolchevisme ». *L'Echo de Paris,* 17 mars 1920.
« Nous n'aurons de gage que sur le Rhin ». *L'Echo de Paris,* 19 juil. 1920.

« Quelles barrières faut-il élever contre la pensée germanique ». *L'Echo de Paris*, 18 oct. 1920.
« Les précautions contre le germanisme intellectuel ». *L'Echo de Paris*, 20 oct. 1920.
« La surveillance de la pensée allemande ». *L'Echo de Paris*, 1er nov. 1920.
« La tâche de la France sur le Rhin ». *La Revue de Genève*, 19, janv. 1922 : 6-15.
« Quelles limites poser au germanisme intellectuel ». *La Revue universelle*, 7 (19), 1er janv. 1922 (1re partie) : 1-15 ; 8 (20), 15 janv. 1922 (2e partie) : 146-167.
« Pour réprimer les campagnes payées par l'étranger en France ». *L'Echo de Paris*, 4 fév. 1923.

OUVRAGES CONTEMPORAINS

Adam (Paul) — *L'Essence de soleil*. Paris, Tresse et Stock, 1890, in-8°.
Adam (Paul) — *Le Mystère des foules*. Paris, P. Ollendorf, 1896, in-8°.
Aubœuf (Dr Jérôme) — *Cri de Guerre*. Paris, E. Dentu, 1891, in-18.
Bergson (Henri) — *Œuvres*. Introduction par Henri Gouhier. Paris, Presses universitaires de France, 1963, in-12, xxx-1 602 p.
Blondel (Maurice) — *L'Action, essai d'une critique de la vie et d'une science de la pratique*. Paris, Félix Alcan, 1893, in-8°, 433 p.
Boulanger (Général) — *La Lettre patriotique du général Boulanger, sa déclaration républicaine*. Paris, Gabillaud, 1887, in-fol., plano.
Boulanger (Général) — *Les Discours du général Boulanger depuis le 4 août 1881 jusqu'au 4 septembre 1887*. Paris, Agence Périnet, 1888, in-12, 137 p.
Boulanger (Général) — Texte du discours prononcé à la Chambre des députés, le 4 juin 1888, *Le Figaro*, 5 juin 1888 : « La première bataille », pp. 1-2.
Bourget (Paul) — *Essais de psychologie contemporaine*. 4e édition, Paris, Lemerre, 1885, in-18, viii-326 p.
Bourget (Paul) — *Le Disciple. Un cœur de femme*. Paris, Plon-Nourrit, 1901, in-8°, 503 p.
Bourget (Paul) — « Le sens de la Victoire au point de vue français ». *La Revue universelle*, 7 (18), 15 déc. 1921, pp. 657-664.
Cavaignac (Godefroy) — *Discours-programme*. Paris, Bureaux de la Patrie française (1902), in-16, 48 p.
Cavaignac (Godefroy) — *La Politique nationale. Discours prononcé à Paris le 12 novembre 1902*. Paris, Bureaux de la Patrie française, s.d., in-16, 32 p.
Chabauty (Abbé E.A.) — *Les Juifs, nos maîtres ! Documents et développements nouveaux sur la question juive*. Paris, V. Palmé, 1882.
Clemenceau (Georges) — *L'Iniquité*. Paris, P.-V. Stock, 1899, in-18, viii-502 p.
Clemenceau (Georges) — *Contre la justice*. Paris, Stock, 1900, in-16, vii-454 p.
Déroulède (Paul) — *Chants du soldat ; Nouveaux chants du soldat ; Marches et sonneries ; Refrains militaires ; Chants du paysan*. Paris, A. Fayard, 1909, in-8°, 126 p.
Déroulède (Paul) — *De l'éducation militaire*. Paris, Librairie nouvelle, 1882, in-8°, 31 p.
Déroulède (Paul) — *La Défense nationale. Conférence faite à Rouen le 22 juin 1883*. Paris, Calmann-Lévy, 1883, in-16, 30 p.

DÉROULÈDE (Paul) — *Le Livre de la Ligue des patriotes. Extraits des articles et discours.* Paris, Bureaux de la Ligue des patriotes, 1887, in-8°, III-307 p.

DÉROULÈDE (Paul) — *Désarmement?* — Paris, E. Dentu, 1891, in-8°, 16 p.

Cour d'assises de la Seine, 29 juin 1899. Affaire de la place de la Nation. Procès Paul Déroulède - Marcel Habert. Discours de Paul Déroulède et de Marcel Habert aux jurés de la Seine. Paris, aux bureaux du *Drapeau,* 1899, in-8°, 42 p.

DÉROULÈDE (Paul), HABERT (Marcel), GALLI (Henri) — *Discours prononcés le 23 mai 1901 à Paris au Manège Saint-Paul.* Paris, imprimerie Marquet, 1902, in-12, 46 p.

DÉROULÈDE (Paul) — *La Patrie, La Nation, L'Etat. Discours prononcé à Paris, le 10 juin 1909, au Théâtre du Gymnase.* Paris, imprimerie de *La Presse* et de *La Patrie,* 1909, in-32, 31 p.

DÉROULÈDE (Paul) — *Les Parlementaires. Discours prononcé à Bordeaux le 1er juillet 1909 à l'Alhambra.* Paris, Bloud, 1909, in-16, 55 p.

DÉROULÈDE (Paul) — *Hommage à Jeanne d'Arc. Discours prononcé à Orléans le 8 mai 1909 au banquet de la Ligue des Patriotes.* Paris, Bloud, 1909, in-16, 22 p.

DÉROULÈDE (Paul) — *Qui vive? France! « Quand même ». — Notes et discours 1883-1910.* Paris, Bloud, 1910.

DÉROULÈDE (Paul) — *L'Alsace-Lorraine et la fête nationale. Conférence faite à Paris le 12 juillet 1910 à la Fédération des jeunesses patriotes et républicaines de la Seine.* Paris, Bloud, 1910, in-16, 32 p.

DÉROULÈDE (Paul) — *Conférence sur Corneille et son œuvre.* Paris, Bloud, 1911, in-16, 96 p.

DOUMIC (René) — *L'Esprit de secte. Conférence prononcée le 29 janvier 1900.* Paris, Bureaux de la Patrie française, s.d., in-16, 31 p.

DRUMONT (Edouard) — *Richard Wagner, l'homme et le musicien.* Paris, E. Dentu, 1869, grand in-8°, 15 p.

DRUMONT (Edouard) — *La France juive. Essai d'histoire contemporaine.* 13e édition. Paris, C. Marpon et E. Flammarion, 1885, 2 vol., in-18.

DRUMONT (Edouard) — *La Fin d'un monde. Etude psychologique et sociale.* Paris, Albert Savine, 1889, in-18, XXXIII-556 p.

DRUMONT (Edouard) — *Le Testament d'un antisémite.* Paris, E. Dentu, 1891, in-18, XI-456 p.

DRUMONT (Edouard) — *Le Secret de Fourmies.* Paris, Albert Savine, 1892, in-18, 209 p.

DRUMONT (Edouard) — *La Tyrannie maçonnique.* Paris, Librairie antisémite, 1899, in-16, 152 p.

GOBINEAU (Comte Arthur de) — *Introduction à l'Essai sur l'inégalité des races humaines.* Paris, Nouvel office d'édition, 1963, in-12, 381 p.

GOHIER (Urbain) — *La Terreur juive.* 5e édition. Paris, l'Edition, 4, rue de Fürstenberg, 1909, in-12, 52 p.

GOURMONT (Rémy de) — *Le Joujou patriotisme.* Paris, J.-J. Pauvert, 1967 (1re éd. en 1891), in-8°, 123 p.

GUÉRIN (Jules-Napoléon) — *La Faillite du socialisme.* Paris, Guillaumin, 1902, in-18, XXIII-270 p.

GUÉRIN (Jules-Napoléon) — *Les Trafiquants de l'antisémitisme : la maison Drumont et Cie.* Paris, F. Juven, 1905, in-16, IX-504 p.

GUESDE (Jules) — *Les Deux méthodes*. Conférence par Jean Jaurès et Jules Guesde à l'Hippodrome lillois. Lille, impr. de P. Lagrange, 1900, in-8°, 15 p.

HUYSMANS (J.K.) — *A Rebours*. Paris, Charpentier, 1884, in-12, 294 p.

JAURÈS (Jean) — *Les Deux méthodes*. Conférence par Jean Jaurès et Jules Guesde à l'Hippodrome lillois. Lille, impr. de P. Lagrange, 1900, in-8°, 15 p.

JAURÈS (Jean) — *Les Preuves. Affaire Dreyfus*. Paris, *La Petite République*, 1898, in-18, 294 p.

LABORI (Fernand) — « Le mal politique et les partis ». *La Grande Revue*, 19 (11), 1er nov. 1901 : 265-310.

LAGUERRE (Georges) — *Plaidoyer politique*, in Jean-Bernard, *Paroles républicaines*. Paris, H. Messager, 1885, in-18, 107 p.

LAISANT (A.) — *La Politique radicale en 1885*. Quatre conférences : programmes et principes ; les élections en 1885 ; opportunistes et radicaux ; les questions de demain. Paris, H. Messager, 1885, in-18, 105 p.

LAISANT (A.) — *L'Anarchie bourgeoise (politique contemporaine)*. Paris, C. Marpon et F. Flammarion, 1887, in-12, XI-328 p.

LAISANT (A.) — *A mes électeurs : pourquoi et comment je suis boulangiste*. Paris, impr. de Meyer, 1887, in-16, 31 p.

LAUR (Francis) — *Essais de socialisme expérimental. La mine aux mineurs*. Paris, E. Dentu, 1887, in-16, XIV-142 p.

LAUR (Francis) — *La Défense nationale assurée par le maintien des droits sur les produits métallurgiques*. Neuilly-sur-Seine, à « L'Echo des mines et de la métallurgie », 1891, in-8°, 100 p.

LAUR (Francis) — *L'Epoque boulangiste — Essai d'histoire 1886-1890*. Paris, Le livre à l'auteur, 1912-1914, 2 vol., gr. in-8°.

LAZARE (Bernard) — *Le Fumier de Job. Fragments inédits précédés du portrait de Bernard Lazare par Charles Péguy*. Paris, les éditions Rieder, 1928, in-16, 118 p.

LEMAÎTRE (Jules) — *La Patrie française. Première conférence, 19 janvier 1899*. Paris, Bureaux de la Patrie française, s.d., in-18, 48 p.

LEMAÎTRE (Jules) — *La Franc-maçonnerie*. Paris, A. Leret, 1899, in-18, 106 p.

LEMAÎTRE (Jules) — *La Patrie française. Dixième conférence, prononcée à Grenoble le 23 décembre 1900*. Paris, Bureaux de la Patrie française, s.d., in-18, 45 p.

LEMAÎTRE (Jules) — *Egalité et tolérance*. Paris, Annales de la Patrie française, 1900, in-16, 12 p.

LEMAÎTRE (Jules) — *Opinions à répandre*. Paris, Société française d'imprimerie et de librairie, 1901, in-18, 366 p.

LEMAÎTRE (Jules) — *Comment passer à l'action. 15 mai 1901*. Paris, imprimerie J. Mersch, s.d., in-8°, 14 p.

LEMAÎTRE (Jules) — *Discours-programme*. Paris, Bureaux de la Patrie française, 1902, in-16, 48 p.

LEMAÎTRE (Jules) — *La République intégrale. Discours prononcé à Paris le 12 novembre 1902*. Paris, Bureaux de la Patrie française, s.d., in-16, 32 p.

MACKAU (baron de) — *L'Union, préface de la victoire. Discours prononcé par M. le baron de Mackau à la dernière réunion de l'Union des Droites (12 juillet 1889)*. Paris, impr. de A. Warmont (1889), in-16, 3 p.

MAURRAS (Charles) — *Enquête sur la Monarchie*. Edition définitive. Paris, Arthème Fayard, s.d. [1925], in-8°, 615 p.

MAURRAS (Charles) — « L'idée de la décentralisation ». *La Revue encyclopédique*, 25 déc. 1897 : 1 076-1 081.

MERMEIX (Gabriel TERRAIL) — *Les Coulisses du boulangisme*. Paris, L. Cerf, 1890, in-16, xv-379 p.

MERMEIX (Gabriel TERRAIL) — *Les Antisémites en France, notice sur un fait contemporain*. Paris, E. Dentu, 1892.

MEYER (Arthur) — *Soyons pratiques*. Recueil d'articles parus dans *Le Gaulois* du 24 juillet au 7 août 1888, (Paris), imprimerie de Lucotte et Cadoux, s.d., in-32, 28 p.

MEYER (Arthur) — *Ce que mes yeux ont vu*. Préface de M. Emile Faguet. Paris, Plon-Nourrit, 1911, in-16, XXIV-433 p.

MONTESQUIOU (Léon de) — *Les Origines et la doctrine de l'Action française*. Paris, Ligue d'Action française, 1918, in-8°.

MORÈS (Antonio-Amedeo-Maria-Vincenze Manca, marquis de) — *Lettres au peuple*. Paris, L. Hayard, 1894, in-4°, obl., fig. en coul.

MORÈS (Antonio-Amedeo-Maria-Vincenze Manca, marquis de) — *La Fête du travail, le 1er mai 1890. Aux travailleurs de France*. Paris, impr. de Lefebvre, 1890, in-4°, 1 p.

NAQUET (Alfred) — *Conférence de M. Naquet, à Béziers, sur la question sociale, le 23 octobre 1878*. Compte rendu sténographique, Béziers, impr. de Rivière, 1878, in fol. à 3 col., 2 p.

NAQUET (Alfred) — *Questions constitutionnelles*. Paris, E. Dentu, 1883, in-18, 132 p.

NAQUET (Alfred) — « Le parlementarisme ». *Revue Bleue*, 3e série, n° 25, 18 déc. 1886 : 769-774 ; n° 26, 25 déc. : 801-807 ; suite sous le titre : « Le régime représentatif », n° 4, 22 janv. 1887 : 97-103 et n° 5, 29 janv. 1887 : 138-143.

NAQUET (Alfred) — *Discours prononcé le 28 septembre 1888 au cercle révisionniste de Marseille*. Avignon, imprimerie de Gros, 1888, in-12, 96 p.

NAQUET (Alfred) — *Socialisme collectiviste et socialisme libéral*. Paris, E. Dentu, 1890, in-18, x-204 p.

NIETZSCHE (Frédéric) — *Ecce homo, suivi des Poésies*. Traduit par Henri Albert, Paris, Mercure de France, 1900, in-8°, 299 p.

PÉGUY (Charles) — *Œuvres complètes de Charles Péguy, 1873-1914*... Paris, Editions de la « Nouvelle revue française », in-8°.
II. Intr. par Maurice Barrès — 1920.
III. Intr. par Jérôme et Jean Tharaud — 1927.
IV. Intr. par André Suarès — 1926.

PÉGUY (Charles) — *Notre Jeunesse*. Paris, 8, rue de la Sorbonne (1910), in-16, 222 p. (Cahiers de la quinzaine. 12e cahier de la XIe série).

PÉGUY (Charles) — *Portrait de Bernard Lazare* in *Le Fumier de Job* par Bernard Lazare. Paris, Les éditions Rieder, 1928, in-16, 173 p.

QUILLARD (Pierre) — *Le Monument Henry. Listes des souscripteurs, classées méthodiquement et selon l'ordre alphabétique*. Paris, Stock, 1899, in-8°, XII-703 p.

RENAN (Ernest) — *L'Avenir de la science. Pensées de 1848*. Paris, Calmann-Lévy, 2e éd. 1890, in-18, xx-541 p.

RENAN (Ernest) — *La Réforme intellectuelle et morale*. Paris, Michel Lévy, 3e éd., 1872, in-8°, XVI-341 p.

RENAN (Ernest) — *Lettre à un ami d'Allemagne*. Paris, Calmann-Lévy, 1879, in-8°, 12 p.

RENAN (Ernest) — *Qu'est-ce qu'une nation? Conférence faite en Sorbonne, le 11 mars 1882*. Paris, Calmann-Lévy, 1882, in-8°, 30 p.

RENARD (Jules) — *Journal inédit.* Paris, F. Bernouard dans *Œuvres complètes,* in-8°.
II : 1897-1899, publié en 1926.
III : 1900-1902, publié en 1926.

ROCHEFORT (Henri) — *Le Livre d'Or de Constans.* Neuilly-sur-Seine, Bureaux de la « Guerre aux abus », s.d., in-12, 61 p.

SOURY (Jules) — *Etudes historiques sur les religions, les arts, la civilisation de l'Asie antérieure et de la Grèce.* Paris, G. Reinwald, 1877, in-8°, XII-492 p.

SOURY (Jules) — *Essais de critique religieuse.* Paris, E. Leroux, 1878, in-16, XVI-376 p.

SOURY (Jules) — *Bréviaire de l'histoire du matérialisme.* Paris, G. Charpentier, 1881, in-18, XIII-704 p.

SOURY (Jules) — *Philosophie naturelle.* Paris, G. Charpentier, 1882, in-18, VIII-327 p.

SOURY (Jules) — *Histoire des doctrines de psychologie physiologique contemporaine.* Paris, Bureaux du « Progrès médical », 1891, in-8°, XVI-464 p.

SOURY (Jules) — *Le Système nerveux central — Structure et fonctions. Histoire critique des théories et des doctrines.* Paris, Georges Carré et C. Naud, 1899, 2 vol., gr. in-8°, X-1 886 p.

SOURY (Jules) — *Lettre à Charles Maurras.* Paris, Bureaux de l'Action française, 1900, in-16, 5 p.

SOURY (Jules) — *Oratoire et laboratoire.* Paris, Bureaux de l'Action française, 1901, in-18, 30 p.

SOURY (Jules) — *Science et religion.* Paris, Bureaux de l'Action française, 1901, in-16, 8 p.

SOURY (Jules) — *La Rédemption d'Israël. La Ligue des droits de l'homme et le régicide.* Paris, Bureaux de l'Action française, 1901, in-16, 14 p.

SOURY (Jules) — *Campagne nationaliste (1894-1901).* Paris, impr. de L. Meretheux, 1902, in-16, 308 p.

TAINE (Hippolyte) — *La Fontaine et ses fables.* Paris, Hachette, 1861, in-18, II-352 p.

TAINE (Hippolyte) — *Essais de critique et d'histoire.* 6e éd., Paris, Hachette, 1892, in-12, XXXII-492 p.

TAINE (Hippolyte) — *Histoire de la littérature anglaise.* Paris, Hachette, 1863, 3 vol., in-12. Le tome IV — complémentaire — est paru en 1864.

TAINE (Hippolyte) — *Les Origines de la France contemporaine.* Paris, Hachette, 6 vol., in-8°.

THIÉBAUD (Georges) — *Parlementaire et plébiscitaire. Neuvième conférence de la Patrie française, 14 février 1900.* Paris, Bureaux de la Patrie française, s.d., in-16, 39 p.

VACHER DE LAPOUGE (Georges) — *L'Aryen, son rôle social,* cours libre de science politique professé à l'université de Montpellier (1889-1890) par G. Vacher de Lapouge. Paris, A. Fontemoing, 1899, in-8°, XX-569 p.

VACHER DE LAPOUGE (Georges) — *Les Sélections sociales,* cours libre de science politique professé à l'université de Montpellier (1888-1889), par G. Vacher de Lapouge. Paris, A. Fontemoing, 1896, in-8°, XII-503 p.

WYZÉWA (Téodor de) — « Le pessimisme de Richard Wagner ». *La Revue wagnérienne,* 1re année, 8 juillet 1885.

WYZÉWA (Téodor de) — « Notes sur la peinture wagnérienne et le Salon de 1886 ». *La Revue wagnérienne,* 2e année, 8 mai 1886.

OUVRAGES POSTÉRIEURS A 1902

AGATHON (pseud. Henri Massis et Alfred de Tarde) — *Les jeunes gens d'aujourd'hui : le goût de l'action — La foi patriotique — Une renaissance catholique — Le réalisme politique.* 12e éd., Paris, Plon-Nourrit, 1919, in-16, v-291 p.

AKZIN (Benjamin) — *States and nations.* New York, Doubleday, 1966, in-8°, 232 p.

ARAGON (Louis) — *La Lumière de Stendhal.* Paris, Denoël, 1954, in-16, 272 p.

ARENDT (Hannah) — *The Origins of totalitarianism.* New York, Harcourt, Brace and Company, 1951, in-8°, XIV-477 p.

ARIELI (Yehoshua) — *Individualism and nationalism in American ideology.* Cambridge (Mass.), Harvard University Press, 1964, in-8°, 442 p.

ARON (Raymond) — *Espoir et peur du siècle. Essais non partisans.* Paris, Calmann-Lévy, 1957, in-8°, 369 p.

ARON (Raymond) — *Dimensions de la conscience historique.* Paris, Plon, 1961, in-8°, 343 p.

ARON (Raymond) — *L'Opium des intellectuels.* Paris, Calmann-Lévy, 1955, in-16, 339 p.

ARON (Raymond) — *Les Etapes de la pensée sociologique.* Paris, Gallimard, 1967, grand in-8°, 659 p.

AVINERI (Shlomo) — « Hegel and nationalism ». *The Review of Politics,* 24 (4), oct. 1962 : 461-484.

BARRAL (Pierre) — « Barrès parlementaire », in *Maurice Barrès : Actes du colloque organisé par la faculté des lettres et des sciences humaines de l'université de Nancy.* Nancy, 1963, in-8°, 11 p.

BARRAL (Pierre) — *Les Agrariens français de Méline à Pisani.* Paris, Armand Colin, Cahiers de la Fondation nationale des sciences politiques, 1968, gr. in-8°, 386 p.

BARRAL (Pierre) — *Les Fondateurs de la Troisième République.* Textes choisis et présentés par Pierre Barral. Paris, Armand Colin, 1968, in-8°, 360 p.

BARZUN (Jacques) — *Darwin, Marx, Wagner : Critique of a heritage.* New York, Doubleday Anchor Books, 1958, in-8°, XX-373 p.

BARZUN (Jacques) — *Race, a study in superstition.* Nouvelle édition. New York, Harper and Row, 1965, in-8°, XXII-263 p.

BELL (Daniel) ed. — *The Radical right. The new American right. Expanded and updated.* New York, Doubleday, 1964, in-8°, XI-468 p.

BENDA (Julien) — *Dialogues à Byzance.* Paris, éditions de la « Revue blanche », 1900, in-18, 371 p.

BENDA (Julien) — *La Trahison des clercs.* Paris, J.-J. Pauvert, 1965 (éd. originale, Grasset, 1927), in-8°, 218 p.

BENDA (Julien) — « De Gide, de Mauriac, de Barrès ». *La Nouvelle revue française.* 21e année, 1er oct. 1932, pp. 617-622.

BENDA (Julien) — « Lettre à François Mauriac ». *La Nouvelle revue française.* 21e année, 1er nov. 1932, pp. 799-800.

BERL (Emmanuel) — *Mort de la pensée bourgeoise.* Paris, Bernard Grasset, 1929, in-12, 205 p.

BERNANOS (Georges) — *La Grande peur des bien-pensants. Edouard Drumont.* Paris, Grasset, 1931, in-16, 459 p.

BERTH (Edouard) — *La Fin d'une culture.* Villeneuve-Saint-Georges, impr. l'Union typographique, Paris, libr. des sciences politiques et sociales Marcel Rivière, 1927 (28 fév. 1928), in-16, 224 p.

BERTH (Edouard) — *Les Méfaits des intellectuels.* Paris, M. Rivière, 1914, in-16, XXXVIII-335 p.

BODIN (Louis) — *Les Intellectuels.* Paris, Presses universitaires de France, 1962, in-8°, 127 p.

BOISDEFFRE (Pierre de) — *Maurice Barrès.* Paris, Editions universitaires, 1962, in-8°, 127 p.

BOUSSEL (Patrice) — *L'Affaire Dreyfus et la presse.* Paris, Armand Colin, 1960, in-8°, 271 p.

BROGAN (D.W.) — « Maurice Barrès : Formation et progrès d'un nationaliste ». *La France libre,* 3 (15), 15 janv. 1942.

BRULAT (Paul) — *L'Affaire Dreyfus. Violence et raison.* Préface de Georges Clemenceau. Paris, P.V. Stock, 1898, in-18, XXXVI-270 p.

BYRNES (Robert F.) — *Antisemitism in modern France.* T. I : *The prologue to the Dreyfus Affair.* New Brunswick, Rutgers University Press, 1950, x-348 p.

BYRNES (Robert F.) — « Morès, the first national socialist ». *The Review of Politics,* XII, July 1950 : 341-362.

CAMUS (Albert) — *L'Homme révolté.* Paris, Gallimard, 1963, in-8°, 372 p.

CARSTEN (F.L.) — *The Rise of fascism.* London, Batsford, 1967, in-8°, 256 p.

CASSELS (Alan) — *Fascist Italy.* London, Routledge and Kegan Paul, 1969, in-8°, 136 p.

CARTER (A.E.) — *The Idea of decadence in French literature 1830-1900.* Toronto, University of Toronto Press, 1958, in-8°, 154 p.

CASTEX (Pierre-Georges) — « Barrès collaborateur du *Voltaire* (1886-1888) », in *Maurice Barrès : Actes du colloque organisé par la faculté des lettres et des sciences humaines de l'université de Nancy.* Nancy, 1963, in-8°, 9 p.

CHEVALLIER (Jean-Jacques) — *Les Grandes œuvres politiques.* Paris, Armand Colin, 1960, in-8°, XIII-405 p.

CHAMPION (Edouard) — *Les Idées politiques et religieuses de Fustel de Coulanges (d'après des documents inédits).* Paris, H. Champion, 1903, in-8°, 30 p.

CLOUARD (Henri) — *La Cocarde de Barrès.* Paris, Nouvelle librairie nationale, 1910, in-16, XIV-80 p.

CLOUARD (Henri) — « *La Cocarde* de Barrès ». *Revue critique des idées et des livres,* 10-25 février, 10 mars 1910.

COBBAN (Alfred) — *National self-determination.* London, 1945, in-8°, XVI-186 p.

COMPÈRE-MOREL — *Jules Guesde. Le socialisme fait homme (1845-1922).* Paris, A. Quillet, 1937, in-8°, VII-507 p.

CURTIS (Michael) — *Three against the Third Republic.* Princeton, Princeton University Press, 1959, in-8°, 313 p.

CURTIUS (Ernst-Robert) — *Barrès und die geistigen grundlagen des französischen nationalismus.* Bonn, F. Cohen, 1921, in-8°, VII-256 p.

CURTIUS (Ernst-Robert) — *Essai sur la France.* Paris, Bernard Grasset, 1932, in-16, 339 p. Traduit de l'Allemand par J. Benoist-Méchin.

DANSETTE (Adrien) — *Le Boulangisme.* Paris, Fayard, 15e éd., 1946, in-8°, 411 p.

DAVANTURE (Maurice) — « Barrès, Burdeau, Bouteiller », in *Maurice Barrès. Actes du colloque organisé par la faculté des lettres et des sciences humaines de l'université de Nancy.* Nancy, 1963, in-8°, 33 p.

DELHORBE (Cécile) — *L'Affaire Dreyfus et les écrivains français.* Abbeville, impr. F. Paillart. Paris, Victor Attinger, 30, bd Saint-Michel. Neuchâtel (Suisse), 7, place Piaget, 1932 (3 nov. 1933), in-8°, VIII-361.

DERFLER (Leslie) — « Reformism and Jules Guesde », *International Review of Social History,* XII, 1967 : 66-80.

DEUTSCH (Karl W.) — *Nationalism and social Communication.* Massachusetts, The M.I.T. Press, 1966, in-8°, x-345 p.

DIGEON (Claude) — *La Crise allemande de la pensée française (1870-1914).* Paris, Presses universitaires de France, 1959, in-8°, VIII-568 p.

DOMENACH (Jean-Marie) — *Barrès par lui-même.* Paris, Editions du Seuil, 1954, in-16, 192 p., fig., portr.

DOMENACH (Jean-Marie) — « Barrès et les contradictions du nationalisme ». *Esprit,* 22e année, n° 213, avr. 1954 : 481-494.

DROZ (Jacques) — *Le Romantisme allemand et l'Etat. Résistance et collaboration dans l'Allemagne napoléonienne.* Paris, Payot, 1966, in-8°, 307 p.

DROZ (Jacques) — *Le Romantisme politique en Allemagne.* Textes choisis et présentés par Jacques Droz. Paris, Armand Colin, 1963, in-16, 211 p.

DUVERGER (Maurice) — *La Démocratie sans le peuple.* Paris, Ed. du Seuil, 1967, in-8°, 251 p.

FREUD (Sigmund) — *Psychologie collective et analyse du moi.* Paris, Payot, 1925, 116 p.

GAY (Peter) — « The enlightenment in the history of political theory ». *Political Science Quarterly,* LXIX, septembre 1954 : 374-389.

GIDE (André) — « Les rapports intellectuels entre la France et l'Allemagne ». *La Nouvelle revue française,* 9e année, n° 98, 1er nov. 1921 : 513-521.

GIRARDET (Raoul) — *La Société militaire dans la France contemporaine 1815-1939.* Paris, Plon, 1953, in-12, 333 p.

GIRARDET (Raoul) — « Notes sur l'esprit d'un fascisme français ». *Revue française de science politique,* 5 (3), juil.-sept. 1955 : 529-546.

GIRARDET (Raoul) — « Un tournant du nationalisme français ». *La Table ronde,* n° 111, mars 1957.

GIRARDET (Raoul) — « Pour une introduction à l'histoire du nationalisme français », *Revue française de science politique,* 8 (3), sept. 1958 : 505-528.

GIRARDET (Raoul) éd. — *Le Nationalisme français 1871-1914.* Textes choisis et présentés par Raoul Girardet. Paris, Armand Colin, 1966, in-8°, 279 p.

GODFRIN (Jean) — *Barrès mystique.* Neuchâtel, La Baconnière, 1962, in-12, 290 p.

GOGUEL (Francois) — *Géographie des élections françaises de 1871 à 1951.* Paris, A. Colin, 1951, in-8°, 144 p., cartes.

GOGUEL (François) — *La Politique des partis sous la IIIe République.* Ed. du Seuil, 3e éd., 1958, in-8°, 567 p.

GOUHIER (Henri) — « Du culte du Moi à la vie de l'âme ». *La Table ronde,* n° 111, mars 1957.

GREGOR (A. James) — *The Ideology of fascism. The Rationale of totalitarianism.* New York, The Free Press, 1969, in-8°, xv-493 p.

HALEVY (Daniel) — *Quelques nouveaux maîtres.* Paris, E. Figuière, 1914, in-16, 186 p.

HALEVY (Daniel) — Chronique nationale : « France » dans *La Revue de Genève,* n° 19, janv. 1922 : 88-104.

HAYES (Carlton, J.H.) — *A Generation of materialism (1871-1900).* New York, Harper and Row, 1963, in-8°, XII-390 p.

HOFFMANN (Stanley) — *Le Mouvement Poujade*. Paris, A. Colin, 1956, in-8°, XXVII-417 p.

HOFFMANN (Stanley) — « Aspects du régime de Vichy ». *Revue française de science politique*, 6 (1), janv. 1956 : 44-69.

HOFSTADTER (Richard) — *Social darwinism in American thought*. Boston, Beacon Press, 1965, in-8°, 248 p.

HUGHES (H. Stuart) — *Consciousness and society. The reorientation of European social thought (1890-1930)*. New York, Alfred A. Knopf, 1961, in-8°, XI-433 p.

JOHANNET (René) — « L'Allemagne découvre le nationalisme français ». *La Revue universelle*, 7 (17), 1er déc. 1921 : 618-625.

JOHANNET (René) — « La politique française en Allemagne et la controverse du Rhin ». *La Revue universelle*, 7 (13), 1er oct. 1921 : 90-95.

R. J. (René Johannet) — « Maurice Barrès, l'Allemagne et le Rhin ». *La Revue universelle*, 5 (3), 1er mai 1921 : 345-348.

JONES (Ernest) — *The Life and work of Sigmund Freud*. New York,, Basic Books, 1963, 3 vol.

KAUFMANN (Walter) — *Nietzsche. Philosopher, Psychologist, Antichrist*. New York, Meridian Books, 1965, in-8°, 412 p.

KEDOURIE (Elie) — *Nationalism*. London, 1961, in-8°, 151 p.

KING (Sylvia) — *Maurice Barrès, la pensée allemande et le problème du Rhin*. Thèse pour le doctorat de l'Université présentée à la faculté des lettres de l'université de Paris, Paris, H. Champion, 1933, gr. in-8°, X-294 p.

KOHN (Hans) — *Prophets and peoples*. New York, McMillan, 1947, in-12, 213 p.

KOHN (Hans) — *Nationalism, its meaning and history*. Princeton, Van Nostrand Company, 1955, in-12, 192 p.

KOHN (Hans) — *The Idea of nationalism. A study in its origins and background*. New York, Macmillan, 1956, in-8°, 546 p.

KOHN (Hans) — *Political ideologies of the twentieth century*. 3e édition, New York, Harper Torchbooks, 1966, in-8°, XI-309 p.

KOHN (Hans) — *The Mind of Germany. The education of a nation*. New York, Harper and Row, 1965, in-8°, 370 p.

LABROUSSE (Roger) — « Destin du Spirituel — Note sur Joseph de Maistre et la nation moderne ». *Esprit*, 1re année, n° 3, 1er déc. 1932 : 466-472.

LABROUSSE (Roger) — « Quelques étapes de l'idée nationale ». *Esprit*, 2e année, n° 16, 1er janv. 1934 : 559-582.

LASSERRE (Pierre) — *Portraits et discussions*. Paris, Mercure de France, 1914, in-16, 386 p.

LASSERRE (Pierre) — *Faust en France et autres études*. Paris, Calmann-Lévy, 1928, in-8°, V-235 p.

LAURET (René) — « Maurice Barrès et la politique rhénane de la France ». *La Revue de Genève*, n° 18, déc. 1921 : 748-759.

LEFRANC (Georges) — *Le Mouvement socialiste sous la IIIe République (1875-1940)*. Paris, Payot, 1963, in-8°, 445 p.

LOUBET DEL BAYLE (Jean-Louis) — *Les Non-conformistes des années 30, une tentative de renouvellement de la pensée politique française*. Paris, Ed. du Seuil, 1969, in-8°, 496 p.

MADAULE (Jacques) — *Le Nationalisme de Maurice Barrès*. Marseille, Sagittaire, 1943, in-12, 272 p.

MANNHEIM (Karl) — *Idéologie et utopie* (Ideology and utopia). Traduit de l'anglais par Pauline Rollet. Préface de Louis Wirth. Paris, Marcel Rivière et Cie, 1955, in-16, 240 p.

MASSIS (Henri) — *Barrès et nous*. Paris, Plon, 1962, in-8°, 255 p.

MASUR (Gerhard) — *Prophets of yesterday. Studies in European culture*. New York, Harper and Row, 1966, in-8°, x-481 p.

MICHELAT (Guy), THOMAS (Jean-Pierre, H.) — *Dimensions du nationalisme. Enquête par questionnaire*. Paris, A. Colin, 1966, gr. in-8°, XIV-185 p.

MOREAU (Pierre) — *Barrès*. Paris, Desclée de Brouwer, 1970, in-16, 139 p.

MOSSE (George L.) — *The Crisis of german ideology. Intellectual origins of the Third Reich*. New York, Grosset and Dunlap, 1964, in-8°, 373 p.

NÉRÉ (Jacques) — *La Crise industrielle de 1882 et le mouvement boulangiste*. Thèse principale pour le doctorat ès lettres, présentée à la faculté des lettres de l'université de Paris, Paris, 1959, 2 vol. gr. in-8°, III-293 et 637 p.

NÉRÉ (Jacques) — *Les Elections Boulanger dans le département du Nord*. Thèse complémentaire pour le doctorat ès lettres présentée à la faculté des lettres de l'université de Paris, Paris, 1959, gr. in-8°, VI-271 p., multigr.

NÉRÉ (Jacques) — *Le Boulangisme et la presse*. Paris, A. Colin, 1964, in-8°, 240 p.

NOLTE (Ernst) — *Three Faces of fascism*. Holt, Rinehart and Winston, New York, 1956, gr. in-8°, 561 p.

NORA (Pierre) — « Ernest Lavisse : son rôle dans la formation du sentiment national ». *Revue historique*, 86e année, t. 228, juil.-sept. 1962.

PARIS (Robert) — *Histoire du fascisme en Italie — Des origines à la prise du pouvoir*. Paris, François Maspero, 1962, in-8°, 367 p.

PARIS (Robert) — *Les Origines du fascisme*. Paris, Flammarion, 1968, in-8°, 140 p.

PARODI (Dominique) — « La doctrine politique et sociale de M. Maurice Barrès ». *La Revue du mois*, t. III, 2e année, 1907.

PETITBON (Pierre-Henri) — *Taine, Renan, Barrès. Etude d'influence*. Paris, Les Belles Lettres, 1934, in-8°, 145 p.

PROST (Antoine) — *Histoire de l'enseignement en France, 1800-1967*. Paris, A. Colin, 1968, in-8°, 525 p.

PUTNAM (George F.) — « The meaning of Barresisme », *The Western Political Quarterly*, 7 (2), 1954 : 161-182.

REISS (H.S.) ed. — *The Political thought of the German romantics 1793-1815*. Oxford, Oxford University Press, 1955, in-16, VII-211 p.

RÉMOND (René) — « L'originalité du socialisme français » in *Tendances politiques dans la vie française depuis 1789*. Paris, Hachette, 1960, in-8°, 144 p.

RÉMOND (René), LATREILLE (André) — *Histoire du catholicisme en France*. T. III, 2e éd. Paris, Spes, 1965, in-8°, 711 p.

RÉMOND (René) — *La Droite en France. De la première Restauration à la Ve République*. Paris, Aubier, 1963, in-8°, 414 p.

ROGGER (Hans), WEBER (Eugen) — *The European right. A historical profile*. Berkeley, University of California Press, 1966, in-8°, 589 p.

ROUDIEZ (Léon S.) — *Maurras jusqu'à l'Action française*. Paris, André Bonne, 1957, in-8°, 349 p.

SELIGER (M.) — « The Idea of conquest and race — thinking during the Restauration ». *The Review of Politics*, 22 (4), 1960 : 545-567.

SELIGER (M.) — « Locke, liberalism and nationalism » in YOLTON (J.W.), ed., *John Locke : problems and perspectives*. Cambridge, Cambridge University Press, 1969, pp. 19-33.

SHAFER (Boyd C.) — *Le Nationalisme. Mythe et réalité*. Paris, Payot, 1963, in-8°, XVI-208 p.

SHAPIRO (David) — *The Right in France 1890-1919*. St-Antony's Papers number 13, London, Chatto and Windus, 1962, in-8°, 144 p.

SHILS (Edward A.) — *The Torment of secrecy*. The Free Press, Glencoe, 1956, in-8°, 238 p.

SIEGFRIED (André) — *Tableau politique de la France de l'Ouest sous la Troisième République*. Paris, Librairie A. Colin, 1913, in-8°, XXVIII-536 p., fig., carte.

SIEGFRIED (André) — *Mes souvenirs de la IIIe République. Mon père et son temps : Jules Siegfried, 1836-1922*. Paris, Editions du Grand Siècle, 1946, in-16, 150 p.

SNYDER (Louis) — *The Meaning of nationalism*. New Brunswick, Rutgers University Press, 1954, in-8°, XV-208 p.

SOREL (Albert) — *Notes et portraits contenant des pages inédites recueillies et publiées par Albert-Emile Sorel*. Paris, Plon-Nourrit, 1909, in-16, 319 p.

SOREL (Georges) — *Réflexions sur la violence*. 11e édition, Paris, Marcel Rivière, 1950, in-12, 459 p.

SOREL (Georges) — *Matériaux d'une théorie du prolétariat*. 3e édition, Paris, Marcel Rivière, 1929, in-12, 455 p.

SORLIN (Pierre) — *Waldeck-Rousseau*. Paris, A. Colin, 1966, in-8°, 590 p.

STERN (Fritz) — *The Politics of cultural despair*. Berkeley, University of California Press, 1963, in-8°, XXX-367 p.

SUARÈS (André) — *Sur la vie, essais*. Paris, Emile-Paul frères, in-18, 2e éd., 1925, 3 vol.

TALMON (J.L.) — *Political messianism. The romantic phase*. London, Sacker and Warburg, 1960, in-8°, 607 p.

TALMON (J.L.) — *Destin d'Israël, l'Unique et l'Universel*. Paris, Calmann-Lévy, 1967, in-8°, 311 p.

TAVENEAUX (René) — « Barrès et la Lorraine », in *Maurice Barrès : Actes du colloque organisé par la faculté des lettres et des sciences humaines de l'université de Nancy*. Nancy, 1963, in-8°, 10 p.

THIBAUDET (Albert) — « Petites questions de goût ». *L'Opinion*, 14e année, 2e semestre, 13 août 1921 : 183-184.

THIBAUDET (Albert) — « Réflexions sur la littérature. Une philosophie de l'Histoire ». *La Nouvelle revue française*, 9e année, n° 95, 1er août 1921 : 187-194.

THIBAUDET (Albert) — *La Vie de Maurice Barrès*. Paris, Nouvelle revue française, 1921, in-12, 315 p.

THIBAUDET (Albert) — *Les Princes lorrains*. Paris, Bernard Grasset, 1924, in-16, XXII-212 p.

THIBAUDET (Albert) — *La République des professeurs*. Paris, Bernard Grasset, 1925, in-16, 265 p.

THIBAUDET (Albert) — *Les Idées politiques de la France*. Paris, Stock, 1932, in-8°, 264 p.

THIBAUDET (Albert) — « Les idées politiques de la France ». *La Nouvelle revue française*, 21e année, 1er oct. 1932.

TINT (Herbert) — *The Decline of French patriotism.* London, Weidenfeld and Nicolson, 1964, in-8°, 272 p.

TOUCHARD (Jean) — « L'esprit des années 1930 : une tentative de renouvellement de la pensée politique française », in *Tendances politiques dans la vie française depuis 1789,* Paris, Hachette, 1960, in-8°, 144 p.

TOUCHARD (Jean) — « Bibliographie et chronologie du poujadisme ». *Revue française de science politique,* 6 (1), janv.-mars 1956 : 18-43.

TOUCHARD (Jean) — *Histoire des idées politiques.* Paris, Presses universitaires de France, 1959, 2 vol., in-8°.

TOUCHARD (Jean) — « Le nationalisme de Barrès », in *Maurice Barrès : Actes du colloque organisé par la faculté des lettres et des sciences humaines de l'université de Nancy.* Nancy, 1963, in-8°, 12 p.

TOUCHARD (Jean) — *Le Mouvement des idées politiques dans la France contemporaine.* Paris, Amicale des élèves de l'Institut d'études politiques, 1965, in-8°, 332 p., multigr.

TOUCHARD (Jean) — *La Gloire de Béranger.* Paris, Armand Colin, 1968, 2 vol. gr. in-8°, 570 et 665 p.

VETTARD (Camille) — « Maurice Barrès et Jules Soury ». *Mercure de France,* t. 170, 15 mars 1924 : 685-695.

VIERECK (Peter) — *Metapolitics. The roots of the nazi mind.* New York, Capricorn Books, 1961 (1re édition en 1941), in-8°, XXVIII-364 p.

VIRTANEN (Reino) — « Nietzsche and the Action française ». *Journal of the History of Ideas,* 11 (2), avril 1950 : 191-214.

WAGAR (W. Warren) — *Intellectual history since Darwin and Marx.* (*Selected essays*). New York, Harper Torchbooks, 1966, in-8°, 265 p.

WALINE (Pierre) — « La campagne allemande contre M. Barrès et le nationalisme français ». *La Revue hebdomadaire,* 31e année, t. III, 18 mars 1922 : 283-299.

WEBER (Eugen) — « Un demi-siècle de glissement à droite ». *International Review of Social History,* 5 (2), 1960 : 165-201.

WEBER (Eugen) — *The nationalist revival in France : 1905-1914.* Berkeley, Los Angeles, University of California Press, 1968, in-8°, x-237 p.

WEBER (Eugen) — *L'Action française.* Paris, Stock, 1962, in-8°, 649 p.

WEBER (Eugen) ed. — *Satan franc-maçon. La mystification de Léo Taxil,* présentée par Eugen Weber. Paris, R. Julliard, 1964, in-8°, 240 p.

WEIL (Simone) — *L'Enracinement, prélude à une déclaration des devoirs envers l'être humain.* Paris, Gallimard, 1949, in-8°, 255 p.

WEISS (John) ed. — *The Origins of modern consciousness.* Detroit, Wayne State University Press, 1965, in-8°, 206 p.

WILLARD (Claude) — *Les Guesdistes — Le Mouvement socialiste en France* (*1893-1905*). Paris, Editions Sociales, 1965, in-8°, 771 p.

WYZEWA (Isabelle de) — *La Revue wagnérienne. Essai sur l'interprétation esthétique de Wagner en France.* Paris, Perrin, 1914.

WYZEWA (Téodor de) — *Beethoven et Wagner. Essais d'histoire et de critique musicales.* Paris, Perrin, 1914, in-8°, xv-382 p.

ZÉVAÈS (Alexandre) — *Histoire du socialisme et du communisme en France de 1871 à 1947.* Paris, Editions France-Empire, 1947, 446 p.

ZÉVAÈS (Alexandre) — *Jean Jaurès. Avec une lettre de Jean Jaurès à l'auteur.* Paris, La Clé d'Or (Le Mans, Impr. du « Maine libre »), 1951, in-16, 336 p.

INDEX

IMPRESSIONS C.L.J., 29, RUE DEPARCIEUX, PARIS-XIVe — N° 1 024 - IX-1972